비상 독해路
수능 국어 1등급

예비 고등~고등3
수능 개념을 바탕으로 실전 감각을 길러요

독서, 고난도 독서
기출 개념을 익히고 학습하는 수능 예상 문제집

독서 기본, 독서
기출로 실전 감각을 키우는 기출문제집

예비 중등~중등3
영역별 독해 전략을 바탕으로 독해력을 강화해요

비문학 1~3권
독해력을 단계별로 단련하는 중등 독해

어휘편 1~3권
중등 전 과목 교과서 필수 어휘 학습

문학편 1~3권
감상 스킬을 단련하는 필수 작품 독해

초등3~예비 중등
본격적으로 학습 독해 실력을 쌓아요

비문학 시작편 1~2권
초등에서 처음 만나는 수능 독해의 기본

비문학 1~2권
초등 독해의 넥스트레벨 고급 독해

문학 1~3권
시험에 꼭 나오는 작품 독해

세상이 변해도 배움의 즐거움은 변함없도록

시대는 빠르게 변해도
배움의 즐거움은
변함없어야 하기에

어제의 비상은
남다른 교재부터
결이 다른 콘텐츠
전에 없던 교육 플랫폼까지

변함없는 혁신으로
교육 문화 환경의 새로운 전형을
실현해왔습니다.

비상은 오늘, 다시 한번
새로운 교육 문화 환경을 실현하기 위한
또 하나의 혁신을 시작합니다.

오늘의 내가 어제의 나를 초월하고
오늘의 교육이 어제의 교육을 초월하여
배움의 즐거움을 지속하는 혁신,

바로, 메타인지학습을.

상상을 실현하는 교육 문화 기업 비상

메타인지학습

초월을 뜻하는 meta와 생각을 뜻하는 인지가 결합된 메타인지는 자신이 알고 모르는 것을 스스로 구분하고 학습계획을 세우도록 하는 궁극의 학습 능력입니다. 비상의 메타인지학습은 메타인지를 키워주어 공부를 100% 내 것으로 만들도록 합니다.

중등 수능 독해

2 발전

비문학 독해

중등 수능 독해

단계별 전략

"중등 수능 독해"는 지문 길이와 어휘를 조절한 실전 문제 비율, 문제의 난이도, 지문의 영역, 기출 문제 등을 학생들의 수준에 맞게 단계별로 제시하였습니다.

수능 독해를 처음 접하는 학생은 1권을, 수능 독해 실력을 한 단계 올리고 싶은 학생은 2권을, 수능 독해 실력을 완성하고 싶은 학생은 3권을 선택하여 학습합니다.

1권 기본 | **예비 중1 ~ 중1**

지문 길이의 단계별 구성

1,000자 내외의 짧은 지문 실전 (65%)

1,200자 내외의 긴 지문 실전 (35%)

지문 내용과 어휘의 단계별 제시

수능 독서에서 출제되는 5개 영역을 **기본** 수준에 맞는 내용과 어휘로 구성

수능형 독해 사고력을 위한 기출문제의 단계별 반영

예상 문제 **70%**

기출문제 **30%**

기본 수준에 맞는 중3 성취도 평가 반영

“수능 독해 사고력 완성”

3권 심화 중3 ~ 예비 고1

1,000자 내외의 짧은 지문 실전 (35%) | 1,200자 내외의 긴 지문 실전 (65%)

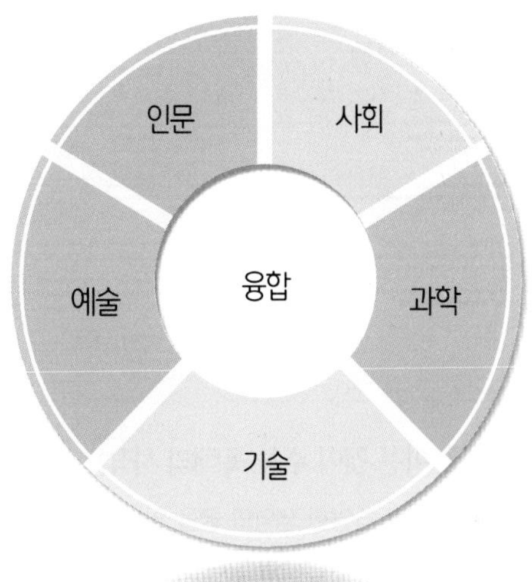

수능 독서에서 출제되는 5개 영역과 최근 수능 경향인 융합 지문을 심화 수준에 맞는 내용과 어휘로 구성

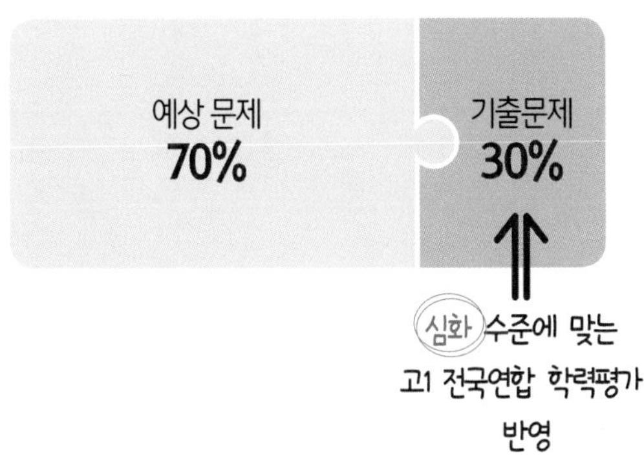

심화 수준에 맞는 고1 전국연합 학력평가 반영

2권 발전 중1 ~ 중2

1,000자 내외의 짧은 지문 실전 (50%) | 1,200자 내외의 긴 지문 실전 (50%)

수능 독서에서 출제되는 5개 영역을 발전 수준에 맞는 내용과 어휘로 구성

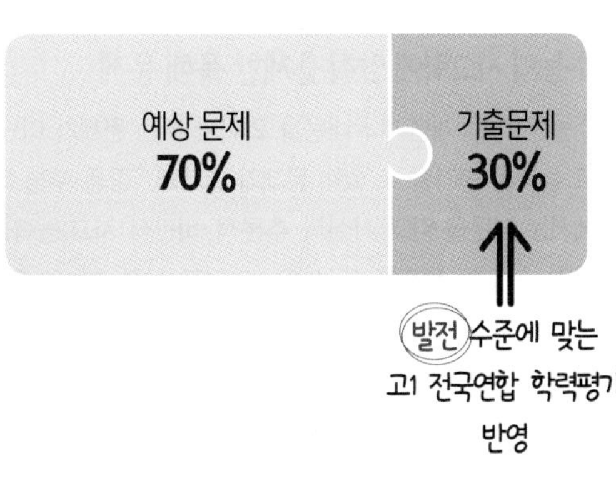

발전 수준에 맞는 고1 전국연합 학력평가 반영

이 책의 구성과 사용법

1 독해 원리 이해

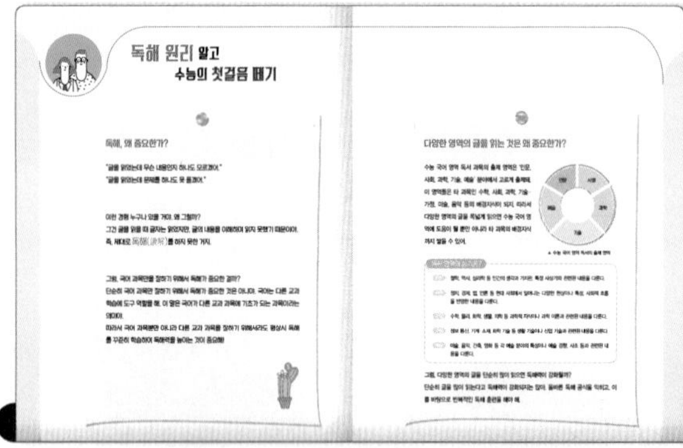

독해 원리를 아는 것이 수능 독해의 시작!

독해, 왜 중요한가? 다양한 영역의 글을 읽는 것이 왜 필요한가? 등 독해에 대한 궁금증을 알려 줄 거야. 그리고 '독해쌤'이 알려 주는 3단계 독해 원리를 꼼꼼하게 읽은 후, 실전 문제에 독해 공식을 적용하여 독해 학습을 해 보자.

2 단계별로 구성된 실전

핵심어와 각 문단의 중심 내용을 찾으며 읽으면 글의 내용을 쉽게 파악할 수 있어.

수능형 문제를 경험하고 수능의 자신감을 키워 봐!

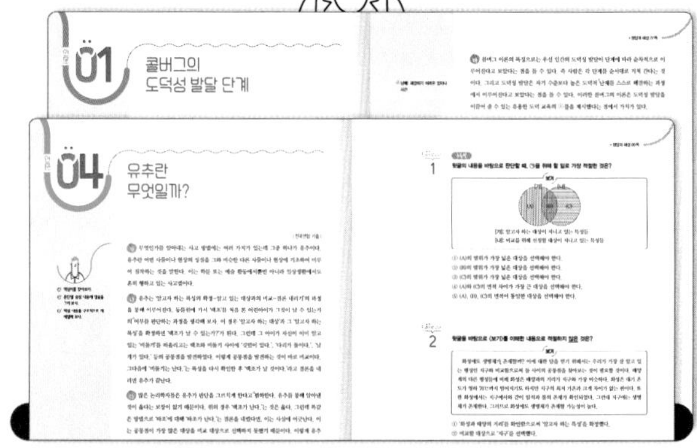

단계별 독해 연습이 가능한 실전 구성

- "중등 수능 독해"는 '짧은 지문 실전'과 '긴 지문 실전'으로 실전 문제를 단계적으로 구성했어. 앞에서 익힌 '독해쌤의 독해 원리' 기억하지? '짧은 지문 실전'과 '긴 지문 실전'을 독해쌤의 독해 원리에 따라 지문 읽기를 하면 글을 효율적으로 읽을 수 있어.
- 수능에서 독서 지문은 '인문, 사회, 과학, 기술, 예술'의 영역에서 출제가 돼. "중등 수능 독해"는 각 영역별 지문을 제재, 길이, 난이도를 고려하여 단계적으로 제시했어.

수능의 사고력에 맞춰 출제한 독해 문제

수능은 어떤 개념이나 내용을 외워서 푸는 문제가 아닌, 사고 능력을 평가할 수 있는 문제가 출제돼. "중등 수능 독해"에서는 지문을 읽고 '사실적, 추론적, 비판적' 사고 능력을 평가할 수 있는 문제를 제시했어. 그리고 실전 수능에 가까운 '수능형' 문제도 준비해 뒀으니 다소 어렵더라도 수능형 문제를 정복하면서 수능에 대한 자신감을 키워 보자.

독해 원리를 단계별로 구성된 실전에 적용하여 독해력을 단련하는

"중등 수능 독해"

독해쌤의 독해 공식에 따라 지문을 정리해 보니 글의 구조가 보이는구나!

어휘력이 부족하면 글을 제대로 이해할 수 없어. 다양한 어휘 학습을 통해 어휘력을 쌓아 봐!

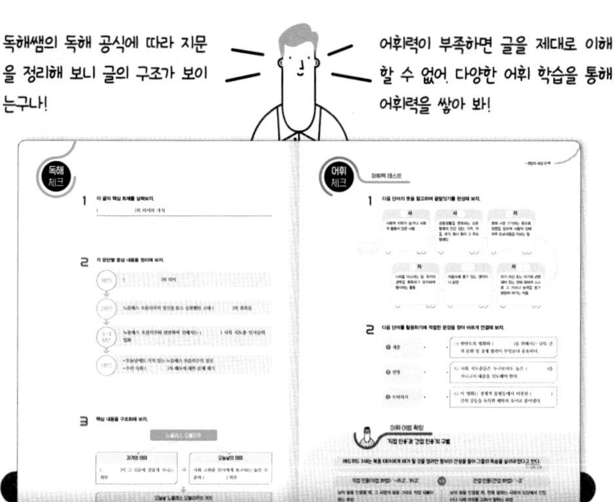

독해 체크 활용하기

지문을 다 읽고 나면 '독해 체크'에 지문의 핵심 내용을 정리해 봐. 이렇게 독해 연습을 하다 보면 글을 정확하게 이해하고 빠르게 읽을 수 있게 되어 독해력이 향상된단다.

어휘 체크 활용하기

집을 지을 때 기둥을 받쳐 주는 주춧돌처럼 어휘력은 독해의 기본이야. 기본이 탄탄하지 않으면 아무리 글을 읽어도 독해력이 향상되지 않아. "중등 수능 독해"에서는 실전 문제에 필수적으로 '어휘·어법' 문제를 제시했어. 그리고 '어휘 체크'에서는 지문에 나온 어휘를 바탕으로 다양한 어휘 학습 장치를 마련해 뒀어. 재미있게 어휘를 학습하면서 어휘력을 길러 보자.

3 독해 성취도 평가 & 독해 체크리스트

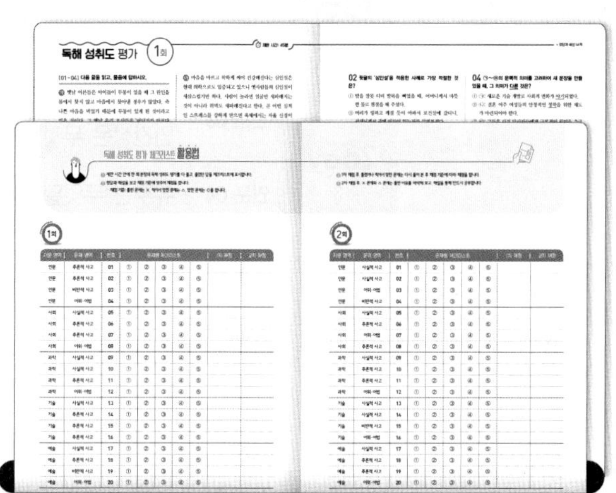

독해력을 스스로 점검하는 독해 성취도 평가

- 독해 성취도 평가는 수능에 출제되는 모든 영역을 지문으로 제시하고 수능형 문제로 구성한 고난도 평가 문제야. '짧은 지문 실전'과 '긴 지문 실전'을 학습하면서 쌓아온 독해력을 점검 및 평가해 볼 수 있어.

- 독해 성취도 평가 2회를 모두 풀었다면 평가 체크리스트를 작성해 보고 평가 결과를 스스로 분석해 봐. 자기의 독해 수준이 어느 정도 향상되었는지 점검해 보고 학습 계획을 세워 보자.

차례와 학습 계획

◎ 1일 실전 2회씩, 20일 학습을 계획하여 꾸준히 학습해 봅시다.

◎ 학습을 마친 후, 자기의 이해도에 따라 학습 점검 칸을   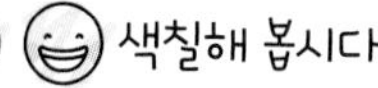 색칠해 봅시다.

일차	학습 내용		쪽수	날짜	학습 점검
	인문 04	사상의 자유를 위한 순교자, 조르다노 브루노	100	/	
12day	사회 01	근로자의 도덕적 해이를 막을 수 있는 방법	104	/	
	사회 02	근대 민법의 형성과 발전	108	/	
13day	사회 03	한국 가족의 변화 경향과 전망	112	/	
	사회 04	구독경제, 어디까지 구독해 봤니?	116	/	
14day	과학 01	머리 좋아지는 냄새는 없을까?	120	/	
	과학 02	플라세보 효과	124	/	
15day	과학 03	식물은 꽃 피는 시기를 어떻게 알까?	128	/	
	과학 04	인체에 적용된 지레의 원리	132	/	
16day	기술 01	도마뱀붙이가 천장을 걷는 방법	136	/	
	기술 02	제책 기술의 발전 과정	140	/	
17day	기술 03	날개 없는 선풍기의 비밀	144	/	
	예술 01	다양한 색깔을 지닌 타악기	148	/	
18day	예술 02	빈센트 반 고흐	152	/	
	예술 03	단청에 사용된 다채로운 기법들	156	/	
19day	독해 성취도 평가 1회		162	/	
20day	독해 성취도 평가 2회		170	/	
	독해 체크리스트		180		

3단계
독해 성취도 평가

독해 원리 알고 수능의 첫걸음 떼기

독해, 왜 중요한가?

"글을 읽었는데 무슨 내용인지 하나도 모르겠어."
"글을 읽었는데 문제를 하나도 못 풀겠어."

이런 경험 누구나 있을 거야. 왜 그럴까?
그건 글을 읽을 때 글자는 읽었지만, 글의 내용을 이해하며 읽지 못했기 때문이야.
즉, 제대로 **독해**(讀解)를 하지 못한 거지.

그럼, 국어 과목만을 잘하기 위해서 독해가 중요한 걸까?
단순히 국어 과목만 잘하기 위해서 독해가 중요한 것은 아니야. 국어는 다른 교과 학습에 도구 역할을 해. 이 말은 국어가 다른 교과 과목에 기초가 되는 과목이라는 의미야.
따라서 국어 과목뿐만 아니라 다른 교과 과목을 잘하기 위해서라도 평상시 독해를 꾸준히 학습하여 독해력을 높이는 것이 중요해!

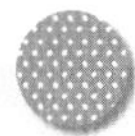

다양한 영역의 글을 읽는 것은 왜 중요한가?

수능 국어 영역 독서 과목의 출제 영역은 '인문, 사회, 과학, 기술, 예술' 분야에서 고르게 출제돼. 이 영역들은 타 과목인 수학, 사회, 과학, 기술·가정, 미술, 음악 등의 배경지식이 되지. 따라서 다양한 영역의 글을 폭넓게 읽으면 수능 국어 영역에 도움이 될 뿐만 아니라 타 과목의 배경지식까지 쌓을 수 있어.

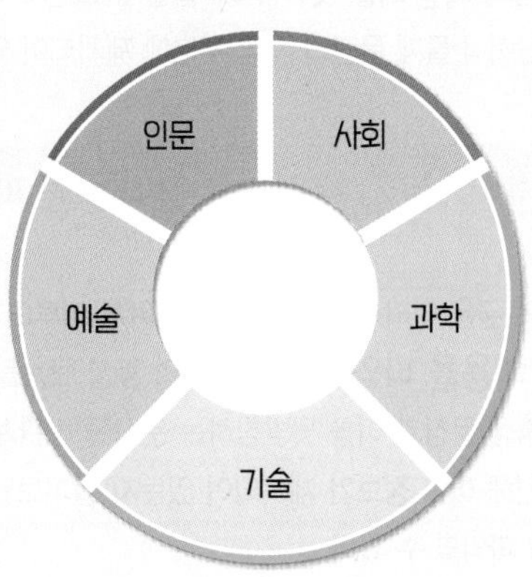

▲ 수능 국어 영역 독서의 출제 영역

독서 영역의 성격은?

- **인문** … 철학, 역사, 심리학 등 인간의 생각과 가치관, 특정 사상가와 관련된 내용을 다룬다.
- **사회** … 정치, 경제, 법, 언론 등 현대 사회에서 일어나는 다양한 현상이나 특성, 사회적 흐름을 반영한 내용을 다룬다.
- **과학** … 수학, 물리, 화학, 생물, 의학 등 과학적 지식이나 과학 이론과 관련된 내용을 다룬다.
- **기술** … 정보 통신, 기계·소재, 화학 기술 등 생활 기술이나 산업 기술과 관련된 내용을 다룬다.
- **예술** … 미술, 음악, 건축, 영화 등 각 예술 분야의 특성이나 예술 경향, 사조 등과 관련된 내용을 다룬다.

그럼, 다양한 영역의 글을 단순히 많이 읽으면 독해력이 강화될까?

단순히 글을 많이 읽는다고 독해력이 강화되지는 않아. 올바른 독해 공식을 익히고, 이를 바탕으로 반복적인 독해 훈련을 해야 해.

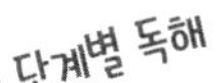

독해쌤이 알려 주는 독해 원리

원리 1 핵심어를 찾아보자.

글을 읽고 무슨 내용인지 파악이 안 될 때가 있지? 이건 글을 읽고 난 후 중심 화제에 대해 글쓴이가 어떤 태도를 취하는지, 글쓴이가 글을 쓴 목적이나 글에 숨겨진 의도가 무엇인지를 제대로 파악하지 못했기 때문이야. 그럼 이를 파악하기 위해서는 제일 먼저 무엇을 해야 할까?

바로 글의 **핵심어**를 찾아야 해. 글을 읽으면서 핵심어를 찾는 것은 글을 읽는 기본이면서 가장 중요한 일이지. 핵심어는 보통 글의 첫 문단이나 둘째 문단의 시작 부분에 제시되어 있는 경우가 많으니까 주의 깊게 살펴보도록 해.

원리 2 문단별 중심 내용을 파악하자.

한 편의 글은 여러 개의 문단들이 모여서 이루어져 있어. 따라서 글 전체의 내용을 이해하기 위해서는 각 문단을 읽으면서 **문단의 중심 내용을 파악**해야 해. 문단의 중심 내용을 파악하려면 어떻게 해야 할까?

바로 중심 문장과 이를 뒷받침하는 문장들의 관계를 살펴봐야 해. 문장들은 다양한 정보들로 구성되어 있어. 따라서 글의 중심 화제와 관련해 어떤 정보가 제시되어 있는지 살펴보면 중심 문장과 뒷받침 문장의 구분이 가능해지고, 중심 문장을 바탕으로 문단 간의 관계를 파악할 수 있어.

그럼, 정보들 간의 관계를 쉽게 파악하기 위한 팁을 알려 줄게. 바로 기호를 사용하는 거야. 기호를 사용하면 정보들 간의 관계를 한눈에 파악할 수 있어.

- 핵심어라고 생각되는 부분에 ⬭ 표시하고, 핵심어의 개념이나 특성이 설명된 부분에 밑줄(______) 긋기
- 핵심어 이외의 중요 정보들은 핵심어 표시 기호와 다른 기호(▭ , △ , ▽ 등)로 나타내기
- 대비되는 상황을 나타낼 때는 ◀──▶, 원인과 결과를 나타낼 때는 ⟹, 시간의 흐름이나 과정을 나타낼 때는 ──▶ 등과 같은 화살표를 사용하여 정보 간의 의미 관계를 표시하기
- 순접이나 역접, 전환, 예시 등의 의미를 나타내는 단어나 구의 경우 ∨ 로 표시하기
- 중요한 정보가 여러 개일 때는 밑줄(______)을 긋고, ①, ②, ③ 등과 같은 번호를 붙이기
- 글쓴이의 견해나 주장, 태도, 글의 주제 등은 물결 (～～～)로 표시하기

원리 3 핵심 내용을 재구성하자.

기호를 사용하여 글을 읽었다면, 이제 글의 **핵심 내용을 재구성하여 정리**해야 해. 핵심 내용을 정리할 때는 정보 간의 관계를 한눈에 파악할 수 있도록 표나 도식을 활용하여 시각적으로 표현해야 해. 이때 글의 전개 방식을 알면 핵심 내용을 좀 더 쉽게 시각적으로 재구성할 수 있어.

글의 전개 방식에는 병렬, 비교·대조, 과정, 문제 해결 등이 있는데, 글쓴이는 자신의 견해나 주장, 핵심 정보를 효과적으로 전달하기 위해 이런 전개 방식을 활용하여 글을 써. 따라서 글의 전개 방식을 파악하고, 이를 바탕으로 핵심 내용을 재구성하면 정보 간의 관계를 한눈에 파악할 수 있어.

병렬(나열)	정보나 주장을 나열하여 글을 전개함. 주로 '첫째, 둘째, ……' 등과 같은 말을 사용함
비교·대조	대상 간의 유사점(비교)이나 차이점(대조)을 바탕으로 글을 전개함
과정	시간의 흐름이나 과정이 드러나게 글을 전개함. 주로 '먼저, 다음은, 마지막으로' 등과 같은 말을 사용함
문제 해결	대상에 대한 문제점(한계)과 그에 대한 대안(방안)을 짝지어 글을 전개함

● 독해 원리에 따라 다음 글을 읽어 보세요.

음악은 시간 예술이다. 회화나 조각과 같은 공간 예술과는 달리, 음악에서는 시간이 흐르면서 사라지는 음을 기억하기 위한 방법이 필요하다. 작곡가들은 그 방법의 하나로 반복을 활용했다. 즉 반복을 통해 어떤 일이 어떻게 일어났는지를 기억하여 악곡의 전체를 쉽게 파악할 수 있도록 한 것이다. 이러한 반복의 양상과 효과는 「비행기」와 같은 동요에서도 확인할 수 있다. 이 동요에서는 반복되는 선율이 노래를 하나로 묶어 주고 있다. 〈중략〉

무반주 성악곡을 즐겨 부른 르네상스 시대의 다성 음악 양식에서는 입체적인 효과를 주기 위한 기술적인 방법으로 '모방'을 선택했다. 이때 모방은 노래의 시작 부분에서 돌림 노래와 비슷한 방식을 적용함으로써 구현된다. 예를 들어 소프라노 성부의 노래에 뒤이어 알토 성부가 시간차를 두고 같은 선율로 시작하는 반복 기법을 적용하는 것이다. 이렇게 돌림 노래처럼 시작한 후에는 각 성부가 서로 다른 선율로 노래를 이어 간다. 이로써 다성 음악 양식에서는 성부의 독립성을 추구하면서도 통일감을 느끼게 해 주는 짜임새가 만들어졌다.

다성 음악의 시대를 지나 바로크 시대로 들어서면 성악 음악을 구현하는데 모방은 더 이상 효과적인 기법이 아니었다. 이제 음악가들은 화성을 중시해서, 여러 성부로 이루어진 음악을 연주하기보다 화성 반주에 맞추어 하나의 선율을 노래하는 짜임새를 선호하게 되었다. 화성 반주의 악보 중에는 저음 성부에서 일정한 패턴이 반복되는 경우가 있다. 이때 고음 성부에서는 선율이 반주에 맞춰 변화되는 이른바 장식적 변주가 나타난다. 이로써 반복의 일관성과 변주의 다양성을 통해 조화된 아름다움을 이룰 수 있게 되었다.

고전 시대에는 반복이 악곡의 형식을 결정하는 요소로 사용된다. 이 시대에 널리 쓰인 소나타는 주제가 다른 여러 악장이 음악적 대조를 이루는데, 마지막 악장은 첫 악장에 비해 상대적으로 쉬운 음악으로 구성된다. 마지막 악장의 이런 성격을 표현하는 데에는 론도 형식이 적합하다. 이 형식은 악장의 주제를 주기적으로 반복하는 사이사이에 이와 대조되는 새로운 주제들을 삽입하는 방식이다.

각 시대의 작곡가는 입체적인 모방, 장식적인 변주, 형식적인 반복 등 다양한 방법을 통해, 시간의 흐름 속에 구현된 악곡 전체의 모습을 파악할 수 있게 하였다. 결국 음악은 시대마다 그 양상은 다르지만, 반복을 기본 원리의 하나로 활용하여 만들어진 것이다.

핵심 화제 찾기

이 글은 각 시대의 음악 양식에 적용된 '반복'의 양상을 설명하고 있어.

문단별 중심 내용 파악하기

글쓴이는 시간 예술인 음악에서 음을 기억하기 위한 방법으로 '반복'을 사용했음을 설명하고 있어. 이를 위해 2문단에서는 르네상스 시대의 입체적인 '모방', 3문단에서는 바로크 시대의 '화성', 4문단에서는 고전 시대의 형식적인 '반복'과 같이 각 시대의 음악 양식에 적용된 반복의 양상을 설명하고 있어.

핵심 내용 구조화하기

각 시대의 음악 양식에 적용된 반복의 양상

르네상스 시대의 입체적인 모방	바로크 시대의 장식적인 변주	고전 시대의 형식적인 반복

독해 원리를 바탕으로 핵심어를 찾고, 문단별 중심 내용을 이해하며, 내용을 구조화하여 이해하는 것을 사실적 읽기라고 해. 사실적 읽기는 글을 이해하는 데 가장 기본이 되는 독서 방법이야. 그리고 사실적 읽기를 바탕으로 출제된 문제를 사실적 사고 유형이라고 해.

또한 사실적 읽기를 바탕으로 글쓴이의 의도나 관점, 생략된 내용 등을 추론하며 읽는 것을 추론적 읽기라 하고, 이러한 능력을 평가하는 문제를 추론적 사고 유형이라고 해. 이 유형을 해결하기 위해서는 먼저 글을 구조적으로 이해하는 것이 중요해. 그리고 반드시 지문에 제시된 내용을 토대로 추론해야만 문제에 담긴 오류를 피할 수 있어.

한편, 이 글을 읽을 때 각 시대의 음악 양식에 적용된 '반복'의 양상을 설명하기 위해 글쓴이가 제시한 예들은 타당한지, 대상에 대한 글쓴이의 태도는 적절한지 등을 비판적 시각에서 파악하는 것도 매우 중요해.
이처럼 내용의 타당성과 공정성 등을 파악하며 읽는 것을 비판적 읽기라고 해. 그리고 비판적 읽기를 바탕으로 출제된 문제를 비판적 사고 유형이라고 해.

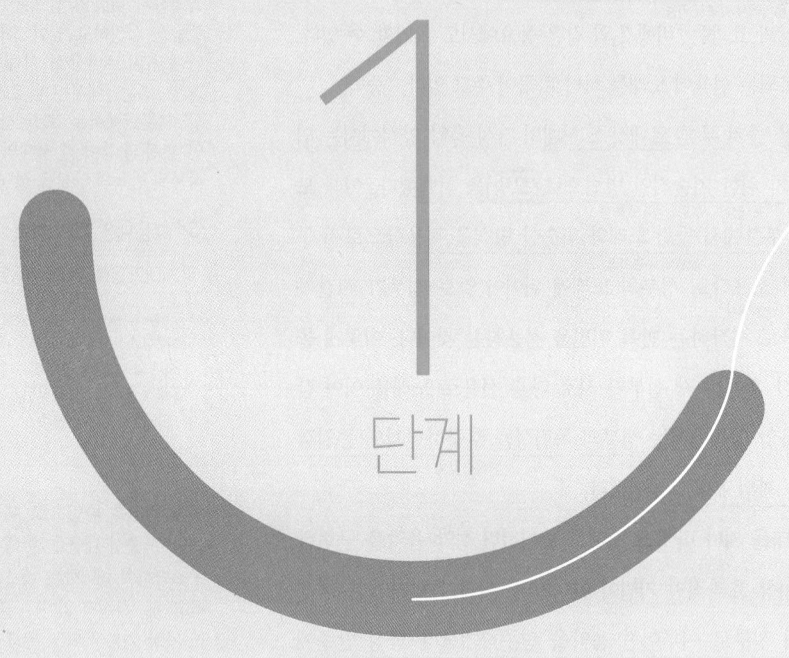

짧은 지문 실전

노블레스 오블리주

- 핵심어를 찾아보자.
- 문단별 중심 내용에 밑줄을 그어 보자.
- 핵심 내용을 구조적으로 재배열해 보자.

가 ㉠'노블레스 오블리주(Noblesse oblige)'라는 말을 들어 보았는가. 이 말은 1808년 프랑스의 정치가 가스통 피에르 마르크가 처음 사용한 것으로 알려져 있다. 프랑스어로 '귀족의 신분'을 뜻하는 '노블레스(noblesse)'와 'ⓐ의무가 있다.'를 뜻하는 '오블리주(oblige)'가 합쳐져, '귀족은 그 신분에 걸맞은 의무를 지닌다.'라는 뜻을 나타내는 말이다. 오늘날의 ⓑ관점에서는 '사회 고위층 인사에게 요구되는 높은 수준의 도덕적 의무'를 말한다.

나 그렇다면 19세기 이전에는 이런 의식이나 개념이 없었을까? 그렇지 않다. 노블레스 오블리주의 정신은 앞장서서 봉사와 기부를 행하고, 전쟁에 참여하거나 희생하는 것을 명예롭게 여겼던 고대 로마의 귀족들에게까지 거슬러 올라간다. 당시 로마의 귀족들은 자신들이 평민이나 노예들과 다른 점이 사회적 책임과 의무를 다하는 데 있다고 생각했다. 이러한 태도에 자부심을 가졌던 그들은 자신들의 책임과 의무를 다하기 위해 자발적으로 노력했고, 이를 두고 서로 경쟁하기도 했다. 고대 로마는 이런 태도를 바탕으로 하여 성장하고 ⓒ번영할 수 있었다.

다 로마 제국이 멸망한 이후에도 노블레스 오블리주의 정신은 유럽의 귀족 사회 속에서 오랫동안 뿌리내렸고, 이와 관련하여 많은 이야기를 남겼다. 그중 하나가 프랑스의 작은 도시인 칼레를 구하기 위해 희생을 감수했던 여섯 시민들에 대한 이야기이다.

14세기 영국과 프랑스 사이에서 벌어진 백 년 전쟁 당시, 칼레는 런던에서 파리를 가기 위해 반드시 거쳐야 하는 항구 도시였다. 프랑스와의 전쟁에서 승리한 영국 왕 에드워드 3세는 ⓓ굴욕적인 항복 조건을 요구했다. 여섯 명의 선발된 시민들이 죄수복을 입고 성문 밖으로 걸어 나와 오랏줄을 감고 죽임을 당하면, 칼레 시를 보전해 주겠다는 것이었다. 이에 칼레 시에서 가장 부자였던 '외스타슈 드 생 피에르'를 비롯한 시장, 귀족 등 여섯 명의 지도자들은 칼레 시와 시민들을 구하기 위해 스스로 목숨을 바치겠다며 나섰다. 다행히 에드워드 3세는 복중 태아에게 해가 될 것을 염려한 왕비의 간청을 들어 그들의 목숨을 살려주었다고 한다. 이 일화는 노블레스 오블리주의 예로 자주 ⓔ회자된다.

라 근현대에도 사회 지도층들의 이런 도덕의식은 계층 간의 대립을 완화하고, 전쟁과 같은 국난을 극복하는 데 꼭 필요한 태도로 여겨지며 이어져 왔다. 그렇다면 오늘날 우리 사회의 현실은 어떠한가. 우리 사회 지도층들의 태도와 행동이 2천 년 전 고대 로마 귀족들의 그것보다 나은지, 새삼 진지하게 생각해 보아야 할 일이다.

- **번영할**: 번성하고 영화롭게 될
- **오랏줄**: 도둑이나 죄인을 묶을 때에 쓰던 굵은 줄
- **복중**: 배의 속
- **회자된다**: 칭찬을 받으며 사람의 입에 자주 오르내리게 된다. 회와 구운 고기라는 뜻에서 나온 말이다.

1 **오늘날의 관점에서 ㉠이 의미하는 바로 가장 알맞은 것은?**

① 고귀한 신분에는 그에 상응하는 대우가 필요하다.
② 귀족들은 자신의 이름을 명예롭게 드높여야 한다.
③ 귀족들은 그 신분에 부합하는 특권과 의무를 동시에 갖는다.
④ 사회 지도층 인사들에게는 높은 수준의 도덕적 의무가 요구된다.
⑤ 자신에게 주어진 의무와 책임을 다하는 사람은 고귀한 사람이다.

2 수능형

㉠에 해당하는 사례로 적절하지 않은 것은?

① 제2차 포에니 전쟁 중, 로마의 최고 지도자인 집정관 13명이 전사했다.
② 한국 전쟁 당시, 미국 참전 용사들 중 142명이 미군 장성들의 아들이었다.
③ 핀란드에는 소득 수준에 따라 벌금을 내는 '노블레스 오블리주 법(法)'이 있다.
④ 제1, 2차 세계 대전 중, 영국 고위층 자녀들이 다니던 이튼 칼리지 졸업생 중 2천여 명이 전사했다.
⑤ 2004년에 일본 유학 중이던 한국의 젊은이가 도쿄 지하철역 선로 변에 떨어진 승객을 구하고는 목숨을 잃었다.

어휘·어법

3 **ⓐ~ⓔ 중, 〈보기〉의 빈칸에 들어갈 단어로 적절한 것은?**

> 보기
>
> 이 다큐멘터리는 우리에게 익숙한 장난감의 역사를 자본주의적 (   )에서 재조명하는 프로그램이다.

① ⓐ ② ⓑ ③ ⓒ ④ ⓓ ⑤ ⓔ

1 이 글의 핵심 화제를 살펴보자.

(   )의 의미와 가치

2 각 문단별 중심 내용을 정리해 보자.

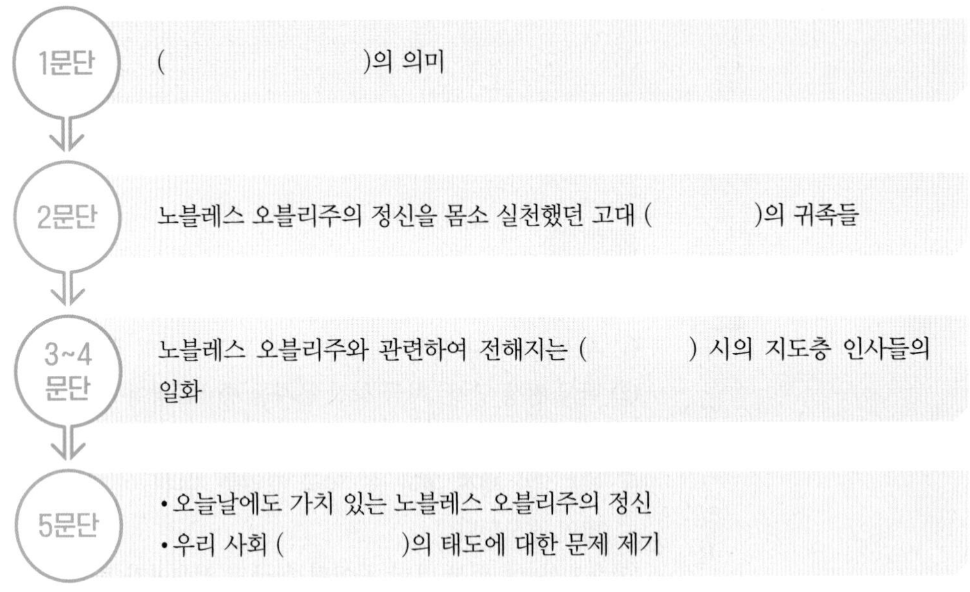

3 핵심 내용을 구조화해 보자.

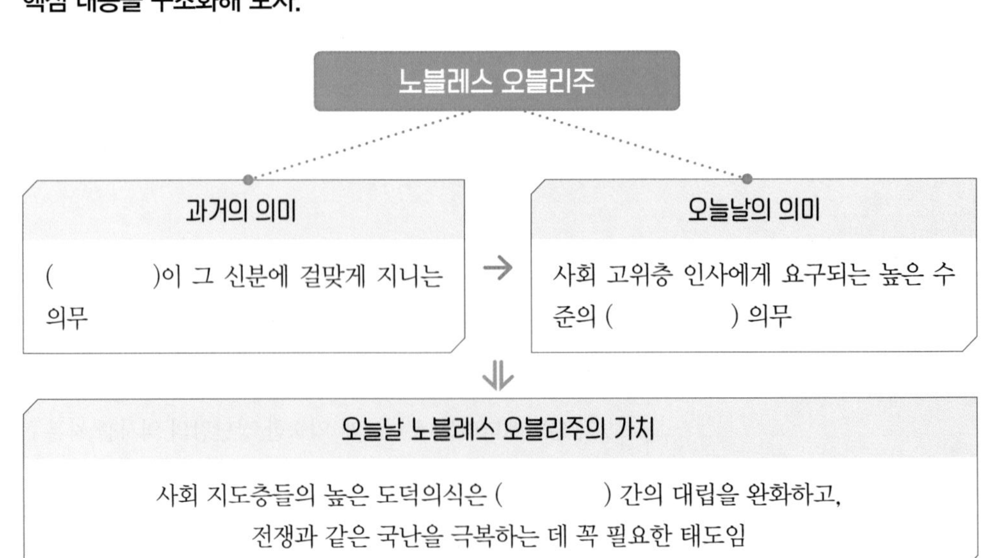

어휘력 테스트

1 다음 단어의 뜻을 참고하여 끝말잇기를 완성해 보자.

□사	사□	□자
사회적 지위가 높거나 사회적 활동이 많은 사람	공동생활을 영위하는 모든 형태의 인간 집단. 가족, 마을, 국가, 회사 등이 그 주요 형태임	회와 구운 고기라는 뜻으로, 칭찬을 받으며 사람의 입에 자주 오르내림을 이르는 말

□치	□□	자□□
나라를 다스리는 일. 국가의 권력을 획득하고 유지하며 행사하는 활동	마음속에 품고 있는 생각이나 감정	자기 자신 또는 자기와 관련되어 있는 것에 대하여 스스로 그 가치나 능력을 믿고 당당히 여기는 마음

2 다음 단어를 활용하기에 적절한 문장을 찾아 바르게 연결해 보자.

❶ 계층 •　　• ㉠ 한반도의 평화와 (　　　　)을 위해서는 남북 간의 문화 및 경제 협력이 무엇보다 중요하다.

❷ 번영 •　　• ㉡ 사회 지도층들은 누구보다도 높은 (　　　　)을 지니고서 대중을 선도해야 한다.

❸ 도덕의식 •　　• ㉢ 이 영화는 경제적 불평등에서 비롯된 (　　　　) 간의 갈등을 독특한 해학과 유머로 풀어냈다.

어휘·어법 확장

'직접 인용'과 '간접 인용'의 구별

에드워드 3세는 복중 태아에게 해가 될 것을 염려한 왕비의 간청을 들어 그들의 목숨을 살려주었다<u>고 한다</u>.
└ 간접 인용

직접 인용(직접 화법): '~라고', '하고'  **간접 인용(간접 화법): '~고'**

직접 인용: 남의 말을 인용할 때, 그 사람의 말을 그대로 직접 되풀이하는 화법

예 • 그분께서 "열심히 공부해라."<u>라고</u> 말씀하셨다.
• 그 배우가 상대 배우에게 "사랑은 돌아오는 거야!" <u>하고</u> 외쳤다.

간접 인용: 남의 말을 인용할 때, 현재 말하는 사람의 입장에서 인칭이나 시제 따위를 고쳐서 말하는 화법

예 • 아이들이 놀러 가자<u>고</u> 떼를 쓴다.
• 누나는 나에게 그 돈으로 할 것이 군것질밖에 없었냐<u>고</u> 물었다.

※ 직접 인용에 쓰이는 '라고'는 조사, '하고(하다)'는 동사이다. 이에 따라 '라고'는 붙여 적고, '하고'는 띄어 적는다.

인간의 본성은 이성일까?

- 핵심어를 찾아보자.
- 문단별 중심 내용에 밑줄을 그어 보자.
- 핵심 내용을 구조적으로 재배열해 보자.

가 철학에서는 인간의 본성에 대해 다양한 생각을 내어놓고 있다. 그중에서도 가장 대표적인 생각은 인간은 이성적 존재라는 것이다. 이러한 생각에 바탕을 둔 사상을 '이성 중심주의'라고 부르는데, 이성 중심주의에서는 이성적 존재로서의 인간에 대해 다음의 세 가지로 설명한다.

나 첫째, 인간은 수학적 존재이다. 이는 인간이 계산하는 능력을 통해 대상들 사이의 비례 관계를 이해하여 알 수 있음을 뜻한다. 라틴어에서 이성을 뜻하는 말은 'ratio', 즉 '라티오'이다. 라티오란 본래 '비례'나 '비율'을 뜻하는데, 영어 'rational(합리적)'의 어원이기도 하다. 이를 통해 볼 때 이성은 수학적인 원리를 이해하고 세계를 합리적으로 파악할 수 있는 능력을 뜻하는 것이다.

다 둘째, 인간은 도덕적 존재이다. 이는 인간이 이성을 바탕으로 하여 자신의 행동에 대한 판단을 스스로의 힘으로 내릴 수 있음을 뜻한다. 다시 말해 인간이 어떤 행동을 하든지 그 행동은 자기 자신이 선택하고 결정하는 것이며, 따라서 모든 행동의 원인은 자신에게 있는 것이다. 이러한 판단의 자유를 '자율(自律)'이라고 부른다.

라 셋째, 인간은 언어적 존재이다. 여기서 언어적 존재란 단순하게 의사소통을 할 수 있는 존재를 의미하는 것이 아니다. 이는 인간이 이성적 대화를 통해 최선의 방법을 찾아낼 수 있음을 뜻한다. 인간은 이성적 대화를 통해 정치를 하며, 이는 곧 인간이 사회를 만들고 살아갈 수 있는 근거가 된다. 외부적인 힘에 의해 잘못된 판단을 하지 않는다면, 인간은 언어적 소통을 통해 사회의 조화와 발전을 이룰 수 있는 능력을 지닌다는 뜻도 포함된다.

마 [㉠] 시간이 흐르며 이성 중심주의는 여러 가지 면에서 비판을 받기도 하였다. 그중에서도 가장 대표적인 내용은 이성 중심주의에서는 감정, 상상력, 욕구 등 이성 이외의 능력들을 비이성적인 것으로 보고, 이를 인간 본성이 아닌 것으로 여긴다는 것이다. 특히 이성 중심주의는 인간의 비이성적인 부분들을 동물성의 한 형태로 보고, 이것들을 이성으로 통제하고 조절해야만 한다고 생각한다. 이는 인간의 다양한 본성 중 한 가지에만 치우친 생각으로, 인간 본성에 대해 잘못된 해석을 할 수 있다는 점에서 문제가 있다.

- **본성**: 사람이 본디부터 가진 성질
- **이성적**: 이성(생각하는 능력을 감각적 능력에 비교하여 이르는 말)에 따르거나 이성에 근거한
- **비례 관계**: 두 수나 두 양의 비가 항상 일정할 때의 그 둘 사이의 관계
- **합리적**: 이론이나 이치에 합당한 것
- **어원**: 어떤 단어의 근원적인 형태. 또는 어떤 말이 생겨난 근원

1

윗글을 읽고 알 수 있는 내용이 아닌 것은?

① 이성 중심주의의 의미
② 이성 중심주의가 지닌 문제점
③ 인간 본성과 관련된 다양한 철학 사상
④ 이성적 존재로서의 인간에 대한 세 가지 의미
⑤ 이성 중심주의에서 비이성적인 것으로 보는 것들

2

수능형

윗글을 읽고 난 후의 반응으로 적절하지 않은 것은?

① 감정, 상상력, 욕구 등을 인간의 본성이라고 생각하는 사람들도 있겠구나.
② 인간이 이성적인 대화를 하지 못한다면 사회의 조화와 발전을 이루기는 힘들겠구나.
③ 인간의 여러 가지 특성 중 한 가지에만 치우쳐 생각하면 인간의 본성을 올바르게 파악하기 힘들구나.
④ 수학적 원리를 이해한다는 것은 계산하는 능력을 통해 대상들 사이의 비례 관계를 알 수 있다는 거구나.
⑤ 인간은 자율적인 존재이므로 자신의 행동이 도덕적인가 아닌가를 다른 사람으로부터 평가받지 않겠구나.

어휘·어법

3

문맥을 고려할 때, ㉠에 들어갈 말로 가장 적절한 것은?

① 또한 ② 그리고 ③ 그러나
④ 따라서 ⑤ 요컨대

1 이 글의 핵심 화제를 살펴보자.

(　　　　　　)의 의미와 그에 대한 비판

2 각 문단별 중심 내용을 정리해 보자.

- 1문단: (　　　　　　)의 의미
- 2문단: 이성적 존재로서의 인간에 대한 설명 ①: (　　　　) 존재
- 3문단: 이성적 존재로서의 인간에 대한 설명 ②: (　　　　) 존재
- 4문단: 이성적 존재로서의 인간에 대한 설명 ③: (　　　　) 존재
- 5문단: 이성 중심주의에 대한 (　　　　)

3 핵심 내용을 구조화해 보자.

이성적 존재로서의 인간에 대한 세 가지 의미

수학적 존재로서의 인간	도덕적 존재로서의 인간	언어적 존재로서의 인간
• (　　　　)하는 능력을 통해 대상들 사이의 비례 관계를 이해함 • 세계를 (　　　　)적으로 파악할 수 있는 능력을 지님	• 인간은 어떤 행동이든 자기 자신이 (　　　　)하고 결정함 • 모든 행동의 원인은 (　　　　)에게 있음	• (　　　　　)를 통해 최선의 방법을 찾아낼 수 있음 • 언어적 소통을 통해 사회의 (　　　　)와 발전을 이룰 수 있음

어휘력 테스트

1 제시된 뜻과 예문을 참고하여 다음 초성에 해당하는 단어를 괄호 안에 써 보자.

(1) ㅇ ㄹ : 사물의 근본이 되는 이치

예 에디슨은 전기의 (　　　　)를 발견했다.

(2) ㅌ ㅈ : 일정한 방침이나 목적에 따라 행위를 막거나 제약함

예 우리는 다른 사람의 (　　　　)를 받지 않을 자유가 있다.

(3) ㅎ ㄹ ㅈ : 이론이나 이치에 합당한 것

예 앞으로는 모든 일을 (　　　　)으로 처리하겠습니다.

2 다음 〈보기〉의 뜻을 참고하여 십자말풀이를 완성해 보자.

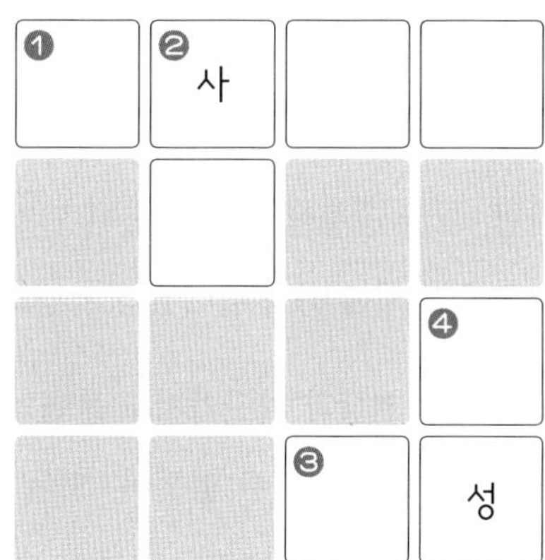

보기

❶ 가로: 가지고 있는 생각이나 뜻이 서로 통함
❷ 세로: 어떠한 사물에 대하여 가지고 있는 구체적인 사고나 생각
❸ 가로: 사람이 본디부터 가진 성질
❹ 세로: 생각하는 능력을 감각적 능력에 비교하여 이르는 말

어휘·어법 확장

'보다'의 다양한 의미

특히 이성 중심주의는 인간의 비이성적인 부분들을 동물성의 한 형태로 보고, 이것들을 이성으로 통제하고 조절해야만 한다고 생각한다.
└→ '대상을 평가하다.'의 의미

1 【…을】

「1」 눈으로 대상의 존재나 형태적 특징을 알다.
예 횡단보도를 건널 때에는 좌우를 잘 보고 건너라.

「2」 일정한 목적 아래 만나다.
예 나 좀 잠깐 볼 수 있을까?

「3」 맡아서 보살피거나 지키다.
예 그녀는 아이를 봐 줄 사람을 구하였다.

「4」 ((‘시험’을 뜻하는 목적어와 함께 쓰여)) 자신의 실력이 나타나도록 치르다. 예 시험 잘 봤니?

「5」 음식상이나 잠자리 따위를 채비하다.
예 손님 주무실 자리를 봐 드려라.

「6」 어떤 관계의 사람을 얻거나 맞다. 예 며느리를 보다.

2 【(…과)】【…을】
사람을 만나다
예 졸업한 이후에 처음으로 그녀와 서로 보게 되었다.

3 【…을 …으로】【…을 -게】【…을 -고】【…으로】【-고】
대상을 평가하다.
예 그의 행동을 실수로 볼 수가 없었다.

스피노자가 추구한 이상적인 인간상은 무엇일까?

- 핵심어를 찾아보자.
- 문단별 중심 내용에 밑줄을 그어 보자.
- 핵심 내용을 구조적으로 재배열해 보자.

▲ 스피노자(Spinoza, 1632~1677)

가 스피노자가 궁극적으로 탐구하고자 했던 것은 바로 인간의 행복과 윤리의 문제였다. 스피노자에 의하면, 인간은 자연의 일부이고 자연의 현상은 필연적인 법칙을 따른다. 그는 '자연 안에 하나라도 우연한 것은 없으며 모든 것은 일정한 방식으로 존재하고 작용하도록 신적 본성의 필연성에 의하여 결정되고 있다.'라고 말한다. 이 말에 따른다면 인간에게는 결코 자유로운 의지나 결단이란 있을 수 없게 된다. 스피노자는 이것을 다음과 같이 비유한다. 자유로운 선택과 결단이 가능하다고 생각하는 인간이 있다면, 그는 공중에 던져진 돌이 일정한 궤도를 따라서 떨어지고 난 뒤에 마치 자신의 자유로운 의지에 따라 날아갔다고 생각하는 것과 마찬가지라고.

나 이처럼 인간의 행동은 자연 현상과 마찬가지로 불변의 법칙을 벗어날 수 없다. 또 자연의 필연적인 운행에 선과 악을 말할 수 없듯이, 모든 인간이 추구해야 할 선이나 악이 이 세상에 객관적으로 존재하지는 않는다. 그러나 자연 안의 존재는 스스로를 보전하려는 성향을 가지고 있다고 스피노자는 말한다. 그러므로 이런 관점에서 볼 때 인간이 자신을 보전하는 데 유용한 것은 선하다고 할 수 있으며, 그렇지 않은 것은 악하다고 할 수 있다.

다 자신을 보전한다고 할 때는 동물적인 본능도 부인할 수 없지만, 인간에게는 이성이 있다는 것을 스피노자는 강조한다. 인간의 이성은 결코 일시적이고 자기 개인에게만 유용한 것을 생각하지 않게 한다. 이성은 순간적인 현재를 뛰어넘어서 지금의 행동이 후일에 가져올 결과까지 미리 생각하게 해 준다. 생명의 추진력으로서 인간에게는 충동과 본능이 있지만, 그러한 것들은 이성의 빛에 의해 인도되고 정돈되는 것이다.

라 스피노자는 인간이 추구해야 할 가치 있는 행동과 삶이란 바로 자연의 법칙을 이해하고 감정의 ㉠동요를 일으키지 않는 것이라고 말한다. 지혜로운 사람은 자연의 법칙을 깨우치고 자연의 변화에 대해 불안을 느끼지 않는다. 필연적인 것은 곧 신의 의지이므로 필연에 대한 보다 큰 인식은 곧 신에 대한 보다 깊은 사랑과 복종을 뜻한다. 스피노자는 인간이 도달할 수 있는 최고의 상태를 '신에 대한 지적인 사랑'이라고 말한다.

- **궁극적**: 더할 나위 없는 지경에 도달하는 것
- **필연적**: 사물의 관련이나 일의 결과가 반드시 그렇게 될 수밖에 없는 것
- **궤도**: 중력과 같은 구심력(원운동을 하는 물체에 작용하는, 원의 중심으로 나아가려는 힘)에 의해 타원 운동을 하는 물체의 운동 경로
- **본능**: 어떤 생물 조직체가 선천적으로 하게 되어 있는 동작이나 운동
- **추진력**: 목표를 향하여 밀고 나아가는 힘

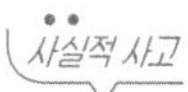

1

윗글의 '스피노자'에 대한 이해로 가장 적절한 것은?

① 인간은 불변의 법칙에 지배를 받는다고 보았다.
② 인간은 자유로운 의지에 따라 행동한다고 보았다.
③ 인간이 자신을 보전할 때 본능은 배제된다고 보았다.
④ 인간이 신을 부정하면 행복한 삶에 이르지 못한다고 보았다.
⑤ 인간은 본능적으로 현재 행동의 결과를 예측할 수 있다고 보았다.

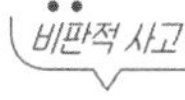

수능형

2

윗글의 관점에서 〈보기〉를 이해한 내용으로 적절하지 않은 것은?

보기

A는 출근 시간에 쫓겨 급히 승용차를 몰고 회사로 향하다 교차로의 신호등이 적색등으로 바뀌는 것을 보았다. 순간 A는 교통 신호를 어기고 싶은 충동이 일었지만, 교통질서를 지켜야 한다는 생각에 정지선에서 차를 멈추었다.

① A가 적색등을 보고 교통질서를 지켜야 한다고 생각한 것은 인간의 이성이 작용한 결과로 볼 수 있겠군.
② A가 출근 시간에 쫓겨 급히 승용차를 운전한 것은 동물적인 본능이 우연하게 작용한 결과로 볼 수 있겠군.
③ A에게 교통 신호를 어기고 싶은 충동이 일어난 것은 순간적으로 자기에게 유용한 것만 생각했기 때문이겠군.
④ A가 적색등을 보고 차를 멈춘 것은 교통 신호를 어기고 싶은 충동이 이성의 빛에 의해 인도된 것으로 볼 수 있겠군.
⑤ A가 정지선에서 차를 멈춘 것은 그의 이성이 교통질서를 어겼을 때 나타날 수 있는 부정적 결과를 예측하게 해 주었기 때문이겠군.

어휘·어법

3

문맥상 의미가 ㉠과 가장 가까운 것은?

① 자갈길에 들어서면서 버스의 동요가 심해졌다.
② 지진으로 발생할 수 있는 건물의 동요에 대비해야 한다.
③ 할머니는 손녀가 동요를 부르는 모습을 보고 기뻐하셨다.
④ 신분제의 동요로 양반 중심 사회는 커다란 위기에 처했다.
⑤ 격렬한 반대에 부딪치자 내 마음도 약간의 동요가 이는 듯했다.

1 이 글의 핵심 화제를 살펴보자.

(　　　　　) 철학의 특징과 그가 추구한 이상적인 인간상

2 각 문단별 중심 내용을 정리해 보자.

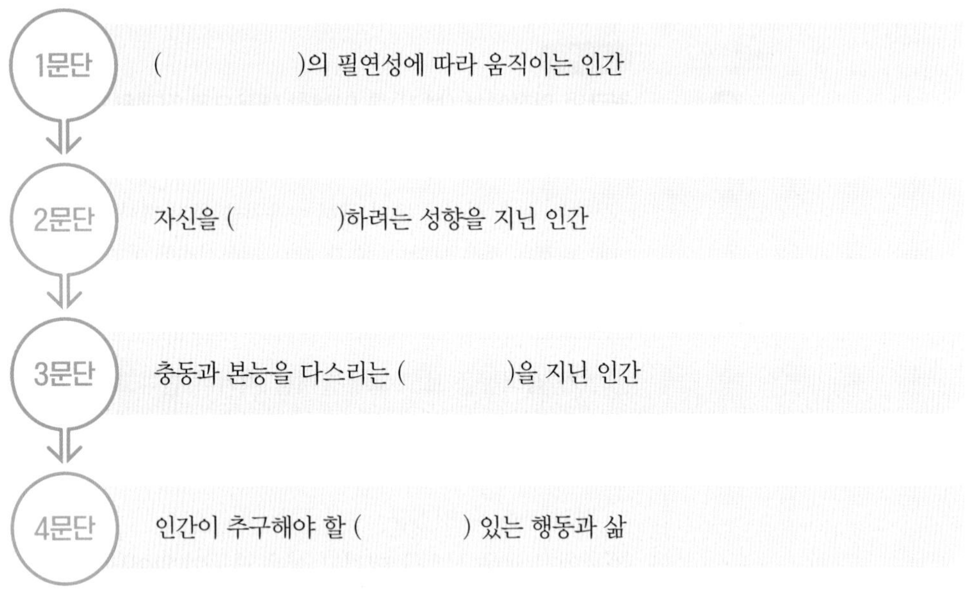

3 핵심 내용을 구조화해 보자.

스피노자의 철학

자연의 현상은 (　　　　　)인 법칙을 따르므로, (　　　　　)의 일부인 인간의 행동 역시 불변의 법칙을 벗어날 수 없음

인간의 (　　　　　)은 인간을 충동과 본능에서 벗어나게 하고, 이로 인해 감정의 (　　　　　)를 피할 수 있게 함

⇓

스피노자가 궁극적으로 추구한 이상적인 인간상

자연 현상에 내재된 필연성에 대해 (　　　　　)하고, (　　　　　)을 통해 감정의 동요에서 벗어나 '신에 대한 지적인 사랑'에 이른 인간

어휘력 테스트

● 다음 괄호 안에 들어갈 단어의 뜻을 〈보기〉에서 골라 기호를 써 보자.

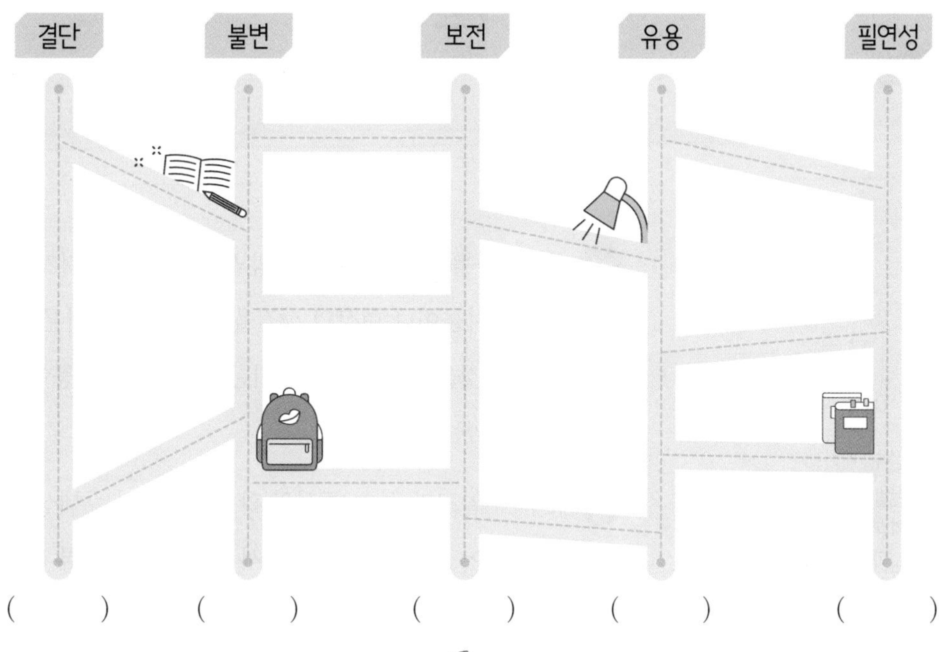

( ) ( ) ( ) ( ) ( )

보기

㉠ 쓸모가 있음
㉡ 온전하게 보호하여 유지함
㉢ 결정적인 판단을 하거나 단정을 내림. 또는 그런 판단이나 단정
㉣ 사물의 모양이나 성질이 변하지 아니함. 또는 변하게 하지 아니함
㉤ 사물의 관련이나 일의 결과가 반드시 그렇게 될 수밖에 없는 요소나 성질

어휘·어법 확장

'그러므로'와 '그럼으로'의 구별

그러므로 이런 관점에서 볼 때 인간이 자신을 보전하는 데 유용한 것은 선하다고 할 수 있으며, 그렇지 않은 것은 악하다고 할 수 있다.

그러므로		그럼으로
'그렇다' 또는 '그러다'의 어간에 까닭을 나타내는 어미 '-므로'가 결합한 말로, '그러니까', '그렇기 때문에'와 같은 의미가 있음 예 그는 착하다. 그러므로 내 부탁을 들어줄 것이다. (→ 그렇기 때문에)		'그러다'의 명사형인 '그럼'에 조사 '으로'가 붙은 말로, '그렇게 하는 것으로써'라는 수단의 의미가 있음. '그러므로'와 달리 '써'가 결합할 수 있음 예 그는 부탁을 꼭 들어준다. 그럼으로(써) 사는 보람을 느낀다. (→ 그렇게 하는 것으로(써))

유추란 무엇일까?

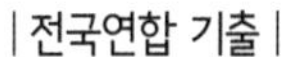

| 전국연합 기출 |

- 핵심어를 찾아보자.
- 문단별 중심 내용에 밑줄을 그어 보자.
- 핵심 내용을 구조적으로 재배열해 보자.

가 무엇인가를 알아내는 사고 방법에는 여러 가지가 있는데 그중 하나가 유추이다. 유추란 어떤 사물이나 현상의 성질을 그와 비슷한 다른 사물이나 현상에 기초하여 미루어 짐작하는 것을 말한다. 이는 학문 또는 예술 활동에서뿐만 아니라 일상생활에서도 흔히 행하고 있는 사고법이다.

나 유추는 '알고자 하는 특성의 확정–알고 있는 대상과의 비교–결론 내리기'의 과정을 통해 이루어진다. 동물원에 가서 '백조'를 처음 본 어린아이가 그것이 날 수 있는가의 여부를 판단하는 과정을 생각해 보자. 이 경우 '알고자 하는 대상'과 그 '알고자 하는 특성'을 확정하면 '백조가 날 수 있는가?'가 된다. 그런데 그 아이가 자신이 이미 알고 있는 '비둘기'를 떠올리고는 백조와 비둘기 사이에 '깃털이 있다.', '다리가 둘이다.', '날개가 있다.' 등의 공통점을 발견하였다. 이렇게 공통점을 발견하는 것이 바로 비교이다. 그다음에 '비둘기는 난다.'는 특성을 다시 확인한 후 '백조가 날 것이다.'라고 결론을 내리면 유추가 끝난다.

다 많은 논리학자들은 유추가 판단을 그르치게 한다고 폄하한다. 유추를 통해 알아낸 것이 옳다는 보장이 없기 때문이다. 위의 경우 '백조가 난다.'는 것은 옳다. 그런데 똑같은 방법으로 '타조'에 대해 '타조가 난다.'는 결론을 내렸다면, 이는 사실에 어긋난다. 이는 공통점이 가장 많은 대상을 비교 대상으로 선택하지 못했기 때문이다. 이렇게 유추를 통해 알아낸 것은 옳을 가능성이 있다고는 할 수 있어도 틀림없다고는 할 수 없다.

라 결국 ㉠<u>유추를 통해 옳은 결론을 내릴 가능성을 높이는 것</u>이 중요한데, '범위 좁히기'의 과정을 통해 비교할 대상을 선정함으로써 그 가능성을 높일 수 있다. 만약 어린아이가 수많은 새 중에서 비둘기 말고, 타조와 더 많은 공통점을 갖고 있는 것, 예를 들면 '몸통에 비해 날개 크기가 작다.'는 공통점을 하나 더 갖고 있는 '닭'을 가지고 유추를 했다면 '타조는 날지 못할 것이다.'라는 결론을 내렸을 것이다.

마 옳지 않은 결론을 내릴 가능성을 항상 안고 있음에도 불구하고 유추는 필요하다. 우리 인간은 모든 것을 알고 태어나지 않을 뿐만 아니라 어느 한순간에 모든 것을 알아내지는 못한다. 그런데도 인간이 많은 지식을 갖게 된 것은 유추와 같은 사고법을 가지고 있기 때문이다.

- **여부**: 그러함과 그러하지 아니함
- **폄하한다**: 가치를 깎아내린다.
- **불구하고**: 얽매여 거리끼지 아니하고

사실적 사고

1

수능형

윗글의 내용을 바탕으로 판단할 때, ㉠을 위해 할 일로 가장 적절한 것은?

보기

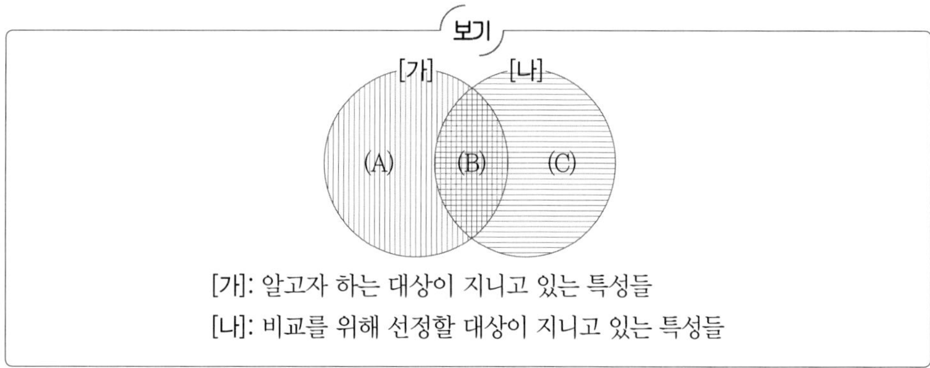

① (A)의 범위가 가장 넓은 대상을 선택해야 한다.
② (B)의 범위가 가장 넓은 대상을 선택해야 한다.
③ (C)의 범위가 가장 넓은 대상을 선택해야 한다.
④ (A)와 (C)의 면적 차이가 가장 큰 대상을 선택해야 한다.
⑤ (A), (B), (C)의 면적이 동일한 대상을 선택해야 한다.

추론적 사고

2

윗글을 바탕으로 〈보기〉를 이해한 내용으로 적절하지 <u>않은</u> 것은?

보기

화성에도 생명체가 존재할까? 이에 대한 답을 얻기 위해서는 우리가 가장 잘 알고 있는 행성인 지구와 비교함으로써 둘 사이의 공통점을 찾아보는 것이 필요할 것이다. 태양계의 다른 행성들에 비해 화성은 태양과의 거리가 지구와 가장 비슷하다. 화성은 대기 온도가 영하 76℃까지 떨어지기도 하지만 지구의 최저 기온과 크게 차이가 없는 편이다. 또한 화성에서는 지구에서와 같이 암석과 물의 존재가 확인되었다. 그런데 지구에는 생명체가 존재한다. 그러므로 화성에도 생명체가 존재할 가능성이 높다.

① '화성과 태양의 거리'를 확인함으로써 '알고자 하는 특성'을 확정했다.
② 비교할 대상으로 '지구'를 선택했다.
③ '암석과 물의 존재' 등의 특성은 비교의 결과 확인한 공통점이다.
④ 결론을 내리기 전에 '생명체가 존재한다.'는 '지구'의 특성을 다시 확인하고 있다.
⑤ 최종적으로 내린 결론은 '화성에 생명체가 존재할 가능성이 높다.'이다.

어휘•어법

3

다음 빈칸에 '유추'라는 말이 들어가기에 적절하지 <u>않은</u> 것은?

① 또래 친구들을 통해 그의 마음을 (　　　)해 낼 수 있다.
② 이러한 추측은 침팬지의 행태 관찰에서 (　　　)된 것이다.
③ 오렌지는 귤과 같은 종류의 과일이라고 (　　　)해 볼 수 있다.
④ 더욱 신속하게 결과를 (　　　)할 수 있는 코로나 진단 키트가 나왔다.
⑤ 셜록 홈스는 범인의 표정에서 어떤 단서를 (　　　)해 내고 질문을 던졌다.

1 이 글의 핵심 화제를 살펴보자.

인간이 지식을 습득하는 방법 중 하나인 (　　　　)

2 각 문단별 중심 내용을 정리해 보자.

3 핵심 내용을 구조화해 보자.

유추의 개념

어떤 사물이나 현상의 성질을 그와 (　　　　) 다른 사물이나 현상에 기초하여 미루어 짐작하는 것

유추의 과정

알고자 하는 특성의 (　　　　) → 알고 있는 대상과의 (　　　　) → 결론 내리기

유추의 한계 및 극복 방법

- 한계: 잘못된 결과를 도출할 우려가 있음
- 극복 방법: (　　　　) 좁히기

유추의 의의

유추는 인간이 보다 많은 (　　　　)을 가지게 해 줌

어휘력 테스트

1 **제시된 뜻과 예문을 참고하여 다음 초성에 해당하는 단어를 괄호 안에 써 보자.**

(1) ㅇ ㅊ : 같은 종류의 것 또는 비슷한 것에 기초하여 다른 사물을 미루어 추측하는 일

예 다음 문맥에서 단어의 뜻을 (　　　　)해 보아라.

(2) ㅍ ㅎ : 가치를 깎아내림

예 그 화가의 나이가 어리다고 해서 그의 작품까지 함부로 (　　　　)할 수는 없다.

(3) ㅂ ㄱ : 둘 또는 그 이상의 사물이나 현상을 견주어 서로 간의 유사점과 공통점, 차이점 따위를 밝히는 일

예 우리 회사 제품을 다른 회사 제품과 (　　　　)해 보세요.

2 **다음 〈보기〉의 뜻을 참고하여 십자말풀이를 완성해 보자.**

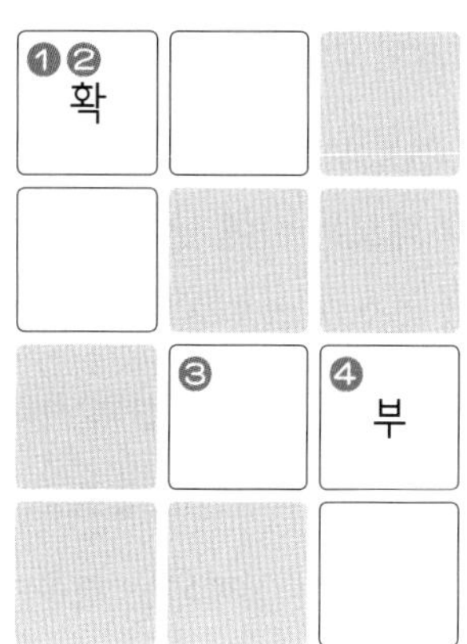

❶ 가로: 일을 확실하게 정함
❷ 세로: 틀림없이 그러한가를 알아보거나 인정함. 또는 그런 인정
❸ 가로: 그러함과 그러하지 아니함
❹ 세로: 어떤 사물을 특징지어 두드러지게 함

어휘·어법 확장

'뿐'의 띄어쓰기

• 이는 학문 또는 예술 활동에서뿐만 아니라 일상생활에서도 흔히 행하고 있는 사고법이다.
• 우리 인간은 모든 것을 알고 태어나지 않을 뿐만 아니라 어느 한순간에 모든 것을 알아내지는 못한다.

'뿐'은 의존 명사인 경우와 조사인 경우가 있다. 의존 명사일 경우 어미 '-ㄹ(을)' 뒤에 쓰이거나, '-다 뿐이지'의 구성으로 쓰이며 띄어쓰기를 한다. 그러나 체언이나 부사어 뒤에 붙는 조사일 경우는 띄어쓰기를 하지 않는다.

• 의존 명사 '뿐': 예 소문으로만 들었을 뿐이네. / 이름이 나지 않았다 뿐이지 참 성실한 사람이다.
• 조사 '뿐': 예 이제 믿을 것은 오직 실력뿐이다. / 가진 것은 이것뿐이다.

문화가 서서히 전파되는 방법

- 핵심어를 찾아보자.
- 문단별 중심 내용에 밑줄을 그어 보자.
- 핵심 내용을 구조적으로 재배열해 보자.

가 한 지역의 문화가 사람들의 이동과 무역, 정복 활동, 대중 매체 등을 통해 다른 지역으로 이동하거나 주변으로 퍼져 나가는 현상을 문화 전파라고 한다. 문화 전파는 한 지역의 문화가 다른 지역으로 서서히 전파되는 ㉠문화 확산과, 문화가 일정 거리를 뛰어넘어 멀리까지 전해지는 문화 이식으로 나눌 수 있다. 이 중 문화 확산은 팽창 확산, 이동 확산, 혼합 확산 등 크게 세 가지 모습으로 나타난다.

나 팽창 확산은 어떤 문화가 한 곳에서 다른 곳으로 전파되는 과정에서 그 문화가 발생 지역에 남아 있고, 때로는 그 힘이 더 커지기도 하는 경우이다. 이 경우에는 그 문화가 발생지에서 원심적으로 전파되는 모습을 띤다. 미국에서 처음 개발된 인터넷이 전 세계로 확산되면서 오늘날에는 주요한 소통 매체로 자리 잡은 것이 대표적인 예이다.

다 ㉡이동 확산은 문화 자체가 새로운 지역으로 이동하는 것으로 그 문화가 발생 지역에서 빠져나간 만큼 줄어들거나 때로는 아예 남아 있지 않은 경우이다. 근대화가 급속하게 이루어지던 시기에 농촌의 많은 사람들이 서울과 같은 대도시로 이동하면서 농촌의 노동력이 눈에 띄게 줄어들었던 것은 이동 확산의 사례로 볼 수 있다.

[A] 라 혼합 확산은 팽창 확산과 이동 확산이 섞인 모습으로 나타난다. 이는 새로운 문화 지역이 문화 발생 지역의 일부와 겹치면서 전파되는 경우이다. 이 경우 시간이 지남에 따라 처음에 겹쳤던 지역에서는 그 문화가 점차 사라지고, 문화가 전파된 지역의 범위 자체가 이동을 하는 모습을 보인다.

마 문화가 확산되는 과정에서는 여러 가지 원인에 의해 장애가 발생하기도 한다. 험한 산맥, 사막, 늪과 같은 자연적인 환경과 보수적인 사고방식이나 종교, 법률, 언어 등의 인문적인 환경에 의해서 방해를 받는다. 이와 같은 장애의 원인들을 흡수 장벽이라 하는데, 때로는 자연적인 환경보다 인문적인 환경이 더 큰 영향을 미치기도 한다. 문화가 확산되는 과정에서 흡수 장벽에 부딪히게 되면 문화가 확산되지 못하고 파묻혀 버리거나 흡수 장벽을 피하여 전파된다.

- **팽창**: 수량이 본디의 상태보다 늘어나거나 범위, 세력 따위가 본디의 상태보다 커지거나 크게 발전함
- **원심적**: 중앙에서 바깥쪽으로 점점 나가며 달라지는 성질을 가진 것
- **매체**: 어떤 작용을 한쪽에서 다른 쪽으로 전달하는 물체. 또는 그런 수단
- **보수적**: 새로운 것이나 변화를 반대하고 전통적인 것을 옹호하며 유지하려는 것
- **인문적**: 인류의 문화 전반에 관련된 것

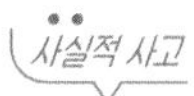

1

윗글을 통해 알 수 있는 내용으로 알맞지 않은 것은?

① 문화는 한 지역에 머무르지 않고 다른 지역으로 퍼져 나가기도 한다.
② 인터넷은 다른 나라로 확산된 이후에도 처음 발생했던 나라인 미국에 남아 있다.
③ 인문적인 환경은 자연적인 환경에 비해 문화가 확산되는 과정에서 큰 방해가 되지 않는다.
④ 문화가 확산되는 과정에서 장애가 발생하면, 문화가 그대로 파묻히거나 방해물을 피하여 전파된다.
⑤ 어떤 문화가 다른 지역으로 퍼져 나간 후, 발생한 지역에서 발견되지 않는다면 그 문화는 이동 확산을 한 것이다.

추론적 사고

2

수능형

[A]를 읽고 토론한 내용으로 가장 알맞은 것은?

① 은정: 혼합 확산은 팽창 확산과 이동 확산에 비해 문화가 전파되는 데 더 오랜 시간이 걸리겠군.
② 도섭: 혼합 확산의 경우, 문화가 발생한 지역의 일부와 그 문화가 전파된 지역은 거리상 멀리 떨어져 있겠군.
③ 아영: 시간이 지나고 나면 혼합 확산으로 전파된 문화는 그 문화가 전파되었던 모든 지역에 조금씩 남아 있겠군.
④ 준열: 혼합 확산은 문화가 전파된 지역의 범위 자체가 이동을 하기 때문에 흡수 장벽에 부딪힐 가능성이 크겠군.
⑤ 해경: 혼합 확산을 통해 새로운 지역으로 문화가 전파된 후에도 문화 발생 지역의 일부에는 한동안 그 문화가 남아 있겠군.

어휘•어법

3

다음 중 ㉠과 ㉡의 관계와 가장 비슷한 것은?

① 신발 - 구두　　② 아우 – 동생　　③ 남자 – 여자
④ 기름 – 지방　　⑤ 교실 – 강당

1 이 글의 핵심 화제를 살펴보자.

(　　　　　)의 세 가지 유형과 (　　　　　)의 영향

2 각 문단별 중심 내용을 정리해 보자.

3 핵심 내용을 구조화해 보자.

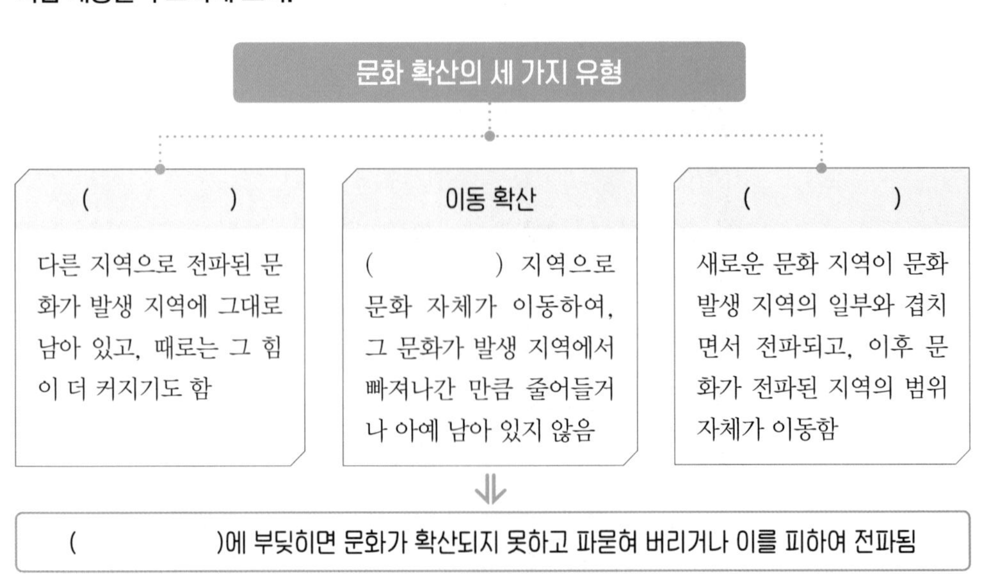

어휘력 테스트

1 **제시된 뜻과 예문을 참고하여 다음 초성에 해당하는 단어를 괄호 안에 써 보자.**

(1) ㅁ ㅊ : 어떤 작용을 한쪽에서 다른 쪽으로 전달하는 물체. 또는 그런 수단

예 우리는 방송을 (   )로 삼아 다른 지역의 소식을 접할 수 있다.

(2) ㅍ ㅊ : 수량이 본디의 상태보다 늘어나거나 범위, 세력 따위가 본디의 상태보다 커지거나 크게 발전함

예 은하들 사이의 거리가 멀어지는 이유는 지구가 (   )하여 공간이 늘어나기 때문이다.

2 **다음 단어를 활용하기에 적절한 문장을 찾아 바르게 연결해 보자.**

❶ 확산되다 •

❷ 개발되다 •

❸ 미치다 •

• ㉠ 가뭄 피해가 전국적으로 급속히 (   ) 있다.

• ㉡ 이번 광고가 상품의 판매량을 높이는 데에 큰 영향을 (   ) 있다.

• ㉢ 그 글자꼴은 보기에도 예쁘고 읽기에도 편하도록 (   ) 것이었다.

어휘·어법 확장

'띠다'와 '띄다'의 구별

농촌의 노동력이 눈에 띄게 줄어들었던 것은 이동 확산의 사례로 볼 수 있다.
└→ '남보다 훨씬 두드러지다.'의 의미

띠다 VS **띄다**

띠다

「1」 띠나 끈 따위를 두르다. 예 허리에 띠를 띠다.
「2」 물건을 몸에 지니다. 예 증명서를 띠고 학교에 갔다.
「3」 용무나, 직책, 사명 따위를 지니다.
예 중요한 임무를 띠고 본사로 돌아왔다.
「4」 빛깔이나 색채 따위를 가지다. 예 흰빛을 띤 물건
「5」 감정이나 기운 따위를 나타내다.
예 그녀는 미소를 띠며 그를 바라보았다.
「6」 어떤 성질을 가지다. 예 보수적인 성격을 띠다.

띄다

(※ '뜨이다'의 준말)
「1」 감았던 눈이 벌려지다. 예 아침 늦게야 눈이 띄었다.
「2」 처음으로 청각이 느껴지다. 예 아이의 귀가 띄다.
「3」 눈에 보이다. 예 사람들이 드문드문 눈에 띈다.
「4」 (('눈에'와 함께 쓰여)) 남보다 훨씬 두드러지다.
예 그녀는 보기 드물게 눈에 띄는 미인이다.
「5」 청각의 신경이 긴장되다.
예 집에 가자는 말에 귀가 번쩍 띄었다.

뜻을 모아 함께 만드는 단체, 협동조합

| 전국연합 기출 |

- 핵심어를 찾아보자.
- 문단별 중심 내용에 밑줄을 그어 보자.
- 핵심 내용을 구조적으로 재배열해 보자.

가 안전한 농산물을 농민들로부터 직접 공급받고 싶었던 K 씨는 자신과 뜻이 같은 사람들이 주위에 있음을 알게 되었다. K 씨는 이들과 함께 일정 금액의 출자금을 내어 단체를 만들었다. K 씨는 이 단체를 통해 안전한 농산물을 농민들로부터 직접 구매할 수 있었고, 농민들은 중간의 유통 비용 없이 적절한 대가를 받고 농산물을 공급할 수 있었다. 이 단체에서는 출자금의 일부를 미리 농민에게 지불하여 농민들이 더욱 안정적으로 농산물을 생산할 수 있도록 도왔다. 이 사례와 같이 뜻을 같이하는 사람들이 일정 금액을 모아 공동의 경제, 사회, 문화적 수요와 요구를 충족시키기 위해 자발적으로 결성한 조직을 '협동조합'이라고 한다.

나 협동조합은 5인 이상의 사람들이 모여 출자금을 내면 누구나 만들 수 있으며, 가입과 탈퇴도 자유롭다. 협동조합은 평등한 협력체이기 때문에 사업의 목적이 이윤의 추구가 아니라 조합원 간의 상호부조에 있다. 그래서 모든 조합원이 협동조합을 공동으로 소유하고, 출자금을 통해 협동조합에 필요한 자본을 조성하는 데 공정하게 참여한다. 그리고 조합 내에서 발생한 수익은 협동조합의 발전과 조합원의 권익 증진을 위해 사용한다.

다 이윤 추구를 목적으로 하는 주식회사와 달리 협동조합은 '조합원'을 중심으로 운영된다. 주식회사는 주식을 가진 비율에 따라 의사 결정권이 부여되므로 주식을 많이 가진 대주주가 의사를 결정하는 경우가 많다. 반면 협동조합에서는 대체로 조합원 한 사람에게 한 표의 의사 결정권이 부여되므로, 조합원의 의사가 존중된다. 따라서 이런 구조로 인해 조합원이 추구하는 공동의 가치인 일자리 창출이나 사회적 약자 보호, 그리고 지역 사회 발전과 같은 사회적 가치를 실현하는 데 유리하다.

라 그러나 협동조합은 구조적 특성상 신속한 자본 조달이 어렵다는 단점을 지닌다. 의사 결정의 기간도 상대적으로 길어 급변하는 상황에 신속하게 대처하기가 어려울 수 있다. 또 이윤 추구에 몰두하여 협동조합의 기본 정신을 잃어버렸을 경우 지속되기 힘들다. 이를 극복하기 위해서는 조합원들이 분명한 목표와 가치를 서로 공유해야 하며, 협동조합 간의 긴밀한 협력을 통해 지속적인 발전 방안을 모색해야 한다.

- **출자금**: 자금으로 낸 돈
- **상호부조**: 공동생활에서 개인들끼리 서로 돕는 일. 사회 진화의 근본적 동력이 된다.
- **권익**: 권리와 그에 따르는 이익
- **주식**: 주식회사의 자본을 구성하는 단위
- **창출**: 전에 없던 것을 처음으로 생각하여 지어내거나 만들어 냄
- **조달**: 자금이나 물자 따위를 대어 줌
- **모색해야**: 일이나 사건 따위를 해결할 수 있는 방법이나 실마리를 더듬어 찾아야

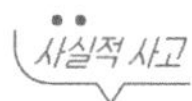

1

윗글의 내용과 일치하지 <u>않는</u> 것은?

① 주식회사의 사업 목적은 이윤을 추구하는 것이다.
② 협동조합은 자본 조달을 빠르게 할 수 있다는 장점이 있다.
③ 협동조합은 조합원들의 출자금을 기초로 하여 자본을 조성한다.
④ 주식회사에서는 주식을 가진 비율에 따라 의사 결정권이 부여된다.
⑤ 협동조합은 일자리 창출이나 사회적 약자 보호를 실현하는 데 유리하다.

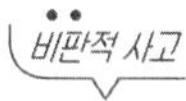

2

수능형

윗글을 바탕으로 〈보기〉를 이해한 내용으로 적절하지 <u>않은</u> 것은?

> 보기
>
> '바르사'라는 약칭으로도 불리는 스페인의 명문 축구 구단 'FC 바르셀로나'는 협동조합이다. 이 협동조합은 20만 명 가까운 조합원이 주인이다. 출자금 150유로를 내면 누구나 바르사의 조합원이 될 수 있는데, 바르사의 조합원은 축구 경기 입장료 할인 혜택을 받을 수 있다. 18세 이상이면서 1년 넘게 조합원으로 활동하면 누구나 이사회에 참석할 수 있고, 6년마다 열리는 클럽 회장 선거에 참여해 한 표를 행사할 수 있다. 바르사에서 발생한 수익금은 유소년 축구 클럽 육성과 시설 개선에 쓰인다. 구단이 안정적으로 운영되던 시절에는 유니폼에 공익성 광고를 대가 없이 새기기도 하였다.

① 6년마다 클럽 회장 선거가 있다는 것을 통해 바르사는 조합원에 의해 소유주가 선정된다는 것을 알 수 있군.
② 출자금 150유로를 내면 누구나 조합원이 될 수 있다는 것을 통해 바르사는 가입이 자유롭다는 것을 알 수 있군.
③ 광고료를 받지 않고 유니폼에 공익성 광고를 새겼다는 것을 통해 바르사의 목적이 이윤 추구에 있지 않다는 것을 알 수 있군.
④ 수익금이 유소년 축구 클럽 육성과 시설 개선에 쓰인다는 것을 통해 바르사에서는 수익금을 조합의 발전에 활용한다는 것을 알 수 있군.
⑤ 일정한 자격을 갖춘 조합원이라면 클럽 회장 선거에서 한 표를 행사할 수 있다는 것을 통해 바르사에서는 조합원의 의사가 존중된다는 것을 알 수 있군.

어휘·어법

3

다음은 윗글을 참고하여 '협동조합'의 또 다른 사례를 제시한 것이다. 밑줄 친 곳에 들어갈 말로 가장 적절한 것은?

> ______________________더니 컴퓨터를 배우고 싶어 하는 노인들이 일정 금액을 모아 컴퓨터 수업을 들을 수 있는 단체를 만들었다.

① 소도 언덕이 있어야 비빈다
② 우물을 파도 한 우물을 파라
③ 윗물이 맑아야 아랫물이 맑다
④ 두 손뼉이 맞아야 소리가 난다
⑤ 사공이 많으면 배가 산으로 간다

1 이 글의 핵심 화제를 살펴보자.

(   )의 개념과 특징

2 각 문단별 중심 내용을 정리해 보자.

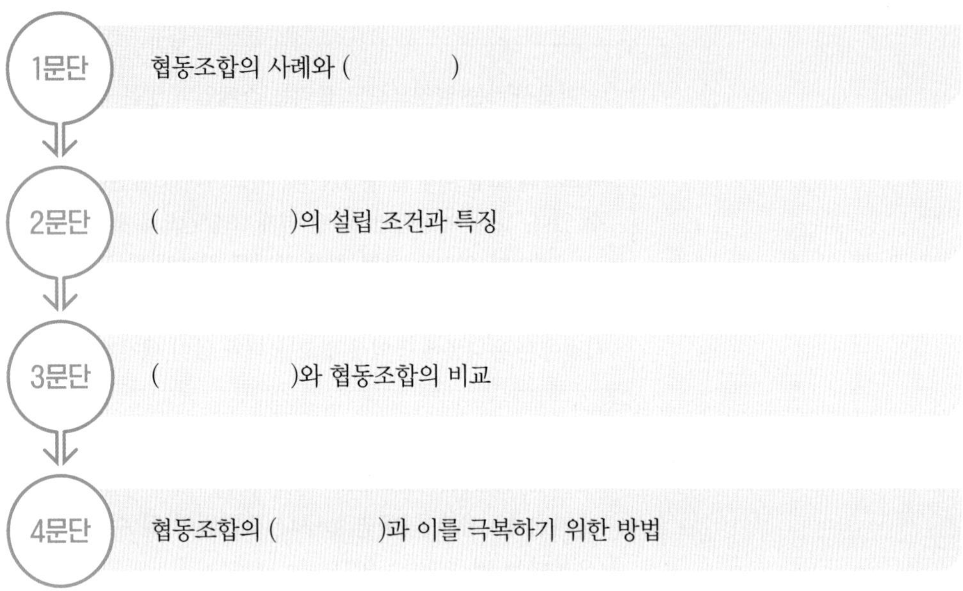

3 핵심 내용을 구조화해 보자.

협동조합

뜻을 같이하는 사람들이 (   )을 모아 공동의 경제, 사회, 문화적 수요와 요구를 충족시키기 위해 (   )으로 결성한 조직

→

특징	• 가입과 탈퇴가 자유로움 • 조합원 간의 ( )가 목적임 • 조합원이 협동조합을 공동으로 소유함 • 수익은 조합의 발전과 조합원의 ( ) 증진을 위해 사용함 • 조합원 중심으로 운영되며, 조합원 한 사람이 한 표의 의사 결정권을 행사함
단점	• 신속한 ( ) 조달이 어려움 • 의사 결정 기간이 길어 급변하는 상황에 신속하게 대처하기 어려움 • ( ) 추구에 몰두할 경우 조직이 지속되기 어려움 → 협동조합 간의 긴밀한 ( )을 통해 지속적인 발전 방안을 모색해야 함

어휘력 테스트

1 **제시된 뜻과 예문을 참고하여 다음 초성에 해당하는 단어를 괄호 안에 써 보자.**

(1) ㅇ ㅌ : 상품 따위가 생산자에서 소비자, 수요자에 도달하기까지 여러 단계에서 교환되고 분배되는 활동

예 상품의 (　　　　　)은 매매를 통하여 이루어진다.

(2) ㅈ ㅂ ㅈ : 남이 시키거나 요청하지 아니하여도 자기 스스로 나아가 행하는 것

예 교통질서 확립을 위해서는 시민들의 (　　　　　)인 참여가 필요하다.

(3) ㅁ ㅅ : 일이나 사건 따위를 해결할 수 있는 방법이나 실마리를 더듬어 찾음

예 정부는 이 사태의 평화적 해결을 (　　　　　)하는 중이다.

2 **다음 〈보기〉의 뜻을 참고하여 십자말풀이를 완성해 보자.**

❶			❷ 조
■	■	■	
❸	■	■	■
❹ 출			■

보기

❶ 가로: 공동생활에서 개인들끼리 서로 돕는 일
❷ 세로: 자금이나 물자 따위를 대어 줌
❸ 세로: 전에 없던 것을 처음으로 생각하여 지어 내거나 만들어 냄
❹ 가로: 자금으로 낸 돈

어휘·어법 확장

'대가(代價)'의 다양한 의미

농민들은 중간의 유통 비용 없이 적절한 대가를 받고 농산물을 공급할 수 있었다.
└→ '물건의 값으로 치르는 돈'의 의미

「1」 물건의 값으로 치르는 돈(= 대금)

예 물품의 대가를 지불하다.

「2」 일을 하고 그에 대한 값으로 받는 보수

예 노동의 대가로 임금을 받다.

「3」 노력이나 희생을 통하여 얻게 되는 결과. 또는 일정한 결과를 얻기 위하여 하는 노력이나 희생

예 이상을 실현하기 위해서는 그만큼의 대가를 치러야 하는 법이다.

피해자와 가해자, 그 사이에 있는 방관자

- 핵심어를 찾아보자.
- 문단별 중심 내용에 밑줄을 그어 보자.
- 핵심 내용을 구조적으로 재배열해 보자.

가 학급에서 발생하는 괴롭힘 상황에 대한 전통적인 접근 방법은 '가해자 – 피해자 모델'이다. 이 모델에서는 가해자와 피해자의 개인적인 특성 때문에 괴롭힘 상황이 발생한다고 보고, 문제의 해결에서 개인적인 처방이 ⓐ중시된다. 예를 들어 가해자는 선도하고 피해자는 치유 프로그램에 참여하도록 한다.

[A] **나** 하지만 학급에서 일어난 괴롭힘의 상황에는 가해자, 피해자뿐만 아니라, '방관자'도 존재한다. 방관자는 상황에 대해 침묵하거나 모르는 척하는데, 이런 행동은 가해자를 소극적으로 지지하게 되는 것이다. 만약 방관만 하던 친구들이 적극적으로 나선다면 어떨까? 괴롭힘을 멈출 수 있게 된다. 피해자는 보호를 받게 되고 가해자는 자기의 행동을 되돌아볼 수 있게 된다. 반면 방관자가 무관심하게 대하거나 알면서도 모르는 체를 한다면 괴롭힘은 지속된다. 따라서 방관자의 역할이야말로 학급의 괴롭힘 상황을 해결할 때 가장 ⓑ주목해야 할 부분이다.

다 이러한 방관자의 역할을 이해하고 학급 내 괴롭힘 상황을 근본적으로 해결하기 위한 새로운 모델이 '가해자 – 피해자 – 방관자 모델'이다. 이 모델에서는 방관하는 행동이 바로 괴롭힘 상황을 유지하게 만드는 근본적인 원인이라고 생각한다. 즉 괴롭힘 상황에서 방관자는 단순한 제3자가 아니라 가해자와 마찬가지의 책임이 있다고 보는 것이다.

라 그렇다고 이 모델에서 방관자를 가해자와 동일하게 처벌하자는 것은 아니다. 대신 방관자가 피해자를 돕는 행동을 할 수 있도록 학급 환경 자체를 변화시켜야 함을 강조한다. 예를 들어 괴롭힘 상황이 발생했을 때에는 학급의 모든 구성원이 이러한 상황을 인지하고 문제의 심각성을 ⓒ공유해야 한다. 또한 돕고 싶지만 두려움 때문에 방관만 하던 소극적인 학생들은 피해자를 적극적으로 도울 수 있도록 심리적, 물리적으로 지원받아야 한다. 이를 통해 학생들은 방관하는 행동이 문제임을 깨닫게 되고, 이후에는 누군가가 괴롭힘을 당할 때 방관하지 않고 나서서 피해자를 도우려는 태도를 지니게 된다.

마 이 모델에 따르면 학급의 괴롭힘 상황을 가해자와 피해자 사이의 문제로만 여기고 '나는 저 문제에 끼어들지 않겠다.' 또는 '나는 남을 괴롭히지 않으니까 괜찮아.'라고 ⓓ회피하는 태도는 가해자를 돕는 것과 마찬가지이다. 이 새로운 모델은 방관자였던 학생들이 피해자를 돕는 행동을 할 수 있는 학급 환경이 조성될 때 학급에서 친구를 괴롭히는 일이 ⓔ근절될 수 있음을 보여 준다.

- **선도하고**: 올바르고 좋은 길로 이끌고
- **방관자**: 어떤 일에 직접 나서서 관여하지 않고 곁에서 보기만 하는 사람
- **인지하고**: 어떤 사실을 인정하여 알고
- **조성될**: 분위기나 정세 따위가 만들어질

1 **윗글을 읽고 알 수 있는 내용으로 적절하지 않은 것은?**

① '가해자-피해자 모델'은 괴롭힘 상황에 대한 전통적인 접근 방법이다.
② 피해자를 직접 괴롭힌 것이 아니더라도 방관자의 침묵은 가해자를 지지하는 것이 될 수 있다.
③ 방관자가 피해자를 돕는 행동을 할 수 있는 환경이 조성될 때 괴롭힘 상황은 해결될 수 있다.
④ '가해자-피해자 모델'에서는 괴롭힘 상황의 발생 원인을 가해자와 피해자의 개인적인 특성 때문으로 본다.
⑤ '가해자-피해자-방관자 모델'에서는 방관자의 책임이 가해자와 동일하므로, 처벌도 동일해야 한다고 여긴다.

수능형

2 **[A]에 대한 타당성을 높이기 위한 방법으로 가장 적절한 것은?**

① 가해자를 강력하게 처벌하여 학급 내 괴롭힘 문제를 해결한 사례를 제시한다.
② 피해자 치유 프로그램의 결과가 성공적이었음을 보여 주는 통계 자료를 제시한다.
③ 피해자가 가해자를 용서했더니 학급 내의 괴롭힘이 줄어들었다는 보고서의 자료를 인용한다.
④ 아무도 말리지 않아 피해자를 계속 괴롭혀도 된다고 생각했다는 가해자의 면담 자료를 인용한다.
⑤ 학교 폭력의 가해자가 피해자로 바뀌고, 피해자가 가해자로 바뀌기도 하는 실제 사례를 추가한다.

어휘·어법

3 **문맥상 ⓐ~ⓔ와 바꿔 쓰기에 적절하지 않은 것은?**

① ⓐ: 중요하게 여겨진다.
② ⓑ: 주의 깊게 살펴야
③ ⓒ: 함께 알아야
④ ⓓ: 선뜻 나서지 않는
⑤ ⓔ: 줄어들

1 이 글의 핵심 화제를 살펴보자.

학급 내 괴롭힘 상황의 해결을 위한 (   )의 역할과 태도

2 각 문단별 중심 내용을 정리해 보자.

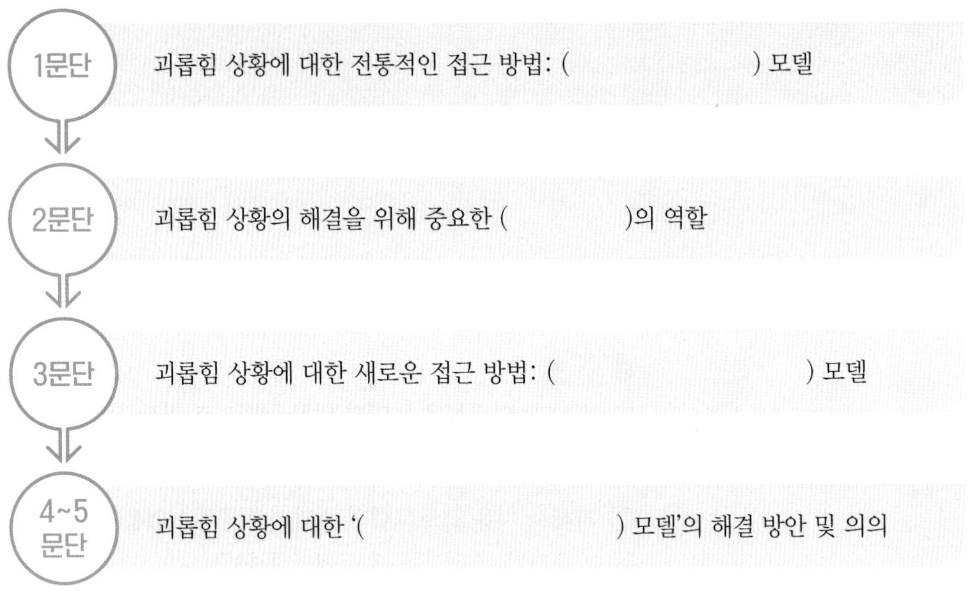

문단	중심 내용
1문단	괴롭힘 상황에 대한 전통적인 접근 방법: ( ) 모델
2문단	괴롭힘 상황의 해결을 위해 중요한 ( )의 역할
3문단	괴롭힘 상황에 대한 새로운 접근 방법: ( ) 모델
4~5문단	괴롭힘 상황에 대한 '( ) 모델'의 해결 방안 및 의의

3 핵심 내용을 구조화해 보자.

학급 내 괴롭힘 상황에 대한 접근 방법

가해자 - 피해자 모델		가해자 - 피해자 - 방관자 모델
• 가해자와 피해자의 ( ) 특성 때문에 괴롭힘 상황이 발생한다고 봄 • 문제의 해결에서 개인적인 처방이 중시됨(가해자는 선도하고, 피해자는 치유 프로그램에 참여하게 함)	→	• 방관자의 방관하는 행동이 괴롭힘 상황을 유지하게 만든다고 봄 • 방관자가 피해자를 도울 수 있도록 ( ) 자체를 변화시켜야 한다고 강조함

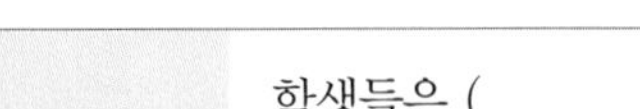

방관자가 지녀야 할 태도	학생들은 ( )하는 행동이 문제임을 깨닫고, 누군가가 괴롭힘을 당할 때 ( )하지 않고 나서서 피해자를 도우려는 태도를 지녀야 함

어휘력 테스트

1 다음 단어의 뜻을 참고하여 끝말잇기를 완성해 보자.

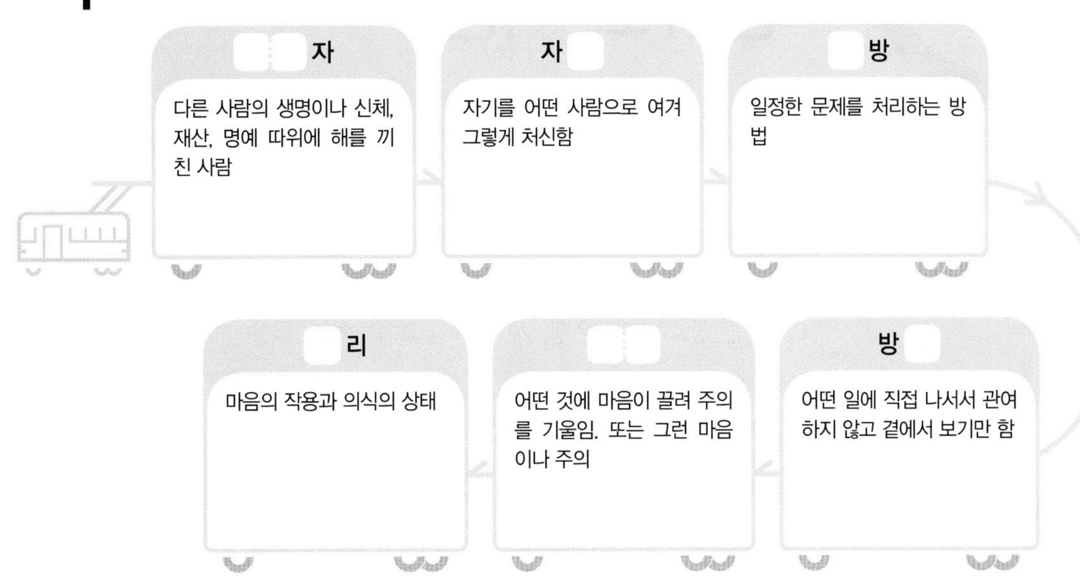

2 다음 단어를 활용하기에 적절한 문장을 찾아 바르게 연결해 보자.

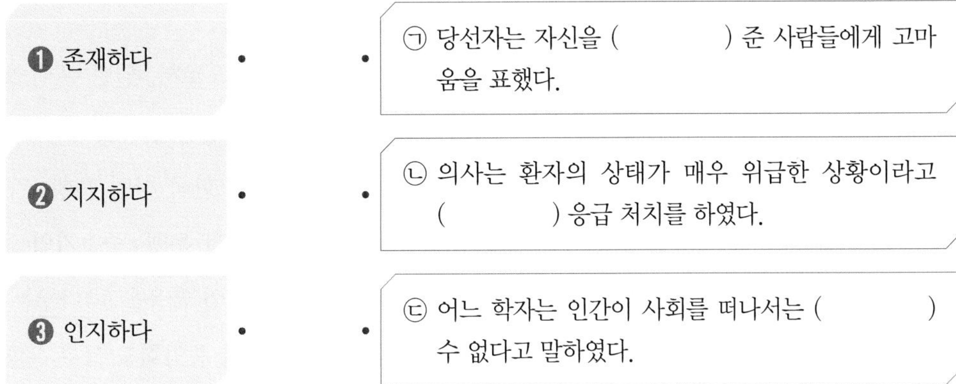

'체'와 '채'의 구별

방관자가 무관심하게 대하거나 알면서도 모르는 체를 한다면 괴롭힘은 지속된다.

체	VS	채
그럴듯하게 꾸미는 거짓 태도나 모양을 나타내는 의존 명사		이미 있는 상태 그대로 있다는 뜻을 나타내는 의존 명사
예 • 보고도 못 본 체 딴전을 부리다. • 알지도 못하면서 아는 체는 왜 하니? • 그녀는 모든 것을 다 아는 양 잘난 체를 한다.		예 • 옷을 입은 채로 물에 들어간다. • 노루를 산 채로 잡았다. • 벽에 기대앉은 채로 잠이 들었다.

금융 기관의 종류와 특징

- 핵심어를 찾아보자.
- 문단별 중심 내용에 밑줄을 그어 보자.
- 핵심 내용을 구조적으로 재배열해 보자.

| 전국연합 기출 |

(가) 은행이나 농협이라고 하면 알겠는데, 제1금융권, 제2금융권이라는 말은 왠지 ㉠낯설다. 상호 저축 은행, 새마을 금고 등 여러 금융 기관이 있다고 하는데, 이러한 금융 기관은 어떻게 다른 걸까?

(나) 은행에는 중앙은행과 일반 은행, 특수 은행이 있다. 이 중, 중앙은행으로는 금융 제도의 중심이 되는 한국은행이 있다. 한국은행은 우리가 사용하는 돈인 한국 은행권을 발행하고, 경제 상태에 따라 시중에 유통되는 돈의 양, 곧 통화량을 조절한다.

(다) 일반 은행의 종류에는 큰 도시에 본점을 두고 전국적인 지점망을 형성하는 시중 은행과 지방 위주로 영업하는 지방 은행, 외국 은행의 국내 지점이 있다. 일반 은행은 예금 은행 또는 상업 은행이라고도 하며, 예금을 주로 받고 그 돈을 빌려주어서 이익을 얻는 상업 목적으로 운영된다.

(라) 특수 은행은 정부가 소유한 은행으로서, 일반 은행으로서는 수지가 맞지 않아 자금 공급이 어려운 경제 부문에 자금을 공급하는 것이 주요 업무이다. 국가 주요 산업이나 기술 개발용 장기 자금을 공급하는 한국 산업 은행, 기업이 수출입 거래를 하는 데 필요한 자금을 공급해 주는 한국 수출입 은행, 중소기업 금융을 전문으로 하는 중소기업 은행이 이에 해당한다. 농업과 축산업 금융을 ㉡다루는 농업 협동조합 중앙회, 또는 수산업 금융을 다루는 수산업 협동조합 중앙회도 특수 은행에 포함된다. 일반적으로 일반 은행과 특수 은행을 제1금융권이라고 한다.

(마) 제2금융권은 은행은 아니지만 은행과 ㉢비슷한 예금 업무를 다루는 기관으로, 은행에 비해 규모가 작고 특정한 부문의 금융 업무를 전문으로 한다. 상호 저축 은행, 신용 협동 기구, 투자 신탁 회사, 자산 운용 회사 등이 이에 해당한다.

상호 저축 은행은 도시 자영업자를 주요 고객으로 하는 소형 금융 기관이다. 은행처럼 예금 업무가 가능하고 돈을 빌려주기도 하지만 이자가 더 높고, 일반 은행과 구별하기 위해서 상호 저축 은행이라는 이름을 ㉣쓴다. 신용 협동조합, 새마을 금고, 농협과 수협의 지역 조합을 통틀어 신용 협동 기구라고 하는데, 직장 혹은 지역 단위로 조합원을 ㉤모아서 이들의 예금을 받고, 그 돈을 조합원에게 빌려주는 금융 업무를 주로 담당한다. 투자 신탁 회사, 자산 운용 회사는 투자자들이 맡긴 돈을 모아 뭉칫돈으로 만들어 증권이나 채권 등에 투자해 수익을 올리지만, 돈을 빌려주지는 않는다.

- **시중**: 사람들이 생활하는 공개된 공간을 비유적으로 이르는 말
- **수지**: 거래 관계에서 얻는 이익
- **자영업자**: 자신이 직접 사업을 경영하는 사람
- **증권**: 사법상 재산권을 표시한 '유가 증권'을 일상적으로 이르는 말
- **채권**: 국가, 지방 자치 단체, 은행, 회사 따위가 사업에 필요한 자금을 차입하기 위하여 발행하는 유가 증권. 공채, 국채, 사채, 지방채 따위가 있다.

사실적 사고

1 **윗글을 쓴 목적으로 가장 적절한 것은?**

① 대상에 새로운 역할이 부여되어야 함을 주장하기 위해
② 대상의 특성을 설명하여 독자에게 정보를 제공하기 위해
③ 대상의 기능을 강조하여 독자의 인식 전환을 촉구하기 위해
④ 대상의 장점을 부각시켜 대상에 대한 관심을 유도하기 위해
⑤ 대상과 관련된 미담을 제시하여 독자에게 감동을 주기 위해

추론적 사고

2 수능형

윗글을 바탕으로 할 때, 〈보기〉의 상황에 대해 제시할 수 있는 의견으로 적절하지 않은 것은?

보기

• 국회 의원인 A 씨는 물가 상승의 원인이 통화량이 지나치게 많기 때문임을 파악하고, 이를 해결할 수 있는 방법을 찾고자 한다.
• 농부인 B 씨는 이번에 새롭게 버섯 농사를 시작하려 했으나, 자금이 부족하여 금융 기관에서 일정 금액을 대출받으려 한다.
• 중소기업의 사장인 C 씨는 제품의 생산량을 늘리기 위해 새로운 기계를 구입하려 했으나, 그 돈은 예금으로 맡겨 놓고 기계를 임대하는 것이 더욱 이익임을 알게 된다.

① A 씨가 해결 방법을 찾기 위해서는 한국은행 측에 자문을 구해 보는 것이 좋을 거야.
② B 씨는 농업과 관련된 금융을 주로 다루는 농업 협동조합 중앙회에서 대출을 받을 수 있을 거야.
③ B 씨가 좀 더 낮은 이자로 대출받기를 원한다면 투자 신탁 회사를 이용할 수도 있어.
④ C 씨는 기계를 구입하려 했던 돈을 제1금융권뿐만 아니라 제2금융권에도 예금할 수 있어.
⑤ C 씨는 여유 자금을 자산 운용 회사를 통해서 증권이나 채권에 투자해 수익을 올릴 수도 있을 거야.

어휘·어법

3 **㉠~㉤과 바꿔 쓸 수 있는 말로 적절하지 않은 것은?**

① ㉠: 생소하다
② ㉡: 언급하는
③ ㉢: 유사한
④ ㉣: 사용한다
⑤ ㉤: 모집해서

1 **이 글의 핵심 화제를 살펴보자.**

(　　　　　)의 개념 및 종류와 특징

2 **각 문단별 중심 내용을 정리해 보자.**

1문단	(　　　　　)들의 차이점에 대한 궁금증
2문단	은행의 종류와 (　　　　　)의 주요 업무
3문단	(　　　　　)의 종류와 특징
4문단	(　　　　　)의 종류와 주요 업무 및 (　　　　　)의 개념
5~6문단	(　　　　　)의 개념 및 종류와 특징

3 **핵심 내용을 구조화해 보자.**

금융 기관의 종류

중앙은행		한국은행으로, 한국 은행권을 발행하며 (　　　　　)을 조절함
제1 금융권	일반 은행	• (　　　　　)을 주로 받고 그 돈을 빌려주어서 이익을 얻음 • 시중 은행, 지방 은행, 외국 은행의 국내 지점
	특수 은행	• (　　　　　)가 소유한 은행으로, 자금 공급이 어려운 경제 부문에 자금을 공급함 • 한국 산업 은행, 한국 수출입 은행, 중소기업 은행, 농업 협동조합 중앙회, 수산업 협동조합 중앙회
(　　　　　)		• 예금 업무를 다루며, 특정한 부문의 금융 업무를 전문으로 함 • 상호 저축 은행, 신용 협동 기구, 투자 신탁 회사, 자산 운용 회사

어휘력 테스트

● 다음 괄호 안에 들어갈 단어의 뜻을 〈보기〉에서 골라 기호를 써 보자.

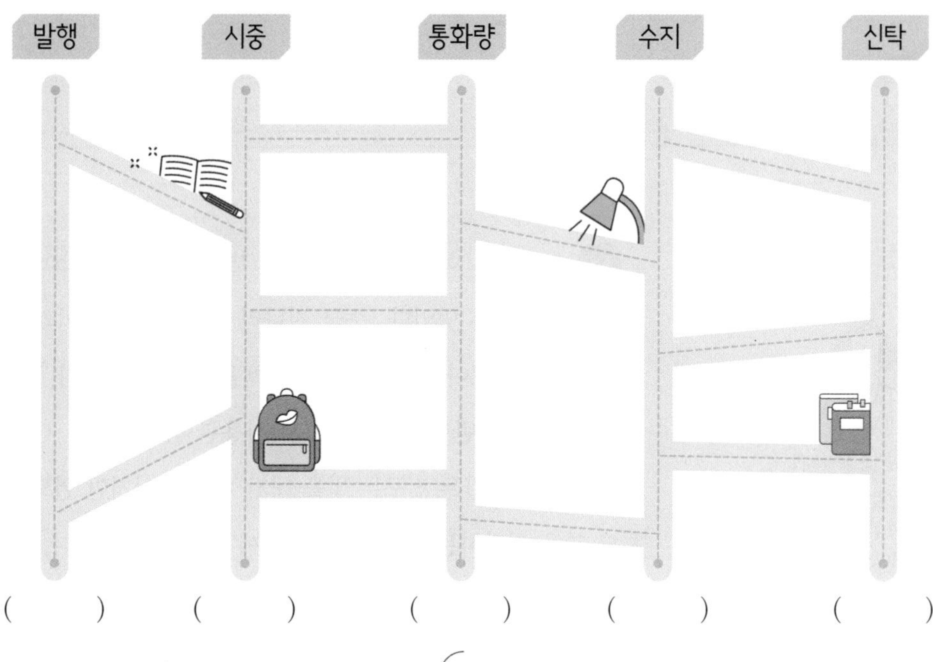

( ) ( ) ( ) ( ) ( )

보기

㉠ 거래 관계에서 얻는 이익
㉡ 나라 안에서 실제로 쓰고 있는 돈의 양
㉢ 일정한 목적에 따라 재산의 관리를 남에게 맡기는 일
㉣ 사람들이 생활하는 공개된 공간을 비유적으로 이르는 말
㉤ 화폐, 증권, 증명서 따위를 만들어 세상에 내놓아 널리 쓰도록 함

어휘·어법 확장

'왠지'와 '웬'의 구별

제1금융권, 제2금융권이라는 말은 왠지 낯설다.

'왠지'는 '왜인지'에서 줄어든 말이므로 '왠지'로 써야 한다. 그러므로 '웬지'는 잘못 쓴 것이다. 이와는 달리 '왠'이 아닌 '웬'으로 써야 하는 경우가 있다. '웬 사람이 널 찾아왔어.'나 '웬일로 그러지?'의 '어떠한', '어찌 된'을 뜻하는 '웬'을 '왠'으로 적는 것은 잘못이다. 이때에는 '왜'와 관련이 없는 말이므로 '웬'으로 적는다.

- '왠지': 예 매일 만나는 사람인데 오늘따라 왠지 멋있어 보인다. / 왠지 불길한 예감이 들었다.
- '웬': 예 웬 까닭인지 몰라 어리둥절하다. / 웬 걱정이 그리 많아? / 이게 웬 떡이냐?

스스로 빛을 내는 가로수

- 핵심어를 찾아보자.
- 문단별 중심 내용에 밑줄을 그어 보자.
- 핵심 내용을 구조적으로 재배열해 보자.

가 과거에는 여름이면 시골에서 별처럼 빛을 깜박이며 날아다니는 반딧불이의 묘기를 자주 볼 수 있었다. 중국 진나라 때 차윤(車胤)이라는 사람은 기름을 살 돈이 없어 반딧불이를 모아 그 빛으로 밤에 책을 읽었다고 한다. 형설지공(螢雪之功)에 얽힌 이야기다. 차윤은 반딧불이를 전구로 사용한 셈이다.

나 사람이 만든 전구는 빛을 내기 위한 것이지만 열도 함께 발생한다. 백색의 빛 외에도 열을 전달하는 적외선 빛이 함께 나오기 때문이다. 하지만 반딧불이는 가시광 파장 영역의 황록색 빛만을 내기 때문에 열이 나지 않는다. 이처럼 생물체가 특정 색의 빛을 내는 것은 생체 내에서 화학 반응으로 일어나는 화학 ⓐ발광 때문이다. 이러한 화학 발광 과정에서는 열을 내는 적외선이 나오지 않는다. 그래서 반딧불이와 같은 생물체가 내는 빛을 차가운 빛, 즉 '냉광(冷光)'이라고 한다. 이와 같은 발광 생물 중에는 반딧불이 이외에도 발광 박테리아, 발광 달팽이, 발광 버섯, 빛 해파리, 야광충, 반디 오징어 등 다양한 종류가 있다.

다 현대 도시의 밤을 화려하게 밝히고 있는 형광등의 발광 ⓑ효율은 20% 이하인 반면, 반딧불이의 발광 효율은 90% 이상이다. 그러면 이러한 발광 생물들을 이용해 정말 조명등을 만들 수도 있지 않을까? 과학자들은 차윤이 반딧불이를 전구로 사용한 것처럼 발광 생물을 이용해 열이 나지 않고 전기도 필요 없는 조명 장치를 만들기 위해 오래전부터 노력해 왔다. 실제로 1935년 프랑스 파리 해양 연구소에서 개최된 국제 학회에서는 연구소의 큰 홀을 '발광 박테리아 전구'로 밝혔다고 한다. 발광 박테리아 한 마리가 내는 빛은 매우 약하지만, 작은 유리 용기에 엄청나게 많은 수를 쉽게 ⓒ배양할 수 있기 때문에 상당한 밝기의 전구를 만드는 것이 가능했을 것이다.

라 최근에는 동물의 유전자를 식물의 유전자에 ⓓ조합하려는 유전자 조작 기술이 급속도로 발전하고 있다. 유전 공학자들은 빛을 내는 각종 분재, 정원수, 가로수가 머지않아 거실이나 정원 그리고 밤거리를 밝혀 줄 수 있을 것으로 기대한다. 발광 생물의 발광 유전자를 분리해 식물 유전자 속에 재조합하면 다양한 발광 색의 빛을 내는 식물, 예를 들면 난초나 가로수와 같은 식물을 만들 수 있기 때문이다. 가까운 장래에 이 기술이 실용화에 성공하게 되면 조명 산업뿐만 아니라 도시의 환경에도 큰 변화가 오고, 아름다운 빛을 내는 가로수가 늘어선 ⓔ운치 있는 도시의 밤이 실현될 것이다.

- **형설지공(螢雪之功)**: 반딧불·눈과 함께 하는 노력이라는 뜻으로, 고생을 하면서 부지런하고 꾸준하게 공부하는 자세를 이르는 말
- **적외선**: 파장이 가시광선보다 긴 전자기파. 눈으로는 볼 수 없고 일반적으로 공기 가운데에서 산란되기 어려우며, 가시광선보다 투과력이 강하다.
- **가시광 파장**: 사람의 눈으로 볼 수 있는 파장
- **분재**: 줄기나 가지를 보기 좋게 가꾼 화초나 나무

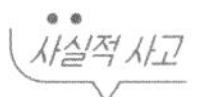

1

윗글의 내용으로 가장 적절한 것은?

① 발광 박테리아 한 마리가 내는 빛은 매우 밝다.
② 반딧불이는 형광등보다 높은 효율을 지닌 빛을 낸다.
③ 발광 박테리아를 이용한 전구는 지금 상용화의 단계에 와 있다.
④ 화학 발광 과정에서는 열을 전달하는 적외선 빛이 함께 나오게 된다.
⑤ 반딧불이가 내는 빛은 황록색의 가시광선이 나오지 않기 때문에 차갑다.

2

수능형

윗글의 논지를 바탕으로 한 다음의 특허품 개발 계획 중, 가장 적절한 것은?

① 간편하고 저렴한 방법으로 발광 버섯을 대량 생산할 수 있는 '발광 버섯 재배법'을 개발한다.
② 유기물 박테리아가 내는 가스를 모아 불을 밝히는 '유기물 화학 반응 가스 조명등'을 개발한다.
③ 빛을 내는 발광 박테리아를 전구에 담아 조명 기구로 사용할 수 있도록 '발광 박테리아 전구'를 개발한다.
④ 유전자 조작 기술을 이용하여 나뭇가지와 잎사귀에서 빛이 나오는 '자체 발광 크리스마스트리'를 개발한다.
⑤ 대량의 반딧불이를 통에 넣고, 기구를 이용하여 공중에 띄워 반딧불이를 방사하는 '반딧불이 불꽃놀이 기구'를 개발한다.

어휘·어법

3

ⓐ~ⓔ의 사전적 의미로 적절하지 <u>않은</u> 것은?

① ⓐ: 빛을 냄
② ⓑ: 일한 양과 공급되는 에너지와의 비(比)
③ ⓒ: 인공적인 환경을 만들어 동식물 세포와 조직의 일부나 미생물 따위를 가꾸어 기름
④ ⓓ: 잘못 따위가 있는지 알아보기 위하여 서로 맞추어 보려는
⑤ ⓔ: 고상하고 우아한 멋

1 **이 글의 핵심 화제를 살펴보자.**

(　　　　　　)을 이용한 발광 식물의 개발 전망

2 **각 문단별 중심 내용을 정리해 보자.**

3 **핵심 내용을 구조화해 보자.**

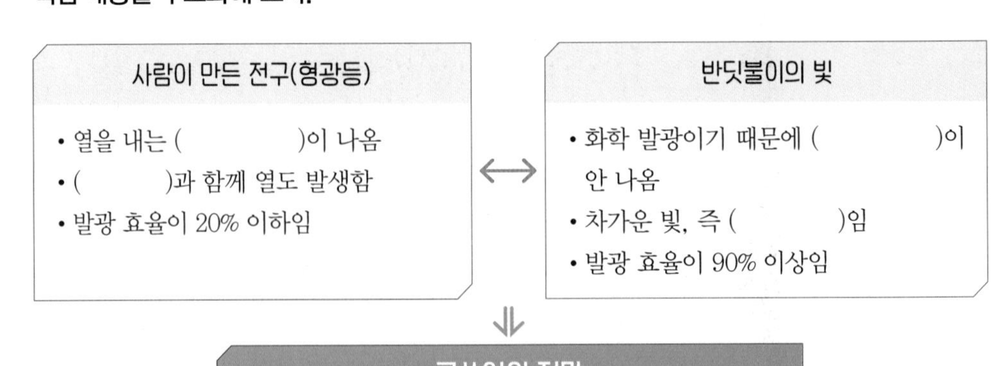

어휘력 테스트

1 **제시된 뜻과 예문을 참고하여 다음 초성에 해당하는 단어를 괄호 안에 써 보자.**

(1) ㅅ ㅇ ㅎ : 실제로 쓰거나 쓰게 함

예 새로 개발한 신소재가 (　　　　)의 단계에 있다.

(2) ㅇ ㅅ : 수량이나 정도가 일정한 기준보다 더 많거나 나음. 기준이 수량으로 제시될 경우에는, 그 수량이 범위에 포함되면서 그 위인 경우를 가리킴

예 꼭짓점이 셋 (　　　　)인 도형에는 삼각형도 포함된다.

(3) ㅇ ㅇ : 활동, 기능, 효과, 관심 따위가 미치는 일정한 범위

예 그는 아이돌 가수에서 연기자로 활동 (　　　　)을 넓혔다.

2 **다음 〈보기〉의 뜻을 참고하여 십자말풀이를 완성해 보자.**

❶			
❷ 기			
		❸❹ 조	

보기

❶ 세로: 교묘한 기술과 재주

❷ 가로: 과학 이론을 실제로 적용하여 사물을 인간 생활에 유용하도록 가공하는 수단

❸ 가로: 광선으로 밝게 비춤. 또는 그 광선

❹ 세로: 작업 따위를 잘 처리하여 행함

어휘·어법 확장

'모으다'의 비슷한말 & 반대말

비 비슷한말　반 반대말

모으다

「1」 한데 합치다.

예 손을 모으다.

「2」 돈이나 재물을 써 버리지 않고 쌓아 두다.

예 형은 돈을 꽤 많이 모았다.

비 묶다

여럿을 한군데로 모으거나 합하다.

예 우리는 열무 열 개씩을 한 단으로 묶어서 팔았다.

비 저축하다

절약하여 모아 두다.

예 그는 월급의 대부분을 저축했다.

반 퍼뜨리다

널리 퍼지게 하다.

예 그는 그녀에 대한 안 좋은 소문을 동네에 퍼뜨렸다.

반 흩다

한데 모였던 것을 따로따로 떨어지게 하다.

예 닭들이 곡식들을 흩어 놓았다.

봄의 불청객, 황사

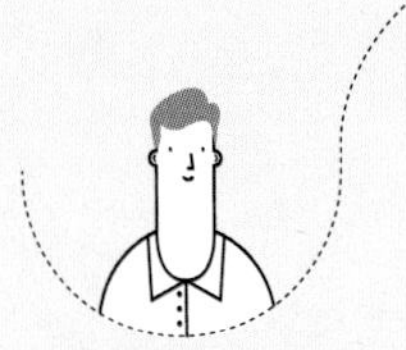

- 핵심어를 찾아보자.
- 문단별 중심 내용에 밑줄을 그어 보자.
- 핵심 내용을 구조적으로 재배열해 보자.

가 올해도 어김없이 봄의 불청객 황사가 찾아왔다. 황사란 주로 중국 서북부의 건조한 황토(黃土) 지대에서 바람에 의하여 하늘 높이 ⓐ불리어 올라간 무수의 미세한 모래 먼지가 대기 중에 퍼져서 하늘을 덮었다가 서서히 강하하는 현상 또는 강하하는 모래 먼지를 말한다. 한반도 최악의 봄철 환경 재앙인 황사는 하늘을 탁하게 하고 앞을 안 보이게 하는 것은 물론 눈병, 피부병, 호흡기 질환 등을 유발한다. 또한 삶의 질을 저하시키고 산업 활동에 피해를 준다. 최근에는 중국의 산업화로 중금속을 비롯한 각종 유독성 물질이 함유되어 강에 큰 위협이 되고 있다.

나 황사는 왜 봄에 발생하는 것일까? 그것은 황사의 발생을 이해하면 쉽게 풀 수 있다. 우리나라에 영향을 미치는 황사의 주요 발원지는 중국과 몽골의 사막 지대와 황하 중류의 황토 지대이다. 이런 중국의 서북 건조 지역은 연 강수량이 400mm 이하(우리나라의 연 강수량은 약 1,100~1,700mm)이고 사막이 대부분이어서 모래 먼지가 많이 발생한다. 건조한 사막의 먼지가 겨울 내내 얼어 있다가 봄이 되어 건조한 토양이 잘게 부서져 크기 20㎛ 이하의 작은 모래 먼지가 발생한다. 이렇게 발생한 모래 먼지 위에 저기압이 지나가면 저기압의 강한 상승 기류에 의해 3,000~5,000m의 높은 상공으로 올라간 뒤, 봄에 우리나라가 위치한 중위도 지역에 영향을 미치는 편서풍을 타고 이동을 한다. 발원지에서 배출되는 먼지 중 입자가 크고 무거운 30% 정도가 발원지에 다시 가라앉아 사막의 세력 확장에 영향을 주고, 20%는 주변 지역으로 수송되며, 가장 미세한 입자를 가진 50%는 장거리까지 수송돼 한국·일본·태평양 등에 영향을 끼치게 된다.

다 황사의 발원지인 중국이나 몽골뿐 아니라 황사 피해를 직접적으로 받는 한국·일본 등에서도 황사 피해를 줄이기 위한 각종 대책이 수립되고 있지만, 아직 근본적인 해결책은 없는 상태이다. 현재까지 가장 많이 이용되는 방법은 방풍림 조성이다. 중국에서는 황사의 발원지인 사막 지역에 꾸준히 방풍림을 조성해 왔는데, 중국의 전체 면적 가운데 15%가 넘는 1억 5천만 ha가 사막 지역이기 때문에 이 방대한 지역에 방풍림을 조성한다는 것은 현실적으로 거의 불가능하다. 따라서 최근에는 한국·중국·일본·몽골 등 관련국들이 공동으로 황사 문제에 대처하기 위해 학술적인 논의는 물론, 중국 서북부 지역의 사막화를 줄이고 나아가 사막화 지역 주민의 사회·경제적 문제까지 해결할 수 있는 방안을 추진하고 있다.

- **무수**: 헤아릴 수 없음
- **강하하는**: 높은 곳에서 아래로 향하여 내려오는
- **발원지**: 어떤 사회 현상이나 사상 따위가 맨 처음 생기거나 일어난 곳
- **마이크로미터(㎛)**: 미터법에 의한 길이의 단위. 1마이크로미터는 1미터의 100만분의 1이다.
- **편서풍**: 위도 30~65도 사이의 중위도 지방에서 일 년 내내 서쪽에서 동쪽으로 치우쳐 부는 바람
- **방풍림**: 바람을 막기 위하여 가꾼 숲
- **헥타르(ha)**: 미터법에 의한 넓이의 단위. 1헥타르는 10아르의 100배로 1만 ㎡이다.
- **학술적**: 학술(학문과 기술을 아울러 이르는 말)에 관한 것

● 정답과 해설 14쪽

1 윗글에서 확인할 수 있는 정보를 〈보기〉에서 모두 골라 바르게 묶은 것은?

> 보기
>
> ㉠ 황사의 발생지
> ㉡ 황사의 근본적 해결 방안
> ㉢ 황사의 발생 시기와 그 이유
> ㉣ 황사가 우리나라에 미치는 영향
> ㉤ 황사와 미세 먼지의 공통점과 차이점

① ㉠, ㉡　② ㉠, ㉡, ㉤　③ ㉠, ㉢, ㉣
④ ㉡, ㉣, ㉤　⑤ ㉢, ㉣, ㉤

추론적 사고

2 수능형

〈보기〉의 자료를 이 글에 활용할 때, 그 방안으로 가장 적절한 것은?

> 보기
>
> 지난주 중국에서 한·중·일 환경 장관 회의가 개최됐다. 3국의 환경 장관들은 황사 예보의 정확도를 높이고 사막화 지역의 황사 방지와 생태 복원을 효과적으로 수행하기 위해 황사 공동 연구단의 '중기 공동 연구 계획'을 우리나라 주관으로 수립하기로 결정했다. 또한 중국은 자국이 관장하는 황사 관측소 측정 자료를 우리나라와 공유하기로 약속하면서 황사의 주요 발원지에 대한 방풍림 조성 사업에 지속해서 협력해 달라고 요청했다.

① 한·중·일 환경 장관 회의의 성과를 소개하는 자료로 활용한다.
② 황사 문제를 해결하기 위한 각국의 대처 방안을 비교하는 자료로 활용한다.
③ 전년도에 비해 황사 예보의 정확도가 상승한 원인을 분석하는 자료로 활용한다.
④ 방풍림 조성 사업이 황사 문제의 유일한 해결책임을 강조하는 자료로 활용한다.
⑤ 황사 피해를 줄이기 위한 관련국들의 공동 노력을 뒷받침하는 자료로 활용한다.

어휘·어법

3 ⓐ와 문맥적 의미가 가장 가까운 것은?

① 영호는 자신의 이름이 불리어 깜짝 놀랐다.
② 증권 투자로 재산을 불리어 부자가 되고 싶었다.
③ 쇠를 불리어 단단하게 하는 것을 '단련'이라고 한다.
④ 민들레 씨앗이 바람에 불리어 여기저기 흩어지고 있었다.
⑤ '☆☆ 대책'이 대기업의 배만 불리어 주는 정책이라는 비판을 받고 있다.

1 이 글의 핵심 화제를 살펴보자.

황사의 발생 (   )과 해결을 위한 노력

2 각 문단별 중심 내용을 정리해 보자.

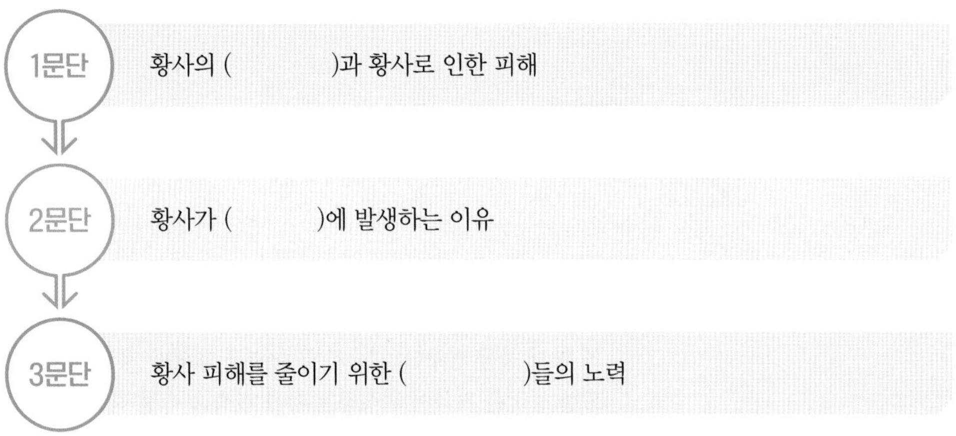

3 핵심 내용을 구조화해 보자.

황사에 대한 이해

황사의 개념	황사의 발생 원인	황사 피해를 줄이기 위한 노력
중국 서북부의 황토 지대에 있던 미세한 모래 먼지가 대기 중에 퍼져서 하늘을 덮었다가 서서히 강하하는 현상 또는 강하하는 ( )	• ( )과 몽골의 사막 지대와 황하 중류의 황토 지대에서 발원함 • 건조한 사막의 먼지가 봄이 되어 잘게 부서져 하늘로 올라간 뒤, ( )을 타고 이동해 우리나라로 날아옴	• 황사 피해를 막기 위한 근본적인 ( )은 없음 • 사막 지역에 ( ) 조성은 현실적인 한계로 거의 불가능함 • 관련국들이 황사 문제에 대처하기 위해 공동 방안을 추진하고 있음

어휘력 테스트

1 **제시된 뜻과 예문을 참고하여 다음 초성에 해당하는 단어를 괄호 안에 써 보자.**

(1) ㅂㅇㅈ : 어떤 사회 현상이나 사상 따위가 처음 생기거나 일어난 곳

예 제1차 세계 대전의 (　　　　　)는 동유럽의 한 도시였다.

(2) ㅎㅇ : 물질에 어떤 성분을 포함하고 있음

예 카페인이 많이 (　　　　　)된 음료는 건강에 좋지 않다.

(3) ㅇㅂ : 어떤 것이 다른 일을 일어나게 함

예 복수는 또 다른 복수를 (　　　　　)하는 법이다.

2 **다음 〈보기〉의 뜻을 참고하여 십자말풀이를 완성해 보자.**

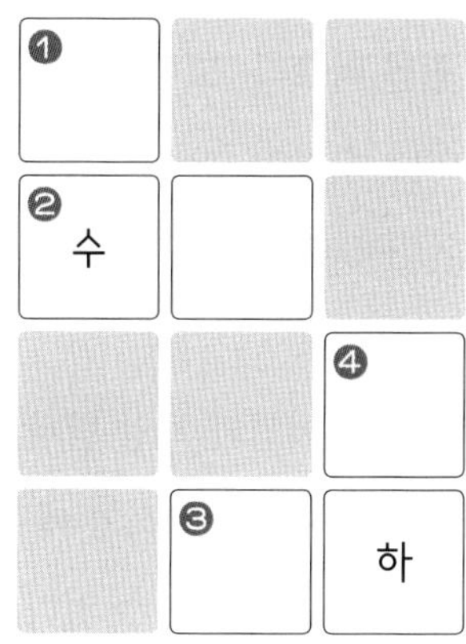

보기

❶ 세로: 헤아릴 수 없음

❷ 가로: 기차나 자동차, 배, 항공기 따위로 사람이나 물건을 실어 옮김

❸ 가로: 정도, 수준, 능률 따위가 떨어져 낮아짐

❹ 세로: 높은 곳에서 아래로 향하여 내려옴

어휘·어법 확장

단위 명사의 띄어쓰기

중국의 전체 면적 가운데 15%가 넘는 1억 5천만 ha가 사막 지역이기 때문에 ~ 현실적으로 거의 불가능하다.

%(퍼센트), ha(헥타르)와 같은 단위 명사는 수를 나타내는 말과 띄어 적는 것이 원칙이다. 다만, 단위 명사가 아라비아 숫자 뒤에 붙는 경우에는 붙여 쓰는 것을 허용한다.

이에 따라 '15%'는 '십오 퍼센트/15 %'(원칙), '15퍼센트/15%'(허용)와 같이 쓸 수 있다.

그러나 '1억 5천만 ha'의 경우는 단위 명사와 무조건 띄어 써야 한다. 왜냐하면 단위 명사 'ha' 앞에 '만'이 한글로 붙어 있기 때문이다. 즉 단위 명사가 아라비아 숫자 뒤에 붙는 경우가 아니므로, 이때에는 허용 규정이 적용되지 않는다.

과학 03

음파가 가지고 있는 속성

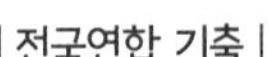

| 전국연합 기출 |

- 핵심어를 찾아보자.
- 문단별 중심 내용에 밑줄을 그어 보자.
- 핵심 내용을 구조적으로 재배열해 보자.

가 소리는 진동으로 인해 발생한 파동이 전달되는 현상으로, 이때 전달되는 파동을 음파라고 한다. 음파는 일정한 방향으로 나아가려는 직진성이 있고, 물체에 부딪치면 반사되는 성질을 갖고 있다.

나 음파는 주파수의 크기에 따라 고주파와 저주파로 나뉜다. 고주파는 직진성이 강하고 작은 물체에도 반사파가 잘 생기며 물에 흡수되는 양이 많아 수중에서의 도달 거리가 짧다. 반면, 저주파는 직진성이 약하고 작은 물체에는 반사파가 잘 생기지 않으며 물에 흡수되는 양이 적어 수중에서의 도달 거리가 길다.

다 음파는 파동을 전달하는 물질의 밀도가 높을수록 속도가 빨라진다. 그래서 음파의 속도는 공기 중에 비해 물속에서 훨씬 빠르다. 또한 음파의 속도는 물의 온도나 압력에 따라 변화한다. 일반적으로 수온이나 수압이 높아질 경우 속도가 빨라지고, 수온이나 수압이 낮아지면 속도는 느려진다. 300m 이내의 수심에서 음파는 초당 약 1,500m의 속도로 나아간다.

라 한편 음파는 이런 속성을 바탕으로 어업과 해양 탐사, 지구 환경 조사, 군사적 용도 등으로 폭넓게 사용된다. 음파를 활용하는 대표적인 예로는 물고기의 위치를 탐지하는 어군 탐지기와 지구 온난화와 관련된 실험을 들 수 있다.

마 어군 탐지기는 음파가 물체에 ㉠부딪쳐 반사되는 원리를 이용한 기기이다. 고깃배에서 발신한 음파가 물고기에 부딪쳐 반사되는 방향과 속도를 분석하여 물고기가 있는 위치를 알아낸다. 예를 들어 어군 탐지기가 특정 방향으로 발신한 음파가 0.1초 만에 반사되어 돌아왔다면, 목표물은 발신 방향으로 75m(1,500m/s×0.1s×0.5) 거리에 있음을 알 수 있다. 일반적으로 가까운 거리에 있는 물고기를 찾을 때에는 반사파가 잘 생기는 고주파를 사용한다. 이에 반해 먼 거리에 있는 물고기 떼를 찾을 때에는 도달 거리가 긴 저주파를 사용한다.

바 음파를 활용하면 지구 온난화 연구에 대한 기초 자료를 얻을 수도 있다. 미국의 한 연구팀은 미국 서부 해안의 특정 지점에서 발신한 음파가 호주 해안의 특정 지점에 도달하는 시간을 주기적으로 측정하였다. 이를 통해 연구팀은 수온이 지속적으로 높아지고 있다는 결론을 내렸다. 연구팀은 이러한 결과가 지구 온난화를 입증할 수 있는 증거 중의 하나라고 주장하였다.

- **파동**: 공간의 한 점에 생긴 물리적인 상태의 변화가 차츰 둘레에 퍼져 가는 현상. 수면(水面)에 생기는 파문이나 음파, 빛 따위를 이른다.
- **주파수**: 전파나 음파가 1초 동안에 진동하는 횟수
- **밀도**: 어떤 물질의 단위 부피만큼의 질량. 물의 밀도는 1g/㎤이다.
- **탐사**: 알려지지 않은 사물이나 사실 따위를 샅샅이 더듬어 조사함
- **어군**: 물고기의 떼
- **발신**: 소식이나 우편 또는 전신을 보냄. 또는 그런 것
- **입증할**: 어떤 증거 따위를 내세워 증명할

• 정답과 해설 16쪽

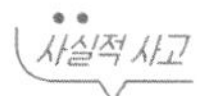

1

윗글을 통해 알 수 있는 내용이 아닌 것은?

① 소리는 파동이 전달되는 현상이다.
② 물의 밀도는 공기의 밀도보다 높다.
③ 수중에서 음파는 물을 매개로 전달된다.
④ 음파의 속도는 수압에 따라 달라질 수 있다.
⑤ 멀리 있는 물체일수록 반사파의 양은 많아진다.

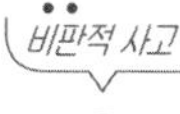

2

수능형

〈보기〉의 ⓐ와 ⓑ에 대해 설명한 내용으로 적절하지 않은 것은?

보기

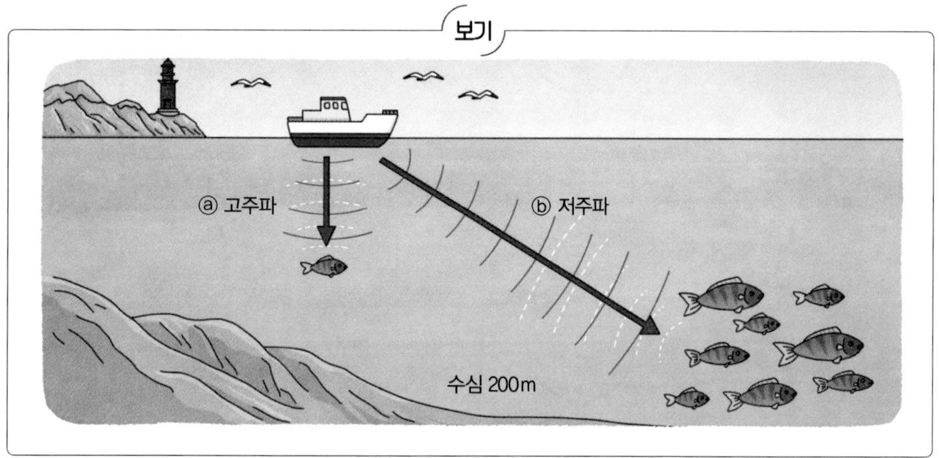

① ⓐ나 ⓑ로 물고기를 찾을 수 있는 것은 음파가 반사되어 돌아왔기 때문이군.
② ⓐ나 ⓑ가 0.1초 만에 반사되어 고깃배로 돌아왔다면 물고기는 75m 거리에 있겠군.
③ ⓐ는 ⓑ에 비해 작은 물체에도 반사파가 잘 발생하므로 작은 물고기를 찾을 때 유리하겠군.
④ ⓐ는 직진성이 약하기 때문에 가까운 곳에 있는 물고기를 찾는 데 이용되는군.
⑤ ⓑ가 먼 곳에 있는 물고기를 찾는 데 이용되는 것은 물에 흡수되는 음파의 양이 적기 때문이군.

어휘·어법

3

㉠에 대한 다음 설명을 참고할 때, ㉠이 들어가기에 적절하지 않은 것은?

㉠의 기본형인 '부딪치다'는 '부딪다'를 강조한 말로, 어떠한 충돌 현상이 일어났을 때에 주체가 능동적으로 부딪는 행위를 한 경우에 쓰인다.

① 서로의 손바닥을 부딪쳐
② 달걀을 그릇 모서리에 부딪쳐
③ 한눈을 팔다가 전봇대에 머리를 부딪쳐
④ 취객이 시비를 걸기 위해 그에게 몸을 부딪쳐
⑤ 차를 몰고 가다가 내 차가 뒤에 오는 차에 부딪쳐

1 이 글의 핵심 화제를 살펴보자.

음파의 성질과 다양한 (   ) 방법

2 각 문단별 중심 내용을 정리해 보자.

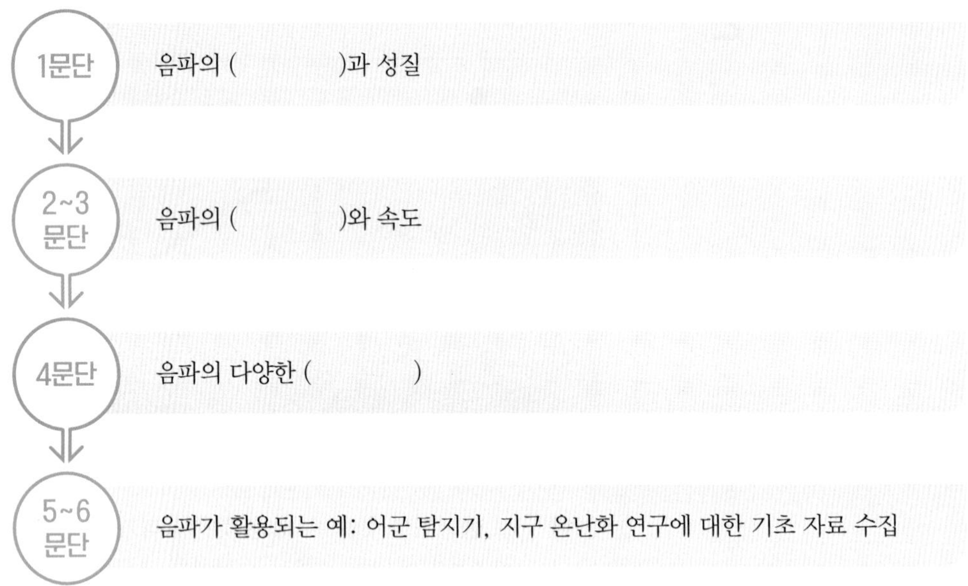

문단	중심 내용
1문단	음파의 ( )과 성질
2~3문단	음파의 ( )와 속도
4문단	음파의 다양한 ( )
5~6문단	음파가 활용되는 예: 어군 탐지기, 지구 온난화 연구에 대한 기초 자료 수집

3 핵심 내용을 구조화해 보자.

음파의 개념	소리는 진동으로 인해 발생한 파동이 전달되는 현상으로, 이때 전달되는 ( )을 말함

음파의 성질과 종류	음파의 속도	음파의 활용
• 성질: 일정한 방향으로 나아가려는 ( )과 물체에 부딪치면 반사되는 성질을 지님 • 종류: 주파수의 크기를 기준으로 ( )와 ( )로 나뉨	• 파동을 전달하는 물질의 ( )가 높을수록 속도가 빨라짐 • 수온이나 수압이 높아질 경우 속도가 빨라지고, 수온이나 수압이 낮아지면 속도는 느려짐	• 물고기의 위치를 탐지하는 ( ) • 지구 온난화 연구에 대한 기초 자료 수집

어휘력 테스트

● 다음 괄호 안에 들어갈 단어의 뜻을 〈보기〉에서 골라 기호를 써 보자.

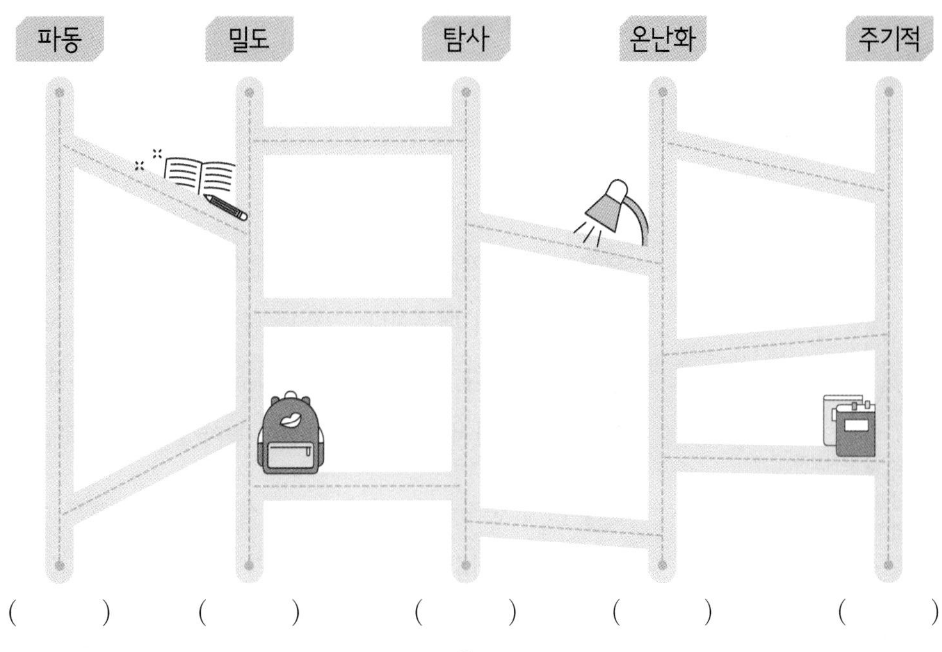

( ) ( ) ( ) ( ) ( )

보기

㉠ 지구의 기온이 높아지는 현상
㉡ 어떤 물질의 단위 부피만큼의 질량
㉢ 일정한 간격을 두고 되풀이하여 진행하거나 나타나는 것
㉣ 알려지지 않은 사물이나 사실 따위를 샅샅이 더듬어 조사함
㉤ 공간의 한 점에 생긴 물리적인 상태의 변화가 차츰 둘레에 퍼져 가는 현상

어휘·어법 확장

'이내'와 '내', '이하'와 '미만'의 구별

300m 이내의 수심에서 음파는 초당 약 1,500m의 속도로 나아간다.

'이내'와 '내'	'이내'는 '일정한 범위나 한도의 안'이라는 뜻을, '내'는 '일정한 범위의 안'이라는 뜻을 나타내는 말로 '이내'와 '내'는 의미상 별 차이가 없다. 예 '300m 이내'나 '300m 내'는 모두 '300m 안'이라는 뜻을 나타낸다.
'이하'와 '미만'	'이하'는 '수량이나 정도가 일정한 기준보다 더 적거나 모자람'을, '미만'은 '정한 수효나 정도에 차지 못함' 뜻한다. 기준이 수량으로 제시될 경우에 '이하'는 그 수량이 범위에 포함되면서 그 아래인 경우를 가리키며, '미만'은 그 수량이 범위에 포함되지 않으면서 그 아래인 경우를 가리킨다. 예 '18세 이하'는 '18세를 포함하여 그 아래'를, '18세 미만'은 '18세를 포함하지 않고 그 아래'를 뜻한다.

물질의 제4태, 플라스마

- 핵심어를 찾아보자.
- 문단별 중심 내용에 밑줄을 그어 보자.
- 핵심 내용을 구조적으로 재배열해 보자.

가 고체, 액체, 기체를 물질의 3태(態)라고 한다. 모든 물질은 이 3태 중 하나로 ⓐ존재한다고 여겼기 때문이다. 그러나 물질 중에는 고체, 액체, 기체와는 다른 상태로 존재하는 것이 있다. 더욱이 우주를 이루는 물질의 대부분은 이 새로운 상태로 존재한다는 것이 알려지면서 이에 대한 관심이 높아졌다. 이 새로운 상태가 바로 플라스마이다.

나 기체 분자들은 전기적으로 중성이다. 분자들은 플러스 전하를 띤 양성자 수와 마이너스 전하를 띤 전자 수가 같은, 중성 원자로 이루어져 있기 때문이다. 따라서 기체 분자들의 운동은 전기장이나 자기장의 영향을 받지 않으며 스스로 전기장이나 자기장을 만들어 내지도 않는다. 그런데 이러한 기체 상태의 분자를 열이나 빛 또는 강한 전자기파 등으로 계속 ⓑ가열하면 전기를 띤 입자로 나누어지게 된다. 이는 기체와 전혀 다른 성질을 나타내게 되는데, 이러한 상태를 바로 플라스마라고 한다. 플라스마 상태에서는 원자에서 떨어져 나온 자유 전자, 양이온 그리고 중성 원자들이 함께 존재하며 끊임없이 상호 작용을 하고, 주위의 전기장이나 자기장과도 상호 작용을 한다.

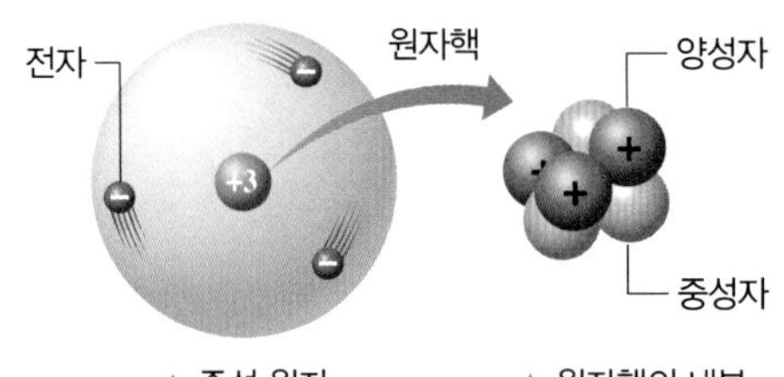

▲ 중성 원자 ▲ 원자핵의 내부

다 태양계 질량의 99퍼센트 이상을 차지하고 있는 태양은 바로 플라스마 상태이다. 태양은 78퍼센트가 수소, 20퍼센트가 헬륨, 그리고 2퍼센트 정도가 무거운 원소로 되어 있다. 태양의 ⓒ구성 물질의 대부분을 차지하는 수소 원자는 양성자 하나로 이루어진 원자핵과 그 주위를 돌고 있는 전자로 이루어져 있다. 그런데 태양 내부의 온도가 매우 높아 수소는 양성자와 전자가 분리된다. 따라서 태양은 양성자와 전자로 이루어진 플라스마 상태라고 할 수 있다.

라 또한 태양은 빛 에너지뿐만 아니라 많은 양의 물질을 ⓓ방출하고 있다. 태양에서 방출된 이러한 물질은 태양계 전체로 퍼져 나가는데 이것을 태양풍이라고 한다. 따라서 태양풍은 태양계에 불고 있는 플라스마의 바람이라고 할 수 있다. 이러한 플라스마를 이해하는 것은 우주의 ⓔ기원을 밝히는 기초가 된다는 점에서 아주 중요하다. 우주도 바로 플라스마 상태에서 시작했기 때문이다.

- **분자**: 물질에서 화학적 형태와 성질을 잃지 않고 분리될 수 있는 최소의 입자. 보통은 두 개 이상의 원자가 공유 결합에 의하여 결합되어 이루어진, 전기적으로 중성인 입자이다.
- **전하**: 물체가 띠고 있는 정전기의 양. 같은 부호의 전하 사이에는 미는 힘이, 다른 부호의 전하 사이에는 끄는 힘이 작용한다.
- **중성 원자**: 핵 주위에 있는 전자의 수가 핵 안에 있는 양자의 수와 같은 원자
- **자유 전자**: 진공이나 물질 속에서 외부로부터 힘을 받는 일 없이 자유롭게 떠돌아다니는 전자

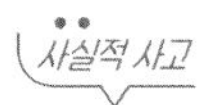

1 **윗글의 내용과 일치하지 않는 것은?**

① 플라스마는 물질의 3태에 포함되지 않는 상태이다.
② 플라스마는 우주를 이루는 물질 중에서 가장 많은 비중을 차지한다.
③ 플라스마는 스스로 전기장을 만들어 내지 않으므로, 전기적으로 중성이라고 볼 수 있다.
④ 플라스마 상태에서는 원자에서 떨어져 나온 자유 전자, 양이온, 중성 원자가 함께 존재한다.
⑤ 태양에서 방출되어 태양계 전체로 퍼져 나가는 많은 양의 물질은 플라스마의 바람이라고 볼 수 있다.

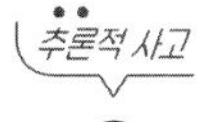

2 수능형

윗글을 참고하여 〈보기〉에서 ㉠의 이유를 추론한 내용으로 가장 적절한 것은?

태양의 표면을 둘러싸고 있는 ㉠태양 대기층인 코로나는 플라스마 상태이다. 수소와 헬륨 등으로 이루어진 코로나의 온도는 태양 표면의 온도보다 훨씬 높아 100만 ℃가 넘는다.

① 코로나의 기체 분자들은 스스로 자기장을 만들어 내므로
② 코로나를 구성하는 물질의 비율이 태양 내부와 동일하므로
③ 코로나를 구성하고 있는 수소와 헬륨은 모두 중성 원자이므로
④ 코로나의 기체 일부가 높은 열로 인해 전기를 띤 입자로 나누어지므로
⑤ 코로나의 기체 분자들의 운동은 태양의 빛 에너지로 인해 활성화되므로

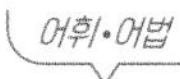

3 **ⓐ~ⓔ의 사전적 의미로 적절하지 않은 것은?**

① ⓐ: 현실에 실제로 있음
② ⓑ: 어떤 물질에 열을 가함
③ ⓒ: 몇 가지 부분이나 요소들을 모아서 일정한 전체를 짜 이룸
④ ⓓ: 입자나 전자기파의 형태로 에너지를 내보냄
⑤ ⓔ: 일의 차례를 따라 나아가는 과정

1 이 글의 핵심 화제를 살펴보자.

(   )의 상태적 특성과 중요성

2 각 문단별 중심 내용을 정리해 보자.

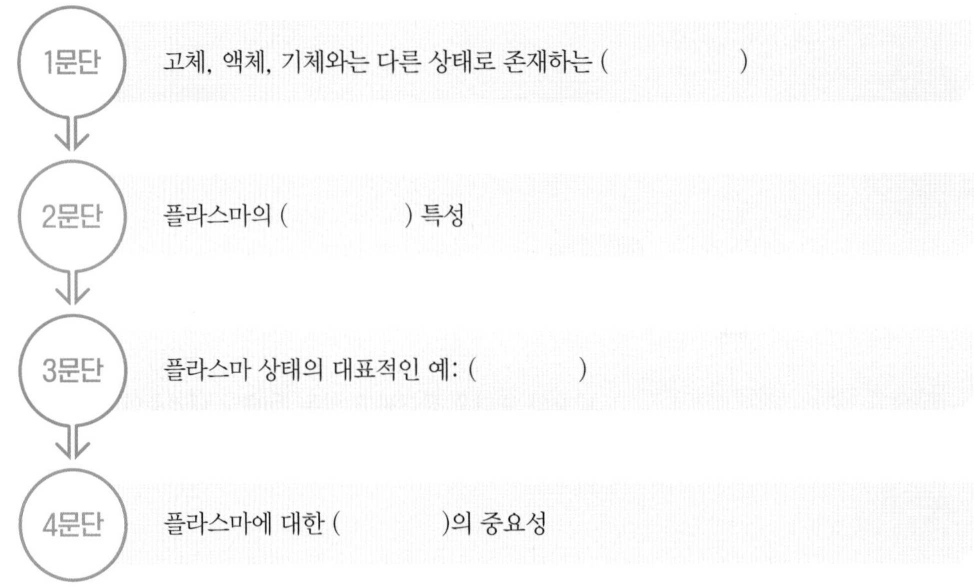

1문단 고체, 액체, 기체와는 다른 상태로 존재하는 (   )

2문단 플라스마의 (   ) 특성

3문단 플라스마 상태의 대표적인 예: (   )

4문단 플라스마에 대한 (   )의 중요성

3 핵심 내용을 구조화해 보자.

플라스마에 대한 이해

플라스마의 개념

기체 상태의 분자가 열이나 빛 등으로 계속 가열되어 (   )를 띤 입자로 나누어짐으로써, (   )와 전혀 다른 성질을 나타내게 된 상태

플라스마의 특성

- 원자에서 떨어져 나온 (   ), (   ) 그리고 중성 원자들이 함께 존재하며 내부적으로 상호 작용을 함
- 주위의 전기장이나 자기장과도 상호 작용함

⇓

플라스마에 대한 이해는 (   )을 밝히는 기초가 된다는 점에서 아주 중요함

어휘력 테스트

1 **제시된 뜻과 예문을 참고하여 다음 초성에 해당하는 단어를 괄호 안에 써 보자.**

(1) ㅂ ㄹ : 서로 나뉘어 떨어짐. 또는 그렇게 되게 함

예 우리반은 재활용 쓰레기가 잘 (   )되어 있다.

(2) ㅈ ㅇ ㅈ ㅈ : 진공이나 물질 속에서 외부로부터 힘을 받는 일 없이 자유롭게 떠돌아다니는 전자

예 금속 내부에는 자유롭게 운동하는 (   )가 있어 열을 고온부에서 저온부로 운반한다.

(3) ㅈ ㄹ : 물체의 고유한 역학적 기본량. 국제단위는 킬로그램(kg)

예 양팔저울을 사용하여 이 물체의 (   )을 측정했다.

2 **다음 〈보기〉의 뜻을 참고하여 십자말풀이를 완성해 보자.**

	❶❷ 기	
❸		
❹ 자		

보기

❶ 세로: 사물이 처음으로 생김. 또는 그런 근원
❷ 가로: 사물이나 일 따위의 기본이 되는 것
❸ 세로: 물질에서 화학적 형태와 성질을 잃지 않고 분리될 수 있는 최소의 입자
❹ 가로: 자석의 주위, 전류의 주위, 지구의 표면 따위와 같이 자기의 작용이 미치는 공간

어휘·어법 확장

'만들어 내다'의 띄어쓰기

기체 분자들의 운동은 전기장이나 자기장의 영향을 받지 않으며 스스로 전기장이나 자기장을 만들어 내지도 않는다.

'내다'와 같은 보조 용언도 하나의 단어이므로 띄어 쓰는 것이 원칙이다. 그러나 경우에 따라서는 붙여 쓰는 것이 허용되기도 하고, 아예 붙여 쓰는 것만 허용되는 경우도 있다. 붙여 쓰는 것이 허용되는 경우는 다음과 같다.

① '본용언+-아/-어+보조 용언' 구성: 예 [원칙] (사과를) 먹어∨보았다. / [허용] 먹어보았다.

② '용언의 관형사형+보조 용언(의존 명사+-하다/-싶다)' 구성: 예 [원칙] 아는∨체하다. / [허용] 아는체하다.

따라서 본용언 '만들다'와 보조 용언 '내다'를 함께 사용할 때, 원칙적으로는 '만들어∨내다'와 같이 띄어 써야 하지만 '만들어내다'와 같이 붙여 쓰는 것도 허용한다.

기술 01

기계 번역의 두 가지 입장

- 핵심어를 찾아보자.
- 문단별 중심 내용에 밑줄을 그어 보자.
- 핵심 내용을 구조적으로 재배열해 보자.

가 기계 번역이란 기계가 사람의 개입 없이 한 언어를 다른 언어로 번역하는 것을 말한다. 이 기술이 세상의 언어 장벽을 조금씩 무너뜨리고 있다. 2015년 아일랜드에서는 영어를 전혀 하지 못하는 아프리카계 여성이 영어만 할 수 있는 의료진의 지시에 따라 무사히 출산을 했다. 기계 번역을 도입한 스마트폰 애플리케이션을 통해서였다.

기계 번역이 이 정도 수준까지 발전한 것은 인공 지능 기술 덕분이다. 초기의 기계 번역은 사람이 입력한 언어의 규칙에 따라서 번역을 수행하였다. 그래서 규칙에서 벗어나는 문장이 있는 경우 번역상 오류가 많이 생겼다. 이와 달리 인공 지능을 활용한 기계 번역은 컴퓨터가 인터넷상의 빅 데이터를 활용하여 스스로 오류를 수정하며 번역한다. 그렇기 때문에 기계 번역의 속도는 물론 정확성까지 상당히 ⓐ향상되었다.

2017년 2월에 한국에서 있었던 기계와 인간의 번역 대결은 기계 번역이 눈부시게 발전하였음을 보여 주었다. 이 대결에서 기계는 전문 번역가들이 50분간 번역한 내용을 1분 안에 처리하여 속도 면에서 우월함을 보여 주었다. 또한 물건의 사용 설명서와 같은 글을 번역할 경우 원문의 뜻을 약 80% 정도까지 제대로 전달할 만큼 정확성도 향상되었다. 이렇게 볼 때 앞으로 펼쳐질 기계 번역의 미래는 밝을 것으로 보인다.

나 1954년 조지타운 대학에서 기계가 러시아어 문장 60개를 영어로 번역하는 실험에 성공하였다. 이후 사람들은 3~5년 안에 기계 번역이 인간이 하는 번역을 대신할 것이라고 예상하였다. 그러나 1966년에 발표된 한 연구는 기계 번역에 대한 사람들의 낙관적 전망을 무너뜨렸다. 이 연구에 따르면 기계 번역은 사람이 하는 번역보다 돈이 많이 들고 시간은 더 오래 걸렸으며 정확성도 ⓑ떨어졌다고 한다. ㉠기계 번역은 인간이 한 번역보다 정확성이 떨어질 수밖에 없는데, 이는 기계 번역이 맥락에 따라 달리 쓰이는 언어의 복잡한 의미를 반영하기 어렵기 때문이다.

이러한 기계 번역의 한계가 여전히 극복되지 못하고 있음이 2017년 2월에 한국에서 열린 기계와 인간의 번역 대결에서 드러났다. 전문 번역가 4명과 인공 지능 기술을 활용한 기계가 펼친 이 대결에서 기계 번역은 내용의 정확성 면에서 인간이 한 번역을 따라오지 못했다. 의미가 명확한 짧은 문장은 비교적 잘 번역하였으나 구조가 복잡한 긴 문장의 번역은 오류가 많았다. 특히 글의 맥락이나 작가의 의도를 고려하여 해석해야 하는 문학 작품의 번역에서 기계는 전체 지문의 90%를 문장조차 제대로 구성하지 못했다.

- **빅 데이터**: 기존의 데이터베이스로는 수집 · 저장 · 분석 따위를 수행하기가 어려울 만큼 방대한 양의 데이터
- **원문**: 베끼거나 번역하거나 퇴고한 글에 대한 본래의 글
- **낙관적**: 앞으로의 일 따위가 잘되어 갈 것으로 여기는 것
- **전망**: 앞날을 헤아려 내다봄. 또는 내다보이는 장래의 상황
- **맥락**: 사물 따위가 서로 이어져 있는 관계나 연관
- **반영하기**: 다른 것에 영향을 받아 어떤 현상을 나타내기

1

㉠에 사용된 설명 방식으로 가장 적절한 것은?

① 전문가의 말을 인용하여 내용의 신뢰성을 높이고 있다.
② 대상의 사전적 의미를 제시하여 뜻을 명확히 하고 있다.
③ 문제에 대한 원인을 밝혀 내용에 대한 이해를 돕고 있다.
④ 문제를 해결하기 위한 방안의 장점과 단점을 비교하고 있다.
⑤ 시간의 순서에 따라 사건을 나열하여 내용을 체계화하고 있다.

2

수능형

(가), (나)를 뒷받침하기 위해 수집한 다음 자료 중, 그 성격이 다른 하나는?

① 기계 번역은 다의어가 포함된 겹문장을 번역할 때 오류가 많이 발견되었다.
② 기계 번역은 글쓴이의 개성적 문체가 담긴 글의 내용을 온전히 전달할 수 없다.
③ 기계 번역의 속도와 정확성이 날로 향상되고 있지만, 번역 결과는 늘 완벽하지 않다.
④ 컴퓨터를 이용한 통계 처리 능력이 날로 향상되고, 인공 지능 기술은 끊임없이 발전하고 있다.
⑤ 언어에는 인간의 문화가 반영되어 있는데, 인공 지능이 인간의 문화를 완벽히 이해하는 것은 불가능하다.

어휘•어법

3

다음 중 'ⓐ : ⓑ'와 의미 관계가 같은 것은?

① 과일 : 수박
② 벗다 : 신다
③ 화장실 : 해우소
④ 까먹다 : 잊어버리다
⑤ 일어나다 : 발생하다

1 이 글의 핵심 화제를 살펴보자.

- (가): 기계 번역에 대한 (　　　　　) 전망
- (나): 기계 번역의 (　　　　　)

2 각 문단별 중심 내용을 정리해 보자.

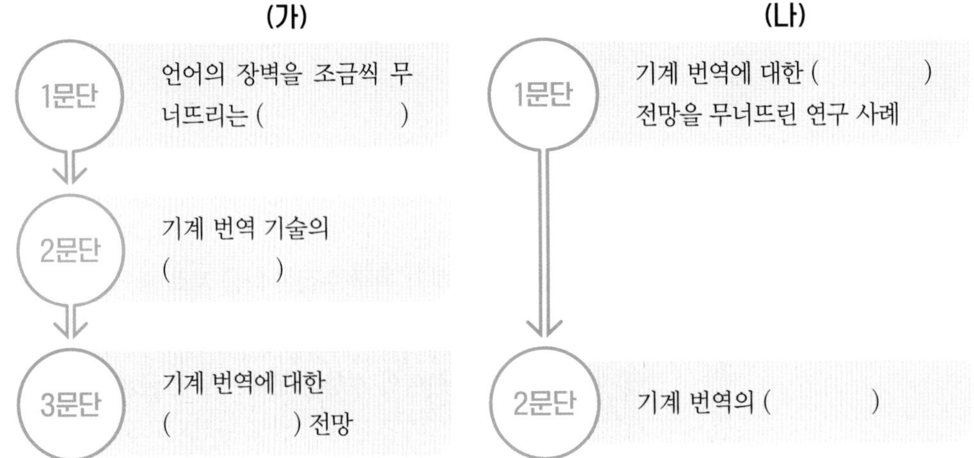

	(가)		(나)
1문단	언어의 장벽을 조금씩 무너뜨리는 (　　　　　)	1문단	기계 번역에 대한 (　　　　　) 전망을 무너뜨린 연구 사례
2문단	기계 번역 기술의 (　　　　　)		
3문단	기계 번역에 대한 (　　　　　) 전망	2문단	기계 번역의 (　　　　　)

3 핵심 내용을 구조화해 보자.

기계 번역의 두 가지 입장

(가)의 관점	(나)의 관점
• 기계 번역은 세계의 언어 장벽을 조금씩 무너뜨리고 있음 • (　　　　　)을 활용한 기계 번역은 속도 면에서 우월하며, 정확성까지 향상됨 • 2017년 인간과 기계의 번역 대결에서, 기계 번역의 눈부신 발전을 보여 줌	• 1966년에 발표된 한 연구에 따르면 기계 번역은 시간과 돈이 많이 들고, (　　　　　)이 떨어짐 • 2017년 인간과 기계의 번역 대결에서, 기계 번역은 내용의 정확성 면에서 번역의 (　　　　　)가 여전히 극복되지 못하고 있음이 드러남
⇓	⇓
(　　　　　) 전망	(　　　　　) 전망

어휘력 테스트

1 다음 단어의 뜻을 참고하여 끝말잇기를 완성해 보자.

2 다음 단어를 활용하기에 적절한 문장을 찾아 바르게 연결해 보자.

❶ 명확하다 •　　• ㉠ 유행어는 당대의 상황을 (　　　　).

❷ 도입하다 •　　• ㉡ 금융 위원회는 앞으로 시각 장애인을 위한 음성 OTP를 (　　　　)고 밝혔다.

❸ 반영하다 •　　• ㉢ 본 사안에 대한 (　　　　) 입장을 듣고 싶습니다.

어휘·어법 확장

'못 하다'와 '못하다'의 구별

영어를 전혀 하지 못하는 아프리카계 여성이 영어만 할 수 있는 의료진의 지시에 따라 무사히 출산을 했다.

못 하다	못하다
불가능한 상황으로 인해, 해당 동작을 할 수 없다는 의미를 나타냄 예 • 공부를 못 하다. (→ 공부를 할 수 없다.) • 그땐 일을 못 했지. (→ 그땐 일을 할 수 없었지.)	어떤 일을 일정한 수준에 못 미치게 하거나, 그 일을 할 능력이 없다는 의미를 나타냄 예 • 공부를 못하다. (→ 공부를 잘하지 않는다.) • 그땐 일을 못했지. (→ 그땐 일을 잘하지 않았지.)

※ 다만, '-지 못하다'와 같이 '못하다'가 보조 용언으로 쓰이기도 하므로 이때에는 반드시 붙여 써야 한다.

예 공부를 못 하다. → 공부를 하지 못 하다.(×) / 공부를 하지 못하다.(○)

에너지를 저장하는 여러 가지 방법

- 핵심어를 찾아보자.
- 문단별 중심 내용에 밑줄을 그어 보자.
- 핵심 내용을 구조적으로 재배열해 보자.

가 에너지 저장 시스템이란 전기를 많이 사용하지 않을 때 남아 있는 전력을 저장해 두었다가 전기를 필요로 하는 사람이 많을 때 저장된 전기를 공급해 주는 시스템이다. 에너지 저장 시스템의 저장 방식은 물리적 저장 방식과 화학적 저장 방식으로 나뉜다.

나 물리적 에너지 저장 방식에는 양수 발전, 공기 압축식 전력 저장, 플라이휠 등이 있다. 먼저 양수 발전은 펌프를 이용해 아래쪽에 있는 저수지 물을 위쪽으로 퍼 올려 두었다가, 전기가 필요할 때 이 물을 다시 아래쪽으로 흘려보내 전기를 ㉠일으키는 원리이다. 양수 발전은 오랜 기간 사용할 수 있지만 땅의 높낮이를 이용하기 때문에 적당한 공간을 찾는 것이 쉽지 않다. 다음으로 공기 압축식 전력 저장은 남아 있는 전력으로 공기를 동굴이나 지하에 압축하고, 압축된 공기에 열을 가하여 모터를 돌리는 방식이다. 이 방법은 전력을 많이 저장할 수 있고 전기를 일으키는 데 드는 비용이 적게 든다는 장점이 있으나, 초기에 시설물을 만드는 비용이 많이 들고 땅이나 바위를 뚫어 공간을 만들어야 하는 단점이 있다. 마지막으로 플라이휠은 전기 에너지를 회전하는 운동 에너지로 저장해 두었다가 다시 전기 에너지로 바꾸어서 사용하는 방식이다. 이 방법은 에너지 효율이 높고 전력을 빠른 속도로 저장할 수 있지만, 처음에 시설물을 만드는 데 비용이 많이 들고 오랜 시간 사용하면 효율성이 떨어진다는 문제점이 있다.

다 화학적 에너지 저장 방식에는 리튬 이온 전지, 나트륨 유황 전지, VRB 등이 있다. 먼저 리튬 이온 전지는 리튬 이온이 양극과 음극을 오가면서 발생하는 위치 에너지의 차이를 통해 에너지를 저장하는 방식이다. 리튬 이온 전지는 에너지 효율이 높지만, 다소 위험하고 비용이 많이 들며 저장 용량이 적은 편이다. 다음으로 나트륨 유황 전지는 300~350℃의 온도에서 액체로 변한 나트륨 이온이 고체 전해질을 이동하면서 전기 화학 에너지를 저장하는 방식이다. 이 방법은 비용이 싸다는 장점이 있지만, 에너지 효율이 낮고 저장할 수 있는 에너지의 양이 정해져 있다는 단점이 있다. 마지막으로 VRB는 전해질 용액을 순환시켜 전해액 안에 있는 이온들의 위치 에너지 차이를 이용하여 전기 에너지를 충전 및 방전시키는 원리이다. 이 방법은 비용이 적게 들고 용량을 크게 만들기가 쉬우며 오랜 시간 사용이 가능하지만, 반응 속도가 느리고 에너지 효율이 낮다는 단점이 있다.

- **양수**: 물을 위로 퍼 올림. 또는 그 물
- **플라이휠**: 회전하는 물체의 회전 속도를 고르게 하기 위하여 회전축에 달아 놓은 바퀴
- **효율**: 기계의 일한 양과 공급되는 에너지와의 비(比)
- **이온**: 전하를 띠는 원자 또는 원자단. 전기적으로 중성인 원자가 전자를 잃으면 양전하를, 전자를 얻게 되면 음전하를 가진 이온이 된다.
- **전해질**: 물 따위의 용매에 녹아서, 이온화하여 음양의 이온이 생기는 물질. 전도성을 띠며, 전기 분해가 가능하다.

• 정답과 해설 20쪽

1 윗글의 내용과 일치하지 않는 것은?

① 에너지 저장 시스템의 저장 방식은 크게 두 가지로 나누어진다.
② 양수 발전은 땅의 높낮이를 이용하여 전기를 일으키는 방식이다.
③ 나트륨 유황 전지와 VRB는 모두 에너지 효율이 낮다는 단점을 지니고 있다.
④ 공기 압축식 전력 저장은 공기를 압축하고 여기에 열을 가하는 과정을 거쳐야 한다.
⑤ 플라이휠은 전기가 필요할 때 위치 에너지를 전기 에너지로 바꾸어서 사용하는 방식이다.

2 수능형
〈보기〉와 같은 상황에서 사용할 수 있는 에너지 저장 방식으로 가장 적절한 것은?

보기

A국은 덥고 습한 날씨가 3개월 이상 이어지는데, 이 시기에 충분한 양의 전력을 공급할 수 없어서 정전되는 일이 잦다. 이를 해결하기 위해 A국은 전기를 저장해 두는 장치를 마련하기로 하였다. 바위가 없는 평지가 대부분인 A국은 적은 비용으로 되도록 위험하지 않고 오랫동안 사용할 수 있는 에너지 저장 방식을 찾으려고 한다.

① 플라이휠 ② 양수 발전 ③ 리튬 이온 전지
④ 나트륨 유황 전지 ⑤ 공기 압축식 전력 저장

어휘•어법

3 문맥상 의미가 ㉠과 가장 가까운 것은?

① 옛날 사람들은 부싯돌을 부딪쳐 불을 일으켰다고 한다.
② 그는 혼자 힘으로 쓰러진 가세를 일으키기 위해 애썼다.
③ 내 심경에 변화를 일으킨 것은 책에 적힌 한 문장의 글귀였다.
④ 오랜 기간 병상에 누워 계시던 할아버지께서 혼자서 몸을 일으키셨다.
⑤ 제1차 아편 전쟁은 중국의 아편 단속을 원인으로 하여 영국이 일으킨 전쟁이다.

1 이 글의 핵심 화제를 살펴보자.

(　　　　　　　　)의 개념과 (　　　　　)

2 각 문단별 중심 내용을 정리해 보자.

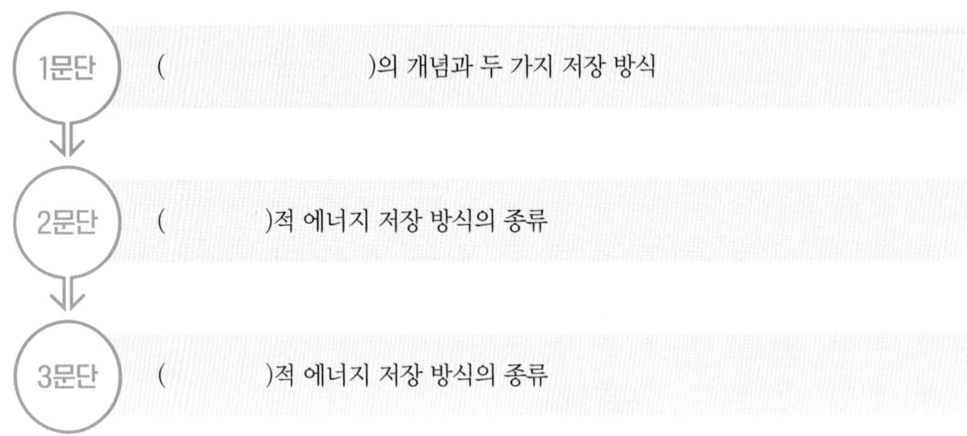

3 핵심 내용을 구조화해 보자.

물리적 에너지 저장 방식

- (　　　　　)
  - 장점: 오랜 기간 사용할 수 있음
  - 단점: 땅의 높낮이를 이용하기 때문에 적당한 공간을 찾기가 쉽지 않음
- 공기 압축식 전력 저장
  - 장점: 전력을 많이 저장할 수 있고, 비용이 적게 듦
  - 단점: 초기 비용이 많이 들고, (　　　　　)이나 바위를 뚫어야 함
- (　　　　　)
  - 장점: (　　　　　　　　)이 높고, 전력을 빠른 속도로 저장할 수 있음
  - 단점: 초기 비용이 많이 들고, 오래 사용하면 효율성이 떨어짐

화학적 에너지 저장 방식

- (　　　　　　　)
  - 장점: 에너지 효율이 높음
  - 단점: 다소 (　　　　　)하고 비용이 많이 들며, 저장 용량이 적음
- 나트륨 유황 전지
  - 장점: 비용이 쌈
  - 단점: (　　　　　　　　)이 낮고, 저장할 수 있는 에너지의 양이 정해져 있음
- VRB
  - 장점: 비용이 적게 들고 (　　　　　)을 크게 만들기 쉬우며, 오랜 시간 사용이 가능함
  - 단점: 반응 속도가 느리고, 에너지 효율이 낮음

어휘력 테스트

● 다음 괄호 안에 들어갈 단어의 뜻을 〈보기〉에서 골라 기호를 써 보자.

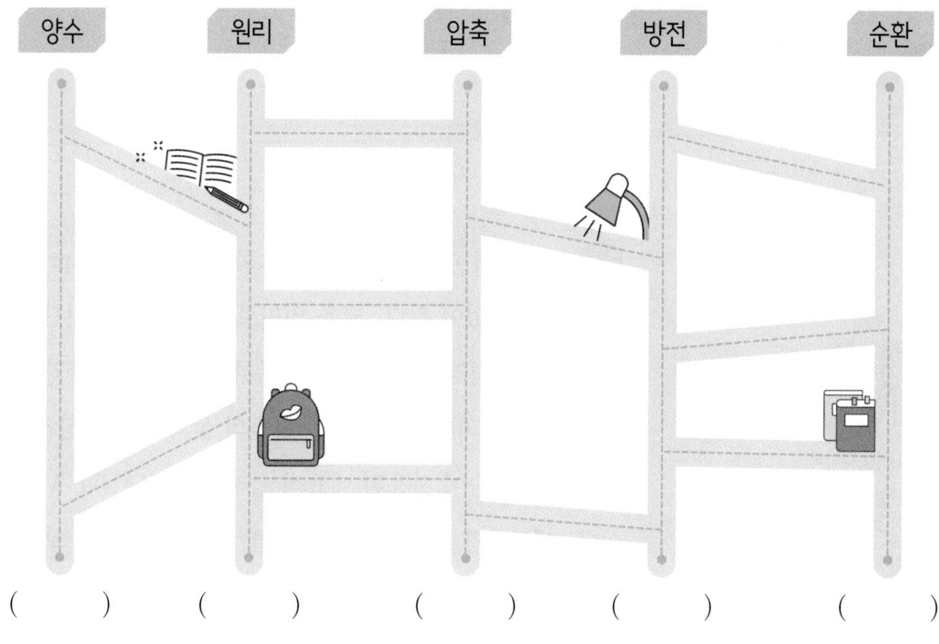

(　　) (　　) (　　) (　　) (　　)

보기

㉠ 사물의 근본이 되는 이치
㉡ 물을 위로 퍼 올림. 또는 그 물
㉢ 물질 따위에 압력을 가하여 그 부피를 줄임
㉣ 주기적으로 자꾸 되풀이하여 돎. 또는 그런 과정
㉤ 전지나 축전기 또는 전기를 띤 물체에서 전기가 외부로 흘러나오는 현상

어휘·어법 확장

'들다'의 다양한 의미

리튬 이온 전지는 에너지 효율이 높지만, 다소 위험하고 비용이 많이 들며 저장 용량이 적은 편이다.
'어떤 일에 돈, 시간, 노력, 물자 따위가 쓰이다.'의 의미

「1」 어떤 일에 돈, 시간, 노력, 물자 따위가 쓰이다. 예 새로운 일에 익숙해지는 데 시간이 좀 드는 편이다.
「2」 물감, 색깔, 물기, 소금기가 스미거나 배다. 예 새 옷에 붉은 물이 들었다.
「3」 어떤 범위나 기준, 또는 일정한 기간 안에 속하거나 포함되다. 예 이번 대회에서 그는 등수 안에 들었다.
「4」 안에 담기거나 그 일부를 이루다. 예 자루에 올해 수확한 감자가 들었다.
「5」 어떤 처지에 놓이다. 예 집을 떠난 그는 고생길에 들었다.
「6」 어떤 물건이나 사람이 좋게 받아들여지다. 예 새 옷이 마음에 든다.
「7」 어떤 일이나 기상 현상이 일어나다. 예 비가 많이 오는 것을 보니 올해는 풍년이 들겠구나.
「8」 어떠한 시기가 되다. 예 올해 들어 해외여행자 수가 부쩍 줄었다.

기술 03 모두의 행복을 위한 착한 기술, 적정 기술

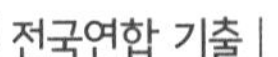

- 핵심어를 찾아보자.
- 문단별 중심 내용에 밑줄을 그어 보자.
- 핵심 내용을 구조적으로 재배열해 보자.

| 전국연합 기출 |

가 1970년대 이후부터 세계적으로 '적정 기술(Appropriate Technology)'에 대한 활발한 논의가 있어 왔다. 넓은 의미로 적정 기술은 인간 사회의 환경, 윤리, 도덕, 문화, 사회, 정치, 경제적인 측면들을 두루 고려하여 인간의 삶의 질을 향상시킬 수 있는 기술이다. 좁은 의미로는 가난한 자들의 삶의 질을 향상시키는 기술이다.

나 적정 기술이 사용된 대표적 사례는 아바(Abba, M. B.)가 ㉠고안한 항아리 냉장고이다. 아프리카 나이지리아의 시골 농장에는 전기, 교통, 물이 부족하다. 이곳에서 가장 중요한 문제 중의 하나는 곡물을 저장할 시설이 없다는 것이다.

다 이를 해결하기 위해 그는 항아리 두 개와 모래흙 그리고 물만 있으면 채소나 과일을 장기간 보관할 수 있는 저온조를 만들었다. 이것은 물이 증발할 때 열을 빼앗아 가는 간단한 원리를 이용한 것이다. 한여름에 몸에 물을 뿌리고 시간이 지나면 시원해지는데, 이는 물이 증발하면서 몸의 열을 빼앗아 가기 때문이다. 항아리의 물이 모두 증발하면 다시 보충해서 사용하면 된다.

① 두 개의 항아리를 준비한다.

② 큰 항아리 안에 작은 항아리를 넣고 빈틈에 모래흙을 채운다.

③ 작은 항아리 안에 채소나 과일을 넣고, 모래흙이 젖도록 물을 붓는다.

④ 뚜껑을 젖은 천으로 덮어 준다.

라 토마토의 경우 항아리 냉장고 없이 2~3일 정도 저장이 가능하지만, 항아리 냉장고를 사용하면 21일 정도 저장이 가능하다. 이 덕분에 이 지역 사람들은 신선한 과일을 장기간 보관해서 시장에 판매해 많은 수익을 올릴 수 있었다.

마 적정 기술은 새로운 기술이 아니다. 우리가 알고 있는 여러 기술 중의 하나로, 어떤 지역의 직면한 문제를 해결하는 데 적절하게 사용된 기술이다. 1970년 이후 적정 기술을 기반으로 많은 제품이 개발되어 현지에 보급되어 왔지만 그 성과에 대해서는 여전히 논란이 있다. 이는 기술의 보급만으로는 특정 지역의 빈곤 탈출과 경제적 자립을 이룰 수 없기 때문이다. 빈곤 지역의 문제 해결을 위해서는 기술 개발 이외에도 지역 문화에 대한 이해와 현지인의 교육까지도 필요하다.

- **논의**: 어떤 문제에 대하여 서로 의견을 내어 토의함. 또는 그런 토의
- **윤리**: 사람으로서 마땅히 행하거나 지켜야 할 도리
- **저온조**: 낮은 온도를 유지할 수 있는 통
- **직면한**: 어떠한 일이나 사물을 직접 당하거나 접한

1

(가)~(마)의 중심 내용으로 적절하지 않은 것은?

① (가): 적정 기술의 개념
② (나): 항아리 냉장고가 나오게 된 배경
③ (다): 항아리 냉장고에 적용된 원리
④ (라): 항아리 냉장고의 효과
⑤ (마): 적정 기술의 전망

2

수능형

'항아리 냉장고'와 유사한 사례로 가장 적절한 것은?

① 나노 기술을 통해 소량으로도 은의 탁월한 항균 효과를 살린 세탁기
② 발광 다이오드를 사용함으로써 두께를 줄이고 화질을 개선한 텔레비전
③ 가운데가 빈 드럼통에 줄을 매달아 굴려 차량 없이도 많은 물을 옮길 수 있도록 한 물통
④ 엔진과 전기 모터를 상황에 따라 사용함으로써 유해 가스를 적게 배출하도록 만든 자동차
⑤ 인공위성과 전자 지도를 활용해 모르는 길을 쉽고 정확하게 찾아갈 수 있도록 한 내비게이션

어휘·어법

3

㉠의 기본형에 대한 〈보기〉의 사전적 의미를 참고할 때, 문맥상 ㉠이 들어가기에 적절하지 않은 것은?

보기

고안-하다(考案하다)

발음 [고안하다]
활용 고안하여[고안하여](고안해[고안해]), 고안하니[고안하니]
품사/문형 「동사」【…을】

「001」 연구하여 새로운 안을 생각해 내다.

① 그는 우리 생활에 알맞은 의복을 고안해 왔다.
② 고대 소설을 고안해 보면 현대 소설과는 다른 특성을 발견할 수 있다.
③ 개인 정보 유출을 막기 위해 고안한 '개인 정보 보호 키트'를 제작해 배포했다.
④ 헝가리 출신의 유명 지휘자가 클래식 콘서트 관람객을 위한 이색 마스크를 고안했습니다.
⑤ '샌드위치'는 영국의 샌드위치 백작이 밤을 새워 노름할 때 식사 시간이 아까워 고안해 냈다는 데서 유래한다.

1 **이 글의 핵심 화제를 살펴보자.**

(　　　　　)의 의미와 과제

2 **각 문단별 중심 내용을 정리해 보자.**

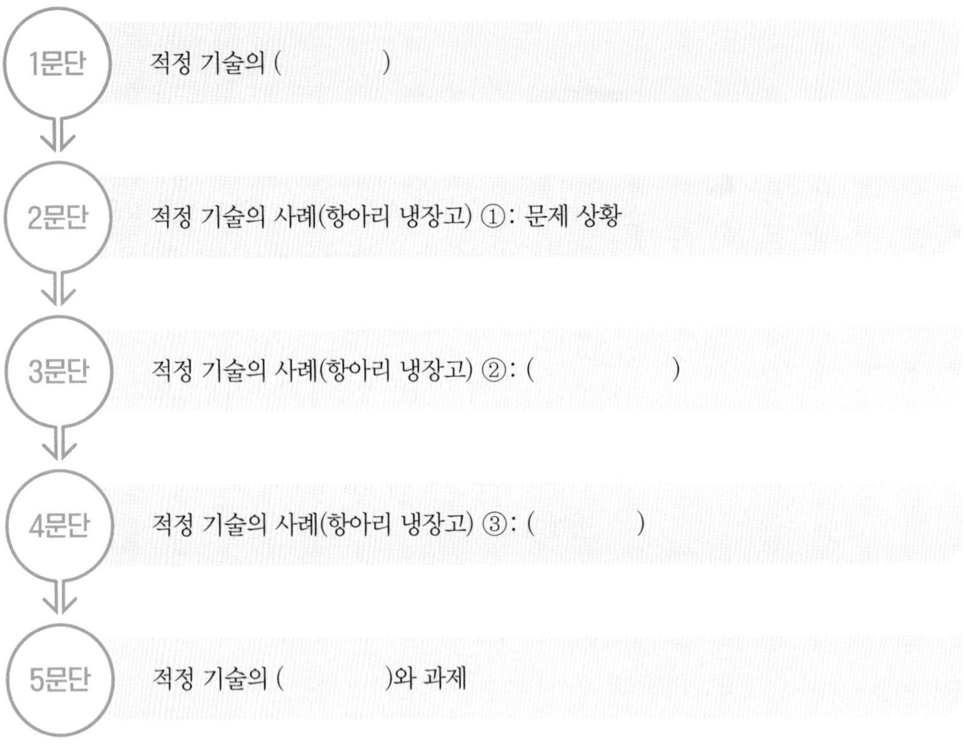

1문단 적정 기술의 (　　　　　)

2문단 적정 기술의 사례(항아리 냉장고) ①: 문제 상황

3문단 적정 기술의 사례(항아리 냉장고) ②: (　　　　　)

4문단 적정 기술의 사례(항아리 냉장고) ③: (　　　　　)

5문단 적정 기술의 (　　　　　)와 과제

3 **핵심 내용을 구조화해 보자.**

적정 기술

적정 기술의 의미

- 넓은 의미: 인간 사회의 여러 측면들을 두루 고려하여 인간의 삶의 질을 향상시킬 수 있는 기술
- 좁은 의미: (　　　　　)한 자들의 삶의 질을 향상시키는 기술

적정 기술의 사례(항아리 냉장고)

- 물이 (　　　　　)할 때 열을 빼앗아 가는 원리를 이용한 저온조를 만듦
- 항아리 냉장고로 신선한 과일을 장기간 보관해서, 이를 시장에 판매해 많은 수익을 올림

⇓

적정 기술의 한계와 과제

(　　　　　)의 보급만으로는 특정 지역의 빈곤 탈출과 경제적 자립을 이룰 수 없음 → (　　　　　)에 대한 이해와 현지인의 교육까지도 필요함

어휘력 테스트

1 **제시된 뜻과 예문을 참고하여 다음 초성에 해당하는 단어를 괄호 안에 써 보자.**

(1) ㅎ ㅅ : 실력, 수준, 기술 따위가 나아짐. 또는 나아지게 함

예 청소년의 체력이 평균적으로 (   )되었다.

(2) ㅈ ㅁ : 어떠한 일이나 사물을 직접 당하거나 접함

예 누구나 극한 상황에 (   )하면 기적을 꿈꾼다.

(3) ㅂ ㄱ : 널리 펴서 많은 사람들에게 골고루 미치게 하여 누리게 함

예 이재민들에게 식량과 담요가 (   )되었다.

2 **다음 〈보기〉의 뜻을 참고하여 십자말풀이를 완성해 보자.**

❶	❷ 기	
■		■
■	■	❸
■	❹	발

〈보기〉

❶ 가로: 긴 기간
❷ 세로: 기초가 되는 바탕. 또는 사물의 토대
❸ 세로: 새로운 물건을 만들거나 새로운 생각을 내어놓음
❹ 가로: 어떤 물질이 액체 상태에서 기체 상태로 변함. 또는 그런 현상

어휘·어법 확장

'활발하다'의 비슷한말 & 반대말

비 비슷한말 반 반대말

활발하다
생기 있고 힘차며 시원스럽다.
예 '적정 기술'에 대한 활발한 논의가 있어 왔다.

비 기운차다
힘이 가득하고 넘치는 듯하다.
예 아이는 기운차게 벌떡 일어섰다.

비 명랑하다
유쾌하고 활발하다.
예 어머니는 명랑한 목소리로 말씀하셨다.

반 의기소침하다
기운이 없어지고 풀이 죽은 상태이다.
예 시험에 떨어진 그는 몹시 의기소침했다.

반 침체하다
어떤 현상이나 사물이 진전하지 못하고 제자리에 머무르다.
예 주식 시장이 침체해 있다.

음향 효과의 다양한 기능

- 핵심어를 찾아보자.
- 문단별 중심 내용에 밑줄을 그어 보자.
- 핵심 내용을 구조적으로 재배열해 보자.

가 ㉠음향 효과(Sound Effects)란 영상에 더해지는 대사 이외의 소리를 일컫는 것으로, 효과음이라고도 한다. 음향들은 영상을 촬영할 때 동시에 녹음되거나, 장면에 맞추어 이에 ⓐ적합한 소리로 따로 녹음된다. 혹은 원하는 음향을 얻기 위해 직접 신시사이저로 ⓑ제작하기도 한다.

나 영화에 활용되는 음향 효과는 장면의 분위기를 살릴 뿐만 아니라 장면에 대한 관객의 반응에 큰 영향을 미치므로 감독은 음향 효과의 높이, 크기, 속도 등을 섬세하게 조절한다. 높은 음조의 음향은 듣는 사람이 긴장감을 갖게 만들기 때문에 서스펜스 시퀀스나, 극의 클라이맥스 또는 바로 그 직전에 사용되는 경우가 많다. 한편, 낮은 음조의 음향은 무겁고 충만하며, 긴장이 덜하다. 따라서 위엄이나 장엄성을 강조하는 데 이용되며, 근심이나 신비로움을 나타낼 수도 있다.

다 음향의 크기와 속도도 거의 ⓒ유사하게 작용한다. 큰 음향은 강렬하고 위협적이며, 조용한 음향은 섬세하고 무기력한 느낌을 주는 경우가 많다. 또한 음향의 속도가 빠를수록 듣는 사람의 긴장감이 더욱 커지기에 추적 시퀀스에서는 이러한 원리를 능숙하게 활용한다. 추적이 절정에 이를 즈음 날카로운 자동차 바퀴 소리와 폭주하는 기차의 충돌 소리가 더 커지고 빨라지고 높아지는 것이 그 예이다.

라 또한 음향 효과는 관객의 공포감을 불러일으키는 데 활용되기도 한다. 일반적으로 사람들은 자신이 볼 수 없는 대상에 대해 두려움을 느낀다. 공포물의 감독들은 이러한 면에 주목하여 외화면의 음향 효과를 효과적으로 이용한다. 누가 몰래 문을 열고 들어오는 영상 대신 어두운 방에서 들리는 문 삐걱거리는 소리를 삽입함으로써 관객의 공포감을 ⓓ극대화하는 것이다.

마 최근에는 음향 효과가 방송과 영화 등에서만 활용되는 것이 아니라 스포츠, 마케팅, 동물 사육 등 일상생활에도 그 영향을 미치고 있으며, 음향 효과를 활용하여 인간의 삶을 더욱 ⓔ유익하게 만들기 위한 지속적인 노력이 이루어지고 있다.

- **신시사이저**: 전자 악기의 하나. 여러 가지 음색을 만들어 내는데, 대부분이 건반 악기 모양이다.
- **서스펜스**: 영화, 드라마, 소설 따위에서, 줄거리의 전개가 관객이나 독자에게 주는 불안감과 긴박감
- **시퀀스**: 영화에서, 하나의 이야기가 시작되고 끝나는 독립적인 구성단위. 극의 장소, 행동, 시간의 연속성을 가진 몇 개의 장면이 모여서 이루어진다.
- **클라이맥스**: 극(劇)이나 소설의 전개 과정에서 갈등이 최고조에 이르는 단계
- **외화면**: 음향이나 연기가 화면 밖에서 이루어져 필름이 영사되는 동안에 보이지 않는 장면이나 상태

1

㉠에 대한 설명으로 적절하지 않은 것은?

① 자연적인 소리만을 활용하여 제작한다.
② 영화 장면의 분위기를 살리는 역할을 한다.
③ 영상에 더해지는 대사 이외의 소리를 말한다.
④ 관객의 공포감을 불러일으키는 데에 활용되기도 한다.
⑤ 방송과 영화뿐만 아니라 우리의 일상생활에도 영향을 미치고 있다.

2

수능형

윗글을 참고하여 영상을 제작하고자 할 때, 떠올린 생각으로 가장 적절한 것은?

① 왕이 등장하는 장면에서 왕의 위엄을 강조하기 위해 높은 음조의 음향을 활용해야겠어.
② 경찰이 범인을 쫓는 장면의 긴장감을 극대화하기 위해 빠른 속도의 음향을 활용해야겠어.
③ 연인과 이별한 주인공이 무기력한 상태에 있음을 표현하기 위해 큰 음향을 활용해야겠어.
④ 등장인물 간의 갈등이 최고조에 이르는 장면에서 긴장감을 부여하기 위해 낮은 음조의 음향을 활용해야겠어.
⑤ 얼룩말을 잡아먹으려고 빠르게 달려가는 위협적인 사자의 모습을 효과적으로 표현하기 위해 조용한 음향을 활용해야겠어.

3

ⓐ~ⓔ와 바꿔 쓸 수 있는 말로 적절하지 않은 것은?

① ⓐ: 알맞은
② ⓑ: 만들기도
③ ⓒ: 비슷하게
④ ⓓ: 아주 크게 하는
⑤ ⓔ: 쓸모 있게

1 이 글의 핵심 화제를 살펴보자.

영화에 활용되는 ( )의 다양한 기능

2 각 문단별 중심 내용을 정리해 보자.

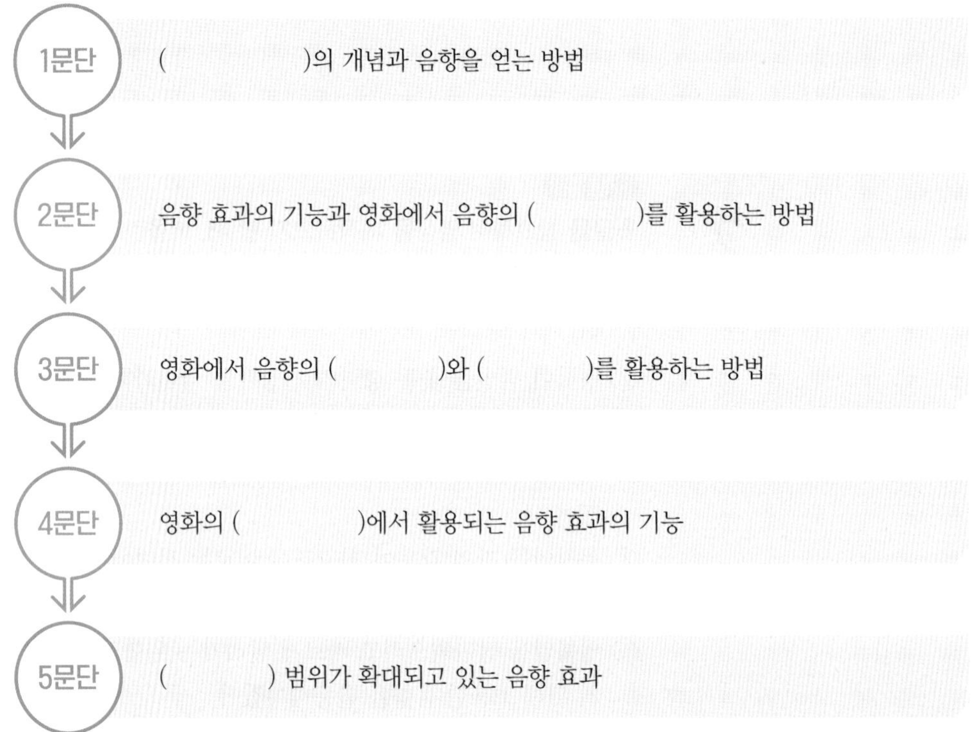

1문단 ( )의 개념과 음향을 얻는 방법

2문단 음향 효과의 기능과 영화에서 음향의 ( )를 활용하는 방법

3문단 영화에서 음향의 ( )와 ( )를 활용하는 방법

4문단 영화의 ( )에서 활용되는 음향 효과의 기능

5문단 ( ) 범위가 확대되고 있는 음향 효과

3 핵심 내용을 구조화해 보자.

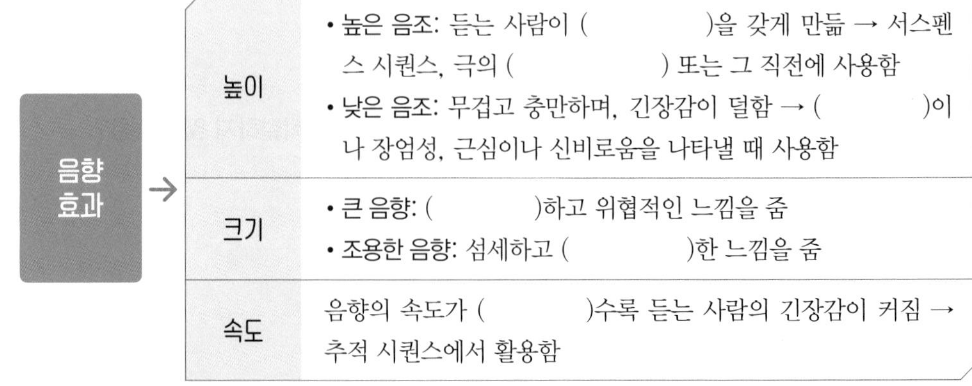

음향 효과 →

높이	• 높은 음조: 듣는 사람이 ( )을 갖게 만듦 → 서스펜스 시퀀스, 극의 ( ) 또는 그 직전에 사용함 • 낮은 음조: 무겁고 충만하며, 긴장감이 덜함 → ( )이나 장엄성, 근심이나 신비로움을 나타낼 때 사용함
크기	• 큰 음향: ( )하고 위협적인 느낌을 줌 • 조용한 음향: 섬세하고 ( )한 느낌을 줌
속도	음향의 속도가 ( )수록 듣는 사람의 긴장감이 커짐 → 추적 시퀀스에서 활용함

어휘력 테스트

● 다음 괄호 안에 들어갈 단어의 뜻을 〈보기〉에서 골라 기호를 써 보자.

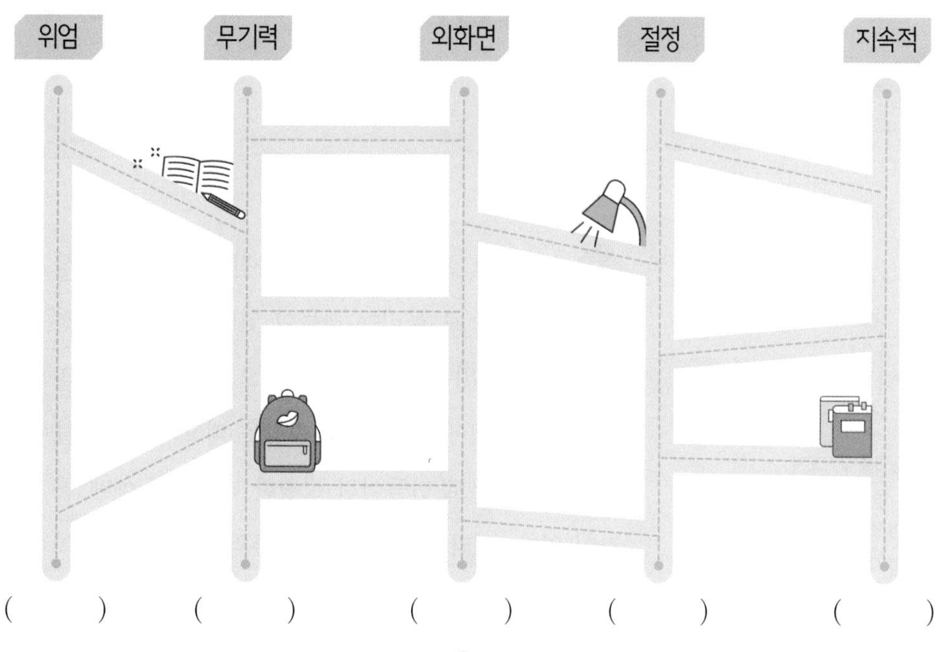

( ) ( ) ( ) ( ) ( )

보기

㉠ 어떤 상태가 오래 계속되는 것
㉡ 어떠한 일을 감당할 수 있는 기운과 힘이 없음
㉢ 사물의 진행이나 발전이 최고의 경지에 달한 상태
㉣ 존경할 만한 위세가 있어 점잖고 엄숙함. 또는 그런 태도나 기세
㉤ 음향이나 연기가 화면 밖에서 이루어져 필름이 영사되는 동안에 보이지 않는 장면이나 상태

어휘·어법 확장

'혹은', '한편', '또한'의 의미와 역할

• 장면에 맞추어 이에 적합한 소리로 따로 녹음된다. 혹은 ~ 직접 신시사이저로 제작하기도 한다.
• 높은 음조의 음향은 ~ 사용되는 경우가 많다. 한편, 낮은 음조의 음향은 ~ 긴장이 덜하다.
• 또한 음향 효과는 관객의 공포감을 불러일으키는 데 활용되기도 한다.

혹은	• 의미: 그렇지 아니하면. 또는 그것이 아니라면 • 역할: '혹은'의 앞뒤로 제시된 내용 중, 상황에 따라 앞 내용이거나 뒤 내용일 수 있음을 밝히는 데 쓰임
한편	• 의미: 어떤 일에 대하여, 앞에서 말한 측면과 다른 측면을 말하자면 • 역할: 앞 내용과 다른 측면의 내용을 말할 때 쓰임
또한	• 의미: 어떤 것을 전제로 하고 그것과 같게 • 역할: 앞 내용에 새로운 내용을 덧붙일 때 쓰임

자연과 대화하는 건축

- 핵심어를 찾아보자.
- 문단별 중심 내용에 밑줄을 그어 보자.
- 핵심 내용을 구조적으로 재배열해 보자.

▲ 성 베네딕트 채플

가 스위스의 한 작은 마을 경사진 산기슭에 ㉠'성 베네딕트 채플'로 불리는 건물이 있다. 이 건물은 경사 대지 위에 위치해 있다. 전체적으로 타원형 평면의 실린더가 언덕에 박혀 있는 형상을 띠고 있고, 건물 내부에는 나무로 만들어진 평평한 타원형의 예배 공간이 있다. 그리고 그 예배당 마루와 경사 대지 사이는 빈 공간으로 남아 있다. 이 작은 건물은 인간이 자연을 어떻게 대해야 하는지를 잘 보여 준다.

나 인간이 자연을 바라보는 관점은 인간의 행위인 '건축'이 자연을 대하는 방식에도 자연스레 구현된다. 첫 번째로, 인간은 자연을 극복의 대상으로 본다. 우리나라의 재개발 아파트 단지에서 쉽게 확인할 수 있는 관점이다. 대지의 경사를 극복의 대상으로 보고 거대한 축대를 쌓아서 평평한 땅을 만들고 그 위에 아파트 건물을 앉힌다. 대형 토목 공사가 필요하고 자연의 모습을 모두 바꾸어 버리는 폭력적인 방식이다.

다 두 번째는 자연을 이용 대상으로 보고 건축물을 구축하는 방식이다. 예를 들어 경사 대지에 교회를 짓는다면, 대지의 경사면을 이용해서 객석을 배치하고 강대상을 아래쪽에 두어서 교인들이 편하게 설교를 들을 수 있는 기능적인 교회를 만드는 것이다. 자연을 훼손하는 정도는 그곳을 평평하게 만드는 방식에 비해 현저히 낮아진다.

라 세 번째는 자연을 동등한 대화의 상대로 보는 방식이다. '성 베네딕트 채플'이 그러한 경우이다. 이 교회는 경사 대지에 마루를 평평하게 만들었다. 그리고 벽체와 마루 사이에 틈을 만들었다. 그렇게 해서 땅과 교회 마루 사이의 비어 있는 공간을 통해 음향의 울림을 만들어 내고, 인공의 건축물과 자연이 대화할 수 있도록 했다. 건축가는 이러한 디자인을 하게 된 이유로 '땅의 소리를 들을 수 있는 교회를 디자인하려고 했음'을 ⓐ들었다.

마 인간관계에서 그러하듯이, 건축에서도 대상을 동등한 대화의 상대로 보는 것이 가장 성숙한 방식이다. '성 베네딕트 채플'은 그곳에서 그리 멀리 떨어지지 않은 도시에서 주변 환경과의 교감 없이 우후죽순 솟아난 현대 건축물의 편리를 좇고 있는 우리에게 인간과 자연이 아름답게 공존할 수 있는 건축에 대해 이야기해 보자고 손을 내민다.

- **축대**: 높이 쌓아 올린 대나 터
- **토목 공사**: 땅과 하천 따위를 고쳐 만드는 공사. 강과 내를 고쳐 닦고, 항구를 쌓고, 길을 닦고, 굴을 파고, 철도를 놓는 일 따위이다.
- **구축하는**: 어떤 시설물을 쌓아 올려 만드는
- **강대상**: 교회에서 설교를 하는 대
- **우후죽순(雨後竹筍)**: 비가 온 뒤에 여기저기 솟는 죽순이라는 뜻으로, 어떤 일이 한때에 많이 생겨남을 비유적으로 이르는 말

1 **㉠에 대한 설명으로 적절하지 않은 것은?**

① 가장 성숙한 방식으로 지은 건축물이다.
② 인간의 기술을 사용하지 않고 만들어 낸 건축물이다.
③ 자연의 모습을 인위적으로 변화시키지 않고 지은 건축물이다.
④ 인간과 자연의 공존이 가능하다는 사실을 확인할 수 있는 건축물이다.
⑤ 교회 마루와 경사 대지 사이의 빈 공간을 통해 땅의 소리를 들을 수 있는 건축물이다.

수능형

2 **윗글을 바탕으로 〈보기〉의 '정자'에 대해 유추한 내용 중, 가장 적절한 것은?**

정자는 물 가운데 위치해서 주변을 바라볼 수 있게 되어 있다. 자연과 건축물 사이, 물로 확보된 빈 공간은 인간이 사유할 수 있는 여유를 준다. 또한 정자는 벽이 아닌 기둥 구조를 보인다. 이러한 기둥 중심 구조는 땅에 닿는 지점이 최소화된다는 장점이 있다. 따라서 땅의 모양을 바꾸지 않는 대신 기둥의 길이를 조절하여 정자를 건축하게 된다.

① 정자에는 인간의 힘으로 자연을 극복한 흔적이 남아 있다.
② 정자에는 편리를 추구하는 현대 건축물의 특징이 녹아 있다.
③ 정자를 통해 자연을 대하는 인간의 폭력적인 태도를 확인할 수 있다.
④ 정자에는 자연을 동등한 대화의 상대로 바라보는 관점이 구현되어 있다.
⑤ 정자를 통해 기능보다 자연과의 공존을 우선했던 선조들의 태도를 확인할 수 있다.

어휘•어법

3 **문맥상 의미가 ⓐ와 가장 가까운 것은?**

① 아무래도 나는 어머니 편을 들 수밖에 없었다.
② 선생님께서는 인용문을 예로 들어 설명하셨다.
③ 아이는 잠자리에 들기 위해 읽던 책을 덮었다.
④ 언 고기가 익는 데에는 시간이 좀 드는 법이다.
⑤ 일단 마음에 드는 사람이 있으면 적극적으로 나서야지.

1 이 글의 핵심 화제를 살펴보자.

자연을 동등한 ( )로 보는 이상적인 건축

2 각 문단별 중심 내용을 정리해 보자.

3 핵심 내용을 구조화해 보자.

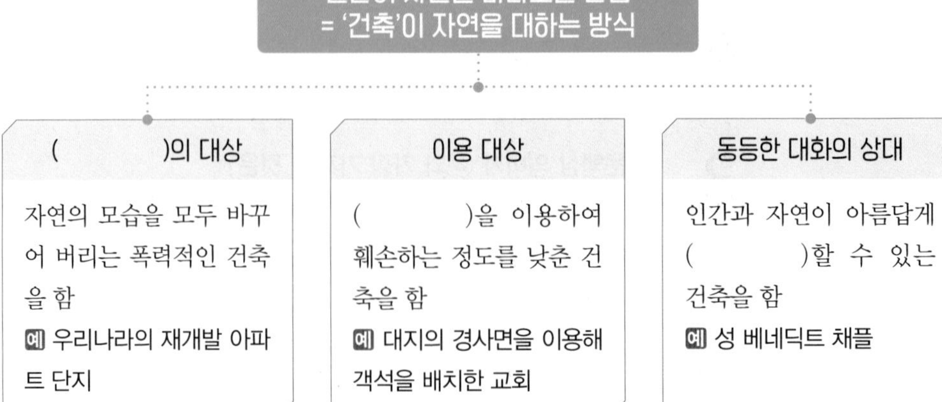

• 정답과 해설 24쪽

어휘력 테스트

1 **제시된 뜻과 예문을 참고하여 다음 초성에 해당하는 단어를 괄호 안에 써 보자.**

(1) ㅎ ㅈ ㅎ : 뚜렷이 드러날 정도로

예 이곳은 가뭄으로 마실 물이 (   ) 부족한 실정이다.

(2) ㄱ ㅅ ㅁ : 비스듬히 기울어진 면

예 우리는 강둑의 (   )에 나란히 앉았다.

(3) ㄷ ㄷ : 등급이나 정도가 같음. 또는 그런 등급이나 정도

예 우유 가격을 타사 제품과 (   )하게 매겼다.

2 **다음 〈보기〉의 뜻을 참고하여 십자말풀이를 완성해 보자.**

	❶	❷ 대
❸❹ 구		

보기

❶ 가로: 높이 쌓아 올린 대나 터
❷ 세로: 집터로서의 땅
❸ 가로: 어떤 시설물을 쌓아 올려 만듦
❹ 세로: 어떤 내용이 구체적인 사실로 나타나게 함

어휘·어법 확장

'우후죽순'의 의미와 사용

구변 환경과의 교감 없이 우후죽순 솟아난 현대 건축물의 편리를 좇고 있는 우리에게 ~ 손을 내민다.

대(대나무)의 땅속줄기에서 솟아나는 어린싹을 '죽순'이라고 한다. 봄날에 비가 오고 나면 대나무 숲 여기저기서 죽순이 땅을 뚫고 올라오는데, 이것이 성장하는 기세가 어찌나 빠른지 하룻밤에 10㎝도 넘게 자란다고 한다. '우후죽순(雨後竹筍)'을 말뜻 그대로 해석하면 '비가 온 뒤에 여기저기 솟는 죽순'이라는 말이지만, 일반적으로는 '어떤 일이 한꺼번에 여기저기서 왕성하게 일어나는 것'을 이른다. 부정적인 의미로 쓰이는 경우가 대체로 더 많으므로, 표현의 맥락을 잘 고려해서 사용해야 한다.

휘슬러, 「회색과 검은색의 조화」

- 핵심어를 찾아보자.
- 문단별 중심 내용에 밑줄을 그어 보자.
- 핵심 내용을 구조적으로 재배열해 보자.

가 1834년, 미국 매사추세츠주에서 태어난 휘슬러(Whistler, James Abbott McNeill)는 화가이자 판화가로, 1855년 유럽으로 건너가 파리와 런던을 중심으로 활동했다. 그는 인상주의의 영향을 받았으며 인상주의 화가들과 함께 활동하기도 했지만, 엄밀히 말하자면 인상주의 화가는 아니었다.

나 다른 인상주의 화가들과는 달리, 휘슬러의 주된 관심사는 빛과 색채의 효과에 있지 않았다. ⓐ정작 그의 관심은 미묘한 색면의 조화로운 구성에 있었다. 또한 그는 ⓑ회화에서 중요한 점은 주제가 아니라, 그것을 색채와 형태들로 전이시키는 방식에 있다고 주장했다. 즉, 그림 자체의 ⓒ미학을 중요시한 것이다.

다 ㉠이런 그의 경향이 가장 뚜렷하고 또 뛰어나게 드러난 작품이 바로, 흔히 '휘슬러의 어머니'로 불리는 「회색과 검은색의 조화, 제1번: 화가의 어머니(1872)」이다. 이 작품은 휘슬러가 67세인 자신의 어머니를 그린 것이다. 오늘날 대중적으로 가장 유명한 이 작품을 '런던 왕립 아카데미'에 전시했을 당시, 그는 「회색과 검은색의 조화」라는 독특한 제목을 붙였으며, 이 그림에 대한 어떤 서사적 정보나 감상적 ⓓ단서도 드러내지 않고자 노력했다. '어머니'라는 대상, 곧 주제가 그림의 형식적 요소보다 중요하지 않다고 생각했기 때문이다. 이에 대해 그는 "이것은 내 어머니의 그림이기 때문에 내게도 흥미롭다. 그러나 초상화에 대해 대중들이 관심을 가져야 할 것은 무엇일까? 음악이 귀로 듣는 시이듯 그림은 눈으로 보는 시다. 그리고 음악의 주제가 화음과 아무 상관 없듯이 그림의 주제도 색의 조화와는 아무 관련이 없다."라고 말했다.

▲ 휘슬러, 「회색과 검은색의 조화」(1872)

라 이처럼 그는 '예술을 위한 예술'을 ⓔ표방하며 그림 자체의 미학을 우선시했지만, 그가 추구한 형태와 색채의 조화가 주제와 모순된 것은 아니었다. 실제로 이 작품을 감상한 대중들은 늙고 야윈 모습으로 묘사된 여자의 모습과, 인물에서 배경에 이르기까지 배열된 회색과 검은색의 차분히 가라앉은 색조로부터 어머니의 희생과 체념적 쓸쓸함을 읽어 내며 공감한 것이다.

- **인상주의**: 19세기 후반 프랑스에서 일어난 근대 미술의 한 경향. 사물의 고유색을 부정하고 태양 광선에 의하여 시시각각으로 변해 보이는 대상의 순간적인 색채를 포착해서 밝은 그림을 그렸다.
- **미묘한**: 뚜렷하지 않고 야릇하고 묘한
- **모순된**: 어떤 사실의 앞뒤, 또는 두 사실이 이치상 어긋나서 서로 맞지 않는

1

「회색과 검은색의 조화」에 대한 설명으로 알맞지 않은 것은?

① 화가인 휘슬러가 자신의 어머니를 그린 그림이다.
② 예술을 위한 예술을 표방했던 휘슬러의 대표작이다.
③ 회색과 검은색의 차분히 가라앉은 색조가 잘 어우러져 있다.
④ 주제와 모순되는 표현 방식 때문에 대중들로부터 외면받았다.
⑤ 작품의 제목에는 그림에 대한 서사적 정보가 드러나 있지 않다.

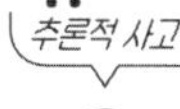

2

수능형

다음 중 ㉠과 가장 거리가 먼 것은?

① 형태와 색채의 조화를 추구하였다.
② 회화 자체로서의 미학을 중요시하였다.
③ 매 순간 변하는 빛과 색채의 효과에 집중하였다.
④ 미묘한 색면의 조화로운 구성에 주된 관심을 두었다.
⑤ 주제보다는 그것을 색채와 형태들로 전이시키는 방식에 주목하였다.

어휘•어법

3

ⓐ~ⓔ의 문맥적 의미를 활용하여 만든 문장으로 적절하지 않은 것은?

① ⓐ: 형에게 정작 할 말은 꺼내지도 못했다.
② ⓑ: 외국어 공부에 있어서 시험 성적과 회화 실력은 별개이다.
③ ⓒ: 동양 미학의 핵심은 여백의 미(美)에 있다고도 할 수 있다.
④ ⓓ: 경찰들은 또 다시 벌어진 사건의 단서를 찾기 위해 노력했다.
⑤ ⓔ: 그 기업은 오늘날 세계 일류를 표방하는 기업으로 성장하고 있다.

1 이 글의 핵심 화제를 살펴보자.

휘슬러의 대표작 (   )에 나타난 그의 작품 경향

2 각 문단별 중심 내용을 정리해 보자.

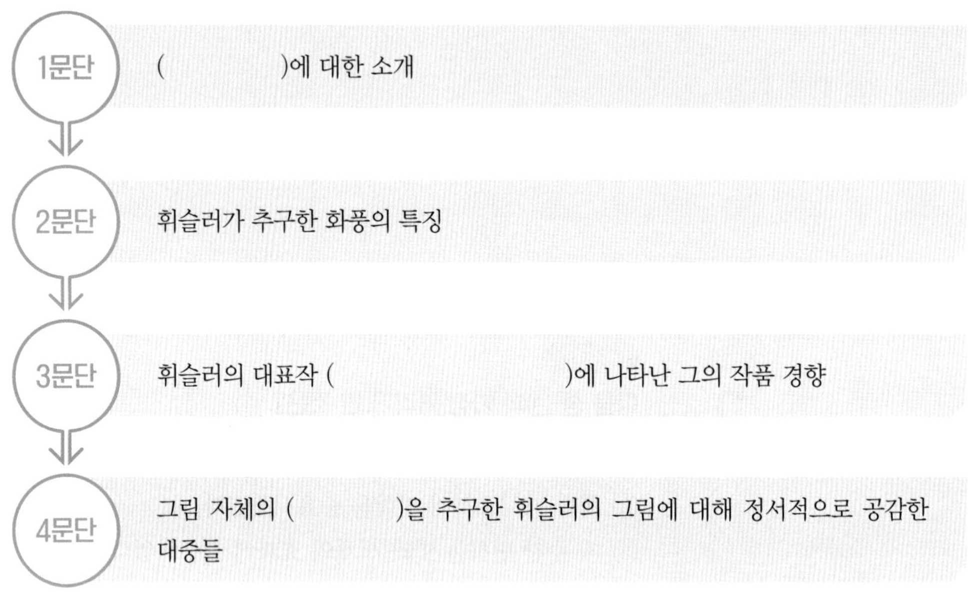

문단	중심 내용
1문단	( )에 대한 소개
2문단	휘슬러가 추구한 화풍의 특징
3문단	휘슬러의 대표작 ( )에 나타난 그의 작품 경향
4문단	그림 자체의 ( )을 추구한 휘슬러의 그림에 대해 정서적으로 공감한 대중들

3 핵심 내용을 구조화해 보자.

「회색과 검은색의 조화」

휘슬러의 창작 의도	그림을 감상한 대중들의 반응
자신의 ( )를 주제로 하였지만, 모든 외부적 요소를 배제한 채 회색과 검은색을 바탕으로 한 형태와 색채의 조화로운 구성에 주목하여 그림	대중들은 늙고 야윈 모습으로 묘사된 어머니의 모습과, 회색과 검은색의 차분히 가라앉은 ( )로부터 어머니의 ( )과 체념적 쓸쓸함을 읽어 냄

⇓

휘슬러의 작품 경향

- 그림 자체의 (   )을 중요시함
- 미묘한 색면의 조화로운 구성에 관심을 둠
- 그림의 (   )는 색의 조화와는 아무 관련이 없다고 생각함

어휘력 테스트

1 다음 단어의 뜻을 참고하여 끝말잇기를 완성해 보자.

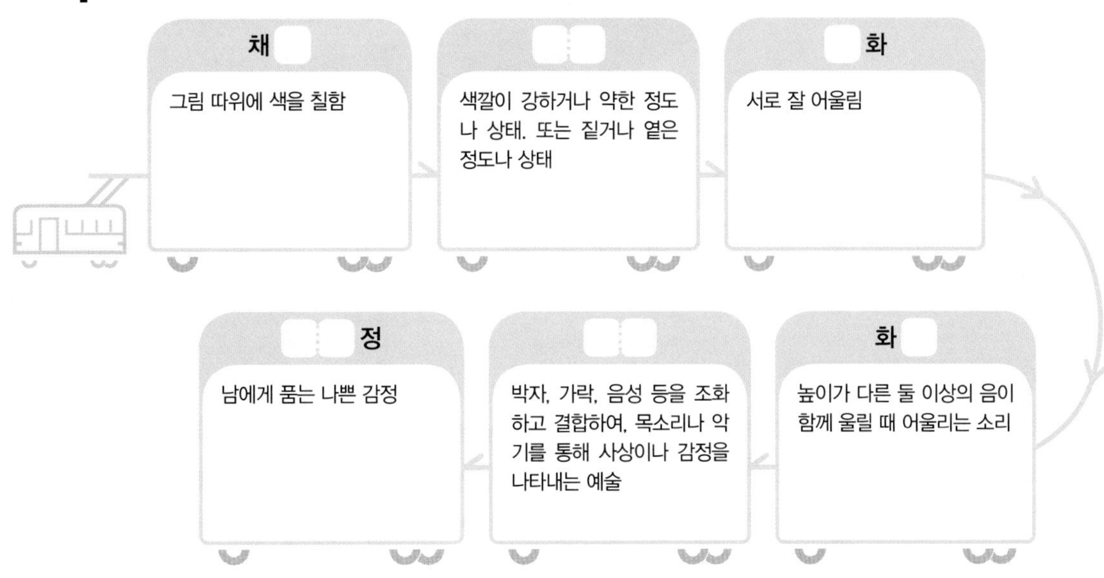

2 다음 단어를 활용하기에 적절한 문장을 찾아 바르게 연결해 보자.

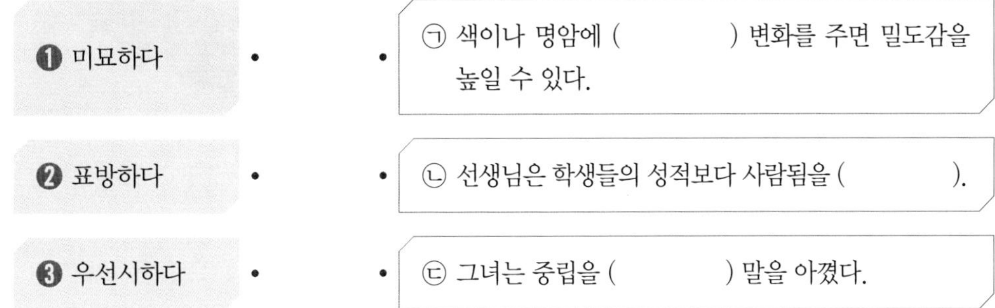

어휘·어법 확장

'-듯(-듯이)'와 '듯(듯이)'의 구별

음악이 귀로 듣는 시이듯 그림은 눈으로 보는 시다.

연결 어미

'-듯(-듯이)'	VS	'듯(듯이)'
'뒤 절의 내용이 앞 절의 내용과 거의 같음'을 나타내는 연결 어미 예 • 사람마다 생김새가 다르듯 생각도 다르다. • 물개가 물고기가 아니듯이 고래도 물고기가 아니다.		'유사하거나 같은 정도', '짐작이나 추측'의 뜻을 나타내는 의존 명사 예 • 아기는 아버지를 빼다 박은 듯 닮았다. • 학생은 잘 모르겠다는 듯이 눈만 껌벅이고 있었다.

※ 연결 어미와 의존 명사를 구분하는 방법은 앞말이 '을, 은, 는'과 같은 관형형의 형태라면, 그때의 '듯(듯이)'는 의존 명사이므로 앞말과 띄어 써야 한다. 그 밖의 경우에 쓰이는 '–듯(듯이)'는 어미이므로 앞말에 붙여 쓰면 된다.

긴 지문 실전

인문

콜버그의 도덕성 발달 단계

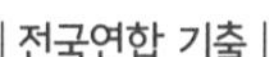

| 전국연합 기출 |

- 핵심어를 찾아보자.
- 문단별 중심 내용에 밑줄을 그어 보자.
- 핵심 내용을 구조적으로 재배열해 보자.

가 도덕적 판단이란 어떤 행위나 의도를 일정한 기준에 따라 좋은 것 혹은 정당한 것으로 판단하는 것을 의미한다. 그런데 도덕적 판단의 기준은 사람이 성장하면서 달라질 수 있다. 도덕성 발달 단계를 연구한 콜버그는 사람들에게 '하인즈 딜레마'를 들려주고 하인즈의 행동의 옳고 그름에 대한 질문을 하였다. 그리고 그는 사람들의 대답에서 단순하게 '예' 혹은 '아니요'라는 응답에 관심을 둔 것이 아니라, 그 판단 근거를 기준으로 도덕성 발달 단계를 '전 관습적 수준', '관습적 수준', '후 관습적 수준'의 세 수준으로 나누었다. 그리고 이를 다시 세분화하여 총 여섯 단계로 구성했다.

나 콜버그가 구성한 가장 낮은 도덕성 발달 단계는 ㉠전 관습적 수준이다. 이 수준은 판단의 기준이 오로지 행위자에게 미치는 직접적인 결과와 연관되어 있기 때문에 자기중심적인 단계라고 할 수 있다. 이 수준은 다시 두 단계로 구성된다. 가장 낮은 도덕성인 1단계에서 판단의 기준은 처벌이다. 벌을 받으면 나쁜 것이고 칭찬을 받으면 좋은 것으로 인식한다. 2단계에 도달하면 자신의 이익이 판단의 기준이 된다. 즉 자신의 욕망을 충족하는 것을 옳다고 간주한다.

다 전 관습적 수준을 넘어서면 대다수의 사람들이 속하는 ㉡관습적 수준에 다다르게 된다. 이 수준에서는 행위자에게 미치는 결과를 고려하는 것에서 벗어나 사회 집단이나 국가의 기대를 따르게 된다. 관습적 수준의 첫 단계인 3단계에서는 자신이 속한 사회의 구성원들이 동의하는 것을 좋은 것으로 인식한다. 즉 사회에 속한 사람들이 추구하는 것이 도덕적 판단의 기준이 되는 것이다. 4단계에 이르면 모든 잘잘못은 법에 의해 판단되어야 한다고 생각하며, 어떤 예외도 허용하지 않는다. 질서 유지를 위한 법의 준수가 도덕적 판단의 기준이 되는 것이다.

라 관습적 수준을 넘어서면 ㉢후 관습적 수준에 도달하게 된다. 이 수준은 자신의 가치관과 도덕적 원칙이 자신이 속한 집단과 별개임을 깨닫고 집단을 넘어 개인의 양심에 근거하는 단계라고 할 수 있다. 후 관습적 수준의 첫 번째 단계인 5단계에 이르면 법의 합리성이 도덕적 판단의 기준이 된다. 법이 합리적이지 못할 경우, 법적으로는 잘못이지만 도덕적으로는 옳다고 판단하는 것이다. 6단계에 이르면 도덕적 판단은 스스로 선택한 양심의 결정을 따르는 것이라고 인식한다. 따라서 법이나 관습과 같은 제약을 넘어 인간 존엄, 생명 존중과 같은 본질적 가치가 중요한 판단의 기준이 되는 것이다.

- **관습적**: 어떤 사회에서 오랫동안 지켜 내려와 그 사회 성원들이 널리 인정하는 질서나 풍습에 따른
- **연관되어**: 사물이나 현상이 일정한 관계가 맺어져
- **간주한다**: 상태, 모양, 성질 따위가 그와 같다고 보거나 그렇다고 여긴다.
- **준수**: 전례나 규칙, 명령 따위를 그대로 좇아서 지킴

• 정답과 해설 27쪽

마 콜버그 이론의 특징으로는 우선 인간의 도덕성 발달이 단계에 따라 순차적으로 이루어진다고 보았다는 점을 들 수 있다. 즉 사람은 각 단계를 순서대로 거쳐 간다는 것이다. 그리고 도덕성 발달은 자기 수준보다 높은 도덕적 난제를 스스로 해결하는 과정에서 이루어진다고 보았다는 점을 들 수 있다. 이러한 콜버그의 이론은 도덕성 발달을 이끌어 줄 수 있는 유용한 도덕 교육의 ⓐ틀을 제시했다는 점에서 가치가 있다.

난제: 해결하기 어려운 일이나 사건

사실적 사고

1

윗글에 대한 설명으로 가장 적절한 것은?

① 특정한 이론을 소개한 후 그 의의를 밝히고 있다.
② 권위자의 이론을 설명한 후 그 장단점을 분석하고 있다.
③ 다양한 이론을 제시한 후 각각의 한계를 지적하고 있다.
④ 상반된 두 이론의 차이점을 설명한 후 이를 절충하고 있다.
⑤ 어떤 이론에 대한 통념을 제시한 후 그 문제점을 설명하고 있다.

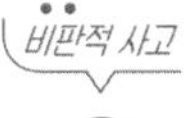

2

수능형

㉠~㉢을 이해한 내용으로 가장 적절한 것은?

① ㉠은 소수의 사람들이, ㉡은 대다수의 사람들이 거쳐 가는 수준이라고 할 수 있겠군.
② ㉠은 이기적인 욕망을, ㉡은 집단의 가치를 추구하는 수준이라고 할 수 있겠군.
③ ㉠은 집단의 질서를, ㉢은 보편적인 도덕 원칙을 지향하는 수준이라고 할 수 있겠군.
④ ㉡은 개인의 자율성이, ㉢은 집단에 의한 강제성이 중시되는 수준이라고 할 수 있겠군.
⑤ ㉡은 성인들에게서, ㉢은 아동들에게서 많이 보이는 수준이라고 할 수 있겠군.

어휘·어법

3

ⓐ와 가장 가까운 뜻으로 쓰인 것은?

① 사내아이의 틀이 장군감이다.
② 틀에 박힌 일상에서 벗어나고 싶다.
③ 반죽을 틀에 넣어 다식을 찍어 낸다.
④ 가마와 상여 각각 한 틀씩 없어졌다.
⑤ 가운데 부분은 놔두고 틀만 다시 짰다.

1 이 글의 핵심 화제를 살펴보자.

콜버그의 (   )의 단계별 특징과 가치

2 각 문단별 중심 내용을 정리해 보자.

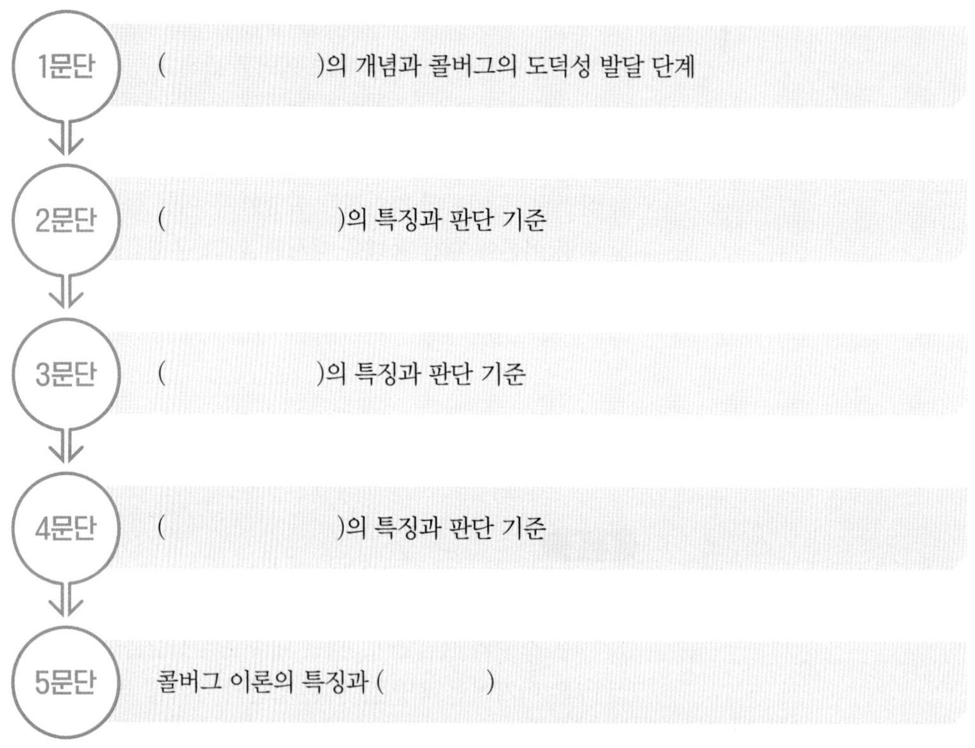

1문단 (   )의 개념과 콜버그의 도덕성 발달 단계

2문단 (   )의 특징과 판단 기준

3문단 (   )의 특징과 판단 기준

4문단 (   )의 특징과 판단 기준

5문단 콜버그 이론의 특징과 (   )

3 핵심 내용을 구조화해 보자.

전 관습적 수준	관습적 수준	후 관습적 수준
• 1단계: ( )을 기준으로 판단 • 2단계: 자기 자신의 ( )을 기준으로 판단	• 3단계: 사회에 속한 사람들이 ( )하는 것을 기준으로 판단 • 4단계: ( )의 준수를 기준으로 판단	• 5단계: ( )의 합리성을 기준으로 판단 • 6단계: 스스로의 양심, 본질적 가치를 기준으로 판단

콜버그 이론의 가치

(   ) 교육의 틀을 제시함

어휘력 테스트

1 **제시된 뜻과 예문을 참고하여 다음 초성에 해당하는 단어를 괄호 안에 써 보자.**

(1) ㅇ ㄷ : 무엇을 하고자 하는 생각이나 계획. 또는 무엇을 하려고 꾀함

예 그는 나쁜 (   )를 가지고 그녀에게 접근했다.

(2) ㅅ ㅂ ㅎ : 사물이 여러 갈래로 자세히 갈라짐. 또는 그렇게 갈라지게 함

예 업무의 (   )가 이루어지다.

(3) ㅈ ㅇ : 인물이나 지위 따위가 감히 범할 수 없을 정도로 높고 엄숙함

예 모든 국민은 인간으로서의 (   )과 가치, 행복을 추구할 권리를 가진다.

2 **다음 〈보기〉의 뜻을 참고하여 십자말풀이를 완성해 보자.**

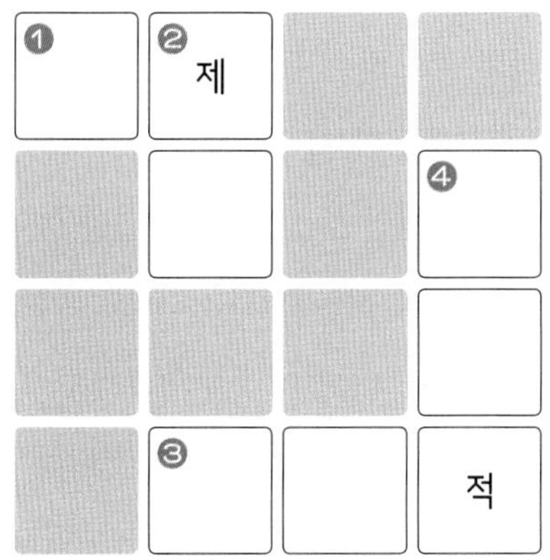

보기

① 가로: 해결하기 어려운 일이나 사건
② 세로: 조건을 붙여 내용을 제한함. 또는 그 조건
③ 가로: 어떤 사회에서 오랫동안 지켜 내려와 그 사회 성원들이 널리 인정하는 질서나 풍습에 따른
④ 세로: 이론이나 이치에 합당한 것

어휘·어법 확장

'아니요'와 '아니오'의 구별

그는 사람들의 대답에서 단순하게 '예' 혹은 '아니요'라는 응답에 관심을 둔 것이 아니라~

'아니요'  '아니오'

'아니요'

'예/네'와 상대되는 말로 쓰이는 감탄사이다. 윗사람이 묻는 말에 부정하여 대답할 때 쓰는 말로, 이때 '아니요'는 '아뇨'로 줄여서 쓸 수 있다.

예 • 다음 물음에 '예', '아니요'로 답하시오.
• 심부름 갔다 왔니? 아니요(아뇨), 아직 못 갔다 왔습니다.

'아니오'

어떤 사실을 부정하는 뜻을 나타내는 '아니다'의 활용형으로, 한 문장의 서술어로만 쓰인다. '-오'는 동사, 형용사의 어간 뒤나 선어말 어미 뒤에 붙는 어미이므로 이때에는 '-오'가 없으면 온전한 문장이 되지 않는다.

예 그것은 내 잘못이 아니오. → '-오'를 빼면 '그것은 내 잘못이 아니-'와 같이 온전한 문장이 되지 않음

조선 중화론과 북학론

- 핵심어를 찾아보자.
- 문단별 중심 내용에 밑줄을 그어 보자.
- 핵심 내용을 구조적으로 재배열해 보자.

가 조선으로부터 '오랑캐'라고 업신여김을 받던 만주족이 중국 땅을 차지한 것은 동북아시아의 국제 정세를 송두리째 바꿔 놓은 엄청난 사건이었다. 명나라를 세상의 중심인 중화(中華)의 나라로 받들고, 조선을 작은 중화의 나라로 여기던 조선의 사대부들에게 하늘이 노래지는 것과 같은 충격을 주었다. 더욱이 그들이 일으킨 병자호란으로 조선 임금이 만주족의 적장 앞에 무릎을 꿇고 항복한 것은 ⓐ잊을 수 없는 치욕이었다. 효종 때 대두된 청나라에 대한 북벌론(北伐論)에는 병자호란의 치욕을 복수하고, 오랑캐가 뒤흔든 중화 질서를 회복하겠다는 뜻이 담겨 있었다.

나 정치적으로는 청나라가 주도하는 동북아시아의 질서를 받아들이면서도 문화적으로는 이를 수긍할 수 없었던 조선의 사대부들, 특히 노론이 들고나온 것이 '존주론(尊周論)'이었다. 중화의 상징적 존재인 주(周)나라 왕실을 높여 오랑캐를 물리치고 평화로운 국제 질서를 회복시켜야 한다는 논리였다. 그리고 이는 '조선 중화론'으로까지 이어졌다. 주나라를 계승한 명나라가 오랑캐에게 망했으므로 이제 중화를 간직한 유일한 국가는 조선이며, 조선은 중화를 지켜야 할 의무를 가졌다는 것이다.

다 조선 왕조는 정기적으로 청나라에 조공 사절을 보내고 각종 문서에 청나라 연호를 쓰는 등 겉으로는 청나라에 충성을 바쳤다. 청나라는 조선이 자신에게 신하의 예를 다하는 한, 더 이상의 간섭은 하지 않았다. 그렇기 때문에 버젓이 조선 중화론을 내세우면서도 조선이 태평성대를 누릴 수 있었던 것이다. 하지만 노론 집권층은 청나라에 가는 사신으로 임명되는 것을 달가워하지 않았다. 오랑캐라고 생각하는 나라에 가서 머리를 조아려야 했기 때문이다.

라 그러나 노론의 집권층 자제들 가운데는 생각이 다른 이도 있었다. 특히 박제가, 이덕무, 유득공 등은 청나라에서 새로운 세상을 발견했다. 이들이 청나라의 수도인 베이징에 가서 본 것은 결코 오랑캐의 열등한 문화가 아니라 널찍한 길을 가득 메우며 오가는 많은 수레와 으리으리한 건물, 그리고 세계 각국에서 들어온 다채로운 문물이었다. 노론의 자제들은 조선 중화론의 한계를 바로 알아채고, ㉠조선이 마음을 열고 청나라 문물을 받아들여야 한다고 생각하게 되었다. 이들 북학파(北學派)는 청나라가 다른 나라와의 활발한 교류를 통해 강성해졌다는 사실을 확인하고, 상업 진흥과 대외 교류 확대에 힘써야 한다고 생각했다.

- **중화**: 세계 문명의 중심이라는 뜻으로, 중국 사람들이 자기 나라를 이르는 말. 주변국에서 중국을 대접하여 이르는 말로도 쓰인다.
- **북벌론**: 조선 효종 때와 숙종 초에, 병자호란의 수모를 씻기 위하여 청나라를 공격하고자 한 주장
- **조공**: 종속국이 종주국에 때를 맞추어 예물을 바치던 일
- **사절**: 나라를 대표하여 일정한 사명을 띠고 외국에 파견되는 사람
- **연호**: 임금이 즉위한 해에 붙이는 칭호
- **강성해졌다는**: 힘이 강하고 번성해졌다는

마 그러나 북학파는 어디까지나 노론 집권층의 자제들이었고, 더 넓게는 양반 엘리트에 속하는 사람들이었다. 이들이 주장한 상업 진흥과 대외 교류 확대는 그것을 담당할 만한 상공업 세력이 성장해야 이루어질 수 있는 것이었다. 하지만 18세기 조선 사회는 거기까지 나아가지 못했다. 북학파가 주장한 대로 청나라에서 배운 내용을 제대로 실천할 수 있는 사회 세력이 성장하지 못한 것은 향후 100여 년의 역사를 볼 때 유감스러운 일이 아닐 수 없다.

유감스러운: 마음에 차지 아니하여 섭섭하거나 불만스러운 느낌이 남아 있는 듯한

사실적 사고

1

윗글을 통해 알 수 있는 사실이 아닌 것은?

① 조선 사대부들은 중화의 중심은 주나라라고 생각하였다.
② 조선 사대부들은 조선과 명나라 이외의 나라는 오랑캐로 여겼다.
③ 북학파의 세력이 강성했더라면 향후 역사는 바뀌었을 가능성이 있다.
④ 조선 중화론이 대두된 배경에는 만주족에 대한 반발심도 작용을 했다.
⑤ 조선 중화론은 당시 사회뿐만 아니라 후대에까지 커다란 영향을 미쳤다.

2

수능형

'북학파'가 '조선 중화론자'에게 ㉠과 같은 주장을 펼친다고 할 때, 주장을 뒷받침할 수 있는 내용으로 알맞은 것은? (정답 2개)

① 조선의 안위를 위해서 청나라에 지속적으로 조공을 보내고 있습니다. 이를 충당하기 위해서라도 상업의 진흥은 필수적입니다.
② 조선에는 청나라에서 배워 온 제도와 사상을 실천할 수 있는 인재들이 많습니다. 이들이 실력을 펼칠 수 있는 기회를 주어야 합니다.
③ 청나라가 강하고 왕성해진 까닭은 세계 여러 나라의 문물을 받아들였기 때문입니다. 조선도 다른 나라와의 교류를 통해 힘을 길러야 합니다.
④ 조선이 중화를 간직한 유일한 국가라고 하지만, 현재 청나라는 조선보다 훨씬 발달된 문화를 가지고 있고 아시아의 중심에 위치한 나라입니다.
⑤ 중화를 지켜야 할 의무가 있는 조선은 동북아시아의 질서를 유지하기 위해서라도 청나라에 대한 예를 갖추고 그들의 모든 것을 배워야 합니다.

어휘·어법

3

ⓐ와 바꿔 쓸 수 있는 말로 가장 적절한 것은?

① 각골난망(刻骨難忘)할 만한
② 백골난망(白骨難忘)할 만한
③ 오매불망(寤寐不忘)할 만한
④ 전전긍긍(戰戰兢兢)할 만한
⑤ 절치부심(切齒腐心)할 만한

1 **이 글의 핵심 화제를 살펴보자.**

(　　　　　　)과 북학론의 핵심 사상

2 **각 문단별 중심 내용을 정리해 보자.**

3 **핵심 내용을 구조화해 보자.**

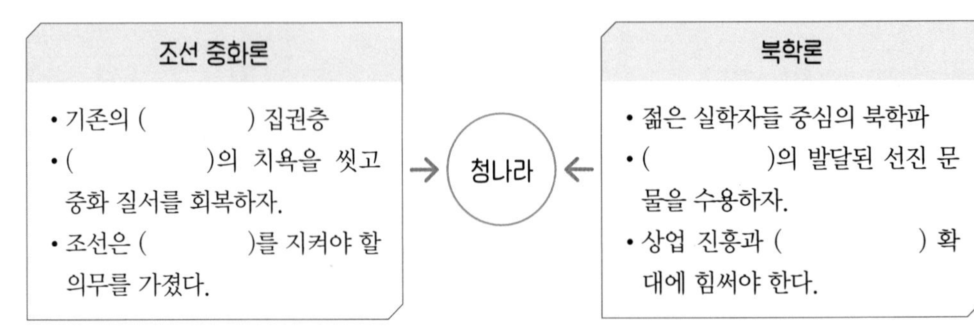

어휘력 테스트

● 다음 괄호 안에 들어갈 단어의 뜻을 〈보기〉에서 골라 기호를 써 보자.

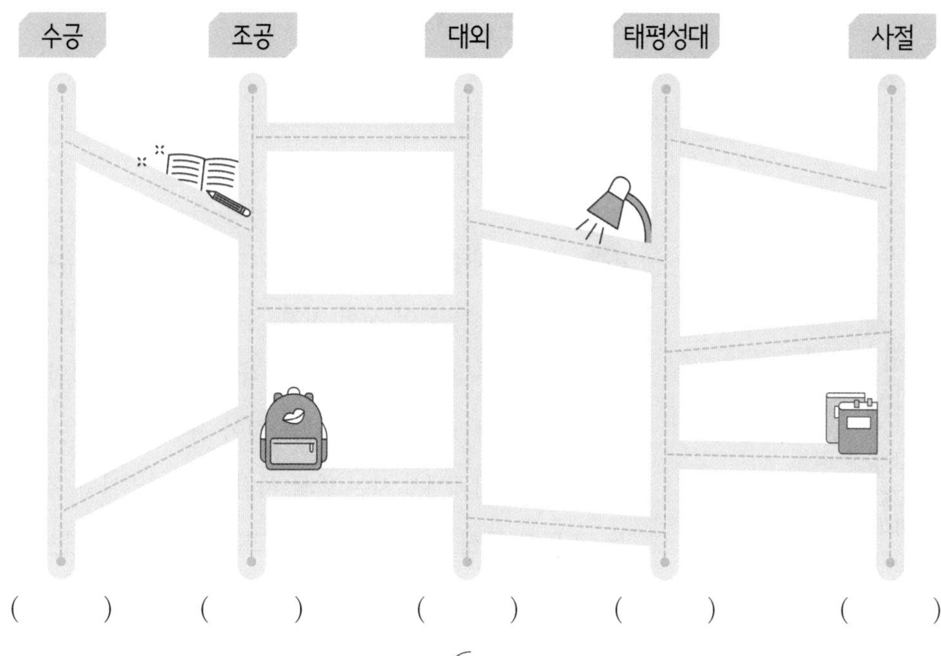

( ) ( ) ( ) ( ) ( )

보기

㉠ 옳다고 인정함
㉡ 외부 또는 나라 밖에 대함
㉢ 어진 임금이 잘 다스리어 태평한 세상이나 시대
㉣ 종속국이 종주국에 때를 맞추어 예물을 바치던 일
㉤ 나라를 대표하여 일정한 사명을 띠고 외국에 파견되는 사람

어휘·어법 확장

'하늘'과 관련한 관용어구

조선을 작은 중화의 나라로 여기던 조선의 사대부들에게 하늘이 노래지는 것과 같은 충격을 주었다.

하늘이 노래지다	갑자기 기력이 다하거나 큰 충격을 받아 정신이 아찔하게 되다.(= 하늘이 캄캄하다.)
하늘 높은 줄 모르다	자기의 분수를 모르다. 예 그는 하늘 높은 줄 모르고 날뛰며 온통 동네를 휘어잡고 있었다.
하늘에 맡기다	운명에 따르다. 예 병원 측은 더 이상의 치료 방법이 없다며 나머지는 하늘에 맡기자고 했다.
하늘을 찌르다	기세가 몹시 세차다. 예 농민군들의 사기는 하늘을 찌를 것 같았다.
하늘이 두 쪽(이) 나도	아무리 큰 어려움이 있더라도 예 하늘이 두 쪽 나도 우리는 헤어질 수 없다.

내 안의 감정 덩어리, 콤플렉스

- 핵심어를 찾아보자.
- 문단별 중심 내용에 밑줄을 그어 보자.
- 핵심 내용을 구조적으로 재배열해 보자.

가 시험에 자주 떨어지는 사람은 시험 치기 전에 유난히 불안해한다. 시험 실패의 상처가 콤플렉스가 되어 시험 치기 전부터 또 떨어지면 어떻게 하나 미리 걱정하는 것이다. 큰 차와 부딪치는 교통사고를 겪은 사람은 큰 차만 보아도 가슴이 두근거리고 깜짝 놀라는 버릇이 있으며, 누군가를 깊이 사랑한 사람은 그 사람의 이름만 들어도 가슴이 설렌다. 또, 외국에서 사는 한국 사람에게 '코리아'는 결코 무관심할 수 없는 단어로, 이는 그 말과 함께 마음속에 잠자는 '조국 콤플렉스'가 눈을 뜨기 때문이다.

나 단어 연상 검사라는 것이 있다. 100개의 단어를 하나씩 불러 주고 머리에 떠오르는 단어를 될 수 있는 대로 빨리 말하는 검사법이다. 단어에 따라서 즉시 반응을 못 하고 지나치게 느리게 반응하거나 아예 전혀 연상을 못 하는 경우가 있다. 그럴 경우에는 대부분 생각이 막히거나 감정이 북받쳐 올라오거나 당황하거나 말을 더듬거나 웃거나 아무 생각도 안 나거나 한다. ⓐ불러 준 단어의 자극으로 의식 또는 ⓑ무의식의 콤플렉스가 자극되어 그 콤플렉스에서 방출되는 정감 때문에 정상적인 생각의 흐름이 끊어지거나 방해되기 때문이다.

다 돈에 치사한 사람을 보고 "저 사람 돈에 무슨 콤플렉스가 있나 보다."라고 말하는 경우처럼, 콤플렉스는 일반적으로 '문제점', '약점'과 같은 뜻으로 쓰이고 있다. 그러나 융(C. G. Jung)의 분석 심리학에서는 그렇게 보지 않는다. 콤플렉스는 글자 그대로 정신적인 여러 내용이 감정으로 뭉친 응어리이다. 물론, 시험 콤플렉스나 돈 콤플렉스, 애정 콤플렉스 등 감정의 응어리가 풀리지 않으면 정신 기능을 일시적으로 방해하거나 그 사람의 생각을 제약해서 편협한 사람으로 있게 한다.

라 그러므로 콤플렉스는 될 수 있는 대로 소화시켜서 ㉠의식으로 동화시켜야 할 것이다. 이를 위해서는 콤플렉스를 외면하지 말고 그것에 직면하여 얽힌 감정을 표현해야 한다. 콤플렉스가 반드시 열등감과 같은 것은 아니며, 그것은 다양한 감정을 유발하므로 경우에 따라 우월감을 불러일으킬 수도 있다. 콤플렉스는 그 자체가 병적인 것이 아니다. 그것이 병적이고 해로운 때는 그것이 무의식에 억압되어 있어서 의식의 통제를 벗어났을 때이다. 이에 대해서 융은 "사람들은 자기가 콤플렉스를 가지고 있다는 것을 안다. 그러나 콤플렉스가 그 사람을 가지고 있다는 것은 모른다."라고 말하였다. 콤플렉스가 사람을 가지고 있다는 것은 사람이 무의식의 콤플렉스를 가지고 있는 상태를 의

- **연상**: 하나의 관념이 다른 관념을 불러일으키는 현상. '기차'로 '여행'을 떠올리는 따위의 현상이다.
- **제약해서**: 조건을 붙여 내용을 제한해서
- **편협한**: 한쪽으로 치우쳐 도량이 좁고 너그럽지 못한
- **열등감**: 자기를 남보다 못하거나 무가치한 인간으로 낮추어 평가하는 감정
- **우월감**: 남보다 낫다고 여기는 생각이나 느낌

미하며, 이러한 무의식의 콤플렉스가 더 해로울 수 있다는 것이다. 또한 이러한 무의식의 콤플렉스는 개인 차원을 넘어서 특정 집단이나 민족적 차원의 콤플렉스를 형성하기도 한다.

마 콤플렉스는 정상적인 정신 구조의 구성 요소라 할 수 있다. 콤플렉스는 모든 사람에게 있고 또한 정상적으로 있어야 하며 결코 두려워하거나 피해야 하는 것이 아니다. 다만 우리 내부, 곧 무의식에서 우리가 우리도 모르게 억압한 콤플렉스가 무엇인지 주의 깊게 살펴볼 필요가 있다.

사실적 사고

1 **윗글에 나타난 '콤플렉스'에 대한 설명으로 적절하지 않은 것은?**

① 정상적인 정신 구조의 구성 요소이다.
② 의식의 통제를 받을 때 정신 기능을 방해한다.
③ 일반적으로 부정적인 의미로 많이 쓰이고 있다.
④ 다른 사람에 대한 우월감으로 나타나기도 한다.
⑤ 여러 가지 정신 내용이 감정으로 뭉친 응어리이다.

수능형

2 **다음 밑줄 친 단어들 중, ⓐ – ⓑ의 관계와 가장 유사한 것은?**

① 까마귀 날자 배 떨어진다.
② 숭어가 뛰니까 망둥이도 뛴다.
③ 낮말은 새가 듣고 밤말은 쥐가 듣는다.
④ 말은 해야 맛이고 고기는 씹어야 맛이다.
⑤ 자라 보고 놀란 가슴 솥뚜껑 보고 놀란다.

어휘·어법

3 **문맥상 ㉠과 바꾸어 쓰기에 가장 적절한 것은?**

① 활성화해야
② 제지할 수 있어야
③ 인식할 수 있어야
④ 망각할 수 있어야
⑤ 의식에서 제외시켜야

1 **이 글의 핵심 화제를 살펴보자.**

(　　　　　　)에 대한 올바른 이해

2 **각 문단별 중심 내용을 정리해 보자.**

1문단 (　　　　　　)의 다양한 사례

2문단 (　　　　　　　　)와 콤플렉스의 상관성

3문단 콤플렉스의 정의 및 문제점

4문단 콤플렉스에 대한 올바른 (　　　　　)의 필요성

5문단 (　　　　　　)의 본질 이해

3 **핵심 내용을 구조화해 보자.**

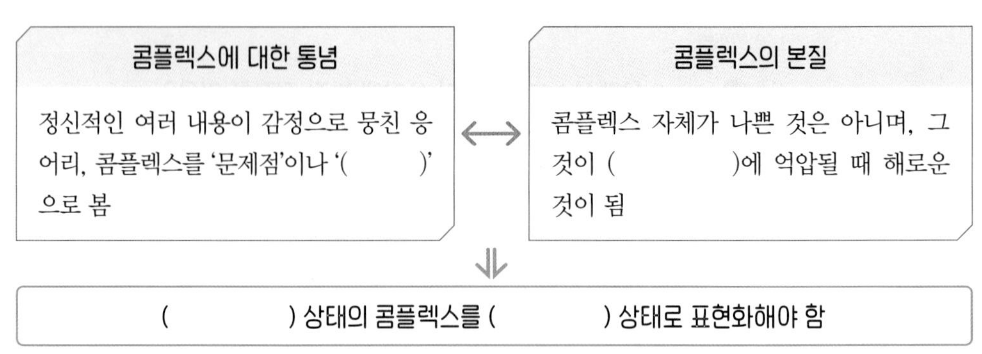

콤플렉스에 대한 통념	↔	콤플렉스의 본질
정신적인 여러 내용이 감정으로 뭉친 응어리, 콤플렉스를 '문제점'이나 '(　　　　)'으로 봄		콤플렉스 자체가 나쁜 것은 아니며, 그것이 (　　　　　)에 억압될 때 해로운 것이 됨

⇓

(　　　　　) 상태의 콤플렉스를 (　　　　　) 상태로 표현화해야 함

어휘력 테스트

1 다음 단어의 뜻을 참고하여 끝말잇기를 완성해 보자.

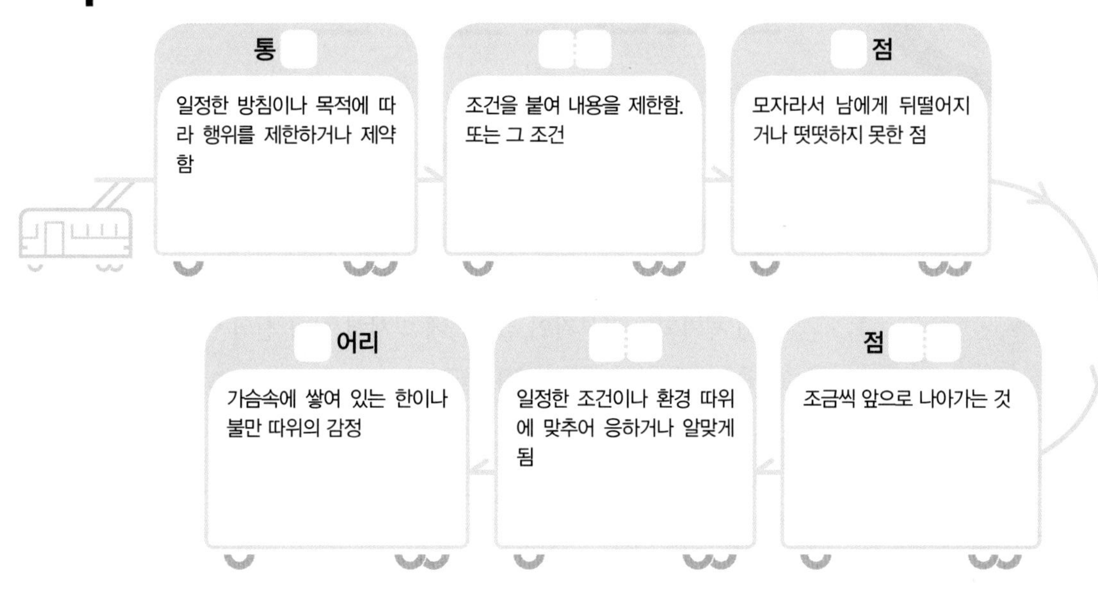

2 다음 단어를 활용하기에 적절한 문장을 찾아 바르게 연결해 보자.

❶ 편협하다 •	• ㉠ 환경 오염은 기형아 출산을 ( ).
❷ 유발하다 •	• ㉡ 그는 다른 사람보다 ( ) 지위를 차지했다.
❸ 우월하다 •	• ㉢ 그는 내 생각이 너무 ( )고 비판하였다.

어휘·어법 확장

유사한 의미를 나타내는 속담들

큰 차와 부딪치는 교통사고를 겪은 사람은 큰 차만 보아도 가슴이 두근거리고 깜짝 놀라는 버릇이 있으며~

어떤 사물이나 상황에 몹시 놀란 사람은 비슷한 사물이나 상황을 보아도 겁을 냄

↓

- 자라 보고 놀란 가슴 솥뚜껑(소댕) 보고 놀란다.
- 뜨거운 물에 덴 놈 숭늉 보고도 놀란다. 
- 더위 먹은 소 달만 보아도 헐떡인다.
- 불에 놀란 놈이 부지깽이(화젓가락)만 보아도 놀란다.

사상의 자유를 위한 순교자, 조르다노 브루노

- 핵심어를 찾아보자.
- 문단별 중심 내용에 밑줄을 그어 보자.
- 핵심 내용을 구조적으로 재배열해 보자.

가 중세 유럽의 철학이나 과학은 로마 가톨릭교의 교리를 ⓐ대변하고, 신과 신학에 대해 제기되는 근본적인 질문들에 맞서서 신과 신의 말씀을 이성을 통해 설명하기 위해 존재했다고 해도 ⓑ과언이 아니다. 그러나 그와 같은 엄중한 규범과 구속으로부터 벗어나고자 저항하며 자신만의 철학 사상이나 과학 이론을 펼쳐 나가던 사람들이 있는데, 그중의 한 명이 바로 르네상스 시대 이탈리아의 사상가이자 철학자였던 조르다노 브루노(Giordano Bruno)이다.

나 브루노는 1548년 나폴리 인근의 놀라(Nola)에서 태어났다. 그는 열여덟 살이 되던 해에 도미니크 수도회에 들어가 수도사가 되었지만, 점차 가톨릭 교리에 대한 ⓒ회의를 품게 되었고, 정통 신학을 의심한다는 혐의를 받아 1576년에 파문당했다. 그는 가톨릭의 박해를 피해 제네바로 피신했지만, 그곳에서 칼뱅주의자들의 개혁 교회 역시 그의 사상을 받아들이지 않는다는 점을 깨닫고는 파리, 옥스퍼드, 프랑크푸르트 등 유럽의 여러 도시를 떠돌며 수학과 천문학 등을 가르쳤다. 그러던 중 어느 귀족의 초청으로 베네치아에 갔다가 이단 혐의로 종교 재판소에 고발되었고, 로마 교황청 종교 재판소로 ⓓ이송되어 이단 심문을 받았다. 그는 7년 동안 감금된 채 재판을 받았지만, 끝내 자신의 철학적·과학적 신념을 굽히지 않았기에 결국 1600년 로마의 피오리 광장에서 화형(火刑)을 당했다.

다 그는 지구가 우주의 중심이 아니라고 생각했으며, 코페르니쿠스의 지동설을 받아들였다. 그리고 더 나아가 우주는 무한하며, 무수히 많은 태양과 별들로 가득 차 있고, 태양계와 비슷한 수많은 세계로 이루어져 있다고 주장했다. 또한 신과 자연, 즉 신과 우주 전체를 하나라고 생각했다. 그에게 있어서 신이란 우주 만물 속에 각각 깃들어 있음과 동시에 우주 전체 그 자체이기도 한 것이었다. 그러나 당시의 로마 교황청과 성직자들은 지구가 우주의 유일무이한 중심이 아니며, 신과 우주를 하나라고 보는 브루노의 이런 범신론적 주장이 신학의 ⓔ근간을 뒤흔든다고 생각했다. 브루노는 종교 재판소의 재판관들로부터 자신의 철학과 과학적 이론을 무조건 철회하라는 요구를 받았지만, 이를 거부하고 자신의 견해가 교황청의 입장과 양립할 수 있음을 끝까지 주장했다.

라 결국 교황 클레멘스 8세로부터 회개할 줄 모르는 고집 센 이단자라는 판정을 받은 브루노는 교황청 이단 심문소로부터 유죄를 선고받고 공개적으로 화형을 당했다. 이런

- **르네상스**: 14세기~16세기에, 이탈리아를 중심으로 하여 유럽 여러 나라에서 일어난 인간성 해방을 위한 문화 혁신 운동
- **칼뱅주의**: 16세기 프랑스의 종교 개혁자 칼뱅에게서 발단한 기독교 사상. 신의 절대적 권위를 강조하고 예정설을 주장하였으며, 신앙생활에서는 자기를 신의 영광을 위한 도구로 보는 활동주의적 경향을 지녔다.
- **이단**: 자기가 믿는 종교의 교리에 어긋나는 이론이나 행동. 또는 그런 종교
- **유일무이(唯一無二)한**: 오직 하나뿐이고 둘도 없는
- **범신론적**: 자연과 신의 대립을 인정하지 않고, 일체의 자연은 곧 신이며 신은 곧 일체의 자연이라고 생각하는 종교관 또는 철학관을 지닌
- **양립할**: 두 가지가 동시에 따로 성립할

그의 죽음은 후대에 커다란 영향을 끼쳤다. 신념을 포기하지 않고 자신의 철학적·과학적 견해를 최후까지 주장한 브루노는 사상의 자유를 상징하는 존재이자, 과학을 위한 첫 순교자가 된 것이다.

마 빅토르 위고, 헨리크 입센 등의 지식인들은 훗날 사상의 자유를 위해 순교한 브루노를 기리며 그가 화형당한 로마의 캄포 데 피오리 광장에 그의 동상을 건립(1899)했다.

▲ 조르다노 브루노 동상

순교자: 모든 압박과 박해를 물리치고 자기가 믿는 신앙을 지키기 위하여 목숨을 바친 사람. 넓은 뜻으로는 주의나 사상을 위해 죽은 사람을 뜻한다.

사실적 사고

1

윗글에서 알 수 있는 '브루노'에 대한 정보로 알맞지 않은 것은?

① 16세기 중반 무렵, 나폴리 인근에서 태어났다.
② 젊은 시절 도미니크 수도회에 들어가 수도사가 되었다.
③ 정통 신학을 의심한다는 혐의로 가톨릭 교단에서 파문되었다.
④ 제네바로 피신한 뒤, 칼뱅주의의 개혁 교회에 정착하여 말년까지 보냈다.
⑤ 자신의 철학적·과학적 신념을 굽히지 않아 교황청의 명령으로 화형을 당했다.

추론적 사고

2

수능형

(다)에서 파악할 수 있는 '브루노'의 철학적·과학적 신념에 해당하지 않는 것은?

① 지구는 우주의 중심이 아니다.
② 신과 자연으로서의 우주 전체는 하나이다.
③ 코페르니쿠스의 주장대로 태양은 지구 주위를 돈다.
④ 우주는 태양계와 비슷한 수많은 세계로 구성되어 있다.
⑤ 우주는 무한하며, 무수히 많은 태양과 별들로 가득 차 있다.

어휘·어법

3

ⓐ~ⓔ의 문맥적 의미를 활용하여 만든 문장으로 적절하지 않은 것은?

① ⓐ: 주인공의 심리 묘사를 통해 청소년들의 욕구를 대변해 준다.
② ⓑ: 만병의 근원이 칼슘 부족에서 온다고 해도 과언이 아니다.
③ ⓒ: 그는 늘 이런 저런 이유를 대면서 회의에 빠졌다.
④ ⓓ: 교통사고로 생긴 사상자를 병원으로 급히 이송하였다.
⑤ ⓔ: 섬유 산업은 우리나라 경제 성장의 근간이 되었다.

1 이 글의 핵심 화제를 살펴보자.

사상의 (   )와 신념을 지키고자 했던 조르다노 브루노의 생애와 그 의미

2 각 문단별 중심 내용을 정리해 보자.

1문단 자신만의 철학 사상과 (   ) 이론을 펼쳤던 조르다노 브루노

2문단 브루노의 (   )

3문단 자신의 신념을 지키고자 한 브루노와 (   )의 대립

4문단 사상의 (   )를 지키기 위해 죽음을 택한 브루노

5문단 브루노를 기리기 위해 (   )을 세운 후대의 지식인들

3 핵심 내용을 구조화해 보자.

브루노의 사상

- 지구는 우주의 중심이 아님
- 신과 우주 전체는 하나임
- 우주는 무한하며, 수많은 태양과 별들로 가득 차 있음
- 우주는 태양계와 비슷한 수많은 세계로 구성됨

⇓

브루노의 입장	로마 교황청의 입장
자신의 견해는 신과 창조에 관한 교황청의 입장과 양립할 수 있음	지구가 ( )의 중심이 아니며, 신과 우주가 ( )라는 브루노의 범신론적 사상은 신학의 근간을 뒤흔드는 주장임

⇓

브루노에 대한 오늘날의 평가

비록 당시에는 이단자로 몰려 화형을 당했지만, 자신의 신념을 끝내 굽히지 않았던 그는 오늘날 사상의 자유를 상징하는 존재이자 (   )을 위한 첫 순교자가 됨

어휘력 테스트

● 다음 괄호 안에 들어갈 단어의 뜻을 〈보기〉에서 골라 기호를 써 보자.

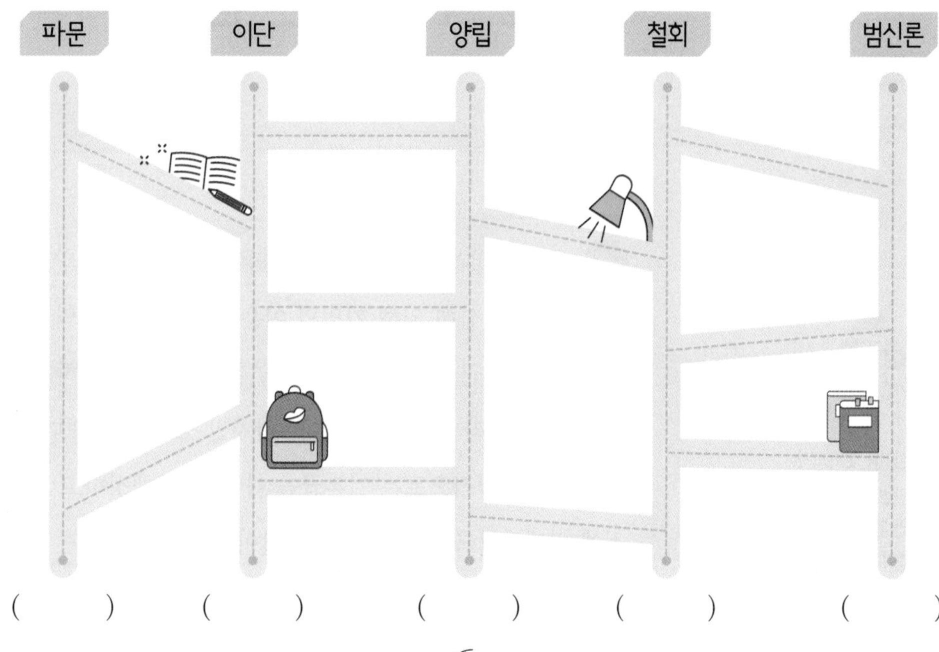

보기

㉠ 두 가지가 동시에 따로 성립함
㉡ 신도로서의 자격을 빼앗고 종문(宗門)에서 내쫓는 일
㉢ 이미 제출하였던 것이나 주장하였던 것을 다시 회수하거나 번복함
㉣ 일체 자연은 곧 신이며 신은 곧 일체 자연이라고 생각하는 종교관
㉤ 자기가 믿는 종교의 교리에 어긋나는 이론이나 행동. 또는 그런 종교

어휘·어법 확장

겹받침 'ㄼ'의 발음

그는 열여덟 살이 되던 해에 도미니크 수도회에 들어가 수도사가 되었지만, ~ 1576년에 파문당했다.
└→[여덜]로 발음

[표준 발음법 제4장 받침의 발음 _ 제10항]
겹받침 'ㄳ', 'ㄵ', 'ㄼ, ㄽ, ㄾ', 'ㅄ'은 어말 또는 자음 앞에서 각각 [ㄱ, ㄴ, ㄹ, ㅂ]으로 발음한다.

예 넋[넉], 넋과[넉꽈], 앉다[안따], 여덟[여덜], 넓다[널따], 외곬[외골], 핥다[할따], 값[갑], 없다[업ː따]

다만, '밟-'은 자음 앞에서 [밥]으로 발음하고, '넓-'은 다음과 같은 경우에 [넙]으로 발음한다.

예 • 밟다[밥ː따], 밟소[밥ː쏘], 밟지[밥ː찌], 밟는[밥ː는 → 밤ː는], 밟게[밥ː께], 밟고[밥ː꼬]
• 넓-죽하다[넙쭈카다], 넓-둥글다[넙뚱글다]

근로자의 도덕적 해이를 막을 수 있는 방법

- 핵심어를 찾아보자.
- 문단별 중심 내용에 밑줄을 그어 보자.
- 핵심 내용을 구조적으로 재배열해 보자.

가 언제나 일정한 보수를 받게 되어 있는 근로자라면 구태여 열심히 일하려 하지 않을 것이다. 열심히 일해 기업의 이윤이 올라가도 그의 보수에는 아무 변화가 없을 것이기 때문이다. 근로자에게 열심히 일할 마음을 갖게 하기 위해서는 작업 실적에 따라 그의 보수가 달라지게 해야 한다. 하지만 실적이 나쁘다고 전혀 보수를 주지 않을 수는 없으므로 현실적으로는 기본급을 아주 낮게 책정하고 나머지 부분의 ⓐ보수는 작업 실적에 비례하도록 만드는 방법을 많이 쓴다.

나 이와 같은 방법이 성과를 거두기 위해서는 각 개인의 작업 성과가 비교적 명백하게 드러나야 한다. 그런데 일반적인 생산 방식에서는 개인의 작업 성과를 정확히 평가하기가 쉽지 않아 ㉠성과에 따른 보수 지급 방식을 채택하기 어렵다. 또한 실적에 비례한 보수를 지급할 경우에 나타나는 근로자의 불안정한 소득도 이러한 보수 지급 방식의 채택을 어렵게 만든다. 하여튼 성과에 따른 보수의 지급은 도덕적 해이를 어느 정도 막을 수 있지만 완벽한 대책은 되지 못한다.

다 전통적 이론에 따르면 근로자의 생산성이 임금의 크기를 결정하는 요인이 된다. 그러나 이와 반대로 '효율 임금 이론'은 임금의 크기가 생산성의 결정 요인이 된다고 본다. 즉 임금이 높으면 자발적으로 열심히 일하려는 의욕이 생긴다고 보는 것이다. 이 점에 착안해 기업이 일부러 균형 임금보다 더 높은 임금을 지급함으로써 열심히 일하게 만드는 경우가 있다. 이와 같은 의도에서 지급되는 임금을 ㉡'효율 임금'이라고 부른다. 일반적으로 지급되는 임금보다 더 높은 임금을 받는다는 것을 아는 사람은 일을 태만히 할 수 없다. 일을 태만히 하다가 발각될 경우 이렇게 높은 임금을 받는 기회를 박탈당할 수 있기 때문이다.

라 현실에서는 조그만 태만이 큰 손실을 입힐 수 있는 종류의 작업에 종사하는 사람들에게 비교적 높은 임금을 지급하는 경향이 있다. 이들에게는 높은 임금을 지급해 태만히 일할 여지를 아예 없애 버리는 것이 바람직하다고 생각하기 때문이다. 또한 작업 성과의 측정이 매우 힘든 직종에 근무하는 사람에게도 높은 임금을 지급하는 경우가 종종 있다. 이는 작업 성과를 측정하기 힘든 것을 틈타 일을 태만히 하는 행동을 보이지 않도록 막기 위한 조치로 볼 수 있다.

- **이윤**: 기업의 총수입에서 임대, 지대, 이자, 감가상각비 따위를 빼고 남는 순이익
- **기본급**: 임금(賃金)을 구성하는 요소 가운데, 여러 가지 수당을 제외한 급료. 여러 가지 수당, 상여금, 퇴직금 따위의 산정 기준이 된다.
- **해이**: 긴장이나 규율 따위가 풀려 마음이 느슨함
- **균형 임금**: 노동 시장에서 노동의 수요와 공급에 의해 자유롭게 결정된 임금

마 최근에는 ㉢팀 생산 체제의 도입이 활발하게 일어나고 있다. 그 이면에는 팀의 성과를 임금에 반영하여 팀의 구성원 모두가 자발적으로 열심히 일하는 분위기를 만들려는 의도가 깔려 있다. 이 체제하에서 구성원들은 서로가 상대방의 작업을 감독하게 되고, 나아가 각자가 맡은 작업을 서로 바꾸어 가면서 수행함으로써 지루함을 느끼지 않고 일하게 된다. 자발적으로 열심히 일하는 태도를 갖게 하는 것은 근로자의 도덕적 해이를 막는 최선의 방책이 될 수 있다.

사실적 사고

1 **윗글을 통해 알 수 있는 내용이 아닌 것은?**

① 팀 생산 체제의 구성원들은 서로가 상대방의 작업을 감독한다.
② 성과에 따라 보수를 지급하는 방식은 근로 의욕을 높일 수 있다.
③ 균형 임금보다 낮은 임금을 지급하면 근로자는 일을 태만히 하기 쉽다.
④ 일반적으로 기업은 균형 임금보다 더 낮은 임금을 지급하려는 경향이 있다.
⑤ 작업 성과가 명백히 드러나지 않으면 성과에 따라 보수를 지급하기 어렵다.

수능형

2 **㉠~㉢에 대한 이해로 적절하지 않은 것은?**

① ㉠으로는 근로자의 도덕적 해이를 막는 데 한계가 있겠군.
② ㉡은 근로자로 하여금 자발적으로 열심히 일할 수 있게 하겠군.
③ ㉢은 근로자의 도덕적 해이를 막을 수 있는 방책이 될 수 있겠군.
④ ㉠은 개인의 성과를, ㉢은 팀 구성원 전체의 성과를 임금에 반영하겠군.
⑤ ㉡은 성과의 측정이 어려울 때, ㉢은 성과의 측정이 쉬울 때 사용하겠군.

어휘·어법

3 **문맥상 의미가 ⓐ와 가장 가까운 것은?**

① 기록적인 폭우로 붕괴된 댐을 다시 보수하였다.
② 그는 자기에게 모욕을 준 사람들에게 보수할 것을 결심했다.
③ 비록 보수는 전보다 못하지만, 그는 지금 일에 만족하고 있다.
④ 어머니는 공원의 길이를 헤아리기 위해 자신의 보수를 세었다.
⑤ 급진 세력과 보수 세력의 양립은 정치의 발전을 가져올 수 있다.

1 이 글의 핵심 화제를 살펴보자.

근로자의 (   )를 방지할 수 있는 방법

2 각 문단별 중심 내용을 정리해 보자.

3 핵심 내용을 구조화해 보자.

근로자의 도덕적 해이를 방지하기 위한 다양한 보수 지급 방식

성과에 따른 보수 지급	효율 임금	팀 생산 체제
• 기본급을 아주 낮게 책정하고, 나머지 부분의 보수는 ( )에 비례하여 지급함 • 정확한 작업 성과 평가의 어려움, 근로자의 불안정한 소득 등 여러 문제점이 존재함	• 균형 임금보다 더 높은 임금을 지급함 • 높은 임금이 자발적인 노동 의욕을 부추긴다고 봄 • 조그만 ( )도 용납되지 않는 작업장, 작업 성과의 측정이 매우 힘든 직종에 적용됨	• ( )를 반영하여 임금을 지급함 • 팀의 구성원 모두가 자발적으로 업무에 참여하는 분위기를 조성하여, 근로자의 도덕적 해이를 막고자 도입된 방식임

어휘력 테스트

1 **제시된 뜻과 예문을 참고하여 다음 초성에 해당하는 단어를 괄호 안에 써 보자.**

(1) ㅂㅊ : 방법과 꾀를 아울러 이르는 말

예 아무리 생각해 봐도 별다른 (　　　　　)이 떠오르지 않았다.

(2) ㅊㅇ : 어떤 일을 주의하여 봄. 또는 어떤 문제를 해결하기 위한 실마리를 잡음

예 그는 눈의 구조에 (　　　　　)하여 사진기를 발명하였다.

(3) ㅇㅈ : 어떤 일을 하거나 어떤 일이 일어날 가능성이나 희망

예 우리에게 더는 선택의 (　　　　　)가 남아 있지 않다.

2 **다음 〈보기〉의 뜻을 참고하여 십자말풀이를 완성해 보자.**

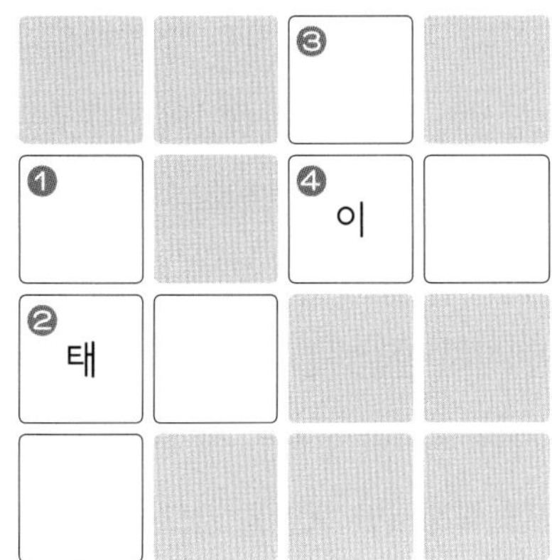

보기

❶ 세로: 일부러 애써

❷ 가로: 열심히 하려는 마음이 없고 게으름

❸ 세로: 긴장이나 규율 따위가 풀려 마음이 느슨함

❹ 가로: 기업의 총수입에서 임대, 지대, 이자, 감가상각비 따위를 빼고 남는 순이익

어휘·어법 확장

어원으로부터 멀어진 형태가 표준어가 된 말들

각자가 맡은 작업을 서로 바꾸어 가면서 수행함으로써 지루함을 느끼지 않고 일하게 된다.

'지루하다'의 '지루'는 '지리(支離)'의 모음 발음이 변해 굳어진 것이다. 표준어 규정 제11항에서는 일부 단어에서 모음의 발음 변화를 인정하여, 발음이 바뀌어 굳어진 형태를 표준어로 삼는 것의 예로 '지루하다 ← 지리(支離)하다'를 제시하고 있다. 이외에도 어원이 한자어지만, 어원으로부터 멀어진 형태가 표준어가 된 말에는 '주책 ← 주착(主着)', '맹세 ← 맹서(盟誓)', '서낭당 ← 성황당(城隍堂)', '사글세 ← 삭월세(朔月貰)', '강낭콩 ← 강남(江南)콩' 등이 있다.

근대 민법의 형성과 발전

- 핵심어를 찾아보자.
- 문단별 중심 내용에 밑줄을 그어 보자.
- 핵심 내용을 구조적으로 재배열해 보자.

- **규율하는**: 질서나 제도를 좇아 다스리는
- **상법**: 기업에 관한 사항을 규정하는 특별 사법
- **사유**: 개인이 사사로이 소유함. 또는 그런 소유물
- **연좌제**: 범죄자와 일정한 친족 관계가 있는 자에게 그 범죄의 형사 책임을 함께 지우는 제도
- **공공복리**: 사회 구성원 전체에 두루 관계되는 복지
- **상대적**: 서로 맞서거나 비교되는 관계에 있는

가 법은 크게 사회적 질서나 공공의 생활을 규율하는 공법(公法)과 개인 간의 법적 관계를 규율하는 사법(私法)으로 구분할 수 있다. 공법은 헌법이나 형법, 행정법과 같은 것들로 나눌 수 있으며 사법은 민법이나 상법으로 나눌 수 있다. 이중 '민법'은 개인의 권리와 관련된 법규, 즉 사람이 사회생활을 하면서 지켜야 할 법으로 우리의 삶과 밀접한 관계를 지니고 있다.

나 서구 근대 사회에서 형성된 민법의 세 가지 원칙은 오늘날까지도 민법의 기본 원칙으로 중요하게 여겨지고 있다. 첫 번째 원칙은 사유 재산권 존중의 원칙이다. 개인은 자신이 소유하는 재산에 대해 모든 권리를 가지며 다른 사람이나 국가가 이 권리를 침해해서는 안 된다는 원칙이다. 두 번째 원칙은 계약 자유의 원칙이다. 타인과의 사이에 계약을 맺어 법률관계를 형성하는 것 역시 개인의 자유로운 의사에 맡겨야 하고 국가가 개입해서는 안 된다는 원칙이다. 세 번째 원칙은 과실 책임의 원칙이다. 어떤 사람이 다른 사람에게 손해를 입혔을 때 자신에게 고의나 과실이 인정되는 경우에만 책임을 지고, 그렇지 않으면 책임을 지지 않는다는 원칙이다. 얼핏 보면 개인의 자유로운 활동을 제약하는 원칙처럼 보이지만 오히려 신분의 제약이나 연좌제 등에 얽매여 있던 이전과 달리 자신이 저지른 잘못에 대해서만 책임을 지도록 하였다는 점에서 개인의 자유를 더욱 확대한 것이라고 할 수 있다.

다 이러한 근대 민법의 원칙들은 심각한 빈부 격차와 대기업의 독점 등 자본주의의 발달에 따른 문제점을 경험하면서 다음과 같이 수정되었다. 첫 번째는 사유 재산권 존중의 원칙이 소유권 공공복리의 원칙으로 변화한 것이다. 이로써 개인의 재산권은 여전히 보호받아야 할 대상이지만, 절대로 침해될 수 없는 신성한 권리라기보다 공공복리의 차원에서 제한될 수 있는 상대적 권리가 되었다. 두 번째는 계약 자유의 원칙이 계약 공정의 원칙으로 변화한 것이다. 개인 간의 법적 관계가 각자의 의사에 따라 형성되는 것은 당연히 인정되어야 할 원칙이지만, 그 내용이 사회 질서에 반하고 공공의 이익을 위협해서는 안 된다는 내용이 추가되었다. 세 번째는 과실 책임의 원칙에 더해 무과실 책임의 원칙이라는 예외를 인정하게 된 것이다. 이로 인해 어떤 기업이나 개인이 사회적인 위험이나 환경 오염 등을 초래한 경우, 과실이 없더라도 이에 대한 손해 배상 책임을 지도록 할 수 있게 되었다. 예를 들어 어느 공장에서 폐수를 흘려보냈는데 멀리

떨어져 있는 양식장이 피해를 보게 되었다면, 이 공장은 손해 배상의 책임을 지게 될 것이다. 원자력 발전소와 같은 위험성이 높은 시설과 관련하여 손해가 발생했을 경우에도 무과실 책임의 원칙이 적용된다.

라 근대 민법의 세 가지 원칙은 ㉠폐기된 것이 아니라 여전히 우리 사회의 기본 원리로 작용하고 있다. 다만, 예외 상황이 발생하였을 때 우리는 수정된 원칙들을 통해 이전보다 권리를 폭넓게 보장받을 수 있다.

사실적 사고

1 **윗글을 바탕으로 한 강연회를 개최하고자 할 때, 그 제목으로 가장 적절한 것은?**

① 민법이 복잡하고 어려운 이유 – 민법의 역사적 변화를 중심으로
② 국가별 민법의 차이점 – 다른 나라들의 구체적 사례를 중심으로
③ 민법의 형성과 기본 원칙 – 기본 원칙의 발전과 수정 방향을 중심으로
④ 민법의 변천 과정과 특수성 – 민법과 다른 법률과의 차이점을 중심으로
⑤ 민법을 통해 바라본 우리의 역사 – 민법의 개정과 관계된 역사적 사건을 중심으로

추론적 사고

2 수능형

윗글을 참고하여 〈보기〉를 이해한 내용으로 적절하지 않은 것은?

보기

[대한민국 민법 조문]

제103조 선량한 풍속, 기타 사회 질서에 위반한 사항을 내용으로 하는 법률 행위는 무효로 한다.

제211조 소유자는 법률의 범위 내에서 그 소유물을 사용, 수익, 처분할 권리가 있다.

제750조 고의 또는 과실로 인한 위법 행위로 타인에게 손해를 가한 자는 그 손해를 배상할 책임이 있다.

① 제103조는 수정된 민법의 계약 공정 원칙이 반영된 결과에 해당하겠군.
② 제103조를 따를 때, A가 B의 곤란한 처지를 이용하여 수익 배분이 불공정한 계약을 맺었다면 B는 이 계약의 무효를 주장할 수 있겠군.
③ 제211조는 사유 재산권 존중 원칙이 보완된 조문으로 소유권의 보호를 규정하고 있군.
④ 제211조는 법률의 범위 내에서 소유권을 행사할 수 있다고 하여, 소유권이 절대적 권리라기보다 법률에 의해 제한될 수도 있는 권리임을 드러내고 있군.
⑤ 제750조는 근대 민법의 과실 책임 원칙을 따른 것으로 개인의 자유를 제약하고 있군.

어휘•어법

3 **문맥상 ㉠과 바꾸어 쓰기에 가장 적절한 것은?**

① 무시된 것　② 간과된 것　③ 부패된 것
④ 무효가 된 것　⑤ 불필요하게 된 것

1 이 글의 핵심 화제를 살펴보자.

근대 민법의 발전 과정과 (   )

2 각 문단별 중심 내용을 정리해 보자.

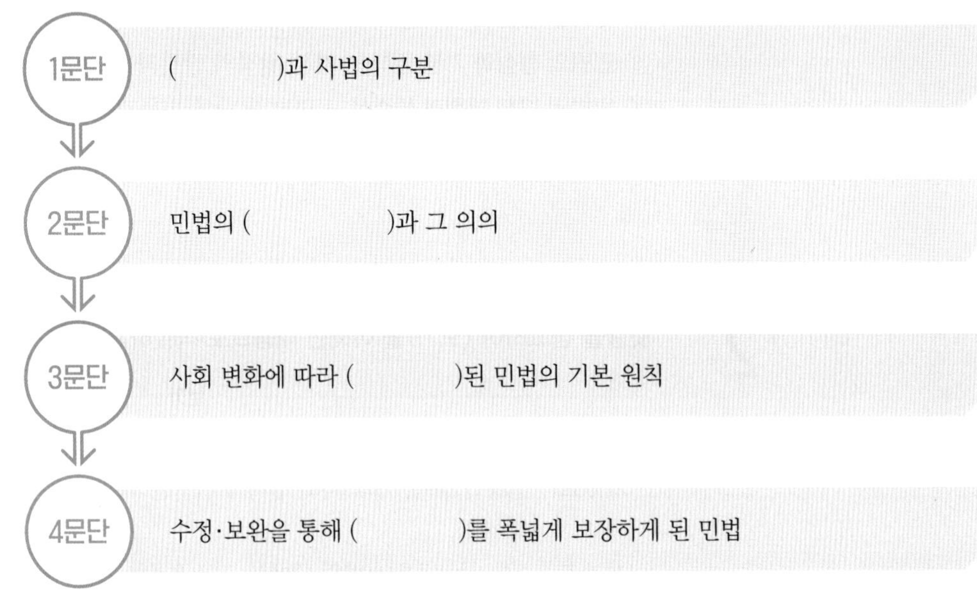

3 핵심 내용을 구조화해 보자.

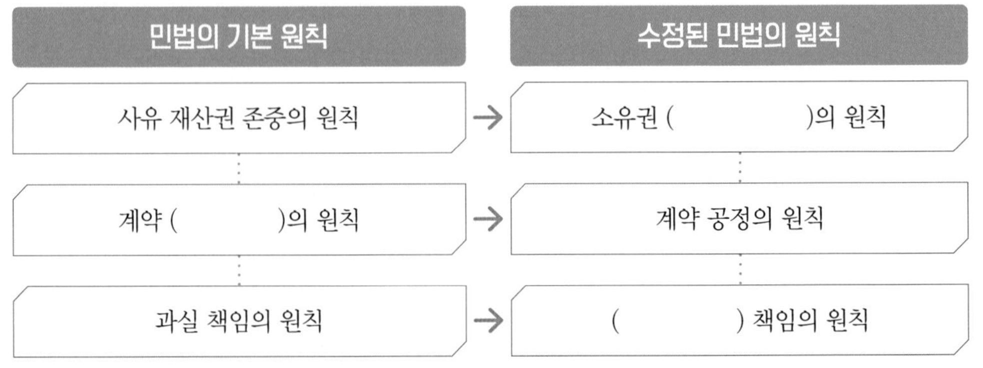

어휘력 테스트

1 다음 단어의 뜻을 참고하여 끝말잇기를 완성해 보자.

- 광□: 세상에 널리 알림. 또는 그런 일
- □□: 일부러 하는 생각이나 태도
- □사: 무엇을 하고자 하는 생각
- 사□: 개인 사이의 재산, 신분 따위에 관한 법률관계를 규정한 법
- □□: 일반 국민의 권리와 의무에 관계있는 법 규범
- □율: 질서나 제도를 유지하기 위하여 정하여 놓은, 행동의 준칙이 되는 본보기

2 다음 단어를 활용하기에 적절한 문장을 찾아 바르게 연결해 보자.

❶ 얽매이다 •　　　• ㉠ 그는 가족에게 (　　　　) 자신의 꿈을 포기했다.

❷ 개입하다 •　　　• ㉡ 이 사건이 그에게는 불리하게 (　　　　) 것이다.

❸ 작용하다 •　　　• ㉢ 아이들 문제에 부모는 (　　　　) 않는 것이 낫다.

어휘·어법 확장

'무너뜨리다'의 비슷한말 & 반대말

비 비슷한말　반 반대말

무너뜨리다
「1」 쌓여 있거나 서 있는 것을 허물어 내려앉게 하다.
예 모래성을 무너뜨리다.
「2」 권력을 빼앗거나 나라를 멸망하게 하다.
예 진나라를 무너뜨리다.

비 헐다
집 따위의 축조물이나 쌓아 놓은 물건을 무너뜨리다.
예 울타리를 헐다.

비 파괴하다
조직, 질서, 관계 따위를 와해하거나 무너뜨리다.
예 생태계를 파괴하다.

반 세우다
나라나 기관 따위를 처음으로 생기게 하다.
예 양로원을 세우다.

반 건설하다
건물, 설비, 시설 따위를 새로 만들어 세우다.
예 강의 상류에 댐을 건설하다.

한국 가족의 변화 경향과 전망

- 핵심어를 찾아보자.
- 문단별 중심 내용에 밑줄을 그어 보자.
- 핵심 내용을 구조적으로 재배열해 보자.

가 최근 한국 가족의 변화에서 주목할 만한 경향은 여성 가구주(家口主) 가구의 증가 추세이다. 여성 가구주의 증가는 주로 미혼 여성들의 1인 가구주와 이혼으로 인한 여성 가구주의 증가에 기인한다. 반드시 결혼을 해야 한다고 ㉠보지 않는 여성들이 증가하고, 이혼에 관대한 사회 분위기가 조성되는 등 결혼 및 이혼에 대한 우리 사회의 인식 변화는 여성 가구주 가구의 증가 추세를 더욱 강화시킬 것이라는 전망도 가능하게 한다. 이처럼 여성 가구주 가구가 증가하는 현실에서 남성 가구주가 생계를 부양하는 가족의 비율은 점차 줄어들고 있다.

나 한국 가족의 이러한 변화 추세는 불가피하게 남성 중심이었던 가부장적 질서의 약화라는 방향으로 전개되고 있다. 많은 전문가들은 이러한 변화가 가족의 해체라는 역기능을 ㉡불러올 수도 있을 것이라고 경고하고 있다. 그러나 이러한 생각의 이면에는 남성 가장 중심적이고 부계 혈연 주의에 기반을 둔 기존의 가족 형태만을 정상적인 가족 제도로 인정하려는 생각이 전제되어 있는 것처럼 보인다. 가족의 새로운 변화를 비정상적인 것으로 매도하지 않고 그 다양성을 인정함으로써 가족 개념에 대한 인식의 폭을 ㉢넓혀 나간다면, 위기의식에서 벗어나 변화에 대한 긍정적이고 개방적인 수용이 가능하게 될 것이다.

다 변화를 위기로 받아들이는 사람들에 의해 부정적이라고 지적되는 것들은, 사실 그것 자체가 문제라기보다는 기존 질서에 익숙한 사람들의 시각이 쉽게 바뀌지 않기 때문에 변화 자체를 문제로 ㉣생각하는 데서 빚어진 것이라고 할 수 있다. 또 변화의 부정적인 측면으로 보이는 갈등의 표출은 그동안의 위계적이고 억압적인 관계가 평등한 관계로 대체되는 과도기에 일어나는 문제로 볼 수도 있다. 즉, 여성의 평등에 대한 요구가 증가하는 상황에서 가족이 여전히 보수적인 성별 분업을 정당화하고, 남성들이 변화에 저항하는 한 결혼은 여성들에게 기존의 가족 형태에 대한 회의를 더욱 강화시키는 결과를 초래하게 될 것이다. 따라서 성별 분업의 해체는 오히려 기존의 왜곡된 남녀 간의 불평등 관계가 새로운 방식의 조화로운 정서적 동반 관계로 나아갈 수 있는 출발점이 될 수도 있다.

라 가족을 포함하여 인간이 만든 모든 제도는 고정불변의 것이 아니라 시대의 흐름에 따라 변화한다고 할 수 있다. 관심을 가져야 할 일은 가족이 변화하는 방향을 기존의

- **가구주**: 한 가구를 이끄는 주가 되는 사람
- **기인한다**: 어떠한 것에 원인을 둔다.
- **관대한**: 마음이 너그럽고 큰
- **역기능**: 본래 의도한 것과 반대로 작용하는 기능
- **이면**: 겉으로 나타나거나 눈에 보이지 않는 부분
- **부계**: 아버지 쪽의 혈연 계통
- **매도하지**: 심하게 욕하며 나무라지
- **위계적**: 지위나 계층 따위의 등급에 의한
- **회의**: 의심을 품음. 또는 마음속에 품고 있는 의심

억압적인 요소들을 해소하도록 설정하고 변화 과정에서 새롭게 발생하는 문제들에 대한 구체적인 해결책을 ⓜ찾는 것이다. 구체적으로는 노동 시장에서의 여성의 지위를 어떻게 제고할 것인가? 이혼 부모의 자녀에게 미치는 부정적 영향을 어떻게 피할 것인가? 하는 점들이 고려되어야 한다. 또한, 민주적이고 평등한, 다양한 가족을 위해서는 기존의 가족과 관련된 여러 제도들을 특권적 지위로부터 내려오게 할 수 있는 조치가 이루어져야 할 것이다. 이러한 것들은 궁극적으로 가족과 사회의 가부장적 성격을 해체하고 개인의 다양성을 존중하며 민주적 가치를 실현할 방안을 추구하는 것이다.

제고할: 쳐들어 높일

사실적 사고

1 **윗글의 서술 방식으로 가장 적절한 것은?**

① 새로운 이론을 통해 화제가 지닌 문제점을 보완하고 있다.
② 전문가의 주장을 인용하여 글쓴이의 논지를 강화하고 있다.
③ 다양한 사례와 통계 자료를 제시하여 글의 설득력을 높이고 있다.
④ 현상의 원인을 개인적 차원과 사회적 차원으로 나누어 분석하고 있다.
⑤ 통념의 문제점을 지적하면서 논의 대상에 대한 대응책을 제시하고 있다.

비판적 사고

2 **'현대 사회의 변화'에 대해 토론한 내용 중, 글쓴이의 관점과 거리가 먼 것은?**

① A 교수: 현대 사회에서 사람들은 보편적이라고 여겼던 제도나 개인의 역할에 대해 커다란 인식의 변화를 겪고 있습니다.
② B 교수: 현대 사회는 위계질서에 종속되지 않고 개성을 지닌 개인들의 다양한 선택이 존중받는 시대라고 할 수 있습니다.
③ C 교수: 새롭게 나타나는 현상들을 문제점으로 지적하는 사람들은 기존 제도의 불합리성을 자각하지 못하는 경우가 많습니다.
④ D 교수: 앞으로의 변화 양상이 궁극적으로 지향해야 할 가치로는 현대 사회의 기본 이념인 민주주의와 평등을 꼽을 수 있습니다.
⑤ E 교수: 갈등 상황을 해소하기 위해서는 전통적 가치와 현대적 가치의 조화를 이루기 위한 사회 구성원 각각의 희생과 노력이 필요합니다.

어휘·어법

3 **㉠~ⓜ을 바꿔 쓴 말로 적절하지 않은 것은?**

① ㉠: 간주(看做)하지
② ㉡: 초래(招來)할
③ ㉢: 확장(擴張)해
④ ㉣: 인식(認識)하는
⑤ ⓜ: 모색(摸索)하는

1 이 글의 핵심 화제를 살펴보자.

한국 (　　　　　　)의 변화에 대한 긍정적 전망과 대응 전략

2 각 문단별 중심 내용을 정리해 보자.

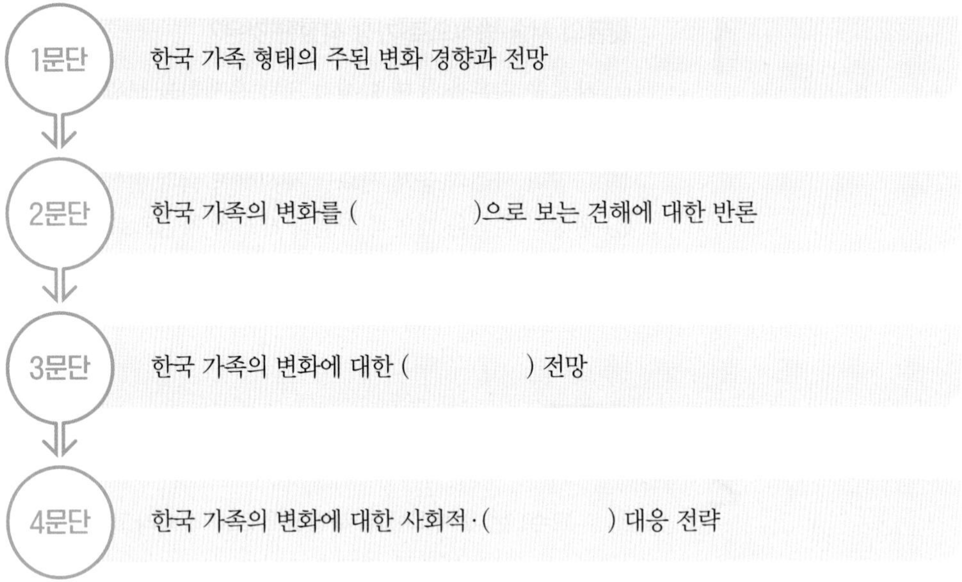

3 핵심 내용을 구조화해 보자.

한국 가족의 변화에 대한 기존 견해	↔	글쓴이의 반론
(　　　　　　) 질서의 약화라는 방향으로 전개되는 한국 가족의 변화가 가족의 (　　　　　　)라는 역기능을 불러올 수도 있을 것임	↔	• 한국 가족의 변화를 (　　　　　　)으로 보는 것은 고정 관념 때문임 • 기존 질서의 고수는 여성들의 반발을 불러올 것임 • (　　　　　　)의 해체로 남녀 간의 조화로운 관계 정립이 가능함

⇓

글쓴이의 견해	가족 형태의 변화를 (　　　　　　), 평등성, 다양성의 방향으로 이끌어야 함

어휘력 테스트

1 **제시된 뜻과 예문을 참고하여 다음 초성에 해당하는 단어를 괄호 안에 써 보자.**

(1) ㅇ ㅁ : 겉으로 나타나거나 눈에 보이지 않는 부분

예 사건 자체보다도 사건의 (   )이 더 궁금하다.

(2) ㅇ ㄱ ㄴ : 본래 의도한 것과 반대로 작용하는 기능

예 이 교수는 과학 기술의 (   )에 대해 심각하게 경고하였다.

(3) ㅍ ㅊ : 겉으로 나타냄

예 그의 소설은 풍자와 해학으로 우리 사회의 문제를 (   )했다.

2 **다음 〈보기〉의 뜻을 참고하여 십자말풀이를 완성해 보자.**

❶❷ 부		■
	■	■
■	❹	■
❸	도	

보기

❶ 가로: 아버지 쪽의 혈연 계통
❷ 세로: 생활 능력이 없는 사람의 생활을 돌봄
❸ 가로: 한 상태에서 다른 새로운 상태로 옮아가거나 바뀌어 가는 도중의 시기
❹ 세로: 심하게 욕하며 나무람

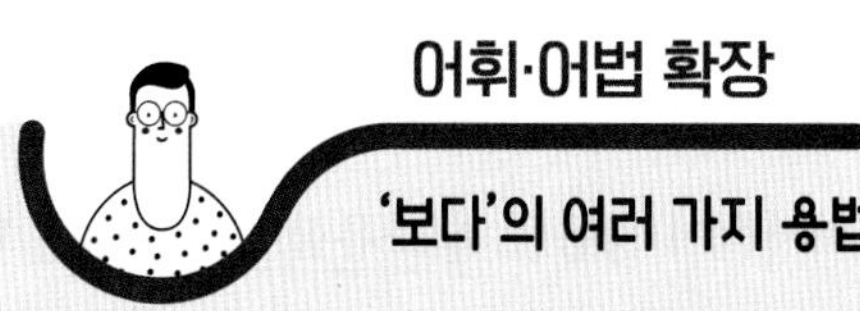

변화를 위기로 받아들이는 사람들에 의해 부정적이라고 지적되는 것들은, 사실 그것 자체가 문제라기보다는~

'~에 비해서'의 뜻을 나타내는 격 조사

'보다'가 조사로 쓰인 경우  'VS' '보다'가 부사로 쓰인 경우

'보다'가 조사로 쓰인 경우

체언(명사, 대명사, 수사) 뒤에 붙어서 서로 차이가 있는 것을 비교하는 경우, 비교의 대상이 되는 말에 붙어 '~에 비해서'의 뜻을 나타낸다.

예 그는 누구보다도 걸음이 빠르다.

'보다'가 부사로 쓰인 경우

'어떤 수준에 비하여 한층 더'의 뜻을 나타낸다.

예 그녀는 보다 빠르게 뛰기 위해 연습을 게을리하지 않았다.

구독경제, 어디까지 구독해 봤니?

| 전국연합 기출 |

가 직장인 A 씨는 셔츠 정기 배송 서비스를 신청하여 일주일간 입을 셔츠를 제공 받고, 입었던 셔츠는 반납한다. A 씨는 셔츠를 직접 사러 가거나 세탁할 필요가 없어져 시간을 절약할 수 있게 되었다. 이처럼 소비자가 회원 가입 및 신청을 하면 정기적으로 원하는 상품을 배송 받거나, 필요한 서비스를 언제든지 이용할 수 있는 경제 모델을 구독경제라고 한다.

나 신문이나 잡지 등 정기 간행물에만 적용되던 구독 모델은 최근 들어 그 적용 범위가 점차 넓어지고 있다. 이로 인해 사람들은 소유와 관리에 대한 부담은 줄이면서 필요할 때 사용할 수 있는 방식으로 소비를 할 수 있게 되었다. 이러한 구독 경제에는 크게 세 가지 유형이 있다. 첫 번째 유형은 ㉠정기 배송 모델인데, 월 사용료를 지불하면 칫솔, 식품 등의 생필품을 지정 주소로 정기 배송해 주는 것을 말한다. 두 번째 유형은 ㉡무제한 이용 모델로, 정액 요금을 내고 영상이나 음원, 각종 서비스 등을 무제한 또는 정해진 횟수만큼 이용할 수 있는 모델이다. 세 번째 유형인 ㉢장기 렌털 모델은 구매에 목돈이 들어 경제적 부담이 될 수 있는 자동차 등의 상품을 월 사용료를 지불하고 이용하는 것을 말한다.

다 최근 들어 구독경제가 빠르게 확산되고 있는데, 그 이유는 무엇일까? 경제학자들은 구독경제의 확산 현상을 '합리적 선택 이론'으로 설명한다. 경제 활동을 하는 소비자가 주어진 제약 속에서 자신의 효용을 최대화하려는 것을 합리적 선택이라고 하는데, 이때 효용이란 소비자가 상품을 ⓐ소비함으로써 얻는 만족감을 의미한다. 소비자들이 한정된 비용으로 최대한의 만족을 얻기 위해 노력한 결과가 구독경제의 확산으로 이어졌다는 것이다. 이것은 최근의 소비자들이 상품을 ⓑ소유함으로써 얻는 만족감보다는 상품을 사용함으로써 얻는 만족감을 더 중요시한다는 것을 보여 준다고 할 수 있다.

라 구독경제는 소비자의 입장에서 소유하기 이전에는 사용해 보지 못하는 상품을 사용해 볼 수 있다는 장점이 있다. 구독경제를 이용하면 값비싼 상품을 사용하는 데 큰 비용을 들이지 않아도 되고, 상품 구매 행위에 들이는 시간과 구매 과정에 따르는 불편함 등의 문제를 해결할 수 있다. 생산자의 입장에서는 상품을 사용하는 고객들의 정보를 수집하고, 이를 통해 개별화된 서비스를 제공하여 고객과의 관계를 지속적으로 유지할 수 있다. 또한 매월 안정적으로 매출을 올릴 수 있다는 장점도 있다.

- 핵심어를 찾아보자.
- 문단별 중심 내용에 밑줄을 그어 보자.
- 핵심 내용을 구조적으로 재배열해 보자.

- **정기**: 기한이나 기간이 일정하게 정하여져 있는 것. 또는 그 기한이나 기간
- **음원**: 소리가 나오는 근원. 또는 그 근원이 될 수 있는 것
- **렌털**: 설비, 기구 따위를 임대하는 일. 일반적으로 단기간의 임대를 이른다.
- **확산되고**: 흩어져 널리 퍼지게 되고
- **한정된**: 수량이나 범위 따위가 제한되어 정해진

마 그러나 구독경제의 확산이 경제 활동의 주체들에게 긍정적인 면만 있는 것은 아니다. 소비자의 입장에서는 구독하는 서비스가 지나치게 많아질 경우 고정 지출이 늘어나 경제적으로 부담이 될 수 있다. 생산자의 입장에서는 상품이 소비자에게 만족감을 주지 못하거나 고객과의 관계를 지속적으로 유지하지 못할 경우 구독 모델 이전에 얻었던 수익에 비해 낮은 수익을 얻는 경우도 있다. 따라서 소비자는 합리적인 소비 계획을 수립하고 생산자는 건전한 수익 모델을 연구하여 자신의 경제 활동에 도움이 되는 방향으로 구독경제를 활용할 필요가 있다.

주체: 어떤 단체나 물건의 주가 되는 부분

사실적 사고

1

수능형

윗글의 내용과 일치하지 않는 것은?

① 생산자는 구독경제를 통해 이용 고객들에게 개별화된 서비스를 제공할 수 있다.
② 소비자는 구독경제를 이용함으로써 상품 구매 행위에 들이는 시간을 줄일 수 있게 되었다.
③ 소비자는 구독경제를 통해 회원 가입 시 개인 정보를 제공해야 하는 부담을 없앨 수 있다.
④ 생산자는 구독경제를 통해 고객과의 관계를 지속적으로 유지할 경우 안정적으로 매출을 올릴 수 있다.
⑤ 한정된 비용으로 최대한의 만족을 얻으려는 소비자들의 심리가 구독경제 확산에 영향을 미치게 되었다.

2

㉠~㉢에 해당하는 사례로 적절하지 않은 것은?

① ㉠: 매월 일정 금액을 지불하고 정수기를 사용하는 서비스
② ㉠: 월정액을 지불하고 주 1회 집으로 식재료를 보내 주는 서비스
③ ㉡: 월 구독료를 내고 읽고 싶은 도서를 마음껏 읽을 수 있는 스마트폰 앱
④ ㉡: 정액 요금을 결제하고 강좌를 일정 기간 원하는 만큼 수강할 수 있는 웹사이트
⑤ ㉢: 월 사용료를 지불하고 정해진 기간에 집에서 사용할 수 있는 의료 기기

어휘·어법

3

ⓐ, ⓑ의 '으로써'와 쓰임이 가장 가까운 것은?

① 금년으로써 내 오랜 소원을 풀었다.
② 그는 진실해야 한다는 이념으로써 나라를 다스렸다.
③ 운전면허 시험에 떨어진 것이 이번으로써 세 번째다.
④ 콩으로써 메주를 쑨다고 해도 그의 말을 믿지 않을 것이다.
⑤ 안내를 따르지 않음으로써 발생하는 문제는 책임지지 않습니다.

1 이 글의 핵심 화제를 살펴보자.

구독경제의 개념과 유형 및 (   )

2 각 문단별 중심 내용을 정리해 보자.

3 핵심 내용을 구조화해 보자.

구독경제의 유형	정기 배송 모델, ( ) 모델, 장기 렌털 모델

구독경제의 장점	구독경제의 단점
• 소비자: 큰 비용을 들이지 않아도 값비싼 상품을 사용해 볼 수 있고, 상품 구매 행위에 들이는 시간과 구매 과정에 따르는 불편함 등의 문제 해결이 가능함 • 생산자: 상품 사용 고객들의 정보 수집을 통해 ( )된 서비스를 제공하여 고객과의 관계를 지속적으로 유지할 수 있고, 매월 안정적으로 매출을 올릴 수 있음	• 소비자: 구독하는 서비스가 지나치게 많을 경우 ( )으로 부담이 될 수 있음 • 생산자: 상품이 소비자에게 만족감을 주지 못하거나, 고객과의 ( )를 지속적으로 유지하지 못할 경우 낮은 수익을 얻을 수 있음

어휘력 테스트

● 다음 괄호 안에 들어갈 단어의 뜻을 〈보기〉에서 골라 기호를 써 보자.

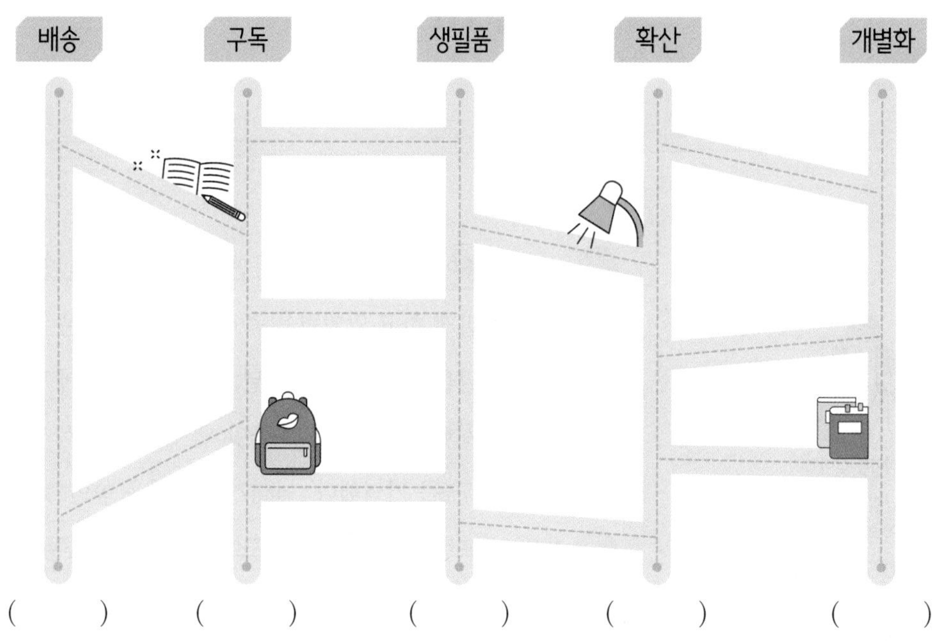

( ) ( ) ( ) ( ) ( )

보기

㉠ 흩어져 널리 퍼짐
㉡ 물자를 여러 곳에 나누어 보내 줌
㉢ 일상생활에 반드시 있어야 할 물품
㉣ 책이나 신문, 잡지 따위를 구입하여 읽음
㉤ 여럿 중에서 하나씩 따로 나누어짐. 또는 그렇게 만듦

어휘·어법 확장

'간'의 띄어쓰기

직장인 A 씨는 셔츠 정기 배송 서비스를 신청하여 일주일간 입을 셔츠를 제공 받고~
→ '동안'의 뜻을 더하는 접미사

'간'을 붙여 쓰는 경우	'간'을 띄어 쓰는 경우
'동안'의 뜻을 더하거나 '장소'의 뜻을 더하는 접미사일 경우 앞 단어에 붙여 써야 한다. 예 • 이틀간, 한 달간, 삼십 일간 • 대장간, 외양간	'한 대상에서 다른 대상까지의 사이', '관계'의 뜻을 나타내는 의존 명사일 경우 앞 단어와 띄어 써야 한다. 예 • 서울과 부산V간 야간열차 • 부모와 자식V간에도 예의를 지켜야 한다.

※ 단, '부부간, 부자(녀)간, 모자(녀)간, 형제간, 남매간, 자매간'처럼 '관계'의 뜻을 나타내더라도 한 단어로 굳어진 경우는 붙여 써야 한다.

머리 좋아지는 냄새는 없을까?

- 핵심어를 찾아보자.
- 문단별 중심 내용에 밑줄을 그어 보자.
- 핵심 내용을 구조적으로 재배열해 보자.

가 머리가 좋아지는 냄새가 있다면 어떨까? 몇 년 전 미국 예일대 학생 72명에게 초콜릿 냄새를 맡게 하고 암기력을 측정했다. 학생들은 교수가 부르는 대로 40개의 형용사와 그 반대말을 받아썼다. 다음날 교수는 학생들에게 전날 썼던 단어를 생각나는 대로 쓰라고 지시했다. 그 결과 초콜릿 냄새를 맡은 학생은 단어의 21%를, 냄새를 맡지 않은 학생은 17%를 기억했다. 냄새가 암기력을 높인 것이다.

나 1928년 프랑스 화학자 가트포스는 방향 치료라는 표현을 사용하면서 냄새의 의학적 활용을 본격적으로 주장했다. 그가 방향 물질의 치료 가능성을 발견한 것은 우연이었다. 가트포스가 실험에 열중하던 중 사고로 팔에 불이 붙었다. 그는 급히 주변의 찬 액체에 팔을 담갔다. 그러자 상처는 붉어지지도 않고 염증과 물집도 생기지 않았다. 그리고 흉터도 남지 않았다. 라벤더유로 추정되는 그 액체는 가트포스의 관심을 끌기에 충분했다. 그는 식물에서 추출한 이 물질이 독특한 향기를 낸다는 점에 착안하여 방향 물질을 이용한 치료 가능성을 떠올린 것이다. 이후 향초나 생약에 포함된 필수 성분 정유가 몸에 어떤 영향을 미치는지에 관한 많은 사례 연구가 진행되어 왔다.

다 방향 치료에서 정유를 흡입하는 통로는 코뿐만이 아니다. 피부에 바르거나 약처럼 복용하기도 한다. 일단 흡입되면 이 물질이 체내에서 원하는 곳으로 잘 이동할 수 있을까? 방향 치료의 효능을 지지하는 사람들은 정유의 입자가 작고 지방에 잘 용해되므로 지방질을 통해 체내에 잘 흡수된다고 말한다. 한 예를 들어 보자. 라벤더 2% 수용액을 만들어 이 중 1g으로 마사지한 후 혈액 속 라벤더 함량을 조사했다. 마사지 후 몇 분 내 수 나노그램의 라벤더 성분이 검출됐고, 20분 후 최대 농돗값이 관찰됐다고 한다. 피부에 스며든 라벤더가 혈액을 통해 각종 지방 조직으로 흡수된 것이다. 그렇다면 정유는 중추 신경계와 같은 지방이 풍부한 조직으로 어렵지 않게 도달하여 뇌의 특정 영역을 자극함으로써 치료 효과를 낼 수 있을 것이다.

라 과학자들은 이렇게 경험적으로 입증된 방향 치료의 객관적인 원리를 찾고 있다. 그러나 지금까지 후각 분야에 대한 연구는 상대적으로 낙후된 것이 사실이다. ㉠'냄새 못 맡는 정도야 별로 심각한 문제가 아니다.'라는 잘못된 편견 탓이다. 하지만 후각은 일상생활에서 매우 중요한 역할을 한다. 우선 후각은 음식물의 맛을 알게 하기 때문에 나이가 들어 후각 기능이 퇴화하면 미각 기능이 현저히 떨어진다. 예를 들어 사람이 감

- **방향 물질**: 사람의 코로 지각할 수 있는 향기를 가진 물질
- **라벤더유**: 라벤더의 꽃 또는 가지와 잎을 증류하여 얻는 향유
- **착안하여**: 어떤 문제를 해결하기 위한 실마리를 잡아
- **정유**: 식물의 잎, 줄기, 열매, 꽃, 뿌리 따위에서 채취한 향기로운 휘발성의 기름

기에 걸리면 맛을 잘 모르는 것과 같다. 게다가 후각은 천연가스나 상한 음식물, 오염물, 연기 등 유해한 휘발성 물질을 찾는 감시 기능을 한다.

마 냄새가 뇌의 어떤 부위에 영향을 미치는지에 대해서도 아직 정설이 없다. 다만 감성을 지배하고 있는 뇌 우반구의 특정 부위로 신호가 전달될 것이라는 의견이 많다. 냄새를 의학적으로 이용하려면 아직 풀어야 할 과제가 많이 쌓여 있다. 따라서 충분한 생리적, 임상적 실험을 거쳐 그 효과가 검증되어야 한다.

- **휘발성**: 보통 온도에서 액체가 기체로 되어 날아 흩어지는 성질
- **임상적**: 실제로 환자를 접하여 병을 치료하거나 연구하는

사실적 사고

1 **윗글의 내용 전개 방식으로 적절한 것은?**

① 구체적인 예를 들어 가며 알기 쉽게 서술한다.
② 상위 항목을 하위 항목으로 나누어 가며 설명한다.
③ 전문가의 의견을 인용하며 대상의 특징을 소개한다.
④ 이해를 돕기 위해 설명 대상의 개념을 정확히 풀이한다.
⑤ 복잡하고 어려운 내용을 단순하고 친숙한 대상에 빗대어 설명한다.

비판적 사고

2 **윗글을 읽은 학생들의 반응으로 적절하지 않은 것은?**

① 방향 치료를 통해 인간의 기억에 도움을 줄 수도 있겠어.
② 정유를 복용해서는 방향 치료의 효과를 볼 수 없으므로 피부에 바르는 게 좋겠구나.
③ 감기에 걸렸을 때 맛을 모르는 것은 코가 막혀 후각 기능이 떨어졌기 때문으로 볼 수 있겠군.
④ 향기 있는 식물에서 추출한 아로마 오일로 불면증을 개선하는 것은 방향 치료에 해당하겠구나.
⑤ 방향 치료가 활성화되기 위해서는 냄새가 뇌의 어떤 부분에 영향을 미치는지에 대한 연구가 좀 더 필요하겠군.

어휘·어법

3 수능형

윗글의 글쓴이가 ㉠에 대해 〈보기〉와 같이 조언한다고 할 때, 밑줄 친 곳에 들어갈 말로 가장 적절한 것은?

보기

'______________'라는 말이 있듯이, 심각한 문제가 아니라고 간과했다가 큰일로 번질 수 있는 법이야.

① 귀가 보배라
② 다 된 죽에 코 풀기
③ 혹 떼러 갔다 혹 붙여 온다
④ 큰 방죽도 개미구멍으로 무너진다
⑤ 길고 짧은 것은 대어 보아야 안다

1 **이 글의 핵심 화제를 살펴보자.**

(　　　　　)의 이해 및 앞으로의 과제

2 **각 문단별 중심 내용을 정리해 보자.**

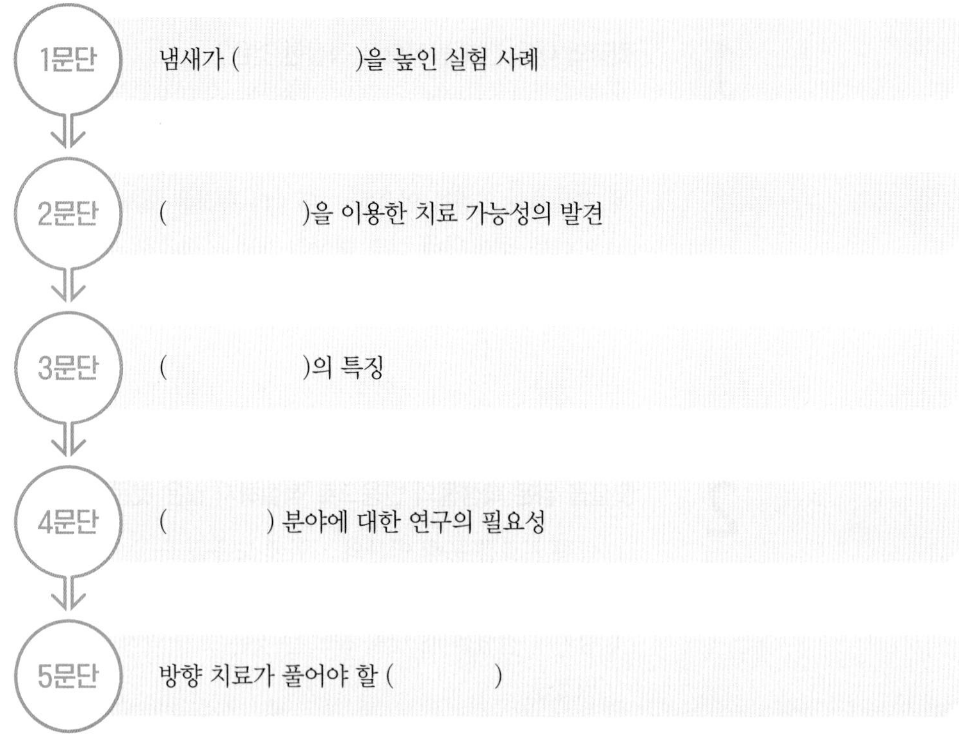

1문단 냄새가 (　　　　　)을 높인 실험 사례

2문단 (　　　　　)을 이용한 치료 가능성의 발견

3문단 (　　　　　)의 특징

4문단 (　　　　) 분야에 대한 연구의 필요성

5문단 방향 치료가 풀어야 할 (　　　　)

3 **핵심 내용을 구조화해 보자.**

방향 치료

방향 치료의 특징

- 코뿐만 아니라 피부에 바르거나 복용하여 (　　　　)를 흡입함
- 정유가 지방질을 통해 (　　　　)에 잘 흡수되어 치료 효과를 낼 수 있음

방향 치료의 한계

(　　　　)을 다른 감각에 비해 중요하게 생각하지 않는 잘못된 편견으로 (　　　　) 분야에 대한 연구가 낙후됨

방향 치료에 대한 정설이 없기 때문에 충분한 (　　　　)을 통한 검증이 필요함

어휘력 테스트

1 다음 단어의 뜻을 참고하여 끝말잇기를 완성해 보자.

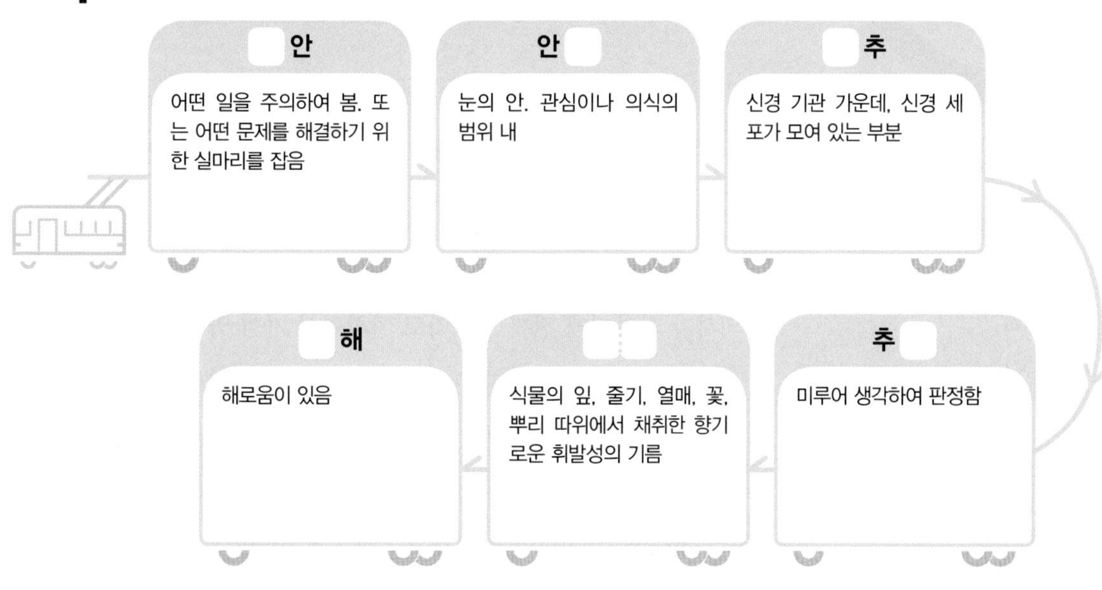

2 다음 단어를 활용하기에 적절한 문장을 찾아 바르게 연결해 보자.

❶ 검출되다 •
❷ 낙후되다 •
❸ 검증되다 •

• ㉠ 황사에서 각종 유독성 물질이 (   ).
• ㉡ 과학적으로 (   ) 어려운 문제는 연구에서 제외했다.
• ㉢ (   ) 마을을 우선으로 지원할 계획이다.

어휘·어법 확장

'높히다'와 '높이다' 중 올바른 표현은?

냄새가 암기력을 (높힌 / <u>높인</u>) 것이다.

주어가 동작을 다른 대상에게 하도록 시키는 것을 나타내는 표현을 '사동 표현'이라고 한다. 사동 표현은 주동사의 어근에 사동 접미사 '-이-, -히-, -리-, -기-, -우-, -구-, -추-'를 붙여 실현할 수 있는데, 사동사 '높이다'는 형용사 어근 '높-'에 사동 접미사 '-이-'가 붙어 형성된 단어이다. '덮다'의 사동사가 '덮히다'가 아니라 '덮이다'이듯이, '높다'의 사동사 역시 '높히다'가 아니라 '높이다'이다.

※ 특히 '높이다[노피다]'와 '높히다[놉히다 → 노피다]'는 발음이 같아 혼동하기 쉬우므로 주의해서 사용해야 한다.

플라세보 효과

- 핵심어를 찾아보자.
- 문단별 중심 내용에 밑줄을 그어 보자.
- 핵심 내용을 구조적으로 재배열해 보자.

가 플라세보(placebo)는 위약(僞藥) 또는 위치료(僞治療)를 의미한다. 플라세보 효과란 의사가 환자에게 진짜 약이라고 말하면서 가짜 약을 투여하면, 효과가 있을 것이라고 생각하는 환자의 믿음 때문에 병이 낫는 현상을 말한다. 20세기 초반까지만 해도 의사들은 플라세보 효과, 즉 약을 복용하는 데에서 비롯된 심리적 효과에 관심이 없었다. 당시는 자극에 대한 반사의 개념으로만 인체를 이해했지, 환자의 심리는 ⓐ헤아리지 않았던 것이다. 그러나 학자들은 스트레스를 연구하는 가운데 인간의 심리가 뇌를 통해 인체 생리에 영향을 끼친다는 사실을 차츰 알게 됐으며, 1950년대 하버드 대학의 헨리 비처(Henry Beecher)는 처음으로 통증, 고혈압, 천식 등 광범위한 질환 환자의 30~40%가 플라세보만으로 증세가 가벼워진다고 보고했다.

나 플라세보 효과는 실제 약의 효능성과 안전성을 가리는 데 방해 인자로 작용하기도 한다. 이 때문에 약의 효과가 있는지 없는지를 판단하기 위한 임상 시험으로, 환자와 의사 모두 실제 약인지 위약인지 모르는 상태에서 약을 투여하는 ㉠'이중 맹검법'이 고안되기도 했다. 그런데 최근 이 방해 인자를 활용할 방도가 활발하게 논의되기 시작했다. 초자연적 존재의 힘을 믿고 기도로써 병을 치료하는 신앙 요법, 환자가 앓고 있는 병과 유사한 증상을 유발하여 치료하는 동종 요법 등 많은 대체 요법이 플라세보 효과이지만 실제 병 치료에 도움이 된다는 인식이 생겼기 때문이다.

다 환자에 따라 효과가 다른 것은 환자의 플라세보에 대한 인지 차이에서 비롯되는데, 문화적 환경이나 질병에 따라 효과가 다르게 나타난다. 실제로 궤양 치료에서는 브라질 사람보다 독일 사람에게 플라세보 효과가 더 크게 나타났는데, 고혈압 치료에서는 다른 나라의 사람들에 비해 독일 사람에게 효과가 작게 나타났다. 반면, 우울증 치료에서는 국가별로 차이가 거의 나타나지 않았다. 그러나 이런 연구는 아직은 확정적이 아니며 그 원리를 밝히거나 일반화시키기도 어렵다. 그러나 그동안의 연구를 통해 어떤 말이나 맛, 색깔 등으로 환자를 자극하였을 때 플라세보 효과가 크게 나타난다는 결과를 얻을 수 있었다. 아스피린보다 모르핀을 투여한다고 말할 경우에 진통의 완화 작용이 크게 나타나는 것이 이에 해당한다.

라 일부 질병에 대해 부작용이 많은 약보다는 플라세보를 처방하자는 주장도 들리고 있으나, 학자들은 플라세보 효과에 대한 청사진이 나오기까지는 이를 확신하기 어렵다

- **위약**: 환자에게 심리적 효과를 얻도록 하려고 주는 가짜 약
- **인자**: 어떤 사물의 원인이 되는 낱낱의 요소나 물질
- **임상 시험**: 개발 중인 약이나 진단 및 치료 효과와 안전성을 알아보기 위하여 사람을 대상으로 행하는 시험
- **고안되기도**: 연구하여 새로운 안이 나오기도
- **인지**: 어떤 사실을 인정하여 앎
- **모르핀**: 진통제의 종류로, 아스피린보다 약효가 더 강하다.
- **완화**: 병의 증상이 줄어들거나 누그러짐
- **청사진**: 미래에 대한 희망적인 계획이나 구상

고 말한다. 또, 환자를 속여야 효과가 나타나는 처방이라는 점에서, 플라세보를 약이라고 속여 처방하는 것은 환자를 속이는 일이 되는 것이다. 이것은 해법이 없는 딜레마이다. 더욱이 의사는 환자에게 플라세보가 아니라 적절한 약을 투여해야 할 윤리적 책임이 있다. 1989년에 세계 의학자 협회는 1964년 헬싱키에서 채택한 임상 시험의 윤리적 원칙, 즉 '헬싱키 선언'을 수정하는 가운데 피실험자에 대한 플라세보 사용의 윤리적 정당성 문제와 관련된 조항을 넣었다.

딜레마: 선택해야 할 길은 두 가지 중 하나로 정해져 있는데, 그 어느 쪽을 선택해도 바람직하지 못한 결과가 나오게 되는 곤란한 상황

사실적 사고

1

수능형

윗글의 내용과 일치하지 않는 것은?

① 환자가 위약의 효능을 강하게 인식할수록 플라세보 효과가 크다.
② 플라세보 효과는 의학계에서 보편적으로 인정하고 있는 치료법이다.
③ 플라세보 효과는 실제로 일부 질병에 대해 치료 효과를 보이고 있다.
④ 플라세보 효과는 의사의 윤리적 책임과 상충되어 딜레마를 유발한다.
⑤ 이중 맹검법에서 환자와 의사는 모두 투여하는 약의 효능 유무를 알지 못한다.

추론적 사고

2

〈보기〉의 '클로렐라'와 관련하여 ㉠이 고안되었다고 하였을 때, 그 이유를 추리한 내용으로 가장 적절한 것은?

보기

클로렐라는 일반적으로 면역력 향상과 콜레스테롤의 흡수 억제 기능이 있다고 알려져 있으나, 실제로 사람에 대한 효과에 대해서는 신뢰할 만한 데이터가 없다. 이에 클로렐라의 치유 기능에 대해 이미 알고 있으며 믿음을 지니고 있는 환자들에게 클로렐라 추출액을 2개월 동안 매일 섭취시킨 결과, 증상 약화와 통증 개선에 효과가 있다는 결과를 얻었다. 하지만 이런 효능이 실제 약효 때문인지 그들의 지식과 믿음 때문인지 확인할 길이 없다.

① 클로렐라와 위약의 효과를 비교하기 위해서
② 클로렐라의 약효가 조작되는 것을 막기 위하여
③ 클로렐라의 약효를 객관적으로 평가하기 위하여
④ 플라세보 효과를 부정하는 근거를 마련하기 위하여
⑤ 플라세보 효과와 실제 약효의 상승 작용을 밝히기 위하여

어휘•어법

3

ⓐ와 바꾸어 쓰기에 가장 적절한 것은?

① 추정(推定)하지
② 성찰(省察)하지
③ 추측(推測)하지
④ 고려(考慮)하지
⑤ 상정(想定)하지

1 **이 글의 핵심 화제를 살펴보자.**

플라세보의 효과와 (   ) 차원에서의 딜레마

2 **각 문단별 중심 내용을 정리해 보자.**

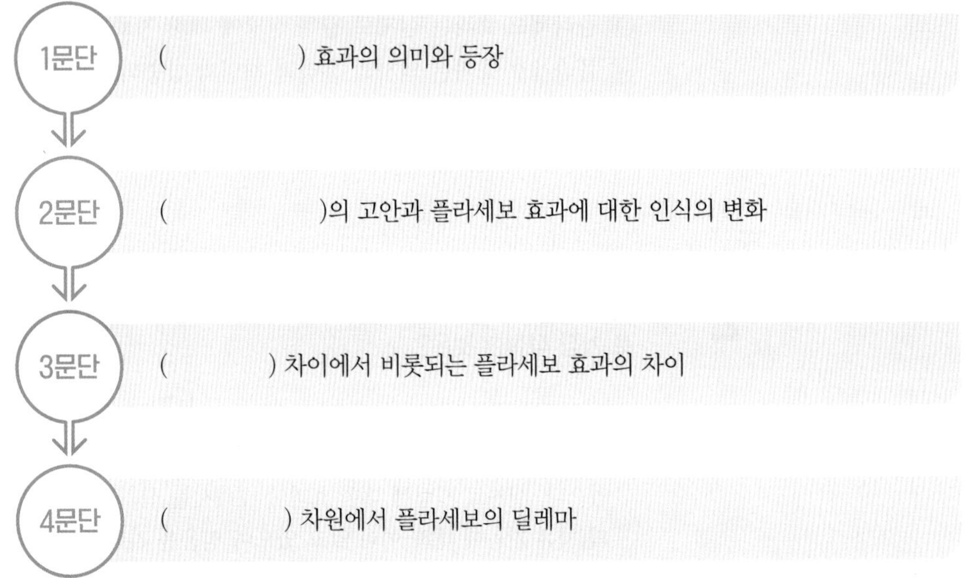

3 **핵심 내용을 구조화해 보자.**

플라세보 효과		플라세보 효과의 윤리적 딜레마
환자에게 가짜 약을 투여하면서 진짜 약이라고 말하면, 효과가 있을 것이라고 생각하는 환자의 ( ) 때문에 병이 낫는 현상		• 플라세보 효과는 ( )를 속여야 효과가 나타나는 처방임 → 플라세보를 약이라고 속여 처방하는 것은 환자를 속이는 일이 됨 • 의사는 환자에게 플라세보가 아니라 적절한 약을 투여해야 할 ( ) 책임이 있음

어휘력 테스트

● 다음 괄호 안에 들어갈 단어의 뜻을 〈보기〉에서 골라 기호를 써 보자.

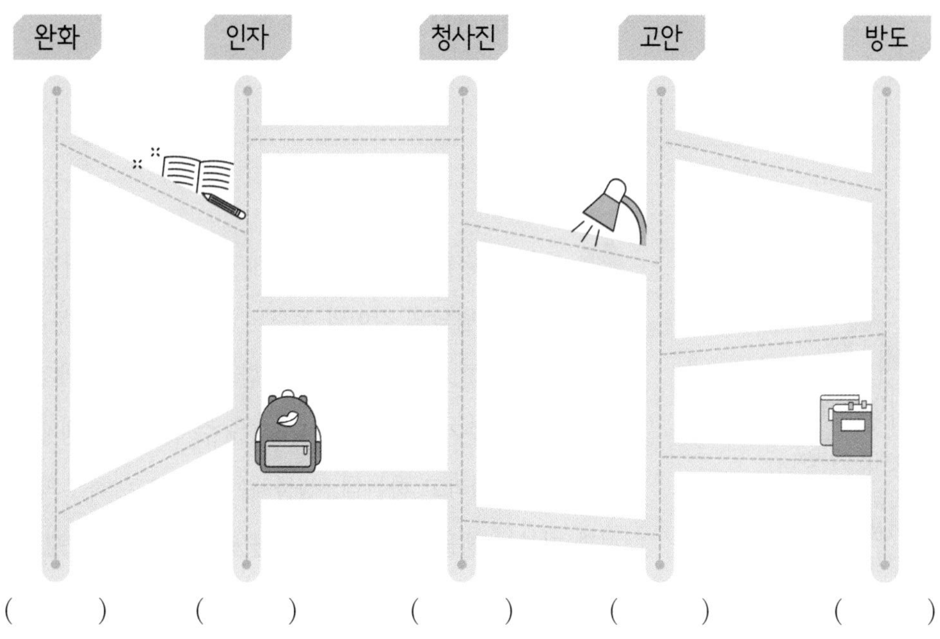

( ) ( ) ( ) ( ) ( )

〈보기〉

㉠ 연구하여 새로운 안을 생각해 냄
㉡ 병의 증상이 줄어들거나 누그러짐
㉢ 미래에 대한 희망적인 계획이나 구상
㉣ 어떤 사물의 원인이 되는 낱낱의 요소나 물질
㉤ 어떤 일을 하거나 문제를 풀어 가기 위한 방법과 도리

어휘·어법 확장

접미사 '-적'과 '-화'의 구별

그러나 이런 연구는 아직은 확정적이 아니며 그 원리를 밝히거나 일반화시키기도 어렵다.

-적(的)	(일부 명사 또는 명사구 뒤에 붙어) '그 성격을 띠는', '그에 관계된', '그 상태로 된'의 뜻을 더하는 접미사 예 확정적: 틀림없이 그렇게 될 것으로 정하여진 (것)
-화(化)	(일부 명사 뒤에 붙어) '그렇게 만들거나 됨'의 뜻을 더하는 접미사 예 일반화: 개별적인 것이나 특수한 것이 일반적인 것으로 됨. 또는 그렇게 만듦

과학

식물은 꽃 피는 시기를 어떻게 알까?

- 핵심어를 찾아보자.
- 문단별 중심 내용에 밑줄을 그어 보자.
- 핵심 내용을 구조적으로 재배열해 보자.

가 식물의 꽃 피는 시기는 어떻게 정해지는 것일까? 식물은 외부와 내부의 환경 변화를 인식한다. 밤낮의 길이와 온도의 변화는 식물 내부의 화학 물질이나 °생장 물질에 영향을 주고 이를 통해 식물은 동일한 시간, 동일한 계절에 꽃을 피운다. 모든 생물들은 지구의 자전 주기와 동일한 24시간을 주기로 하는 °생체 시계를 ㉠가지고 있다. 이 주기를 일주기성이라고 하는데, 생물체는 이것으로 하루의 시간을 인식할 수 있다. 일주기성과 더불어 생물체는 낮의 길이를 측정할 수 있는 광주기 능력을 보유한 덕분에 어떤 현상을 일 년 중 특정한 시기에 일으킬 수 있으며 계절에 따라 반응할 수 있는 것이다.

나 식물은 개화기로 접어들 때 광주기성이 어떻게 영향을 주느냐에 따라 단일 식물, 장일 식물, 중일 식물 등으로 나눌 수 있다. ⓐ단일 식물은 밤의 길이, 즉 암기(暗期)가 °임계 암기와 같거나 그보다 더 길어지면 개화한다. 단일 식물의 개화는 낮의 길이가 짧아짐과 동시에 밤의 길이가 일정 기간 동안 지속적으로 길어져야지만 시작된다. 식물 종에 따라 차이가 나지만, 최소로 요구되는 임계 암기는 대부분 12~14시간 정도이다. 단일 식물로는 코스모스가 있으며, 이들은 일반적으로 늦여름이나 가을에 개화한다. ⓑ장일 식물은 밤의 길이가 임계 암기보다 짧거나 같아지면 개화한다. 시금치, 상추, 붓꽃과 같은 장일 식물은 봄이나 초여름 밤의 길이가 짧아지는 것을 인식하여 늦봄이나 여름에 개화한다. ⓒ중일 식물은 낮과 밤의 길이가 같아질 때 개화한다. 사탕수수와 콜레우스는 중일 식물로, 밤의 길이가 너무 길거나 너무 짧아지면 꽃이 피지 않는다. 식물의 광주기성에 대한 지식을 이용하면 제철이 아닌 시기에 꽃을 재배하여 소비자들에게 공급할 수 있다. 예를 들면 국화는 늦가을에 꽃을 피우는 식물이지만, 밤의 길이를 적절히 조절하면 봄, 여름, 겨울에도 개화를 유도할 수 있다.

다 한편, 식물의 개화에는 밤의 길이 이외에도 여러 환경 요인들이 °관여할 수 있다. 그중에서 온도는 여러 가지 방법으로 광주기성에 영향을 미친다. 식물들은 최적 온도에서 개화하는데, 1년생 식물과 2년생 꽃 피는 식물의 경우 저온 처리하지 않으면 개화가 지연되거나 억제된다. 이와 관련하여 식물의 개화를 앞당기는 춘화 처리라는 것이 있다.

라 춘화 처리는 개화를 촉진하기 위해서 식물을 특정 온도에서 일정 기간 노출시킴으로써 개화가 촉진되는 것을 말한다. 겨울 호밀은 장일 식물이 아니며 광주기와 관계없이 스물두 번째 잎이 발생한 후에만 개화를 한다. 그러나 겨울 호밀을 발아시킨 후 수

- **생장 물질**: 적은 양으로 식물의 생장과 발육을 빠르게 진행시켜 주는 물질을 통틀어 이르는 말
- **생체 시계**: 동식물의 생체에 내재되어 있어 생체 리듬의 주기성을 갖게 하는 장치
- **임계 암기**: 광주기성 반응에서 암기(밤의 길이)가 지속될 때 식물의 개화가 일어나기 시작하는 암기의 길이
- **관여할**: 어떤 일에 관계하여 참여할

주일 동안 저온 처리(1℃)하여 심으면 봄 호밀처럼 장일 조건에 반응하여 일찍 개화하게 된다. 중일 식물을 저온 처리하고 나면 개화는 광주기와 관계없이 진행된다. 춘화에 유효한 온도 범위는 종과 처리 기간에 따라 차이가 나는데, 이러한 한계 내에서 춘화 처리의 효과는 처리한 기간에 비례한다. 일반적으로 춘화 처리를 1~2℃에서 1~2주일 정도하면 개화가 촉진되고, 같은 온도에서 약 7주 처리하면 최대의 효과를 얻을 수 있다.

사실적 사고

1 **윗글의 내용과 일치하지 않는 것은?**

① 모든 생물체는 일주기성과 광주기성을 지니고 있다.
② 꽃이 피는 시기가 일정한 것은 광주기성과 관련이 있다.
③ 꽃이 피려면 대체로 최소한의 임계 암기가 확보되어야 한다.
④ 저온 처리된 중일 식물은 광주기와 관계없이 꽃이 필 수 있다.
⑤ 춘화 처리를 위한 온도 범위는 종에 관계없이 일정하게 정해진다.

추론적 사고

2 수능형

〈보기〉의 ㄱ, ㄴ에 해당하는 것을 ⓐ~ⓒ에서 골라 바르게 묶은 것은?

보기

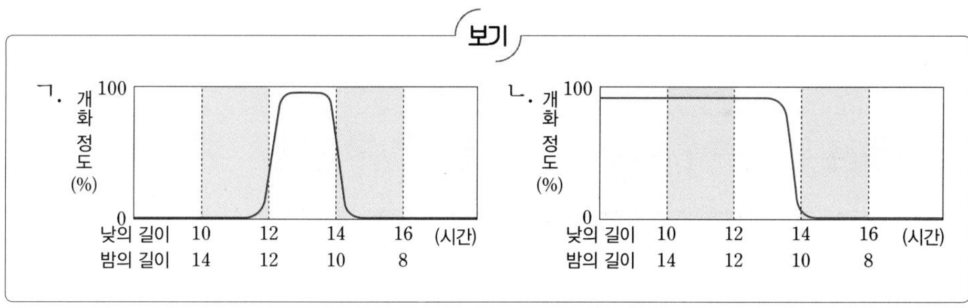

	ㄱ	ㄴ
①	ⓐ	ⓑ
②	ⓑ	ⓐ
③	ⓑ	ⓒ
④	ⓒ	ⓐ
⑤	ⓒ	ⓑ

어휘·어법

3 **㉠과 가장 가까운 뜻으로 쓰인 것은?**

① 동생이 공을 가지고 학교에 갔다.
② 그렇게 놀아 가지고 시험에 붙겠니?
③ 한 가지 일을 가지고 너무 오래 끌지 마라.
④ 밀가루를 가지고 만든 떡은 쌀로 만든 것보다 맛이 못하다.
⑤ 그 화가는 한국에서 개인전을 가지고 난 후 본국으로 돌아갈 계획이다.

1 이 글의 핵심 화제를 살펴보자.

(　　　　　)에 따른 식물의 개화 시기와 (　　　　　) 처리

2 각 문단별 중심 내용을 정리해 보자.

3 핵심 내용을 구조화해 보자.

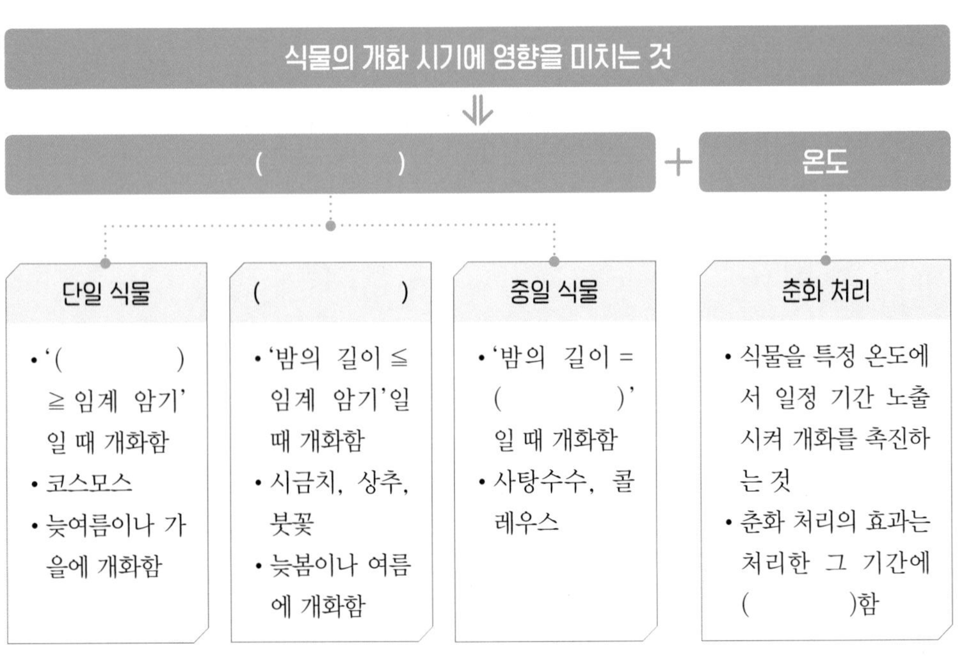

어휘력 테스트

1 다음 단어의 뜻을 참고하여 끝말잇기를 완성해 보자.

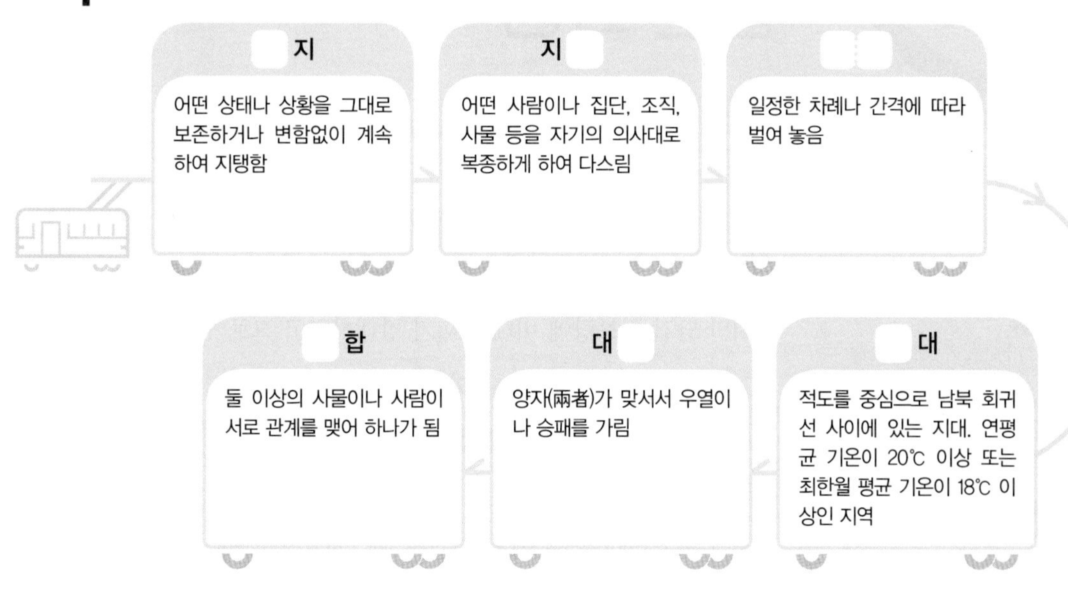

2 다음 단어를 활용하기에 적절한 문장을 찾아 연결해 보자.

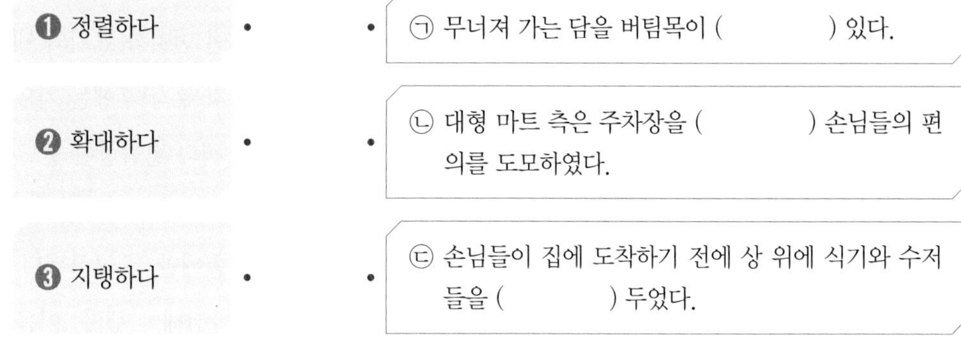

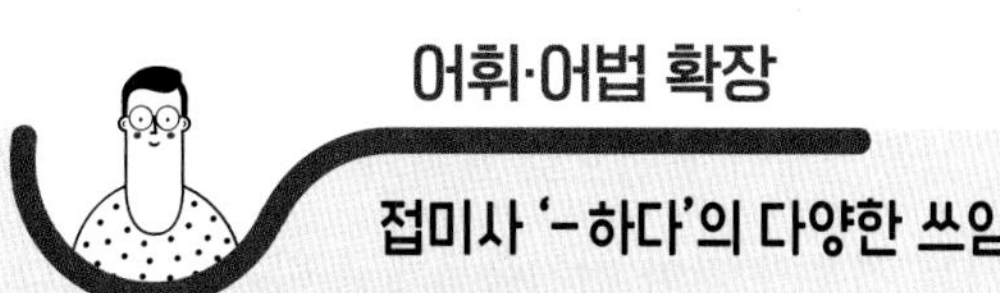

어휘·어법 확장

접미사 '-하다'의 다양한 쓰임

이용하다 / 빽빽하다 / 평평하다 / 지탱하다 / 유용하다 / 둔하다 / 독특하다 / 단단하다

접미사 '-하다'는 다양한 단어들과 몇몇 어근 뒤에 붙어서 동사나 형용사를 만드는 접미사이다.
이 글에 사용된 단어 중, '이용하다', '지탱하다', '유용하다', '독특하다'는 원래 존재하던 명사에 접미사 '-하다'가 붙어 동사 혹은 형용사로 파생된 단어들이다. 또한 '빽빽하다', '평평하다', '둔하다', '단단하다'는 어근 뒤에 접미사 '-하다'가 붙어 형용사로 파생된 경우라고 할 수 있다.
이외에도 '빨리하다'처럼 접미사 '-하다'가 일부 부사 뒤에 붙어 동사나 형용사로 파생된 경우도 있으며, '체하다', '척하다'처럼 접미사 '-하다'가 의존 명사 뒤에 붙어 동사나 형용사로 파생된 경우도 있다.

제책 기술의 발전 과정

- 핵심어를 찾아보자.
- 문단별 중심 내용에 밑줄을 그어 보자.
- 핵심 내용을 구조적으로 재배열해 보자.

| 전국연합 기출 |

가 종이가 개발되기 전, 인류는 동물의 뼈나 양피지 등에 필요한 정보를 기록해 왔다. 하지만 담긴 정보량에 비해 부피가 방대하였고 그로 인해 보존과 가독에 어려움을 겪었다. 그런데 종이의 개발로 부피가 줄어들면서 종이로 된 책이 주된 기록 매체가 되었고 책의 보존성과 가독성, 휴대성 등을 더욱 높이기 위한 제책 기술의 발달이 요구되었다.

나 서양은 종이책을 만들기 시작했을 때 제지 기술이 동양에 비해 미숙했고 질 나쁜 종이로 책을 제작해야 했기에 책의 내구성을 높이기 위한 기술이 필요했다. 그래서 표지에 가죽을 씌우거나 나무판을 덧대는 방법을 개발했는데 이를 양장(洋裝)이라 한다. 양장은 내지 묶기와 표지 제작을 따로 한 후에 합치는 방법이다. 내지는 실매기 방식을 활용해 실로 단단히 묶고, 표지는 판지에 천이나 가죽 등의 마감 재료를 접착하여 만든다. 표지와 내지를 결합할 때는 책등과 결합되는 내지 부분에 접착제를 발라 책등에 붙인다. 또한 내지보다 두껍고 질긴 종이인 면지를 표지와 내지 사이에 접착제로 붙여 이어 줌으로써 책의 내구성을 높인다. 표지 부착 후에는 가열한 쇠막대로 앞뒤 표지의 책등 쪽 가까운 부분을 눌러 홈을 만들어 책의 펼침성이 좋도록 한다.

다 18세기 말에 유럽은 산업 혁명으로 인쇄가 기계화되면서 대량 생산을 위한 기반이 갖추어지고, 경제의 발전으로 일부 계층에만 ㉠국한됐던 독서 인구가 확대되어 제책 기술도 대량 생산이 가능한 방식으로 발전해야 했다. 이를 위해 간편하게 철사를 사용해 매는 제책 기술이 개발되었는데 처음에는 '옆매기'라 불리는 기술을 사용하였다. 그러나 옆매기는 책장 넘김이 용이하지 않아 '가운데매기'라 불리는 중철(中綴)이 주된 방식으로 자리 잡았다. 중철은 인쇄지를 포개 놓고 책장이 접히는 한가운데 부분을 ㄷ자형 철침을 이용해 매었는데, 보통 2개의 철침으로 표지와 내지를 고정하지만 표지나 내지가 한가운데서부터 떨어지는 경우가 잦아 철침을 4개로 박기도 하였다. 중철은 광고지, 팸플릿 등 오랜 보관이 필요 없거나 분량이 적은 인쇄물에 사용해 왔으며, 중철된 책은 쉽게 펼치거나 넘길 수 있고 두루마리처럼 말아서 간편하게 휴대할 수도 있다.

라 20세기 중반에는 화학 접착제가 개발되며 무선철(無線綴)이라는 제책 기술이 등장했다. 이름처럼 실이나 철사 없이 화학 접착제만으로 책을 묶는 방식이다. 이 방법은 자동화가 가능해 대량 생산에 더욱 적합했고, 생산 단가가 낮아지면서 판매 가격을 낮출 수 있어 책의 대중화에 기여했다. 그리고 1990년대에는 습기 경화형 우레탄 핫멜트가

- **양피지**: 양의 생가죽을 얇게 펴서 약품 처리를 한 후에 희게 말린, 글을 쓰는 데 사용하는 재료
- **방대하였고**: 규모나 양이 매우 크거나 많았고
- **가독성**: 인쇄물이 얼마나 쉽게 읽히는가 하는 능률의 정도
- **제책**: 낱장으로 되어 있는 원고나 인쇄물, 백지 등을 차례에 따라 실이나 철사로 매고 표지를 붙여 한 권의 책으로 꾸미는 일
- **제지**: 종이를 만듦
- **내구성**: 물질이 원래의 상태에서 변질되거나 변형됨이 없이 오래 견디는 성질
- **책등**: 책을 매어 놓은 쪽의 표지 부분
- **경화**: 고무 따위의 고분자에 황(黃)이나 다른 첨가제를 넣어 내구성을 높이는 화학 반응

개발되면서 개발 초보다 내구성이 더욱 강화된 책을 만들게 되었다. 무선철 기술은 지금도 계속 보완, 발전하고 있으며 그로 인해 오늘날 대부분의 책은 무선철 방식으로 제작되고 있다.

사실적 사고

1 **윗글의 표제와 부제로 가장 적절한 것은?**

① **제책 기술의 발전과 한계** – 문제점 진단과 보완 방안을 중심으로
② **제책 기술 현대화의 경향** – 화학 접착제의 개발을 중심으로
③ **제책 기술의 등장 배경과 유형** – 책 묶기 방식의 발전 과정을 중심으로
④ **제책 기술의 발전과 사회적 영향** – 기술 개발의 방향과 문제점을 중심으로
⑤ **제책 기술의 필요성과 의의** – 책의 내구성 향상 단계를 중심으로

추론적 사고

2 수능형

윗글과 〈보기〉를 고려할 때, 제책 회사가 제시할 의견으로 가장 적절한 것은?

보기

올해 문집 제작을 위한 요구 사항을 말씀드립니다. 작년에 제작된 문집은 간편하게 말아서 휴대가 가능했지만 표지의 한가운데가 떨어지는 문제가 있었습니다. 이에 대한 보완이 필요하며 올해는 분량이 100쪽 이상 증가한 점과 학생들이 오래도록 문집을 보관하고 싶어 하는 점을 고려해 주시기 바랍니다. 또한 문집 제작 비용을 절감하는 방향으로 제안서를 보내주시기 바랍니다.

① 표지가 쉽게 떨어지지 않게 철침으로 옆을 묶겠습니다.
② 분량이 증가한 점을 고려하여 내지와 표지를 별도로 제작한 후 묶겠습니다.
③ 표지와 내지의 결합력을 높이기 위해 철침을 2개에서 4개로 늘려 묶겠습니다.
④ 오래도록 보관할 수 있게 실매기를 한 후 튼튼한 면지를 접착제로 붙이겠습니다.
⑤ 책의 단가를 낮추고 내구성을 높이기 위해 성능이 좋은 화학 접착제를 사용하여 묶겠습니다.

어휘·어법

3 **다음 빈칸 중, ㉠이 들어가기에 적절하지 않은 것은?**

① 이것은 너에게만 (   )된 이야기가 아니다.
② 범위를 우리 지역에 (   )하여 생각해 봅시다.
③ 유흥업소의 출입은 20세 이상으로 (   )되어 있다.
④ 19세 이상 관람가라는 나이 (   )에 걸려 영화를 보지 못했다.
⑤ 이제 자동차 배기가스 문제는 도시에만 (   )된 이야기가 아니다.

1 이 글의 핵심 화제를 살펴보자.

제책 기술의 (　　　　) 과정과 주요 방식

2 각 문단별 중심 내용을 정리해 보자.

1문단	제책 기술 발달의 (　　　　)
2문단	(　　　　) 기술의 특징
3문단	(　　　　) 기술의 특징
4문단	(　　　　) 기술의 특징

3 핵심 내용을 구조화해 보자.

제책 기술의 발전 과정

양장	• 표지에 (　　　　)을 씌우거나 나무판을 덧대는 방법임 • (　　　　) 묶기와 표지 제작을 따로 한 후에 합치는 방법임 • 내지(실매기 방식 활용) – 면지(내구성 높임) – 표지(판지에 마감 재료 접착) – 책등 홈(펼침성 높임)
중철	• 인쇄지를 포개 책장이 접히는 한가운데를 (　　　　)자형 철침으로 매는 방법임 • '(　　　　)'로 불리며, '옆매기'보다 책장 넘김이 용이함 • 오랜 보관이 필요 없거나 (　　　　)이 적은 인쇄물에 사용함
무선철	• 실이나 철사 없이 (　　　　)만으로 책을 묶는 방식임 • 자동화가 가능해 대량 생산에 더욱 적합함 → 책의 (　　　　)에 기여함

어휘력 테스트

1 제시된 뜻과 예문을 참고하여 다음 초성에 해당하는 단어를 괄호 안에 써 보자.

(1) ㅂ ㄷ 하다: 규모나 양이 매우 크거나 많다.

예 유라시아 대륙은 끝이 없을 만큼 (　　　　)하다.

(2) ㅇ ㅍ ㅈ: 양의 생가죽을 얇게 펴서 약품 처리를 한 후에 희게 말린, 글을 쓰는 데 사용하는 재료

예 파피루스의 수출 금지로 양의 가죽으로 만든 (　　　　)가 생산되었다.

(3) ㅇ ㅇ 하다: 어렵지 아니하고 매우 쉽다.

예 이 선풍기는 조립이 (　　　　)한 것이 장점이다.

2 다음 〈보기〉의 뜻을 참고하여 십자말풀이를 완성해 보자.

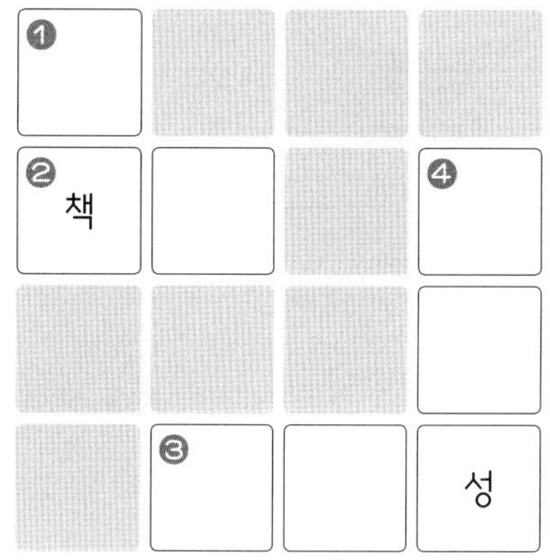

〈보기〉

❶ 세로: 낱장으로 되어 있는 원고나 인쇄물, 백지 따위를 차례에 따라 실이나 철사로 매고 표지를 붙여 한 권의 책으로 꾸미는 일

❷ 가로: 책을 매어 놓은 쪽의 표지 부분

❸ 가로: 인쇄물이 얼마나 쉽게 읽히는가 하는 능률의 정도

❹ 세로: 물질이 원래의 상태에서 변질되거나 변형됨이 없이 오래 견디는 성질

어휘·어법 확장

'매다'와 '메다'의 구별

이를 위해 간편하게 철사를 사용해 매는 제책 기술이 개발되었는데~

└→ '끈이나 줄 따위로 꿰매거나 동이거나 하여 무엇을 만들다.'의 의미

• 매다: 「1」 끈이나 줄 따위의 두 끝을 엇걸고 잡아당기어 풀어지지 아니하게 마디를 만들다. 예 신발 끈을 매다.

「2」 끈이나 줄 따위로 꿰매거나 동이거나 하여 무엇을 만들다. 예 붓을 매다. / 책을 매다.

「3」 가축을 기르다. 예 암소 한 마리와 송아지 두 마리를 매다.

「4」 ((주로 '목'을 목적어로 하여)) (비유적으로) 어떤 데에서 떠나지 못하고 딸리어 있다. 예 형은 그 일에 목을 매고 있다.

「5」 일정한 기준에 따라 사물의 값이나 등수 따위를 정하다.(= 매기다) 예 상품에 값을 매다. / 쌀에 등급을 매다.

• 메다: 어깨에 걸치거나 올려놓다. 예 어깨에 배낭을 메다.

날개 없는 선풍기의 비밀

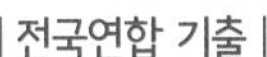
| 전국연합 기출 |

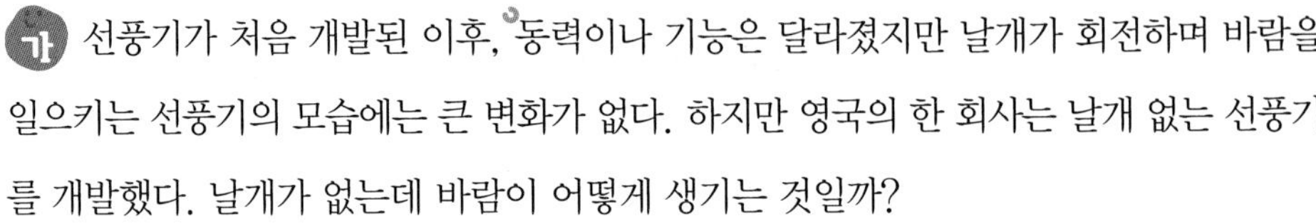
가 선풍기가 처음 개발된 이후, 동력이나 기능은 달라졌지만 날개가 회전하며 바람을 일으키는 선풍기의 모습에는 큰 변화가 없다. 하지만 영국의 한 회사는 날개 없는 선풍기를 개발했다. 날개가 없는데 바람이 어떻게 생기는 것일까?

- 핵심어를 찾아보자.
- 문단별 중심 내용에 밑줄을 그어 보자.
- 핵심 내용을 구조적으로 재배열해 보자.

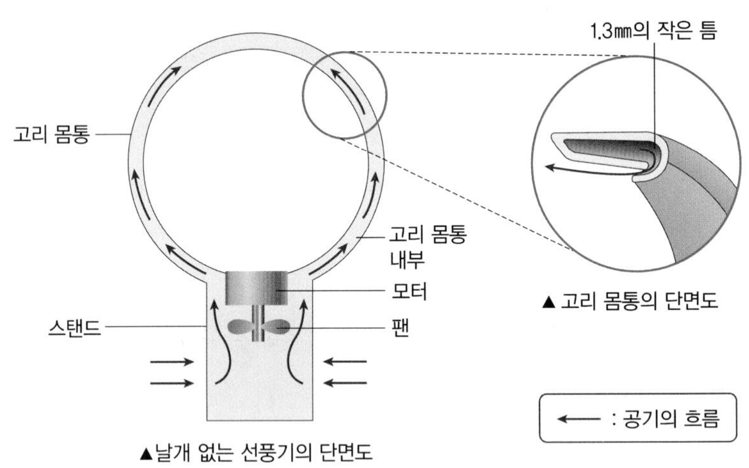

▲ 고리 몸통의 단면도

▲날개 없는 선풍기의 단면도

나 날개 없는 선풍기는 스탠드와 고리 몸통으로 ⓐ이루어져 있다. 스탠드의 내부에는 공기를 ⓑ빨아들이도록 제트 엔진처럼 팬과 모터가 있다. 고리 몸통은 내부가 비어 있어 공기가 지나가도록 설계되어 있으며, 여기에는 이 공기가 바깥으로 나가도록 둥근 고리 몸통을 따라 난 작은 틈이 있다.

다 또한 고리 몸통 단면의 형태는 비행기 날개의 단면을 뒤집어 놓은 것과 비슷한 구조이다. 이런 구조로 만든 이유는 고리 몸통 안쪽과 바깥쪽의 기압 차이를 만들어 고리 몸통 주변의 공기를 이동시키기 위한 것이다. 비행기 날개의 경우, 윗면이 아랫면보다 불룩하다. 공기는 비행기의 평평한 아랫면보다 불룩한 윗면을 지나갈 때 속도가 더 빨라지게 되는데, 공기의 속도가 빠른 윗면은 기압이 낮아지고 속도가 느린 아랫면의 기압은 상대적으로 높아지게 된다. 공기는 고기압에서 저기압으로 힘이 작용해 이동하므로, 기압이 높은 날개의 아래쪽에서 기압이 낮은 날개의 위쪽으로 힘이 작용해 공기가 이동하면서 비행기가 뜨는 것이다. 날개 없는 선풍기의 고리 몸통 단면에도 ㉠이 원리가 ⓒ반영되어 있다.

라 날개 없는 선풍기는 바람을 만들기 위해 우선 스탠드의 팬을 작동하여 주변의 공기를 빨아들인다. 이렇게 흡입된 공기는 고리 몸통 내부로 올라가는데, 이때 스탠드의

- **동력**: 전기 또는 자연에 있는 에너지를 쓰기 위하여 기계적인 에너지로 바꾼 것. 전력, 수력, 풍력 따위가 주요 동력원(動力源)이 된다.
- **제트 엔진**: 빨아들인 공기에 연료가 섞여 연소한 다음 발생한 가스가 고속으로 분출할 때의 반동으로 추진력을 얻는 장치
- **단면**: 물체의 잘라 낸 면
- **상대적**: 서로 맞서거나 비교되는 관계에 있는 것

내부보다 좁아진 고리 몸통 내부의 공간으로 인해 약 88km/h 정도로 그 유속이 빨라지게 된다. 또한 고리 몸통 내부로 빠르게 밀려 올라온 공기는 1.3mm의 작은 틈을 통해 고리 몸통 밖으로 나온다. 이때 고리 몸통 내부의 공간보다 훨씬 더 좁은 틈 때문에 공기가 더 ⓓ가속된다. 이렇게 빨라진 공기로 인해 고리 몸통 안쪽의 기압은 낮아지고 고리 몸통 바깥의 기압은 상대적으로 높아지게 된다. 이 때문에 고리 몸통 주변의 공기가 고리 몸통 내부에서 나온 빠른 공기와 같은 방향으로 이동하여 합쳐지면서 바람이 생기는 것이다. 이때 고리 몸통 안쪽을 통과하는 공기의 양은 처음 스탠드에 흡입된 공기의 양보다 15배 정도 ⓔ증가하게 된다.

유속: 물이 흐르는 속도. 단위 시간에 물이 흘러간 거리로 나타낸다. 여기에서는 공기가 흐르는 속도라는 의미로 사용되었다.

사실적 사고

1

'날개 없는 선풍기'에 대한 설명으로 적절하지 않은 것은?

① 기존 선풍기의 외형과는 차이가 있다.
② 공기의 속도에 따른 기압 차이를 활용한 것이다.
③ 고리 몸통 내부의 공기의 속도는 약 88km/h 정도이다.
④ 스탠드에 있는 1.3mm의 작은 틈은 고리 몸통을 따라 나 있다.
⑤ 고리 몸통의 단면은 비행기 날개의 단면을 뒤집어 놓은 구조와 비슷하다.

추론적 사고

2

수능형

㉠의 사례로 가장 적절한 것은?

① 태풍이 불면 강한 바람으로 인해 해안가 주변 집들의 창문이 깨지기도 한다.
② 풍선을 불었다가 놓으면, 풍선에서 빠져나오는 바람으로 인해 풍선이 공중으로 날아간다.
③ 산불이 발생했을 때, 바람이 부는 방향을 등지고 소화기를 사용하여 산불을 효과적으로 진압한다.
④ 빠른 속력으로 달리는 응급차가 가까이 다가오면 사이렌 소리가 커지고 멀어지면 사이렌 소리가 작아진다.
⑤ 경주용 자동차를 만들 때에는 차의 상부보다 하부로 공기가 빠르게 흐르도록 하여 전복 사고의 위험을 줄인다.

어휘·어법

3

ⓐ~ⓔ와 바꿔 쓴 말로 적절하지 않은 것은?

① ⓐ: 구성되어 있다.
② ⓑ: 흡입하도록
③ ⓒ: 적용되어 있다.
④ ⓓ: 가열된다.
⑤ ⓔ: 늘어나게 된다.

1 **이 글의 핵심 화제를 살펴보자.**

(　　　　　　　)의 구조와 원리

2 **각 문단별 중심 내용을 정리해 보자.**

1문단	날개 없는 선풍기에서 (　　　　)이 생기는 원리에 대한 의문
2문단	날개 없는 선풍기의 구성과 특징
3문단	날개 없는 선풍기의 (　　　　　) 단면에 반영되어 있는 비행기의 원리
4문단	날개 없는 선풍기가 (　　　　)을 만드는 원리와 과정

3 **핵심 내용을 구조화해 보자.**

비행기의 원리		날개 없는 선풍기의 원리	
날개의 (　　　)	불룩하여 공기의 속도가 빠르고 기압이 낮음	고리 몸통 안쪽	좁은 틈으로 인해 공기의 (　　　　)가 빨라지며 기압이 낮아짐
날개의 (　　　)	평평하여 공기의 속도가 느리고 기압이 상대적으로 높음	고리 몸통 바깥	공기의 속도가 안쪽보다 느리며 (　　　　)은 상대적으로 높아짐

⇓ 공기의 이동: (　　　　)기압 → (　　　　)기압 ⇓

기압이 높은 날개의 (　　　　)쪽에서 기압이 낮은 날개의 (　　　　)쪽으로 힘이 작용해 공기가 이동하면서 비행기가 뜨게 됨	기압이 높은 고리 몸통 (　　　　)의 공기가 기압이 낮은 고리 몸통 (　　　　)의 빠른 공기와 같은 방향으로 이동하여 합쳐지면서 바람이 생김

어휘력 테스트

● 다음 괄호 안에 들어갈 단어의 뜻을 〈보기〉에서 골라 기호를 써 보자.

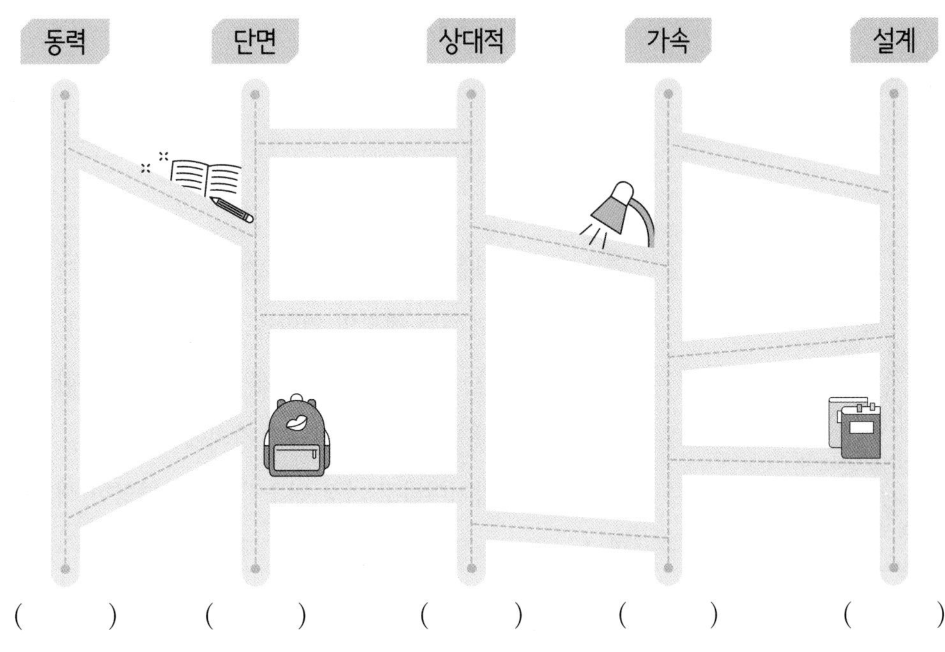

( ) ( ) ( ) ( ) ( )

보기

㉠ 물체의 잘라 낸 면
㉡ 점점 속도를 더함. 또는 그 속도
㉢ 서로 맞서거나 비교되는 관계에 있는 것
㉣ 전기 또는 자연에 있는 에너지를 쓰기 위하여 기계적인 에너지로 바꾼 것
㉤ 기계 제작 따위에서, 그 목적에 따라 실제적인 계획을 세워 도면 따위로 명시하는 일

어휘·어법 확장

'개발'와 '계발'의 차이

영국의 한 회사는 날개 없는 선풍기를 개발했다.

개발		계발
「1」 토지나 천연자원 따위를 개척하여 유용하게 만듦 「2」 지식이나 재능 따위를 발달하게 함 「3」 산업이나 경제 따위를 발전하게 함 「4」 새로운 물건을 만들거나 새로운 생각을 내어놓음 → '기술, 경제, 책, 제품, 국토, 인력' 등 주로 물질적인 것을 가리키는 말들과 어울린다.		슬기나 재능, 사상 따위를 일깨워 줌 예 상상력 계발 / 자기 계발 → '능력, 재질, 재능' 등 인간에게만 속성이 있는 말들에 국한되어 어울린다.

➡ 두 단어는 어떤 상태를 개선해 나간다는 점에서 의미가 공통적이다. 그러나 단지 상태를 개선해 나간다는 의미만 있는 '개발'에 비해, '계발'은 잠재되어 있는 속성을 더 나아지게 한다는 의미가 있다. '능력'이 전혀 없지만 '개발'하겠다고 말할 수는 있어도, '계발'하겠다고 말하면 어색하게 느껴지는 이유도 이러한 의미 차이 때문이다.

다양한 색깔을 지닌 타악기

| 전국연합 기출 |

- 핵심어를 찾아보자.
- 문단별 중심 내용에 밑줄을 그어 보자.
- 핵심 내용을 구조적으로 재배열해 보자.

가 흔히 사람들은 ㉠타악기가 오케스트라 연주에서 현악기와 관악기가 내는 소리 사이의 공백을 메우는 정도의 역할을 한다고 생각한다. 하지만 러시아 태생의 음악가인 스트라빈스키는 타악기를 중요하게 생각하여, 혹독한 겨울을 나야 하는 러시아인들에게 생명 줄이나 다름없는 중앙난방 장치에 빗대었다.

나 사실 타악기야말로 가장 원초적이면서 다양한 색깔을 가진 악기다. 타악기에는 팀파니, 심벌즈, 실로폰, ㉡마림바, 차임벨 등 종류가 수없이 많아 그 특징을 일일이 나열하기가 어렵다. 심지어 손뼉을 쳐 소리를 내는 것도 타악기를 연주하는 것이라고 볼 수 있는데, 실제로 바비 맥퍼린이라는 재즈 연주자는 자신의 몸을 타악기처럼 두드려서 연주를 한다.

다 클래식 음악에서 가장 많이 사용되는 타악기는 팀파니(timpani)다. 팀파니는 급작스러운 충격을 표현하거나 분위기를 바꿀 때, 그리고 리듬을 반복할 때 사용된다. 그리고 팀파니는 페달을 사용하여 한 음에서 다른 음으로 미끄러지듯 연주할 수 있다. 큰북과 작은북은 음정을 조정할 수 없는 반면, 팀파니는 나사와 페달을 이용하여 음정을 자유롭게 표현할 수 있다. 정규 편성 오케스트라에는 3개의 팀파니가 사용되는데, 팀파니는 음악을 클라이맥스로 몰고 가는 데 빠질 수 없는 악기다. 팀파니가 적극적으로 사용된 작품으로는 하이든의 「놀람 교향곡」과 「팀파니 미사곡」이 있고, 베토벤의 「교향곡 9번」에서는 작품 전체에서 팀파니가 사용되고 있다.

▲ 팀파니

라 심벌즈(cymbals)는 중앙에 손잡이 줄을 매는 돌기가 나와 있으며, 양쪽 가장자리만 서로 닿아 소리가 나도록 하기 위해 가장자리 쪽으로 갈수록 두께를 얇게 만든다. 심벌즈는 오케스트라 연주의 클라이맥스 부분에서 팀파니만큼이나 중요한 역할을 한다. 하지만 어떤 경우에는 겨우 몇 마디만을 연주하고 끝나는 때도 있다. 브루크너의 「교향곡 8번」 같은 경우 90분이 넘는 연주 시간에서 심벌즈는 겨우 3초 정도만 연주한다. 이 3초를 위해 심벌즈 연주자는 연주 내내 긴장하고 있어야 한다. 만약 방심해서 1초라도 빗나가는 순간 모든 연주가 물거품이 되기 때문이다. 그래서인지 심벌즈 연주자는 시간을 정확하게 맞추려는 강박 관념에 시달리는 경우가 많다고 한다.

- **공백**: 어떤 일의 빈구석이나 빈틈
- **태생**: 어떠한 곳에 태어남
- **스트라빈스키**: 러시아 태생의 미국 작곡가(1882~1971). 현대 음악의 새로운 장을 연 신고전주의 작곡가로 평가받고 있다. 작품에 발레곡 「불새」, 「페트루시카」, 「봄의 제전」 따위가 있다.
- **원초적**: 일이나 현상이 비롯하는 맨 처음이 되는 것
- **클라이맥스**: 흥분, 긴장 따위가 가장 높은 정도에 이른 상태
- **돌기**: 뾰족하게 내밀거나 도드라짐. 또는 그런 부분
- **브루크너**: 오스트리아의 작곡가(1824~1896). 고전파와 낭만파의 기악곡 형식을 깊이 이해하였고, 바그너에 심취하였다. 작품에 「관현악 5중주곡」, 「제7교향곡」 따위가 있다.

• 정답과 해설 49쪽

마 실로폰(xylophone)은 길이가 다른 나무 막대를 실로폰 채로 두드려 음정을 만들어 내고, 두드리는 속도를 조절하여 박자를 만들어 내는 악기이다. 실로폰은 소리가 건조하고 울림이 오래가지 않기 때문에 빠른 연주 작품에 더 잘 어울린다. 반면 실로폰의 외형과 매우 흡사한 마림바(marimba)는 음판 밑에 공명관이 붙어 있어 음향이 실로폰보다 훨씬 더 부드럽고 울림이 오래간다. 하지만 소리가 부드러운 반면 약하기 때문에 마림바는 오케스트라 연주에서는 자주 사용되지 않고, 주로 독주 악기로 사용된다.

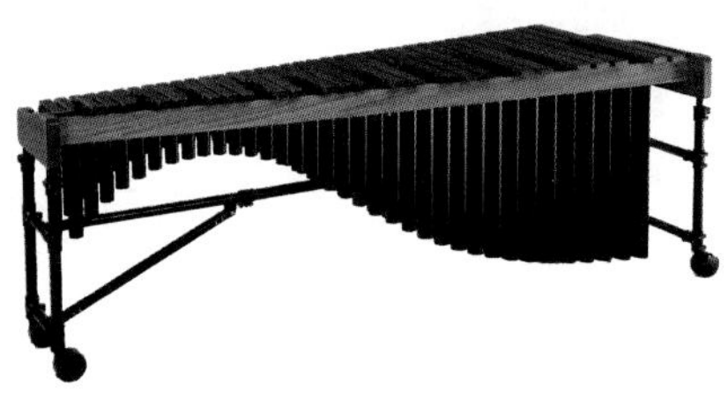
▲ 마림바

공명관: 공기를 공명시켜 음의 세기를 높이는 데 쓰는 관으로, 이를 이용하여 음파의 진동수를 잰다.

사실적 사고

1

수능형

(가)~(마)의 서술상 특징으로 적절하지 않은 것은?

① (가): 대상의 중요성을 강조하기 위해 비유적으로 표현하고 있다.
② (나): 대상의 종류를 보여 주기 위해 구체적으로 열거하고 있다.
③ (다): 대상의 특성을 분명하게 드러내기 위해 다른 대상과 견주고 있다.
④ (라): 대상의 성격을 뚜렷하게 드러내기 위해 예를 들어 설명하고 있다.
⑤ (마): 대상의 속성을 효과적으로 제시하기 위해 하위 요소를 분류하고 있다.

비판적 사고

2

윗글을 이해한 오케스트라 단원들의 대화 내용으로 적절한 것은?

① 큰북처럼 음정 조절이 자연스럽게 작은북도 연습해야겠어.
② 감미로운 분위기를 좀 더 살리려면 팀파니로 리듬을 반복해야겠어.
③ 이번 작품은 빠른 연주가 가능할 것 같으니 실로폰을 사용해야겠어.
④ 마림바로 오케스트라 연주의 클라이맥스 부분을 확실하게 표현해야겠어.
⑤ 양쪽 가운데 부분이 서로 닿아 소리가 나도록 심벌즈 연주에 변화를 줘야겠어.

어휘·어법

3

두 단어의 의미 관계가 ㉠ : ㉡과 가장 유사한 것은?

① 집 : 한옥
② 서점 : 책방
③ 조상 : 후손
④ 안경 : 안경테
⑤ 세모꼴 : 삼각형

1 이 글의 핵심 화제를 살펴보자.

(　　　　　)의 종류와 특성

2 각 문단별 중심 내용을 정리해 보자.

3 핵심 내용을 구조화해 보자.

타악기의 종류와 특성

팀파니	(　　　　　)	실로폰, 마림바
• 급작스러운 충격을 표현하거나 분위기를 바꿀 때, (　　　　　)을 반복할 때 사용함 • 나사와 페달을 이용하여 (　　　　　)을 자유롭게 표현함	• 양쪽 가장자리만 서로 닿아 소리가 나도록 하기 위해, 가장자리 쪽으로 갈수록 심벌즈의 두께가 (　　　　　) • 몇 마디만을 연주하고 끝나는 경우도 있음	• 실로폰: 소리가 건조하고 울림이 오래가지 않아, (　　　　　) 연주 작품에 더 잘 어울림 • 마림바: 음판 밑에 (　　　　　)이 있어 음향이 실로폰보다 부드럽고 울림이 오래가는 반면, 소리가 약해 주로 독주 악기로 사용함

어휘력 테스트

1 **제시된 뜻과 예문을 참고하여 다음 초성에 해당하는 단어를 괄호 안에 써 보자.**

(1) ㅌ ㅅ : 어떠한 곳에 태어남

예 그는 한국 (　　　　)의 러시아 문학가이다.

(2) ㅇ ㅊ ㅈ : 일이나 현상이 비롯하는 맨 처음이 되는 것

예 이 소설은 추위와 배고픔의 (　　　　) 한계를 극복하는 인간의 의지를 그려 냈다.

(3) ㅇ ㅎ : 사물의 겉모양

예 이 집은 (　　　　)만 화려한 것이 아니라 실속 또한 대단하다.

2 **다음 〈보기〉의 뜻을 참고하여 십자말풀이를 완성해 보자.**

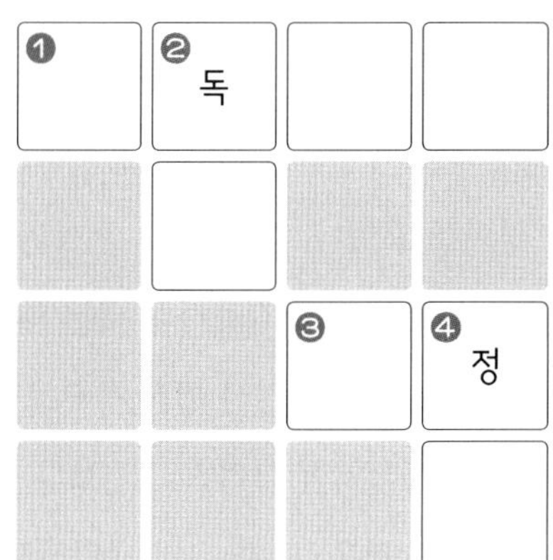

보기

❶ 가로: 몹시 심하다.
❷ 세로: 한 사람이 악기를 연주하는 것
❸ 가로: 높이가 다른 두 음 사이의 간격
❹ 세로: 정식으로 된 규정이나 규범

어휘·어법 확장

'수'와 '-ㄹ수록'의 띄어쓰기

• 팀파니는 나사와 페달을 이용하여 음정을 자유롭게 표현할 수 있다.
• 심벌즈(cymbals)는 ~ 가장자리 쪽으로 갈수록 두께를 얇게 만든다.

수	어미 '-은', '-는', '-을' 뒤에 쓰여 어떤 일을 할 만한 능력이나 어떤 일이 일어날 가능성을 나타내는 의존 명사이다. 의존 명사는 혼자 쓰이지 못하지만, 문법적으로 하나의 독립적인 단어이기 때문에 항상 앞말과 띄어 써야 한다.
-ㄹ수록	앞 절 일의 어떤 정도가 그렇게 더하여 가는 것이, 뒤 절 일의 어떤 정도가 더하거나 덜하게 되는 조건이 됨을 나타내는 연결 어미이므로, 용언의 어간에 붙여 써야 한다. 즉 위에 제시된 예문과 같이 '가다'의 어간 '가-'에 붙여 써야 한다.

빈센트 반 고흐

▲ 빈센트 반 고흐, 「까마귀가 나는 밀밭」(1890)

- 핵심어를 찾아보자.
- 문단별 중심 내용에 밑줄을 그어 보자.
- 핵심 내용을 구조적으로 재배열해 보자.

가 ㉠'나의 그림은 내가 말할 수 없는 것을 보여 준다.' 이 말만큼 빈센트 반 고흐(Vincent van Gogh, 1853~1890)가 추구한 예술의 진실을 압축하는 말은 없다. 고흐의 예술 세계는 말로 설명하기 어려운 그의 정서와 감성을 대변한다. 고흐의 그림에는 누구의 이야기도 아닌 고흐 자신의 이야기가 있다. 그것도 몇 마디 말로는 설명 불가능한, 어쩌면 말로는 표현할 수 없는, 그러나 소통하고 싶은 그 무엇인가가 있다. 누구나 우는 사람의 모습은 그릴 수 있다. 그러나 울고 싶은 마음을 어떻게 그릴 수 있을까? 그 대답은 고흐만이 해 줄 수 있을 것이다.

나 고흐 그림의 특징인 보색 대비와 형태 왜곡은 인상주의 화가들의 영향을 받은 것이다. 무엇보다도 그는 정제되고 이상적인 색채 사용이라는 모범 답안을 찢어 버린 동시대 진보적 화가들에게 경의를 표했다. 그가 그린 두꺼운 물감 덩어리의 작품들을 보고 있으면, 금방이라도 화가가 미친 듯이 절규하며 나는 왜 이렇게 살아야 하냐고 소리를 지를 것만 같다. 그의 인생은 간질과 정신 발작 등으로 얼룩져 어떤 식으로 이야기를 들어도 쓸쓸하다. 반듯하게 사실처럼 그려진 그림보다 하나도 실재를 닮지 않은 그의 그림이 더 현장감이 느껴지는 것은, 그가 그의 답답해서 미칠 것 같았던 자신의 고독과 절망을 그림 속에 고스란히 그려 넣었기 때문일 것이다.

다 고흐의 그림은 물감 덩어리를 조화롭게 배열한 그림에 대놓고 시위라도 하는 듯하다. 그의 그림은 팔레트에 물감을 짜지 않고 캔버스에 그대로 물감을 대고 짠 것처럼 질감이 도드라진다. 과장해서 말하면 마치 평평한 면에 도드라지게 새겨진 조각을 보는 것처럼 화면에 물감 덩어리들이 들쑥날쑥 붙어 있다. 이 정도의 물감을 사용했다면 어지간한 재력이 있는 화가들도 물감값을 감당하기 힘들었을 것 같다. 그래서 고흐는 늘 신세만 지던 동생 테오에게 "언젠가는 내 그림값이 물감값 이상의 가격에 팔릴 날이 있을 거야."라는 내용의 편지를 쓴 모양이다.

라 개신교 목사의 아들로 태어나 한때 성직자의 길을 걷기도 했지만 지나치게 이상적인 그의 태도는 종교계에서 별로 환영받지 못했다. 이후 이런저런 일을 전전하다가 선택한 화가라는 직업도 역시 큰 벌이를 하지 못하여 동생 테오의 도움으로 간신히 입에 풀칠을 하고 살았다. 언젠가는 동생에게 진 빚을 갚을 수 있을 것이라고 생각한 고흐는 10년 남짓 화가 생활을 하면서 무려 800여 점이나 되는 작품을 남길 만큼 계속 그림만 그렸다.

- **대변한다**: 어떤 사실이나 의미를 대표적으로 나타낸다.
- **보색**: 다른 색상의 두 빛깔이 섞여 하양이나 검정이 될 때, 이 두 빛깔을 서로 이르는 말
- **경의**: 존경하는 뜻
- **실재**: 실제로 존재함
- **전전하다가**: 이리저리 굴러다니거나 옮겨 다니다가

마 우울하고 외곬인 ⓐ성격으로 인해 사람을 그리워하면서도 막상 다가가는 것에는 늘 서툴렀던 고흐는 스스로를 치료하기 위해 그림을 그렸고, 또 한편으로는 그 그림으로 인해 미쳐 갔다. 경제적 압박감을 호소하는 동생 테오의 편지를 받은 고흐는 동생에 대한 미안함으로 극심한 절망에 휩싸였다. 죽기 직전 병원에서 잠시 깨어난 그가 "인생이 이렇게 슬픈 것인 줄을 누가 믿겠는가?"라고 한 말은 우리들의 심금을 다시 한번 울린다.

- **외곬**: 단 하나의 방법이나 방향
- **심금**: 외부의 자극에 따라 미묘하게 움직이는 마음을 비유적으로 이르는 말

1

수능형

윗글로부터 알 수 있는 사실이 아닌 것은?

① 고흐가 그림을 그리던 당시는 물감의 가격이 매우 비쌌다.
② 고흐는 자신의 마음을 나눌 수 있는 친구들이 많지 않았다.
③ 고흐의 그림은 당시 사람들에게 상업적으로 인정받지 못했다.
④ 고흐는 동시대 화가들과는 다른 독창적인 그림 세계를 창출하였다.
⑤ 고흐는 동생의 도움을 받는다는 사실에 대해 부담감을 가지고 있었다.

2

㉠의 입장을 뒷받침할 수 있는 명언으로 가장 적절한 것은?

① 예술은 사람의 마음으로부터 일상생활의 먼지를 털어 준다. – 피카소
② 완벽한 예술가란 나면서부터의 소질보다 수업에 힘입는 바가 크다. – 괴테
③ 자연이 예술을 아쉬워하는 일은 결코 없다. 예술은 자연 모습의 복사물이기 때문이다. – 아우렐리우스
④ 예술은 우리가 도달한 최고, 최상의 감성을 다른 사람에게 전하는 것을 목적으로 삼는 인간 활동이다. – 톨스토이
⑤ 예술은 일종의 간접적인 고백이다. 모든 예술가들은 생존하고 투쟁하기 위해서 자신의 모든 얘기와 자신이 안고 있는 모든 고뇌를 들려주지 않으면 안 되는 것이다. – 제임스 볼드윈

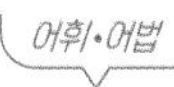

3

ⓐ의 '으로'와 쓰임이 가장 가까운 것은?

① 나는 광화문으로 발길을 돌렸다.
② 모임 날짜를 이달 중순으로 정했다.
③ 영수는 게임 동호회 회원으로 가입하였다.
④ 그렇게 얌전하던 학생이 악동으로 변했다.
⑤ 어머니는 가난으로 학교를 중간에 그만두셨다.

1 **이 글의 핵심 화제를 살펴보자.**

(　　　　)의 예술 세계와 삶

2 **각 문단별 중심 내용을 정리해 보자.**

3 **핵심 내용을 구조화해 보자.**

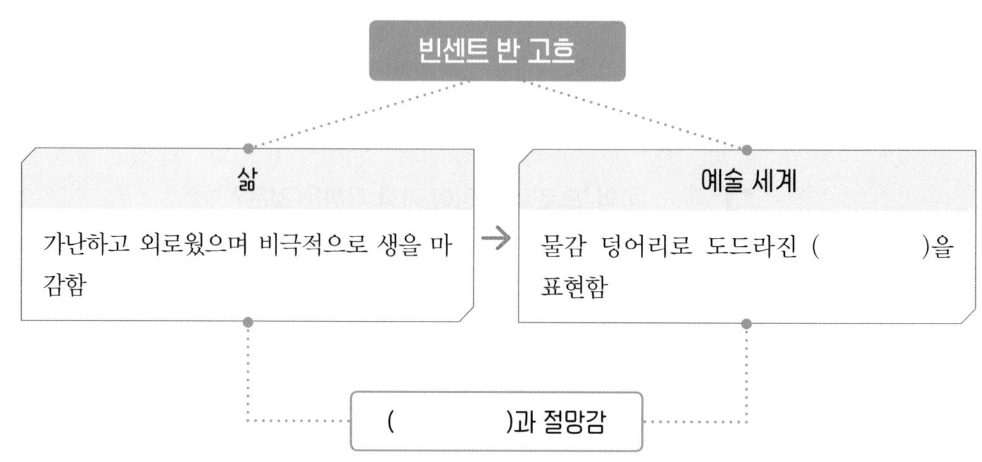

어휘력 테스트

• 다음 괄호 안에 들어갈 단어의 뜻을 〈보기〉에서 골라 기호를 써 보자.

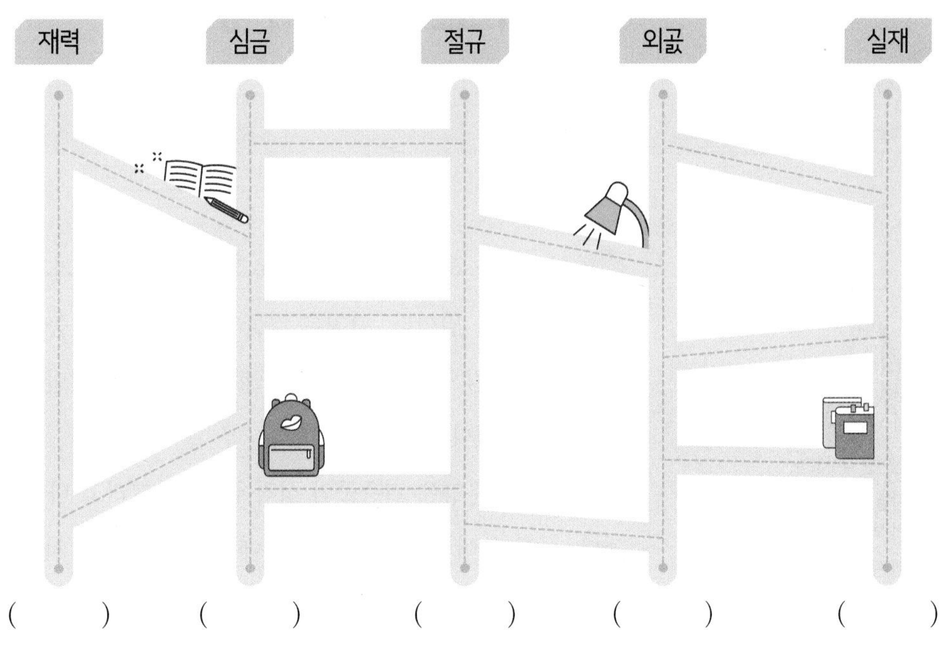

( ) ( ) ( ) ( ) ( )

보기

㉠ 실제로 존재함
㉡ 단 하나의 방법이나 방향
㉢ 재물의 힘. 또는 재산상의 능력
㉣ 있는 힘을 다하여 절절하고 애타게 부르짖음
㉤ 외부의 자극에 따라 미묘하게 움직이는 마음을 비유적으로 이르는 말

어휘·어법 확장

'입'과 관련한 관용 어구

동생 테오의 도움으로 간신히 입에 풀칠을 하고 살았다.
↳ '근근이 살아가다.'의 의미

입에 풀칠하다	근근이 살아가다. 예 이 월급으로는 입에 풀칠하기도 어렵다.
입에 거미줄 치다	가난하여 먹지 못하고 오랫동안 굶다. 예 설마 산 입에 거미줄 치겠어?
입(을) 모으다	여러 사람이 같은 의견을 말하다. 예 과식은 건강을 해친다고 의사들은 입을 모아 말했다.
입만 살다	실천은 하지 않고 말만 그럴듯하게 잘한다. 예 저 친구는 입만 살았지 제대로 하는 일이 없어.
입만 아프다	여러 번 말하여도 받아들이지 아니하여 말한 보람이 없다. 예 말해 봐야 내 입만 아프다.
입에 발린(붙은) 소리	마음에도 없이 겉치레로 하는 말 예 입에 발린 소리를 잘하는 그의 말을 모두 믿지는 마라.
입에 침이 마르다	다른 사람이나 물건에 대하여 거듭해서 말하다. 예 친구는 입에 침이 마르도록 동생을 칭찬했다.

단청에 사용된 다채로운 기법들

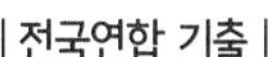
| 전국연합 기출 |

가 단청이라 하면 일반적으로 목조 건물에 여러 가지 색으로 무늬를 그려 아름답게 장식하는 것을 말한다. 단청은 건물의 보존 효과를 높이기 위해서 시작되었는데, 이후 여러 가지 색감으로 문양을 더함으로써 보존 효과뿐만 아니라 장식성과 상징적 의미도 부여하게 되었다.

나 단청의 문양은 건축물의 성격에 따라, 그리고 나타내고자 하는 의미에 따라 달라진다. 예를 들어 봉황은 주로 궁궐에만 사용되었고, 사찰에는 주로 불교적 소재들이 문양으로 사용되었다. 또 극락왕생의 의미를 나타낼 때는 연꽃 문양을 그리고, 자손의 번창을 나타낼 때는 박쥐 문양을 그렸다.

다 단청은 붉은색을 의미하는 '단(丹)'과 푸른색을 의미하는 '청(靑)'을 결합하여 만든 단어이다. 이처럼 상반된 색을 뜻하는 두 글자가 결합된 ㉠'단청(丹靑)'은 대비되는 두 색의 조화로운 관계를 의미한다.

하지만 단청에서 붉은색과 푸른색만을 쓴 것은 아니었다. 단청은 오방색을 기본으로 하여 채색하는데, 여기서 오방색이란 오행의 각 기운과 직결된 청(靑), 백(白), 적(赤), 흑(黑), 황(黃)의 다섯 가지 기본색을 말한다. 단청을 할 때에는 이 오방색을 적절히 섞어 여러 가지 다른 색을 만들어 썼는데, 이 색들을 적색 등의 더운 색 계열과 청색 등의 차가운 색 계열로 구분하여 사용하였다.

라 단청의 가장 대표적인 기법으로는 '빛 넣기', '보색 대비', '구획선 긋기' 등이 있다.

빛 넣기는 문양에 백색 분이나 먹을 혼합하여 적절한 명도 변화를 주는 것으로, 한 계열에서 명도가 가장 높은 단계를 '1빛', 그보다 낮은 단계는 '2빛' 등으로 말한다. 빛 넣기를 통한 문양의 명도 차이는 시각적 율동성을 이끌어 내어 결과적으로 단순한 평면성을 탈피하는 시각적 효과를 얻을 수 있다. 즉 명도가 낮은 빛은 물러나고 명도가 높은 빛은 다가서는 듯한 느낌을 주게 된다.

보색 대비는 더운 색 계열과 차가운 색 계열을 서로 엇바꾸면서 색의 층을 조성함으로써 색의 조화를 이끌어 내는 것을 말한다. 예를 들어 오색구름 문양을 단청할 때 더운 색과 차가운 색을 엇바꾸면서 대비시키는 방법이 그것인데, 이것을 통해 색의 조화를 이끌어 낼 수 있으며 문양의 시각적 장식 효과를 더욱 높일 수 있다.

구획선 긋기는 색과 색 사이에 흰 분으로 선을 긋는 것을 말하는데, 특히 보색 대비가

- 핵심어를 찾아보자.
- 문단별 중심 내용에 밑줄을 그어 보자.
- 핵심 내용을 구조적으로 재배열해 보자.

- **목조**: 건물의 주요 뼈대를 나무로 짜 맞추는 구조
- **문양**: 무늬의 생김새
- **봉황**: 예로부터 중국의 전설에 나오는, 상서로움을 상징하는 상상의 새
- **극락왕생(極樂往生)**: 죽어서 극락에 다시 태어남
- **상반된**: 서로 반대되거나 어긋나게 된
- **오행**: 우주 만물을 이루는 다섯 가지 원소. 금(金) · 수(水) · 목(木) · 화(火) · 토(土)를 이른다.
- **명도**: 색의 밝고 어두운 정도. 색의 삼요소 가운데 하나이다.
- **탈피하는**: 일정한 상태나 처지에서 완전히 벗어나는

일어나는 색과 색 사이에는 빠짐없이 구획선 긋기를 한다. 이 기법을 사용하면 문양의 색조를 더욱 두드러지게 하는 효과를 얻을 수 있다.

마 이러한 빛 넣기와, 보색 대비 그리고 구획선 긋기 등의 기법을 활용하여 시각적 단층을 형성함으로써 단청의 각 문양은 전체적으로 안정감을 얻게 된다.

사실적 사고

1 **윗글의 내용과 일치하지 않는 것은?**

① 단청은 오방색을 기본으로 하여 채색한다.
② 단청의 명도 조절에는 백색 분이나 먹을 사용한다.
③ 단청은 건축물의 보존 효과를 높이기 위해 시작되었다.
④ 건축물의 성격에 따라 그려지는 단청의 문양은 다르다.
⑤ 단청에서는 주변 경관과의 조화를 위해 구획선 긋기를 사용한다.

비판적 사고

2 수능형

윗글을 바탕으로 〈보기〉를 이해한 내용이 적절하지 않은 것은?

보기

〈연꽃 문양 단청 도안〉

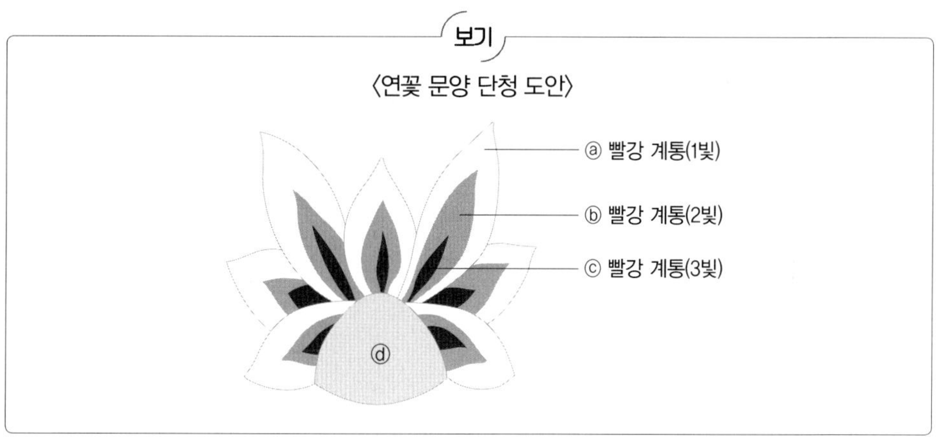

① ⓐ와 ⓑ의 보색 대비를 통하여 문양의 색조는 더욱 두드러지겠군.
② ⓒ는 ⓐ에 비해 보는 사람 입장에서 물러나는 듯한 느낌을 받을 수 있겠군.
③ ⓐ, ⓑ, ⓒ는 명도에 변화를 주는 것으로 문양의 시각적 율동성을 이끌어 내는 효과가 있겠군.
④ 보색 대비가 이루어지도록 하기 위해서는 ⓓ에 청색 계통의 색을 칠해야겠군.
⑤ 〈보기〉의 문양이 건축물에 단청이 되었을 경우 극락왕생이라는 상징적 의미를 더하는 효과가 있겠군.

어휘·어법

3 **㉠의 의미와 가장 유사한 한자 성어는?**

① 수화불통(水火不通)
② 와신상담(臥薪嘗膽)
③ 금슬상화(琴瑟相和)
④ 오비이락(烏飛梨落)
⑤ 유유상종(類類相從)

1 이 글의 핵심 화제를 살펴보자.

단청의 개념과 기능 및 대표적인 (　　　　) 세 가지

2 각 문단별 중심 내용을 정리해 보자.

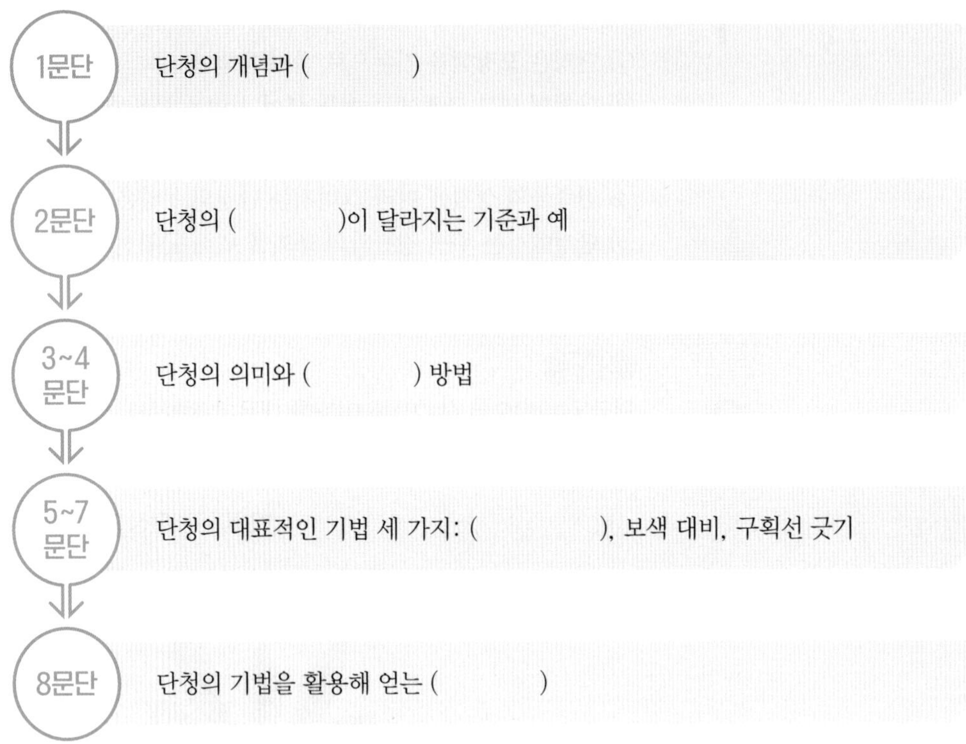

3 핵심 내용을 구조화해 보자.

단청
- 개념: 목조 건물에 여러 가지 색으로 무늬를 그려 아름답게 장식하는 것
- 기능: 건물의 (　　　　) 효과, 장식성, 상징적 의미 부여
- 채색: (　　　　)을 적절히 섞어 여러 가지 다른 색을 만들어 씀

단청의 기법 ①: 빛 넣기
- 문양에 백색 분이나 먹을 혼합하여 적절한 (　　　　) 변화를 주는 것
- 시각적 율동성을 이끌어 내어 (　　　　)을 탈피하는 시각적 효과

단청의 기법 ②: 보색 대비
- (　　　　) 색 계열과 (　　　　) 색 계열을 서로 엇바꾸면서 색의 층을 조성함으로써 색의 조화를 이끌어 내는 것
- 시각적 장식 효과

단청의 기법 ③: 구획선 긋기
- 색과 색 사이에 흰 분으로 선을 긋는 것
- 문양의 (　　　　)를 더욱 두드러지게 하는 효과

어휘력 테스트

1 다음 단어의 뜻을 참고하여 끝말잇기를 완성해 보자.

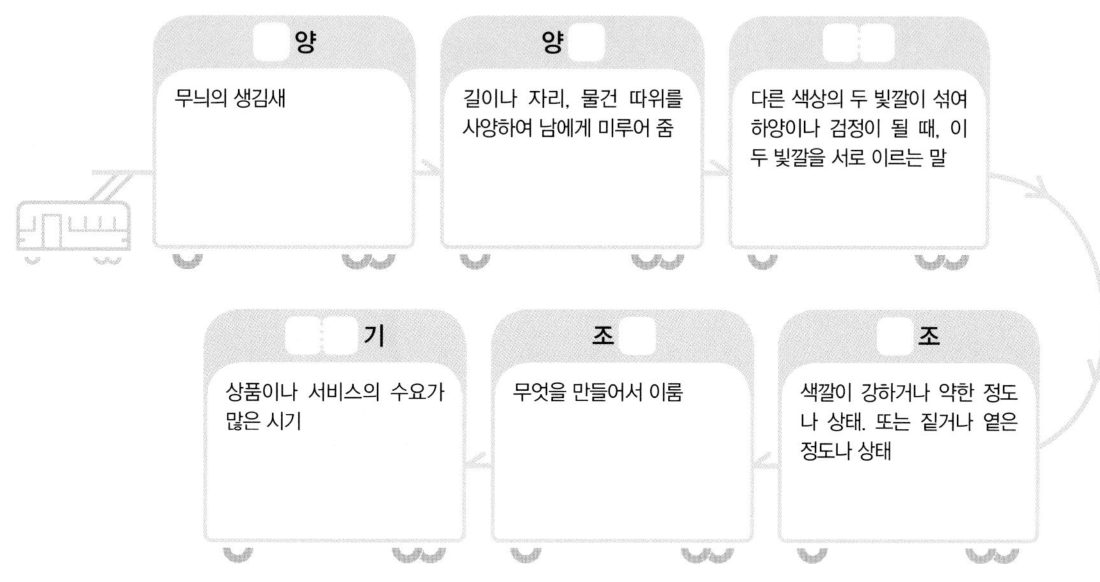

2 다음 단어를 활용하기에 적절한 문장을 찾아 바르게 연결해 보자.

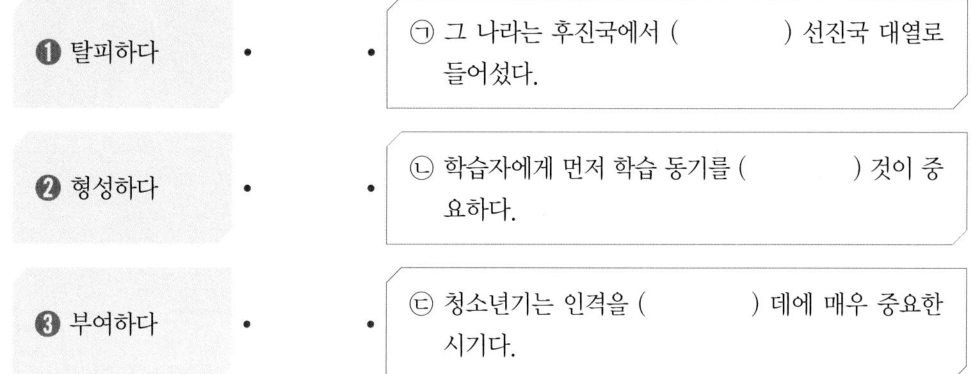

❶ 탈피하다 •　　• ㉠ 그 나라는 후진국에서 (　　　　) 선진국 대열로 들어섰다.

❷ 형성하다 •　　• ㉡ 학습자에게 먼저 학습 동기를 (　　　　) 것이 중요하다.

❸ 부여하다 •　　• ㉢ 청소년기는 인격을 (　　　　) 데에 매우 중요한 시기다.

어휘·어법 확장

조사 '도'의 여러 가지 용법

여러 가지 색감으로 문양을 더함으로써 보존 효과뿐만 아니라 장식성과 상징적 의미도 부여하게 되었다.
'이미 어떤 것이 포함되고 그 위에 더함의 뜻을 나타내는 보조사'로 쓰임

「1」 이미 어떤 것이 포함되고 그 위에 더함의 뜻을 나타내는 보조사 예 밥만 먹지 말고 반찬도 먹어라.
「2」 양보하여도 마찬가지로 허용됨을 나타내는 보조사 예 오늘까지 어려우시면 내일까지도 괜찮습니다.
「3」 극단적인 경우까지 양보하여, 다른 경우는 더 말할 필요도 없이 그러하다는 뜻을 나타내는 보조사
예 개미 새끼 한 마리도 얼씬거리지 못하게 해라.
「4」 보통이 아니거나 의외의 경우에, 예외성이나 의외성을 강조하는 데 쓰이는 보조사 예 너는 신문도 안 읽니?
「5」 놀라움이나 감탄, 실망 따위의 감정을 강조하는 데 쓰이는 보조사 예 성적이 그렇게도 중요한가?

독해 성취도 평가

- 독해 성취도 평가 1회
- 독해 성취도 평가 2회
- 독해 체크리스트

독해 성취도 평가 1회

제한 시간: 45분

[01~04] 다음 글을 읽고, 물음에 답하시오.

(가) 옛날 어른들은 아이들이 두통이 있을 때 그 원인을 몸에서 찾지 않고 마음에서 찾아낸 경우가 많았다. 즉 나쁜 마음을 먹었기 때문에 두통이 있게 된 것이라고 믿은 것이다. 그 옛날 우리 조상들은 '어딘가가 아프다는 것은 바르지 않은 마음씨나 그 마음씨에서 ㉠야기된 행실의 소치'라는 심인설(心因設)을 믿고 있었으며, 그것이 민중의 보편적인 사고방식으로 ㉡정착돼 있었다. 이는 곧 마음을 바로 가져야 건강이 유지된다는 건강관이라고 할 수 있다. 비단 병뿐만이 아니라 일신의 재난이나 불행도 그의 행실이 인과가 되어 보응(報應)하는 것으로 믿었다. 그래서 제 명대로 살지 못하고 일찍 죽으면 병들어 죽었다고 생각하지 않고, 그 사람이 조강지처를 구박했다거나 혹은 심하게 빚 독촉을 했기 때문일 것이라느니 또는 조상의 제사를 소홀히 한 탓일 것이라는 등 그 인과를 찾아 응보로써 합리화시키곤 했던 것이다.

(나) 명종 때 홍계관이라는 점쟁이가 있었는데 그의 예언치고 맞지 않는 것이 없다 할 만큼 소문이 나 있었다. 그는 당시 영의정이던 상진(尙震) 대감의 명수를 예언하여 몇 년 몇 월 며칠에 운명할 것이라 했다. 상진 대감은 이날에 맞추어 인생을 정리하고 조용히 죽음을 기다리는데 죽지를 않았다. 대감은 홍계관을 불러다가 예언한 명수가 맞지 않는 이유를 ㉢추궁하였다. 그러자 홍계관은 아마도 자신이 알지 못한 음덕(陰德)을 베푼 일이 있어 그 응보로 목숨이 연장된 것일 거라고 하면서 그 음덕을 떠올려 보기를 권했다. 이에 상진 대감은 그가 말단직에 있었을 때, 숙직하고 돌아오는 길에 대전 수라간에서 쓰던 금잔을 주웠던 일을 떠올렸다. 그 금잔은 대전 수라간의 별감이 자기 자녀의 혼사에 쓰려고 몰래 갖고 나왔다가 잃어버린 물건으로, 이 사실이 들통나면 목숨을 잃을 만한 큰일이었다. 그 금잔을 주운 후 남몰래 ㉣수소문하여 별감에게 돌려주었던 일이 있었다고 설명하자 홍계관은 무릎을 치며 그만한 음덕이라면 앞으로 15년은 더 살겠다고 예언했고 이 예언은 들어맞았다.

(다) 마음을 바르고 착하게 써야 건강해진다는 심인설은 현대 의학으로도 입증되고 있으니 옛사람들의 심인설이 새삼스럽기만 하다. 사람이 놀라면 얼굴만 새파래지는 것이 아니라 위벽도 새파래진다고 한다. 곧 어떤 심적인 스트레스를 강하게 받으면 육체에서는 자율 신경이 움직여 이 변화에 ㉤대응하려 든다. 이때 자율 신경의 말초에서 카테콜아민이라는 물질이 분비되어 말초 혈관을 수축시킨다. 그렇게 되면 모세 혈관의 혈액 순환이 나빠지고 피가 안 통하게 되어 얼굴이나 위의 혈색이 새파래질 수밖에 없는 것이다. 위벽의 혈행이 나빠지면, 쇠도 녹인다는 그 강력한 위산에 대한 위 점막의 저항력이 약해지게 되어 점막을 해치고 점막 뒤에 있는 근육까지 해치게 된다. 바로 이것이 위염이요 위궤양인 것이다. 이는 마음과 몸의 건강이 어느 정도 밀접한 관계를 맺고 있는지를 보여 주는 것이다. 이를 통해 마음을 곱고 편하게 갖는 것이 양생의 기본이라는 우리 조상들의 가르침이 진정한 과학이었다 할 수 있다.

- **보응**: 착하거나 악한 일이 그 원인과 결과에 따라 대갚음을 받음
- **카테콜아민**: 아미노산 타이로신에서 유도되어 호르몬이나 신경 전달제로 작용하는 화합물을 통틀어 이르는 말
- **양생**: 병에 걸리지 아니하도록 건강 관리를 잘하여 오래 살기를 꾀함

01 윗글의 '심인설'에 대한 글쓴이의 관점으로 가장 적절한 것은?

① 심인설은 합리적이지 않은 사회적 통설이다.
② 심인설은 세계 보편적인 건강관으로 인정받아야 한다.
③ 심인설은 현대인의 삶의 지침이 되는 중요한 요소이다.
④ 심인설은 과거에 중요시되었지만 현대의 삶에 적용하기에는 한계가 있다.
⑤ 심인설은 우리 민족의 지혜가 담겨 있을 뿐 아니라 어느 정도 합리성을 지니고 있다.

02 윗글의 '심인설'을 적용한 사례로 가장 적절한 것은?

① 발을 잘못 디뎌 발목을 삐었을 때, 어머니께서 따뜻한 물로 찜질을 해 주셨다.
② 머리가 띵하고 깨질 듯이 아파서 보건실에 갔더니, 선생님께서 귀에 이상이 있는지를 살펴보셨다.
③ 할머니께서 무릎이 시큰거리신다고 하시며, 오늘 틀림없이 비가 올 것이니 우산을 챙겨 나가라고 하셨다.
④ 한 학급에서 10명의 아이들이 눈병에 걸리는 사태가 발생하자, 보건소에서 담당자들이 나와 아이들이 사용하는 물을 검사하였다.
⑤ 갑자기 배가 뒤틀리는 듯한 통증이 느껴져 배가 아프다고 했더니, 어머니께서 배를 어루만져 주시며 혹시 근심거리가 있느냐고 물으셨다.

03 윗글의 '심인설'과 〈보기〉의 '플라세보 효과'를 비교한 내용으로 가장 적절한 것은?

보기

'기쁘게 해 드리겠습니다.'라는 뜻의 라틴어 'placebo'를 어원으로 하는 '플라세보'는 실제로는 생리 작용이 없는 물질로 만든 약을 말한다. 즉, 어떤 약물의 효과를 시험하거나 환자를 일시적으로 안심시키기 위하여 투여하는 가짜 약이다. 플라세보를 썼을 때, 환자가 그것을 진짜 약으로 믿고 증상의 호전을 기대해 실제로 좋은 반응이 나타나는 일이 생기기도 하는데 이를 '플라세보 효과'라고 한다. 이러한 플라세보 효과는 약물학적 작용 또는 다른 어떤 직접적인 신체 작용의 이론으로 설명되지 않는다.

① 심인설과 플라세보 효과는 어떤 약물에 의해 효과를 얻어 낸다.
② 심인설과 플라세보 효과는 이미 일어난 결과를 합리화하는 이론이다.
③ 심인설과 플라세보 효과는 모두 몸의 건강과 마음이 매우 밀접한 관계가 있음을 나타낸다.
④ 육체적 질병의 원인을 마음으로 보고 있다는 점에서 심인설과 플라세보 효과는 공통점이 있다.
⑤ 현대 의학의 관점에서 심인설과 플라세보 효과가 인체 변화에 작용하는 과정은 부분적으로 해명되었다.

04 ㉠~㉤의 문맥적 의미를 고려하여 새 문장을 만들었을 때, 그 의미가 다른 것은?

① ㉠: 새로운 기술 개발로 사회적 변화가 야기되었다.
② ㉡: 결혼 이주 여성들의 안정적인 정착을 위한 제도가 마련되어야 한다.
③ ㉢: 그들은 사건 당사자들에게 근본적인 원인을 추궁하였다.
④ ㉣: 진시황은 전 세계를 수소문하였지만 끝내 불로초를 찾지 못하였다.
⑤ ㉤: 시련에 대응하는 자세는 사람에 따라 차이가 있을 수 있다.

[05~08] 다음 글을 읽고, 물음에 답하시오.

(가) 우리 민법은 계약을 맺기 위해 ㉠갖추어야 할 능력을 두 가지로 보고 있다. 한 가지는 자신의 의사로 판단하고 결정할 수 있는 의사 능력이다. 다른 한 가지는 행위 능력으로, 스스로 효력 있는 법률 행위를 할 수 있는 능력을 말한다. 예를 들면, 계약을 맺었을 때 효력이 발생하고 지속된다면 우리는 행위 능력이 있는 사람이라고 할 수 있다. 그런데 우리 민법에서는 "만 19세 미만인 사람을 미성년자라 칭하고 이에 미성년자는 단독으로 유효한 법률 행위를 할 수 없다."라고 ㉡규정하고 있다. 즉, 미성년자는 행위 능력이 없는 사람이며, 만 19세 이상이 되었을 때 스스로 계약을 맺을 수 있는 자격이 주어지는 것이다.

(나) 우리 민법에서는 원칙적으로 미성년자도 의사 능력이 있으면 법률 행위를 할 수 있으나, 그 법률 행위를 할 때에는 법정 대리인의 동의를 얻도록 하고 있다. 따라서 미성년자가 유효한 계약을 ㉢체결하기 위해서는 법정 대리인의 동의가 필요하다. 미성년자의 법정 대리인은 1차적으로 친권자, 즉 부모이다. 만약 부모가 없거나, 있지만 대리를 할 수 없는 경우에는 후견인이 법정 대리인이 된다. 후견인은 할머니, 삼촌, 고모 등의 친척이 될 수 있다. 그 외의 사람들도 법정 대리인이 될 수 있지만, 반드시 법적으로 신고된 사람이어야 한다.

다 또한 미성년자가 법정 대리인의 동의를 얻지 않고 한 계약은 일단 유효하지만, 그 효과를 원하지 않는다면 미성년자 본인, 또는 그의 법정 대리인이 ㉣취소할 수 있다. 법정 대리인이 계약 상대방에게 취소하겠다는 의사를 표시하면 계약 취소의 효력이 발생한다. 취소의 의사를 표시했는데도 계약 상대방이 그런 이야기를 들은 적이 없다고 주장할 경우에는 '내용 증명 우편 제도'를 이용한다. 내용 증명을 보내면, 우편을 통해 계약 상대방에게 취소의 의사 표시를 했다는 것이 객관적으로 증명되기 때문에 향후에 법적 분쟁의 소지를 줄일 수 있다.

라 그렇다면 왜 우리 법은 미성년자가 혼자서 계약하지 못하도록 하는 것일까? 우리 법은 미성년자를 특별히 보호해야 할 대상, 즉 사회적 약자로 보고 있다. 어른들보다 사회 경험이 적고 합리적으로 의사 결정을 할 수 있는 능력이 부족해서 자신에게 불리한 계약을 맺을 가능성이 높다고 보는 것이다. 따라서 미성년자가 손해를 보지 않도록 국가에서 특별히 보호하는 것이다.

마 한편 법은 미성년자와 거래한 상대방도 보호한다. 미성년자가 부모님의 동의 없이 계약을 맺을 때, 그 계약은 언제든지 취소될 수 있기 때문에 거래 상대방은 불안한 상태에 놓이게 된다. 이런 상황에서 거래 상대방을 보호하기 위해서 법은 거래 상대방에게 미성년자의 법정 대리인(단, 미성년자가 성년이 된 경우에는 성년이 된 미성년자)에게 문제의 행위를 취소할 것인지에 대한 확답을 ㉤요구할 수 있는 최고권, 상대방이 일정한 요건에 따라 미성년자와의 계약 효과를 부인할 수 있도록 하는 철회권과 거절권을 주고 있다.

05 윗글을 통해 알 수 있는 내용이 아닌 것은?

① 만 19세 이상의 성인은 자유롭게 계약할 수 있다.
② 거래 당사자 양쪽 모두 법에 의해 보호받을 수 있다.
③ 내용 증명은 법적 분쟁에서 증거로 활용될 수 있다.
④ 우리 법은 사회적 약자를 보호하기 위한 제도를 갖추고 있다.
⑤ 미성년자가 한 계약은 의사 표시 없이도 저절로 취소될 수 있다.

06 윗글의 집필 의도로 가장 적절한 것은?

① 어려운 법률 용어를 쉬운 말로 풀어서 계약의 대중화를 꾀한다.
② 일상에서 잘못된 행위와 관련된 법을 소개하여 독자를 일깨운다.
③ 실생활에서 유용한 법률적 지식을 전달하여 독자의 상식을 높인다.
④ 실생활과 법률적 해석 사이에 생기는 차이를 분석하고 그 해결책을 제안한다.
⑤ 법에 대한 이해 부족에서 발생하는 피해를 최소화하기 위해 다양한 제도를 소개한다.

07 윗글로 보아 법정 대리인의 동의가 필요한 경우로 보기 어려운 것은?

① 대학교 신입생 A군(만 18세)이 월세로 자취할 집을 계약하려는 경우
② 초등학생 B군(만 8세)이 아동복 회사의 광고 모델로 활동하려는 경우
③ 중학생 C양(만 15세)이 주말에 햄버거 가게에서 아르바이트를 하려는 경우
④ 중학생 D양(만 14세)이 스마트폰을 사서 이동 전화 서비스에 가입하려는 경우
⑤ 고등학생 E군(만 17세)이 부모님께 받은 상품권으로 백화점에서 운동화를 사려는 경우

08 ㉠~㉤ 중, 바꾸어 쓰기에 적절하지 않은 것은?

① ㉠: 장만해야
② ㉡: 제한하고
③ ㉢: 맺기
④ ㉣: 무를
⑤ ㉤: 청할

[09~12] 다음 글을 읽고, 물음에 답하시오.

가 누구나 비 온 뒤 하늘에 떠 있는 무지개를 본 적이 있을 것이다. 무지개는 예로부터 신비하고 신성한 존재로 인식되어 왔다. 먼 곳에서 아련하게 찬란한 색채를 자랑하며 나타났던 무지개는 고대 사람들에게 신비로운 선망의 대상으로 ⓐ여겨지기도 했다. 이 때문에 기상학 전문가 도널드 아렌스는 '무지개는 지구상에서 볼 수 있는 가장 환상적인 빛의 향연'이라고 표현하기도 했다.

나 무지개는 빛이 만들어 낸 예술이다. 따라서 그 생성 원리를 이해하기 위해서는 빛과 관련한 몇 가지 원리를 이해해야 한다. 그런데 놀랍게도 그 신비로움에 비하면 기본 원리는 매우 단순하다. 이를 위해서는 우선 빛의 굴절을 알아야 한다. 빛은 물이나 유리 같은 ㉠매질에 비스듬히 들어갈 때 방향이 바뀐다. 이는 물속에 있는 물건이 실제보다 더 높은 곳에 있는 것처럼 보이거나 수조에 손전등을 비출 때 그 빛이 꺾여 들어가는 모습에서 확인할 수 있다.

다 그렇다면 왜 이런 현상이 일어날까? 바퀴가 네 개 달린 모형 자동차를 생각해 보자. 도로와 잔디밭의 경계에서 자동차를 비스듬히 잔디밭 쪽으로 밀어 보자. 그러면 자동차는 똑바로 가다가 한쪽 바퀴가 잔디밭에 닿는 순간부터 방향이 바뀌기 시작한다. 잔디밭에 오른쪽 앞바퀴가 먼저 닿았다면 그 바퀴는 잔디의 저항 때문에 느려지고 자동차는 왼쪽 앞바퀴가 잔디밭에 닿을 때까지 오른쪽 방향으로 조금씩 움직일 것이다. 빛이 다른 종류의 매질 사이를 통과할 때도 비슷한 일이 일어난다. 도로에서 자동차가 잘 굴러가듯이 빛은 진공 중에서는 똑바로 진행한다. 하지만 자동차가 잔디밭을 지나는 경우와 마찬가지로 빛이 특정한 물질을 지나갈 때는 진공 상태와 다른 저항에 부딪혀 방향이 바뀌게 된다. 즉, 빛이 물질을 지날 때 먼저 닿는 쪽으로 빛의 경로가 바뀌게 되는 것이다. 경로가 얼마나 바뀌는지는 그 매질에서 빛이 얼마나 느려지는지에 의해 결정된다.

라 다음으로 빛의 분산에 대한 이해도 필요하다. 분산은 빛의 파장마다 각기 다른 굴절각을 가지는 것을 말한다. 프리즘에 빛을 통과시켜 보면 빛이 유리에 들어가면서 꺾어지는 것을 관찰할 수 있다. 그런데 빛이 프리즘을 통과하고 나면 단순히 경로만 바뀌는 것이 아니라 무지개처럼 일곱 빛깔의 무늬가 생긴다. 이것은 빛이 가지는 파장의 차이 때문이다. 결국 우리가 무지개를 볼 수 있는 것은 빛이 다양한 파장을 가지고 있기 때문인 것이다.

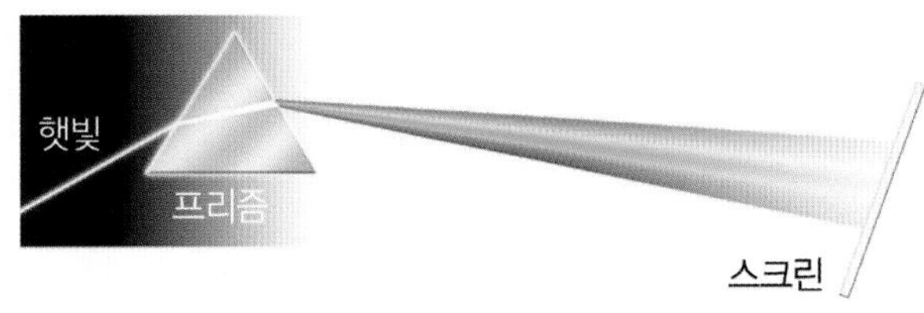

▲ 프리즘에서의 빛의 분산

마 따라서 무지개는 빛이 물방울에 굴절되어 들어가 내부에서 한 번의 전반사를 거치고 다시 분산되어 나와서 우리 눈에 들어오는 현상이라고 할 수 있다. 굴절과 분산의 과정을 거친 빛은 프리즘처럼 각 색이 분리되어 영롱한 빛깔의 무지개가 되는 것이다. 한편 무지개 생성에 있어 태양의 역할 또한 중요하다. 태양의 위치에 따라 우리가 바라보는 무지개의 선명도에 차이가 난다. 무지개가 가장 잘 보이는 태양의 위치는 대개 지상으로부터 낮게 떠 있을 때이다. 즉, 이때의 무지개가 가장 선명한 빛을 가져 아름답다고 할 수 있다.

- **매질**: 물체 사이에 작용하는 힘이 다른 쪽으로 이동할 때 그 작용을 전달하는 물질 또는 그 공간
- **전반사**: 반사율이 100%인 빛의 반사

09 윗글의 내용과 일치하지 않는 것은?

① 진공 상태의 빛은 굴절이 일어나지 않는다.
② 무지개는 빛의 원리를 통해 이해할 수 있다.
③ 과거의 사람들은 무지개를 신성한 것으로 여겼다.
④ 태양이 높이 떠 있을수록 더욱 선명한 무지개를 볼 수 있다.
⑤ 우리가 무지개의 여러 가지 색을 볼 수 있는 것은 빛의 분산과 관련이 있다.

10 (가)~(마)에 활용된 글쓰기 전략으로 적절하지 않은 것은?

① (가): 권위자의 견해를 인용하여 설명할 대상의 특징을 드러내자.
② (나): 실생활과 관련된 예시를 들어 원리를 설명하자.
③ (다): 유사한 상황을 사례로 들어 대상을 설명하자.
④ (라): 현상이 일어난 원인을 밝혀 원리를 설명하자.
⑤ (마): 다른 대상을 통해 현상의 부정적인 면을 드러내자.

11 (다)에서 ㉠과 유사한 기능을 하는 것은?

① 자동차
② 오른쪽 앞바퀴
③ 잔디
④ 왼쪽 앞바퀴
⑤ 도로

12 문맥상 ⓐ와 유사한 의미로 쓰이지 않은 것은?

① 우리는 그를 선배라고 여겨 본 적이 없다.
② 그녀는 노래 잘하는 사람을 늘 부럽게 여겨 왔다.
③ 나는 친구가 준 조약돌을 소중히 여겨 계속 간직하고 있다.
④ 얼핏 보니 아는 듯한 얼굴인데, 다시 여겨 살피니 그가 분명하다.
⑤ 그의 아버지는 그를 못마땅하게 여겨 툭 하면 소리를 지르곤 했다.

[13~16] 다음 글을 읽고, 물음에 답하시오.

(가) 지구는 오랫동안 지각 변동과 기후 변화를 겪어 왔다. 이러한 환경 변화 속에서 생명체들은 적응하여 살아남았고 이 과정에서 축적된 생명체들의 놀라운 능력은 끝이 없다. 과학자들은 ㉠"생물이야말로 혹독한 우주 환경에서 사용될 기술의 최적 모델로 활용될 수 있다."라고 입을 모은다. 이런 생명체들이 획득한 노하우를 모방해 인간 생활에 적용하려는 연구가 본격화되고 있다. 바로 생체 모방 공학(Biomimetics)이다. 생체 모방 공학은 '생체(Bio)'와 '모방(Mimetic)'의 합성어로 살아 있는 생물의 독특한 행동이나 구조, 그들이 만들어 내는 물질 등을 모방하여 전자, 기계, 항공 우주, 의학 등의 다양한 분야에서 새로운 기술을 만드는 학문이다.

(나) 홍합은 생물체 중에서 흡착력이 가장 센 것으로 알려져 있다. 홍합이 바위에 단단하게 붙어 있을 수 있는 것은 열 개의 °아미노산이 반복되어 결합해 있는 단백질 덕분이다. 국내 연구진은 홍합의 흡착 단백질을 활용해 다용도로 사용할 수 있는 °'하이브리드 접착제'를 개발하는 데 성공했다. 물에 젖을수록 더 강력한 접착력을 갖게 되는 홍합 접착제는 수술 후 상처 부위를 봉합하는 데 실 대신 사용할 수 있어 의학 분야에 혁명과 같은 변화를 몰고 왔다.

(다) 생체 모방 공학에서 가장 주목받는 것은 곤충이다. 곤충의 뇌신경 시스템이 척추동물보다는 상당히 단순한 구조이지만 기억이나 학습 능력 등에서는 고도의 기능을 갖고 있기 때문이다. 이 이유로 곤충은 로봇을 만드는 데 핵심 연구 대상으로 꼽힌다. 일본의 한 연구팀은 바퀴벌레가 움직일 때 더듬이에서 발생하는 미세한 전기 신호를 측정하였다. 연구팀은 이를 이용하여 울퉁불퉁한 곳에서도 똑바로 갈 수 있도록 설계된 로봇 '로보로치'를 만들었다. 이외에도 자벌레의 움직임을 이용하여 대장을 자유자재로 드나드는 '내시경 로봇', 굴곡이 있어도 유연하게 움직일 수 있는 '지네 로봇' 등을 개발하였다. 이로 보아 로봇 기술의 모티프가 되는 곤충들이 무궁무진함을 알 수 있다.

라 천체 기술도 생체 모방 공학을 통해 한 단계 발전할 전망이다. 지금까지는 우주선 선체에 흠집이 났을 때 우주인이 직접 나가거나 로봇 팔로 수리를 하는 방식이었다. 그런데 영국 브리스톨 대학 항공 우주 공학과 연구팀이 우주선 소재에서 자연적으로 액체가 흘러나와 흠집을 메워 주는 '자가 치료가 가능한 우주선 소재'를 개발했다. 이 아이디어는 상처가 공기에 노출되었을 때 혈액이 응고되는 사람의 피부에서 얻은 것이다.

마 이 밖에도 자연을 모방한 기술은 많다. '모방은 창조의 어머니'라는 말처럼 과학은 자연을 모방하여 발전할 수 있고, 과학이 발전하면 신기술로 자연을 보존하는 데 도움이 될 수 있다. [ⓐ] 생체 모방 공학은 자연을 재창조하는 과정이자 이해하는 과정이라고 보아야 할 것이다.

- **아미노산**: 모든 생명 현상을 관장하고 있는 단백질의 기본 구성단위
- **하이브리드**: 목표를 달성하기 위해 성질이 다른 두 개 이상의 요소를 합친 것

13 윗글의 내용과 일치하지 않는 것은?

① 홍합의 흡착력을 활용해 개발한 '하이브리드 접착제'는 의학 분야에 큰 도움이 되었다.
② 척추동물의 뇌신경 시스템은 고도의 기능을 지니고 있어 생체 모방 공학에서 많이 활용된다.
③ 로봇 '로보로치'는 바퀴벌레의 더듬이에서 발생하는 미세한 전기 신호를 이용하여 만든 것이다.
④ 생명체들이 획득한 노하우를 모방해 인간 생활에 적용하려는 연구를 생체 모방 공학이라고 한다.
⑤ '자가 치료가 가능한 우주선 소재'의 모티프가 된 것은 공기 중에 노출된 혈액이 응고되는 사람의 피부였다.

14 ㉠과 같이 생각한 이유로 가장 적절한 것은?

① 과학은 생물 실험을 통해 발전해 왔기 때문에
② 생물은 환경 변화 속에서 진화해 왔기 때문에
③ 모든 과학의 발전은 자연에서 영감을 얻었기 때문에
④ 과학은 자연이 가진 능력을 뛰어넘어야 하기 때문에
⑤ 생물은 인간에게 없는 특별한 성분을 지니고 있기 때문에

15 ⓐ에 들어갈 내용으로 가장 적절한 것은?

① 생체 모방 공학은 사회 발전을 위한 기술이다.
② 생체 모방 공학은 자연을 정복하기 위한 기술이다.
③ 생체 모방 공학은 환경을 되살리기 위한 기술이다.
④ 생체 모방 공학은 인간 생활의 편리함을 위한 기술이다.
⑤ 생체 모방 공학은 인간과 자연이 공존하기 위한 기술이다.

16 <보기>는 다양한 생명체들의 특성을 정리한 것이다. 이 특성들을 모방하여 만들 수 있는 신기술로 적절하지 않은 것은?

• 보기 •

ㄱ. 벌집의 육각형 구조는 최소의 재료로 최대의 면적과 강도를 얻을 수 있다.
ㄴ. 거미줄은 같은 굵기의 철보다 10배나 질기고, 뛰어난 신축성과 통풍성을 지니고 있다.
ㄷ. 상어 피부의 미세한 돌기들은 물살을 헤치며 나갈 때 생기는 소용돌이 현상을 억제하여 물과의 마찰을 줄여 준다.
ㄹ. 도마뱀의 발바닥에 난 미세한 털은 벽면을 끌어당겨 도마뱀이 떨어지지 않고 쉽게 벽을 오를 수 있게 한다.
ㅁ. 연잎에 물방울이 닿으면 스며들지 않고 굴러 떨어지는데, 이때 먼지와 같은 오염 입자들도 함께 제거된다.

① ㄱ: 건축물의 외관을 아름답게 디자인하는 데 활용한다.
② ㄴ: 강하고 단단함이 필요한 방탄복을 만드는 데 활용한다.
③ ㄷ: 수영 선수들이 입는 전신 수영복을 만드는 데 활용한다.
④ ㄹ: 어디에나 잘 붙는 강력한 테이프를 만드는 데 활용한다.
⑤ ㅁ: 오랫동안 깨끗하게 유지되는 페인트를 만드는 데 활용한다.

[17~20] 다음 글을 읽고, 물음에 답하시오.

가 사진은 시간을 정지시킨 기록물이다. ㉠사진 찍기를 통해 정지시킨 시간은 카메라의 셔터가 찰칵거리는 매우 짧은 시간이지만, 그 찰나를 통해 사진 속에 포착된 시간은 과거의 모든 인과 관계를 담게 된다. 만약에 갈비뼈가 앙상하게 드러난 에티오피아 어린이의 사진을 본다고 하자. 우리는 그 아이가 그동안 얼마나 굶었을까를 생각하게 된다. 또한 전쟁터에 쓰러진 ⓐ병사의 사진을 본다면 그 ⓑ이전에 있었을 참혹한 전쟁의 상황과 병사의 고통을 떠올리게 된다. 이처럼 사진은 과거를 향해 열린 창이며 우리는 그 창을 통해 정지된 시간 이전의 사연들을 들여다보게 된다.

나 사진은 세계의 이미지를 담은 기록물이다. 모든 초상화가 그렇듯이 사진으로 찍힌 그 시간은 사진이 없어질 때까지 하나의 ⓒ기호 형태로 저장된다. 그 기호는 영상의 형태를 하고 있기 때문에 상형 문자 시대가 지나간 이래 다시 가지게 된 상형 문자라고도 말한다. 사진의 기호는 사람이 쓰는 언어와는 아주 다르다. 그것은 주어도 서술어도 없이, 단지 하나의 장면과 어떤 이미지들로 구성된 언어인 것이다. 하지만 사진은 대상을 서술하지 않지만 단편적인 이미지를 통해 단편적인 것 이상의 의미를 전달할 수 있다.

다 이런 내용은 미국의 사회파 사진작가 워커 에반스가 1936년에 찍은 「어린아이의 무덤」이라는 작품에서 살펴볼 수 있다. 전문적인 지식이 없는 사람이 그 사진을 보았을 때, 그 사진이 미국의 대공황 시절의 각박하고 어려운 삶을 기록한 사진의 일부라는 것을 모른다고 하더라도, 단순한 한 장의 사진 이상의 것을 생각할 수 있다. 흙으로 금방 만들어진 무덤과, 무덤 한가운데 올려진 낡은 그릇은 죽은 어린이와 그 부모의 삶이 결코 풍족하고 편안하지 않았음을 짐작하게 해 준다. 이 경우 사진은 하나의 상징인 것이다. 오래 살아남는 사진일수록 이러한 상징성이 강하게 들어 있어서, 우리를 깊은 ⓓ사색에 빠지게 한다.

▲ 워커 에반스, 「어린아이의 무덤(Child's Grave)」(1936)

라 사진은 우리가 세계와 관계를 맺는 하나의 통로가 된다. 사진은 사진을 찍는 사람은 물론 그것을 보는 사람에게도 세계 사이에 어떤 관계를 만들어 준다. 사람들은 흔히 사진이 세계를 있는 그대로 담아낸 것이고 사진을 찍는 것은 사건에 개입하지 않고 있는 것이라는 착각을 한다. 그러나 대부분의 사진에는 찍는 사람이나 찍히는 사람의 ⓔ의도가 개입되어 있다. 그 의도는 사진을 보는 사람들이 사진을 통해서 어떤 이미지를 느끼고 어떤 사색을 하고 어떤 평가를 해 주기를 바라는 마음과 관계가 깊다. 결국 사진을 찍는 일 자체가 자신을 포함한 세계에 대하여 의미를 부여하는 과정이 되는 것이다. 그리고 사진을 보는 이는 사진을 어떤 대상의 대체물로 삼거나, 사진이라는 이미지를 통해 대상을 간접적으로 만나게 됨으로써 세계와 관계를 맺게 된다. 사춘기의 청소년들이 좋아하는 연예인의 사진을 모으거나 여행자들이 명승지의 사진을 담은 그림엽서를 모으는 일도, 결국은 사진을 대상의 대체물로 삼거나 사진을 통해 꿈꾸고 상상하고 평가하면서 세계와 관계를 맺는 하나의 형태라 할 수 있는 것이다.

- 상형 문자: 물건의 모양을 본떠 글자를 만들어 글자의 모양에서 원형과의 관련이 조금이라도 보이는 문자
- 대공황: 세계적으로 일어나는 큰 규모의 경제 공황. 흔히 1929년에 미국에서 시작됐던 세계적인 공황을 이른다.

17 윗글에 대한 설명으로 적절하지 않은 것은?

① 예시를 통해 대상의 다양한 속성을 밝히고 있다.
② 특정한 이론에 따라 대상을 분석하여 설명하고 있다.
③ 비유적 표현을 사용하여 설명의 효과를 높이고 있다.
④ 다른 대상과의 비교를 통해 대상의 특징을 부각하고 있다.
⑤ 대상에 대한 잘못된 통념을 지적하고 올바른 인식을 유도하고 있다.

18 윗글을 바탕으로 〈보기〉의 사진을 설명한 내용 중, 적절하지 않은 것은?

보기

이 사진은 6·25 전쟁 중에 전투를 위해 북상하는 국군과 전투를 피해 남하하는 피란민의 모습을 촬영한 것이다. 사진의 왼쪽이 국군의 행렬이고, 오른쪽이 피란민의 행렬이다. 피란민의 대부분은 머리에 짐을 이고 있는 여성들이다.

① 6·25 전쟁 시기의 어느 순간을 정지시켜 놓은 기록물이라고 할 수 있다.
② 작가의 주관적인 의도가 개입되지 않은 6·25 전쟁에 대한 사료로 볼 수 있다.
③ 사진의 단편적인 이미지만으로 6·25 전쟁의 다양한 의미를 전달하고 있다고 볼 수 있다.
④ 사진을 통해 전쟁 통에 급히 생필품만 챙겨 집을 떠나왔을 피란민의 사연을 떠올릴 수 있다.
⑤ 사진을 보는 사람은 사진을 통해 간접적으로 6·25 전쟁 당시 상황을 경험하고 관계를 맺을 수 있다.

19 윗글과 〈보기〉를 읽고 ㉠과 관련하여 보일 수 있는 반응으로 가장 적절한 것은?

보기

셔터의 시간은 분석적 시간과 적립적 시간으로 나눌 수 있다. Ⓐ분석적 시간은 피사체에 대한 순간적인 포착과 관련이 있다. 이때 사진은 피사체의 시간을 1초에서부터 수천 분의 1초까지 잡아낼 수 있으므로 아주 미세한 분석까지도 가능하다. 한편 Ⓑ적립적 시간은 셔터의 장기적 노출을 통해 피사체의 새로운 면모를 보여 준다. 이때 사진은 피사체의 시간을 몇 초에서 상당히 긴 시간까지 적립하여 보여 줄 수 있다.

① 글쓴이는 Ⓐ와 Ⓑ의 장점을 취합하여 ㉠을 만드는 것이 이상적이라고 보고 있군.
② 글쓴이는 사진작가가 Ⓐ와 Ⓑ를 선택적으로 사용하여 ㉠을 형상화한다고 보고 있군.
③ 글쓴이는 ㉠을 Ⓐ에 한정 지어서 말하고 있지만, Ⓑ를 통해서도 ㉠이 구현될 수 있겠군.
④ 글쓴이는 ㉠이 Ⓑ로만 나타나는 것의 단점을 제시하였으므로, Ⓐ를 대안으로 볼 수 있겠군.
⑤ 글쓴이는 ㉠이 Ⓐ에도 속하지 않고, Ⓑ에도 속하지 않는 제3의 시간으로 포착된다고 보고 있군.

20 문맥을 고려할 때, 밑줄 친 말이 ⓐ~ⓔ의 동음이의어가 아닌 것은?

① ⓐ: 아들이 병사(病死)했다는 소식에 어머니의 마음이 무너졌다.
② ⓑ: 아버지는 사무실 이전(移轉)으로 짐을 싸셨다.
③ ⓒ: 대중의 기호(嗜好)에 맞추어 상품을 개발했다.
④ ⓓ: 그는 별안간 사색(死色)이 되었다.
⑤ ⓔ: 그녀는 그에게 의도(意圖)적으로 접근했다.

독해 성취도 평가 2회

제한 시간: 45분

[01~04] 다음 글을 읽고, 물음에 답하시오.

가 가야 지배자의 무덤에서 화려한 금은 제품을 보기는 어렵다. 녹슨 쇠 무더기만이 무덤을 채우고 있을 뿐이다. 그 가운데 쇠집게가 발견되었다. 이 쇠집게를 사용해 만든 철기 가운데 가장 정교한 것이 바로 철갑옷이다. 철갑옷은 가야 최고의 생산품으로 고도의 기술력을 요한다. 한반도 철갑옷의 90%가 가야 지역에서 발견된다. 그처럼 가야는 세련된 철갑옷의 나라였다. 그러나 가야 지역에서는 아직 그 역사를 입증할 비문이나 문자 기록이 발견되지 않고 있다. 기록이 없는 나라, 가야. 그렇게 아득히 잊힌 역사를 낱낱이 기억하고 있는 것이 바로 철갑옷이다. 철갑옷이 본격적으로 출토된 것은 지난 1980년, 가야 고분이 열리면서이다. 동래 북천동 고분에서는 갑옷 한 벌이 고스란히 놓여 있어 특히 눈길을 끌었다. 그 뒤 연이어 김해 대성동 등에서 철갑옷이 나왔다. 지금까지 가야 지역에서 출토된 철갑옷은 상당수이며, 갑옷과 함께 철 투구가 나오기도 했다.

나 가야 시대 김해는 수심 5m 내외의 만이었다. 김해는 천혜의 조건을 갖춘 국제 무역항이기도 했다. 가야에서 출토된 배 모양 토기는 당시 이곳에서 어지간한 규모의 견고한 배가 일상적으로 사용되었음을 보여 준다. 『삼국유사』의 「가락국기」도 '석탈해의 뒤를 쫓아 급히 500척의 배를 출발시켰다.'라고 적고 있다. 가야가 일찍부터 대규모 선단과 이를 운용할 항해술을 보유했음을 말해 준다. 이처럼 국제성을 띤 가야는 우리나라 최초의 해양국으로 꼽을 수 있다. 이렇게 철 생산력뿐만 아니라 그 분배권까지 장악한 가야는 3~4세기가 되면서 한반도 남부에서 가장 앞서가는 세력으로 떠오른다. 가야는 철 거래를 통해 경제력을 축적하고 우수한 철기술을 바탕으로 다량의 철제 무기를 보유하였다. 당시 왜는 가야의 철에 전적으로 의지할 수밖에 없었고, 대신 노동력 또는 군대를 제공했으리라 추정된다.

다 경북 경산 임당동의 저습지 유적에서 나온 목제 단갑틀은 당시 가야가 갑옷 제작에 사용한 것으로 추정된다. 이런 틀이 있었다는 것은 전문적으로 갑옷을 만드는 집단이 상위 집단의 규제 속에서 정형화된 형태에 맞추어 대량 생산을 했음을 뜻한다. 또한 가야 지역에서 출토된 기마인물형 토기는 전쟁터로 떠나는 듯한 기마 전사를 표현하고 있는데, 사람만이 아니라 말까지 갑옷을 갖춰 입었음을 보여 준다. 실제 토기에 나타난 것과 같은 말 갑옷이 가야 지역에서 발굴되었다. 그 당시 한반도 남부와 일본 열도를 통틀어 이렇게 강력한 기마 전단은 매우 두드러진 존재였을 것으로 보인다. 4세기 전반까지도 신라에서는 이런 기마 전단을 입증하는 마구가 발견되지 않고 있다. 그래서 4세기를 기준으로 하면 가야가 신라보다 우위였던 것이다.

라 399년을 전후한 시기, 가야 연맹을 주도하던 금관가야는 철갑으로 무장한 기마 전단을 이끌고 신라로 진격한다. 바다를 건너온 왜군도 이에 합세한다. 그리고 마침내 가야와 왜 연합군은 신라성을 함락하기에 이른다. 그러던 차에 신라의 구원 요청으로 광개토대왕이 이끄는 고구려의 5만 보병·기병이 참전하여 전세는 역전되고, 한반도 사상 초유의 대전은 금관가야의 참패로 종결된다. 신라 침공에 성공한 금관가야가 한반도 남부의 패권을 막 손에 쥐려던 순간의 일이다.

마 금관가야의 패망 이후, 일본 열도에 주목할 만한 변화가 ㉠ <u>일어난다</u>. 갑작스레 새로운 형태의 철갑옷이 출현하는데, 여기에는 가야의 정결 기법이 그대로 도입되어 있다. 이때를 경계로 일본 철갑옷이 폭발적으로 증가하였다. 또한, 이전까지는 농경적·주술적이고 평화적인 성격의 유물들이 이 시기에 철검·마구·갑주와 같이 전투적이고 귀족적인 성격으로 강화되는 변화를 보인다. 4세기 말에서 5세기 초 사이에 나타난 이런 급격한 변화에 대해서는 일본의 전문가들도 5세기에 한국에서 새롭게 도입되었거나 한국의 기술자가 와서 전수했을 것이라고 본다. 금관가야에 이어 가야 연맹을 주도하게 된 대가야에서도 이전까지 전혀 나타나지 않던 철갑옷이 나타났는데 같은 시기 출현한 일본의 판갑과 같은 양식이다. 이처럼 금관가야의 멸망 이후 철갑옷은 다른 지역으로 확산·변화되어 간다. 비록 금관가야는 패망했지만 철갑옷이 상징하는 그들의 철 문화는 이어지는 것이다. 그것을 전해 주는 것이 바로 가야의 철갑옷이다.

01 윗글의 내용과 일치하지 않는 것은?

① 가야 연맹의 주도권은 대가야에서 금관가야로 이동하였다.
② 철제 기술로 보자면 4세기 전반까지 가야가 신라보다 우위를 차지했다.
③ 현재로서는 가야의 역사를 입증할 비문이나 기록이 발견되지 않고 있다.
④ 일본의 유물을 통해 금관가야의 패망 후 철제 기술이 일본에 전수되었음을 알 수 있다.
⑤ 가야의 철제 기술 중 가장 정교함을 보여 주는 철갑옷은 대량 생산되었을 것으로 추정된다.

02 윗글의 논지 전개상 특징으로 가장 적절한 것은?

① 구체적인 사실들을 글쓴이의 관점에서 재해석하여 독자의 이해를 돕고 있다.
② 다양한 학설들을 소개한 다음, 공통점과 차이점을 들어 독자의 이해를 돕고 있다.
③ 여러 가지 특수한 자료를 통해 보편적인 이론을 도출하여 독자의 흥미를 유도하고 있다.
④ 가설을 먼저 설정한 후, 구체적인 자료를 통해 검증 단계를 거쳐 독자를 설득하고 있다.
⑤ 객관적 자료를 토대로 하여 관련 사실을 추리하는 형식으로 독자의 흥미를 유도하고 있다.

03 ㉠의 의미와 가장 유사한 것은?

① 아침 일찍 일어나는 습관을 길러야 한다.
② 지금도 세계 곳곳에서는 전쟁이 일어나고 있다.
③ 선생님은 오랜 투병 생활 끝에 병석에서 일어나셨다.
④ 기울었던 가세(家勢)가 가족의 노력으로 일어나게 되었다.
⑤ 그동안 얼마나 자랐는지 볼 수 있게 자리에서 일어나 보아라.

04 윗글을 참고할 때, 〈보기〉를 읽은 학생들의 반응으로 적절하지 않은 것은?

보기

최고의 걸작품 금관가야의 철갑옷

금관가야의 철갑옷은 중세 서양의 무겁고 활동하기 불편한 철갑옷과는 차원이 다르다.

금관가야의 갑옷은 활동성을 높이기 위하여 작은 비늘 모양의 철 조각을 세밀히 연결하여 곡면 처리가 되도록 입체적으로 재단되어 있다. 또한 갑옷의 앞판과 뒤판은 경첩으로 연결되어 있어 갑옷을 수월하게 여닫을 수 있었다. 이러한 높은 기술력으로 금관가야의 철갑옷은 활동성 면에서 진보적인 갑옷으로 인정받는다. 전쟁에서 장시간 전투를 벌일 때에 활동성은 곧 생존율과 직결된다. 또한 갑옷 형태가 정교하며 통일되어 있는 점으로 볼 때, 특정 집단의 규제 속에서 정형화된 틀에 맞게 만들었음을 확인할 수 있다.

① 활동성이 뛰어난 금관가야의 갑옷은 군의 전투력을 크게 향상시켰겠어.
② 철갑옷은 아무나 만들지 못하고 국가의 엄격한 통제 속에서 만들어졌을 것 같아.
③ 일관성 있고 정형화된 철갑옷의 대량 생산 체제를 통해 완비된 군대 조직이 만들어졌겠군.
④ 고구려가 금관가야를 패망시켰다는 점에서 고구려의 철제 기술력이 금관가야보다 뛰어났음을 알 수 있어.
⑤ 활동성을 고려하여 철갑옷을 설계하고, 그에 맞게 연결된 작은 비늘 모양의 철 조각, 경첩 장식 등을 통해 금관가야의 높은 철제 기술력을 엿볼 수 있어.

독해 성취도 평가 2회

[05~08] 다음 글을 읽고, 물음에 답하시오.

가 기업이 정보 기술을 도입하기 위해 많은 투자를 하면서 기업의 조직 방식과 노동 형태에도 변화가 생기고 있다. 기업이 정보 기술에 투자를 하는 이유는 생산성을 올리고 경쟁에서 우위를 차지할 수 있을 것이라는 기대감 때문이다. 어떤 이들은 정보 기술에 대한 투자가 하나의 모방이나 유행에 지나지 않을 것이라고 지적하기도 한다. 그러나 정보화가 기업의 효율성 향상에 긍정적 영향을 미친다는 사실은 경험적으로 확인되고 있다.

나 기업의 정보 기술은 사무 자동화(OA)와 공장 자동화(FA)와 같이 인간의 육체노동을 자동화 기계로 대체하는 초보적인 단계를 거쳐 최근에는 자동화의 대상이나 범위가 크게 확대되고 있다. 우선 자동화의 대상이 다양한 지식으로 확장되고 있는데 예를 들어, 최근 유행하고 있는 지식 관리 시스템(KMS)은 노동자가 체화하고 있던 각종 지식과 방법을 디지털화하여 정보 형태로 관리하는 것이다. 자동화의 범위도 기업의 전반적인 활동으로 확대되고 있는데 예를 들면, 공장, 창고, 물류망, 판매점 등 기업 활동의 모든 영역을 네트워크를 통해 연계함으로써 생산부터 판매에 이르는 모든 과정을 자동화하는 것이다. 여기에서 더 나아가 고객 관계 관리(CRM)나 공급 사슬 관리(SCM)와 같은 시스템으로 고객이나 협력 업체까지 연계된 정보망을 구축하는 기업들도 ⓐ생기고 있다.

다 그런데 이렇게 새로운 정보 기술이 도입된다고 해서 기업의 운영 방식이나 조직 방식이 전적으로 바뀌는 것은 아니다. 기업의 모습은 정보 기술 외에도 정치, 경제, 제도, 인적 요인들에 의해 달라지기 때문이다. 하지만 새로운 정보 기술의 도입은 조직의 모습을 결정하는 핵심적인 요인이므로 장기적으로는 다음과 같은 변화를 가져오게 된다.

라 정보 기술이 도입되면서 권한의 하부 이양, 팀제 중심의 의사 결정과 같은 기업 내 조직의 변화가 ⓑ일고 있다. 정보가 전통적 위계와 절차에 구애받지 않고 유통되기 시작하면서, 하위 부서들이 충분한 정보를 확보하여 업무를 자율적으로 추진할 수 있게 된 것이다. 따라서 언제든 모이거나 흩어지는 것이 가능한 프로젝트팀이나 태스크포스 등과 같은 비공식 조직을 만들어 공식 조직과 공존하도록 하는 경우도 늘고 있다.

마 노동의 형태도 많이 달라지고 있다. 대표적인 형태는 모바일 노동자(mobile worker)들에게서 볼 수 있는데, 이들은 기업 내 부서 간이나 서로 다른 기업 사이에서 근무지를 자주 바꿔 근무한다. 사무실에 고정된 자리를 없애고 필요한 시간에 원하는 자리를 임의로 사용할 수 있는 모바일 오피스(mobile office)도 증가하는 추세이며, 유연 근무제(flex-time)를 도입하여 근무 내용과 형태에 따라 일하는 시간을 다르게 정하기도 한다. 또한 최근에는 노동자들이 정보 통신 기기를 통해 집에서 회사의 업무를 보는 재택근무 형태의 기업도 늘고 있다.

바 정보 기술의 발달로 노동자들은 더 이상 같은 시간과 공간에서 일하지 않아도 된다. 정보 기술은 정보가 더욱 빠르고 정확하게 유통되도록 도와줌으로써, 직장 내의 공간적·시간적 유동성을 증대시키고 있다. 정보 기술은 우리 일터의 실질적인 변화를 이끌어 낼 중요한 요인인 것이다.

- **사무 자동화**: 문서의 작성이나 보관 및 전달, 정보의 교환 · 저장 등의 작업을 개인용 컴퓨터 따위의 기기를 활용하여 자동화하는 일
- **지식 관리 시스템**: 조직 내의 인적 자원들이 축적한 개별적인 지식을 체계화하여 공유하기 위한 기업 정보 시스템
- **공급 사슬 관리**: 물류의 흐름을 하나의 사슬이라는 관점으로 보고, 필요한 정보가 원활히 흐르도록 지원하는 시스템
- **태스크포스**: 특정한 과제 수행을 위해 일시적으로 모여서 업무를 수행하는 특수 업무 수행팀

05 윗글의 내용과 일치하지 않는 것은?

① 기업은 정보 기술에 대한 투자를 통해 기업의 효율성 향상을 이룰 수 있다.

② 협력 기업에 대한 정보망은 생산부터 판매까지의 과정을 자동화하는 데 도움이 된다.

③ 기업이 정보 기술을 활용한 초기에는 육체노동을 자동화하기 위한 기술이 도입되었다.

④ 기업은 정치나 제도, 구성원 등 다양한 요인에 의하여 운영 방식이나 조직 방식이 달라진다.

⑤ 기업 내 프로젝트팀, 태스크포스 등의 비공식 조직이 공식 조직과 공존하는 형태로 운영되기도 한다.

06 윗글을 통해 이끌어 낼 수 있는 생각으로 가장 적절한 것은?

① 정보 기술은 오늘날의 다양한 문제를 해결하면서 우리의 삶을 윤택하게 만들고 있으므로, 미래에는 노동보다 여가 중심의 삶을 살아가게 될 것이다.

② 기업이 정보화되면서 전통적인 업무 방식에 익숙한 노동자는 경쟁에서 밀리고 그들이 가진 전문적 지식도 사라지고 있으므로, 근로자의 업무 능력은 저하될 것이다.

③ 정보 기술이 발달하면서 시간에 구속받지 않고 일할 수 있게 되고 직장 밖에서도 업무를 처리할 수 있게 되었으므로, 오히려 업무 비중과 근무 시간이 늘어날 것이다.

④ 정보의 유통이 조직의 위계에 구애받지 않아 부서들이 빠르게 의사 결정을 하고 업무를 추진할 수 있으므로, 경직된 거대 조직보다는 소규모의 조직이 효과적일 것이다.

⑤ 기존의 수직적 절차에 구애받지 않고 정보가 유통되면 하위 부서에도 기업의 핵심 정보가 전달될 것이므로, 이는 기업의 의사 결정뿐 아니라 보안의 측면에도 부정적 영향을 줄 것이다.

07 ⓐ : ⓑ의 관계와 유사한 관계를 지닌 것은?

① 세다 : 여리다

② 받다 : 던지다

③ 당기다 : 늦추다

④ 오르다 : 내려가다

⑤ 허다하다 : 숱하다

08 윗글에 제시된 정보 기술 중, 〈보기〉의 사례에 해당하는 것을 바르게 연결한 것은?

• 보기 •

ㄱ. 조선소에서 15년간 일한 노동자 정 씨는 최근 부서의 상급자로부터 자신의 업무와 관련된 노하우를 5장 내외의 리포트로 작성하여 제출할 것을 지시받았다. 정 씨는 자기 업무와 관련하여 아무런 관심을 갖지 않던 회사가 갑자기 노하우를 수집하는 것을 이상하게 생각했지만, 다른 노동자들에게 도움이 될 것이라 생각하여 리포트를 작성해 제출하였다.

ㄴ. 50여 명 규모의 중소 물류 기업에서 일하는 박 씨는 회사가 예전보다 작은 곳으로 사무실을 이전한다는 사실에 적지 않게 놀랐다. 박 씨가 담당자에게 문의한 결과, 새로운 사무실에서는 자기 좌석이 따로 정해져 있지 않으며, 사원 모두에게 노트북이 지급되어 빈자리 어디서든 자기 업무를 보면 된다는 답변을 들었다. 담당자는 사원들의 외근이 많은 회사의 특성을 살리기 위한 방법이라는 설명도 덧붙였다.

	ㄱ	ㄴ
①	공장 자동화	공급 사슬 관리
②	공장 자동화	모바일 오피스
③	지식 관리 시스템	모바일 오피스
④	지식 관리 시스템	유연 근무제
⑤	공급 사슬 관리	유연 근무제

독해 성취도 평가 2회

[09~12] 다음 글을 읽고, 물음에 답하시오.

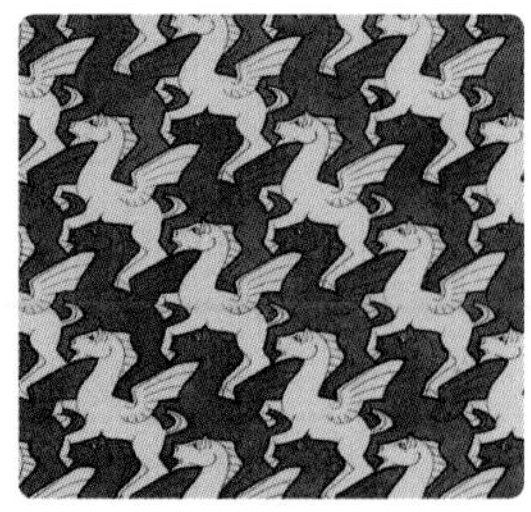
▲ 에셔, 「천마도(Pegasus)」

가 요즈음 학교에서 가르치는 수학 내용을 보면 다양할 뿐만 아니라 재미있고 실생활에 적용할 수 있는 것이 많이 있다. 도형과 도형의 이동에 관한 것 역시 실생활에 적용할 수 있는 분야인데, 그중의 하나가 테셀레이션(tessellation)이다. 테셀레이션은 마루나 욕실 바닥에 깔려 있는 타일처럼 어떠한 틈이나 포개짐이 없이 평면이나 공간을 도형으로 완벽하게 덮는 것을 말한다. 이것은 고대에서부터 사용한 건축 장식 방법으로 지금까지도 널리 이용되고 있다.

나 테셀레이션은 한 가지 정다각형으로 이루어지는 것이 일반적이다. 정다각형이란 각 변의 길이가 같고 내각이 모두 같은 도형으로 정삼각형, 정사각형, 정오각형, 정육각형 등이 있다. 정다각형에 의한 테셀레이션이란 크기가 같은 한 종류의 정다각형을 평면으로 덮는 것을 의미한다. 그런데 테셀레이션이 가능한 정다각형은 정삼각형, 정사각형, 정육각형의 세 가지뿐이다. 이를테면 ㉠정오각형만으로는 평면을 덮을 수 없다. 왜 다른 정다각형은 평면을 덮을 수 없을까? 그 까닭은 정다각형으로 이루어지는 테셀레이션의 과정과 관련이 있다.

다 테셀레이션의 과정을 보면 한 ⓐ꼭짓점에 모인 도형의 내각의 합은 360°이다. 그러니까 몇 개의 도형이 모이든 한 내각의 크기가 360의 약수가 되어야 한다. 그런데 정오각형의 내각의 합은 540°이니, 한 내각의 크기가 540°/5=108°이다. 108은 360의 약수가 아니므로 한 꼭짓점에 모이는 내각의 합이 360°가 될 수 없다. 즉, 하나의 정다각형에 의한 테셀레이션을 하기 위해서는 정다각형의 한 내각의 크기가 120°, 90°, 72°, 60°, 45° 등일 때만 가능하다는 말이다. 따라서 정다각형에 의한 테셀레이션은 한 내각의 크기가 60°인 정삼각형과 90°인 정사각형, 120°인 정육각형만이 가능한 것이다.

라 다음으로 다른 도형들은 어떤 방법으로 테셀레이션을 만들 수 있을까? 다른 도형을 두 가지 이상 사용하면 테셀레이션을 만들 수 있는데 이것을 반정규 테셀레이션이라고 한다. 이것은 두 가지 조건이 충족되어야 한다. 첫째는 사용하는 다각형이 둘 이상이라고 하더라도 모두 정다각형이어야 하고, 둘째는 각 꼭짓점에 모이는 정다각형의 배열이 동일해야 한다는 점이다. 단순하게 생각하면 둘째 조건은 필요 없을 것 같기도 하지만, 실제로 도형을 그려 보면 같은 모양으로 평면을 계속 덮을 수 없다는 사실을 알 수 있다.

마 다른 방법은 도형의 이동에 의한 테셀레이션이다. 이것은 정다각형이 아닌 다양한 도형이 이동을 통해 평면을 채우는 방법이다. 도형의 이동은 크게 세 종류가 있다. 첫째로 회전 이동은 하나의 중심에서 여러 각도로 이동하는 것이다. 둘째로 평행 이동이 있다. 평행 이동은 돌리거나 반사시키지 않고 위치만을 이동시키는 것을 의미하며 방향과 거리라는 두 조건이 항상 결정되어야 한다. 셋째로 대칭 이동이 있다. 대칭 이동이란 어떤 기준선을 기준으로 대칭되어 나타나는 것을 의미하며, 거울에 반사되는 모습을 생각하면 쉽다. 그리고 이 세 가지 이동을 응용한 글라이드 대칭 이동이라는 것도 있다. 이것은 대칭 이동과 평행 이동이 함께 나타나는 변환을 일컫는다.

- **내각**: 다각형에서 인접한 두 변이 다각형의 안쪽에 만드는 모든 각. n각형의 내각의 합을 구하는 공식은 180°×(n−2)이다.
- **약수**: 어떤 정수를 나머지 없이 나눌 수 있는 정수를 원래의 수에 대하여 이르는 말. 예를 들어 3은 6의 약수이다.

09 윗글에 대한 설명으로 적절하지 않은 것은?

① 테셀레이션은 생활 장식에 많이 활용되고 있다.
② 테셀레이션이 가능한 정다각형은 세 가지만 있다.
③ 테셀레이션은 도형의 이동을 통해서도 만들 수 있다.
④ 테셀레이션이 가능한 도형의 내각의 합은 모두 동일하다.
⑤ 테셀레이션은 도형을 이용하여 평면을 덮는 것을 의미한다.

10 ㉠의 이유를 〈보기〉에서 골라 바르게 묶은 것은?

보기

ㄱ. 내각의 크기가 360의 약수가 아니기 때문이다.
ㄴ. 모든 도형이 하나의 꼭짓점에 모이지 않기 때문이다.
ㄷ. 평면을 덮은 모든 도형이 정다각형이 아니기 때문이다.
ㄹ. 평행 이동에 의해서만 테셀레이션을 만들 수 있기 때문이다.

① ㄱ, ㄴ ② ㄱ, ㄷ ③ ㄴ, ㄷ
④ ㄴ, ㄹ ⑤ ㄷ, ㄹ

11 〈보기〉의 Ⓐ~Ⓒ에 사용된 도형의 이동을 바르게 연결한 것은?

보기

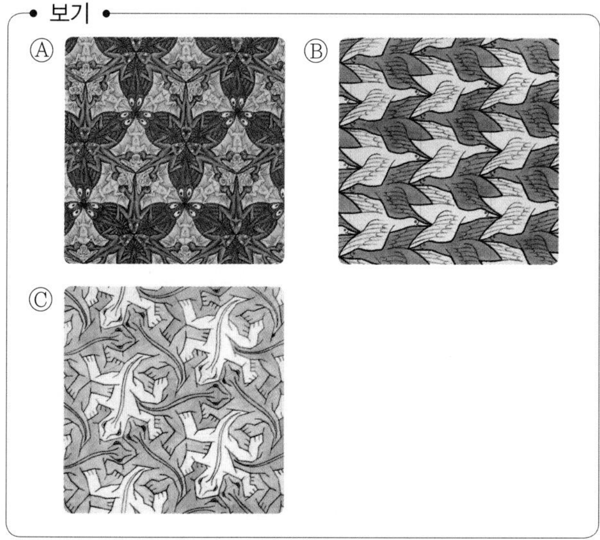

	Ⓐ	Ⓑ	Ⓒ
①	회전 이동	평행 이동	대칭 이동
②	회전 이동	대칭 이동	평행 이동
③	평행 이동	회전 이동	대칭 이동
④	대칭 이동	회전 이동	평행 이동
⑤	대칭 이동	평행 이동	회전 이동

12 〈보기〉를 참고할 때, ⓐ와 유사한 사례인 것은?

보기

'꼭짓점'은 순우리말과 한자어로 된 합성어로서 앞말이 모음으로 끝나고 뒷말의 첫소리가 된소리로 나기 때문에 사이시옷을 받치어 적는다.

① 햇볕 ② 숫자
③ 귓병 ④ 제삿날
⑤ 아랫니

[13~16] 다음 글을 읽고, 물음에 답하시오.

㉮ '바이오매스(biomass)'란 광합성에 의하여 생성되는 다양한 조류(藻類) 및 식물 자원, 즉 나무, 풀, 농작물의 가지, 잎, 뿌리, 열매 등을 ㉠일컬어 말한다. 하지만 근래에는 이보다 광범위한 의미로 모든 산업 활동에서 발생하는 유기성 폐자원, 예를 들면 톱밥, 볏짚 등과 같은 농·임업 부산물, 하수 침전물을 포함하는 각종 유기성 산업 침전물, 음식 및 농수산 시장에서 발생하는 쓰레기, 축산 분뇨 등을 모두 바이오매스 자원이라고 한다. 바이오매스 자원인 농작물과 산림은 공기 중 이산화탄소와 태양 에너지를 이용하여 식량을 생산하면서 산소를 발생하는 이로운 자원이다. 그러나 축산 분뇨, 산업 침전물 등은 토양과 하천 오염의 주원인으로, 골치 아픈 바이오매스 자원이기도 하다. 현재는 이러한 바이오매스 자원의 양면성을 경험하면서 궁극적으로 생활에 이롭고 환경 피해를 최소화하는 방향으로 바이오매스 자원을 활용할 수 있는 '바이오매스 자원의 에너지화'를 꾀하고 있는데, 생물학적 수소 생산 기술이 대표적인 예라 할 수 있다.

나 생물학적 수소 생산 기술에 사용되는 원료 물질은 물, 유기물, 가스로 크게 구분된다. 또한 미생물의 다양한 메커니즘에 따라서도 여러 가지 기술이 알려져 있다. 유기물로부터 수소를 생산해 내는 방법 중 하나는 광합성 메커니즘을 이용하는 것이 아닌, 빛이 없는 곳에서 혐기성 세균의 발효 과정을 이용한 것이다. 이 방법은 최근 우리나라와 일본을 비롯한 유기성 폐자원이 풍부한 나라에서 집중적으로 연구되는 기술이다. 혐기 발효 세균의 대표적인 예가 클로스트리듐이라는 미생물이다. 빛이 들지 않는 깊은 호수 바닥의 진흙 속 등에서 서식하며, 산소가 풍부한 늪이나 호수의 윗부분에 서식하는 세균과 먹이 사슬로 얽히면서 생태계를 유지하고 있다.

[A] **다** 호수 윗부분에 서식하는 미생물은 공기와 접촉되어 있고, 충분한 빛을 받아 주로 광합성을 하며 산소를 좋아하는 호기성 성장을 한다. 시아노박테리아와 녹색 조류 등이 이곳에서 자라며, 이들은 광합성 작용에 의해 물을 산화하여 산소를 발생하고, 공기 중의 이산화탄소를 이용하여 유기물을 합성함으로써 자신의 성장과 발육에 이용한다. 반면 호수 아랫부분에서는 산소가 결핍되어 있는 상태로, 이러한 곳은 가시광선 중에서도 파장이 긴 빛만이 일부 투과되기 때문에 광합성 미생물인 홍색 유황 세균 등이 자란다. 이보다 더 깊은 바닥의 진흙 속에는 빛이 들지 않을 뿐 아니라 산소도 없어서 혐기성 세균이 물고기의 사체, 배설물들과 같은 유기물을 발효하여 수소 가스를 발생시킨다. 실험실에서 미생물을 이용하여 수소를 만들기 위해서는 자연계에 존재하는 이러한 혐기성 수소 생산 세균을 채집하여 실험실로 운반한 다음 자연계와 비슷하거나 수소를 발생하기 쉬운 환경을 인위적으로 만들어 주게 된다. 특히 혐기적으로 배양하는 것을 '발효'라고 ⓛ일컫는다.

라 발효된 혐기성 세균에 의해 생성되는 수소량은 어떠한 유기산이 생성되는가에 따라 차이가 있지만, 이론적인 수소 발생 가능한 양의 약 33%에 불과하다. 그러나 동시에 발생하는 유기산 등이 광합성 세균에 의한 발효로 다시 수소 생산을 유도할 수 있다. 혐기 발효에 의한 수소 생산은 미생물 내부에 있는 자가 증식형 수소 생산 메커니즘을 이용하기 때문에 별도의 태양광 이용 전환 장치 등이 불필요하다. 더구나 이러한 형태의 분해 공정에 투입되는 바이오매스 원료는 세계 도처에 무진장으로 존재하며 자연계에서도 계속 합성된다. 따라서 미생물에 의한 폐수의 처리, 이산화탄소 배출 감소에 따른 지구 온실 효과 방지 등도 가능하여 지구 환경 보호에 크게 기여할 것으로 예상된다.

마 미래의 언젠가에는 각 가정이나 공장에서 버리는 폐수 및 인분을 포함한 각종 쓰레기가 세탁기 크기의 통 속에서 잘게 부수어지고, 미생물에 의하여 수소 연료가 발생되어 모든 가전 기구를 가동시키며, 천장에서 내려오는 태양 빛을 모은 코드에 스위치를 넣으면 산소와 순수한 물이 발생하여 아마 식수로 사용될지도 모른다.

- **조류**: 물속에 살면서 엽록소로 동화 작용을 하는 식물의 무리
- **메커니즘**: 사물의 작용 원리나 구조
- **혐기성**: 산소가 없는 조건에서 생육하는 성질
- **클로스트리듐**: 90종 남짓으로, 흙이나 사람·동물의 똥에 널리 분포함
- **가시광선**: 사람의 눈으로 볼 수 있는 빛. 등적색, 등색, 황색, 녹색, 청색, 남색, 자색의 일곱 가지가 있다.

13 〈보기〉는 [A]를 그림으로 나타낸 것이다. 이에 대한 설명으로 적절하지 <u>않은</u> 것은?

보기

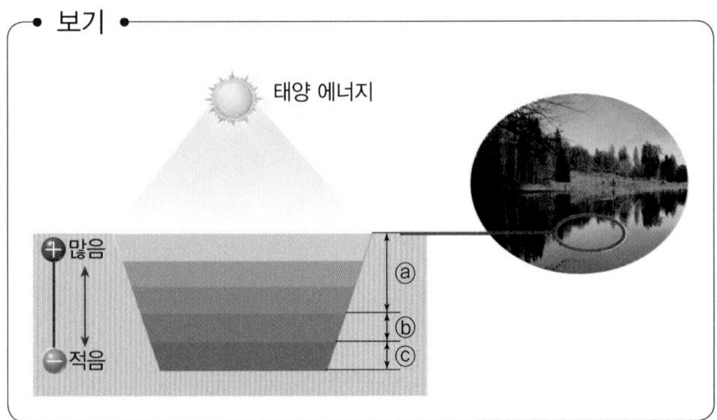

① ⓐ에서는 주로 광합성을 하여 유기물을 합성한다.
② ⓐ에서는 시아노박테리아와 호기성 세균이 주로 서식한다.
③ ⓑ에서는 홍색 유황 세균이 주로 서식한다.
④ ⓒ에서는 유기물을 발효하여 이산화탄소를 배출한다.
⑤ ⓒ에서는 산소가 없어서 혐기성 세균이 주로 서식한다.

14 윗글의 내용과 일치하지 않는 것은?

① 근래에는 바이오매스에 대한 개념이 확대되고 있다.
② 혐기성 세균에 의한 수소 생산은 이론적 발생량보다 적다.
③ 미생물을 이용한 수소 생산 기술의 원료 물질은 유기물이다.
④ 바이오매스 자원을 줄임으로써 환경 피해를 최소화할 수 있다.
⑤ 혐기성 세균에 의한 수소 생산은 별도의 태양광을 이용하지 않는다는 장점이 있다.

15 윗글을 참고하여 〈보기〉의 수업 내용에 대한 학생의 의견으로 적절하지 않은 것은?

• 보기 •

교사: 수소를 에너지로 이용한다면 화석 연료와 같이 자원이 지구상 어디에 묻혔는가 하는 우연한 사실로 인하여 에너지의 강대국이 정해지는 일은 없을 것입니다. 지구 온난화 가스의 발생을 최소화시키고 물로 재순환되는 청정 무한 에너지원인 수소는 연료 기술을 가진 나라가 주도권을 갖게 되는 미래의 대체 에너지 역할을 할 것입니다. 이를 위하여 미국은 '수소 경제'로, 일본은 '선샤인 프로젝트'로 각기 수소 연구 개발에 박차를 가하고 있습니다.

① 유기성 폐자원도 이제는 중요한 자원의 개념으로 인식해야겠군요.
② 선진국에서는 수소 에너지를 뛰어넘는 대체 에너지 개발을 서두르겠군요.
③ 수소 에너지는 무제한으로 순환되는 에너지원이라 에너지 고갈의 염려도 없겠군요.
④ 대체 에너지를 통해 자원 강대국이 되기 위해서는 무엇보다 기술력 개발이 필요하겠군요.
⑤ 수소 에너지는 화석 연료로 인한 환경 오염 문제 등을 최소화시키는 친환경적 에너지원이군요.

16 〈보기〉를 바탕으로 ㉠, ㉡에 쓰인 문법 표현에 대한 설명으로 적절하지 않은 것은?

• 보기 •

[한글 맞춤법 규정]
• 용언의 어간과 어미는 구별하여 적는다.
• 어간 끝 받침 'ㄷ'이 모음 앞에서 'ㄹ'로 바뀌어 나타나는 경우, 바뀐 대로 적는다.

[국어사전]
일컫다
「1」 이름 지어 부르다.
예 사자를 흔히 백수의 왕으로 일컫는다.
「2」 가리켜 말하다.
예 사람을 일컬어 흔히 이성적 동물이라고 한다.
「3」 우러러 칭찬하거나 기리어 말하다.
예 마을 사람들이 모두 그의 효도를 일컬었다.

① ㉠은 모음 앞에서 어간의 받침이 'ㄷ'에서 'ㄹ'로 바뀌는 현상을 반영한 맞춤법에 맞는 표현이다.
② ㉠의 의미는 '일컫다'의 사전 의미 중, 「2」에 해당하는 내용이다.
③ 용언이 활용하는 과정에서 ㉠은 다양한 의미 변화가 생길 수 있으므로 유의해야 한다.
④ ㉡은 어미의 변화 없이 현재형으로 표현한 올바른 표기이다.
⑤ ㉡의 의미는 '일컫다'의 사전 의미 중, 「1」에 해당하는 내용이다.

독해 성취도 평가 2회

[17~20] 다음 글을 읽고, 물음에 답하시오.

가 150년 전 유명한 동양의 음악가가 유럽에 초대되어 난생처음으로 교향곡을 들은 일이 있었다. 연주회에 그를 초대한 유럽의 음악가가 연주회가 맘에 들었느냐고 묻자 동양의 음악가는 첫 번째 부분이 아주 좋았다고 대답했다. 그러나 첫 악장을 말하는 것이냐는 질문에는 고개를 내저으며 바로 그 전 부분이라고 대답했다고 한다.

나 서양 음악에는 오케스트라의 악기들을 모두 정확한 하나의 음정으로 맞추기 위한 ⓐ조율 과정이 있다. 지휘자가 나오기 전에 연주자들이 제가끔 삑삑거리며 악기들을 만지작거리는 과정 말이다. 서양 음악은 음정, 리듬, 박자 등 기본적인 음악 요소들의 정확성을 추구하기 위해 교향곡이 시작되기 전 모든 악기들을 동일한 A(라) 음으로 조율한다. 그러나 서양 음악가들에게는 조율이란 연주를 하기 위한 준비일 뿐 결코 음악이 아니다.

다 반면, 서양 음악을 한 번도 들어본 적이 없는 동양의 음악가는 항상 정교하게 일치된 소리를 내야 음악이 된다는 걸 알 까닭이 없었다. 애당초 지휘자가 없는 동양의 관현합주에서는 연주자들이 서로 함께 연주하는 이들의 소리에 귀를 기울이며 호흡을 맞춘다. 동양 음악에서는 각각의 악기들이 서로 다른 음정 안에서 한 음을 끌어내는 과정 자체가 음악이다. 음악이 만들어지는 과정에서 일어나는 '화이부동(和而不同)'의 선율이야말로 음악의 진정한 아름다움이라고 생각한다.

라 비슷한 일화를 하나 더 소개해 보도록 하자. 오래전에 서양의 음악가들이 아프리카의 어느 부족에게 바흐의 '첼로를 위한 무반주 조곡' 중에서 슬픔을 자아내는 단조의 곡을 들려준 적이 있었다. 이 음악은 서양 예술 음악 애호가들에게는 특별히 깊은 감명을 주는 곡으로 ⓑ정평이 나 있다. 그러나 첼리스트의 ⓒ혼신을 다한 연주에도 불구하고 아프리카 사람들은 슬픔은커녕 아무런 ⓓ감흥도 보이지 않았다. 서양 음악 체계에서 장조는 기쁨을 불러일으키고 단조는 슬픔을 자아내지만, 그런 음악 체계를 경험해 보지 않은 아프리카 사람들에게는 아무런 감흥도 불러일으키지 못하고 의미도 없는 단순한 소리일 뿐이다.

마 이렇게 지구촌 모든 문화권은 다 자기만의 독특한 음악을 가지고 있다. 서로 다른 문화권마다 ⓔ제가끔 고유한 음악 체계를 가지고 있으며, 음악에 대한 정의와 용어 사용도 다양하다. 예를 들어, 이슬람 문화권에서는 그들이 신을 찬양하기 위하여 부르는 성가를 코란에서 가사를 따온 성스러운 시를 낭송하는 것으로 간주하고 음악으로 분류하지 않는다. 유고슬라비아의 마케도니아 부족들에게는 '음악'이라는 용어 자체가 아예 없다. 그들에게는 오로지 '노래'와 '기악곡'만 존재한다. 미국 남부의 일부 침례교도들은 악기의 반주 없이 찬송가를 부르기 때문에 자신들의 예배에는 음악이 없다고 주장한다. 그들은 악기들의 연주만을 음악이라고 생각하는 것이다.

바 우리는 음악이 인류에게 보편적인 현상이라고 생각한다. 서양의 과학자들이 바흐와 모차르트의 음악을 가지고 외계인과 음악 교류를 시도한 것 역시 이런 믿음에 근거를 두고 있다. 과연 어떤 음악이 진정한 음악인가? 모든 문화권의 사람들에게 동일한 감흥을 불러일으킬 수 있는 소리의 구성이 존재할까? 이런 문제에 대한 답을 찾으려는 음악학자들의 노력으로 1960년대 이후로는 음악을 단순한 소리의 현상으로 보는 관점, 즉 음악을 '예술을 위한 예술'로만 보는 관점에서 탈피해 문화와 사회라는 틀 안에서 분석할 수 있게 되었다. 일찍이 문화인류학자 기어츠가 말한 것처럼 예술과 그것을 이해하는 능력은 같은 곳에서 만들어진다. 음악이란 소리와 사회와 문화가 서로에게 맞추며 조율해서 만들어지는 것이다. 이제 우리는 세계 모든 음악을 연구하고 즐길 수 있는 시대에 살고 있다.

- **교향곡**: 관현악을 위하여 작곡한, 소나타 형식의 규모가 큰 곡
- **악장**: 소나타 · 교향곡 · 협주곡 따위에서, 여러 개의 독립된 소곡(小曲)들이 모여서 큰 악곡이 되는 경우 그 하나하나의 소곡
- **화이부동(和而不同)**: 남과 사이좋게 지내기는 하나 무턱대고 어울리지는 아니함
- **코란**: 이슬람교의 경전. 교주 마호메트가 천사 가브리엘을 통하여 받은 알라의 계시 내용과 계율 따위를 기록한 것으로, 이슬람교도의 신앙뿐만 아니라 일상생활의 규범을 서술하고 있다.

17 윗글을 바탕으로 동서양의 음악을 비교한 내용으로 가장 적절한 것은?

① 동양의 음악은 성스러운 시를 낭송하는 것도 음악으로 간주하고, 서양의 음악은 오로지 기악곡만을 음악으로 간주한다.
② 동양의 음악은 예술을 위한 예술로만 볼 때 가치가 있고, 서양의 음악은 문화와 사회라는 틀 안에서 볼 때 가치가 있다고 보았다.
③ 동양의 음악은 그 민족에게만 감흥을 주면 되지만, 서양의 음악은 모든 문화권의 사람들에게 동일한 감흥을 불러일으킬 수 있어야 한다.
④ 서양의 합주에서는 정교하게 일치된 소리를 내려고 사전 준비를 하지만, 동양의 합주에서는 연주자들이 서로 함께 연주하는 이들의 소리에 귀를 기울이며 호흡을 맞춘다.
⑤ 서양 음악에서는 각각의 악기들이 서로 다른 음정 안에서 한 음을 끌어내는 과정 자체가 음악이고, 동양 음악에서는 각각의 악기들이 같은 음정 안에서 다른 음을 연주하는 과정 자체가 음악이다.

18 윗글을 쓰기 위해 글쓴이가 다음과 같은 메모를 했다고 할 때, 적절하지 않은 것은?

① 글의 처음 부분에 동서양의 음악과 관련된 일화를 제시하면 독자들이 더욱 흥미를 느껴 글에 집중할 수 있을 거야. ② 동서양의 음악뿐만 아니라 다른 문화권의 사례도 제시하여 다양한 음악관을 보여 줘야겠어. ③ 아프리카의 사례를 통해 아무리 훌륭한 음악도 문화가 없는 곳에서는 단순한 소리일 뿐이라는 점을 드러내어 음악과 문화와의 관계를 강조해야겠어. ④ 이슬람 문화권, 마케도니아 부족들, 미국 남부의 일부 침례교도들의 사례를 통해 음악에 대한 생각이 다양함을 드러내도록 해야겠어. ⑤ 이러한 일화를 통해서 음악이란 소리와 사회와 문화가 조화를 이루며 만들어지는 것임을 밝혀야겠어.

19 다음은 상대주의의 종류를 정리한 것이다. 윗글에 나타난 관점과 가장 유사한 것은?

	상대주의의 종류	내용
①	도덕적 상대주의	진리 선택 이전에 무엇이 도덕적으로 옳은 것인가를 판단하도록 한다.
②	규범적 상대주의	한 개인이나 사회에 있어서 진리인 것이 다른 개인이나 사회에 있어서도 동일한 것은 아니다.
③	인식적 상대주의	진리가 무엇인지를 판단하여 자신의 입장만이 옳다는 독단적인 생각을 버리고 진리를 받아들인다.
④	기술적 상대주의	서로 다른 사회의 사람들은 기본적인 윤리와 신념이 다르며, 이로 인해 서로 갈등을 일으킬 수밖에 없다.
⑤	사교적 상대주의	진리와 도덕의 문제가 아니라 인간 사회의 화합과 조화를 중심으로 판단하여 서로의 조화를 이끌어 낸다.

20 ⓐ~ⓔ의 사전적 의미로 적절하지 않은 것은?

① ⓐ: 악기의 음을 표준음에 맞추어 고름
② ⓑ: 모든 사람이 다 같이 인정하는 평판
③ ⓒ: 몸 전체
④ ⓓ: 마음속 깊이 감동받아 일어나는 흥취
⑤ ⓔ: 시간적·공간적 간격이 얼마쯤씩 있게

독해 성취도 평가 체크리스트 활용법

❶ 제한 시간 안에 한 회 분량의 독해 성취도 평가를 다 풀고, 풀었던 답을 체크리스트에 표시합니다.

❷ 정답과 해설을 보고 채점 기준에 맞추어 채점을 합니다.

– 채점 기준: 틀린 문제는 ×, 찍어서 맞힌 문제는 △, 맞힌 문제는 ○를 합니다.

1회

지문 영역	문제 영역	번호	문제별 체크리스트					1차 채점	2차 채점
인문	추론적 사고	01	①	②	③	④	⑤		
인문	추론적 사고	02	①	②	③	④	⑤		
인문	비판적 사고	03	①	②	③	④	⑤		
인문	어휘·어법	04	①	②	③	④	⑤		
사회	사실적 사고	05	①	②	③	④	⑤		
사회	추론적 사고	06	①	②	③	④	⑤		
사회	추론적 사고	07	①	②	③	④	⑤		
사회	어휘·어법	08	①	②	③	④	⑤		
과학	사실적 사고	09	①	②	③	④	⑤		
과학	사실적 사고	10	①	②	③	④	⑤		
과학	추론적 사고	11	①	②	③	④	⑤		
과학	어휘·어법	12	①	②	③	④	⑤		
기술	사실적 사고	13	①	②	③	④	⑤		
기술	추론적 사고	14	①	②	③	④	⑤		
기술	추론적 사고	15	①	②	③	④	⑤		
기술	추론적 사고	16	①	②	③	④	⑤		
예술	사실적 사고	17	①	②	③	④	⑤		
예술	추론적 사고	18	①	②	③	④	⑤		
예술	비판적 사고	19	①	②	③	④	⑤		
예술	어휘·어법	20	①	②	③	④	⑤		

❸ 1차 채점 후, 틀렸거나 찍어서 맞힌 문제는 다시 풀어 본 후 채점 기준에 따라 채점을 합니다.

❹ 2차 채점 후, × 문제와 △ 문제는 틀린 이유를 파악해 보고, 해설을 통해 반드시 공부합니다.

2회

지문 영역	문제 영역	번호	문제별 체크리스트					1차 채점	2차 채점
인문	사실적 사고	**01**	①	②	③	④	⑤		
인문	사실적 사고	**02**	①	②	③	④	⑤		
인문	어휘·어법	**03**	①	②	③	④	⑤		
인문	비판적 사고	**04**	①	②	③	④	⑤		
사회	사실적 사고	**05**	①	②	③	④	⑤		
사회	추론적 사고	**06**	①	②	③	④	⑤		
사회	어휘·어법	**07**	①	②	③	④	⑤		
사회	추론적 사고	**08**	①	②	③	④	⑤		
과학	사실적 사고	**09**	①	②	③	④	⑤		
과학	추론적 사고	**10**	①	②	③	④	⑤		
과학	추론적 사고	**11**	①	②	③	④	⑤		
과학	어휘·어법	**12**	①	②	③	④	⑤		
기술	사실적 사고	**13**	①	②	③	④	⑤		
기술	사실적 사고	**14**	①	②	③	④	⑤		
기술	비판적 사고	**15**	①	②	③	④	⑤		
기술	어휘·어법	**16**	①	②	③	④	⑤		
예술	사실적 사고	**17**	①	②	③	④	⑤		
예술	추론적 사고	**18**	①	②	③	④	⑤		
예술	추론적 사고	**19**	①	②	③	④	⑤		
예술	어휘·어법	**20**	①	②	③	④	⑤		

정오표			1차 채점		2차 채점	
			맞은 개수	틀린 개수	맞은 개수	틀린 개수
1회	지문 영역	인문				
		사회				
		과학				
		기술				
		예술				
	문제 영역	사실적 사고				
		추론적 사고				
		비판적 사고				
		어휘·어법				
2회	지문 영역	인문				
		사회				
		과학				
		기술				
		예술				
	문제 영역	사실적 사고				
		추론적 사고				
		비판적 사고				
		어휘·어법				

※ 정오표를 통해 지문이나 문제에서 자신이 잘하는 영역이나 취약한 영역을 한눈에 파악할 수 있습니다. 앞으로 자주 틀리는 지문 영역이나 문제 영역을 집중적으로 학습해 보세요.

memo

memo

중등
수능 독해
국어 비문학 독해 2 발전

정답과 해설

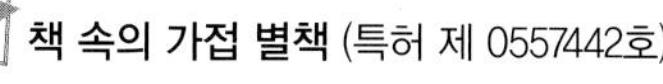

책 속의 가접 별책 (특허 제 0557442호)
과 해설'은 본책에서 쉽게 분리할 수 있도록 제작되었으므로
과정에서 분리될 수 있으나 파본이 아닌 정상제품입니다.

우리는 남다른 상상과 혁신으로
교육 문화의 새로운 전형을 만들어
모든 이의 행복한 경험과 성장에 기여한다

중등

수능 독해

정답과 해설

1. 짧은 지문 실전

본문 014~017쪽

인문 01 노블레스 오블리주

1 ④ 2 ⑤ 3 ②

가 ㉠'노블레스 오블리주(Noblesse oblige)'라는 말을 들어 보았는가. 이 말은 1808년 프랑스의 정치가 가스통 피에르 마르크가 처음 사용한 것으로 알려져 있다. 프랑스어로 '귀족의 신분'을 뜻하는 '노블레스(noblesse)'와 'ⓐ의무가 있다.'를 뜻하는 '오블리주(oblige)'가 합쳐져, '귀족은 그 신분에 걸맞은 의무를 지닌다.'라는 뜻을 나타내는 말이다. 오늘날의 ⓑ관점에서는 '사회 고위층 인사에게 요구되는 높은 수준의 도덕적 의무'를 말한다.

(핵심어 / 노블레스 오블리주의 의미)

나 『그렇다면 19세기 이전에는 이런 의식이나 개념이 없었을까? 그렇지 않다.』 노블레스 오블리주의 정신은 앞장서서 봉사와 기부를 행하고, 전쟁에 참여하거나 희생하는 것을 명예롭게 여겼던 고대 로마의 귀족들에게까지 거슬러 올라간다. 당시 로마의 귀족들은 자신들이 평민이나 노예들과 다른 점이 사회적 책임과 의무를 다하는 데 있다고 생각했다. 이러한 태도에 자부심을 가졌던 그들은 자신들의 책임과 의무를 다하기 위해 자발적으로 노력했고, 이를 두고 서로 경쟁하기도 했다. 고대 로마는 이런 태도를 바탕으로 하여 성장하고 ⓒ번영할 수 있었다.

(노블레스 오블리주의 정신 / 『 』: 문답법(스스로 묻고 대답하는 형식을 써서 문장의 흐름에 색다른 변화를 가져오는 표현법) / 노블레스 오블리주의 정신과 유사함 / 자신의 높은 신분에 맞는 책임과 의무를 다하는 것에 자부심을 느낌)

다 로마 제국이 멸망한 이후에도 노블레스 오블리주의 정신은 유럽의 귀족 사회 속에서 오랫동안 뿌리내렸고, 이와 관련하여 많은 이야기를 남겼다. 그중 하나가 프랑스의 작은 도시인 칼레를 구하기 위해 희생을 감수했던 여섯 시민들에 대한 이야기이다.

(칼레: 프랑스 북부, 도버 해협에 면한 항구 도시. 영국과 유럽 대륙을 이어 주며, 레이스·리넨 등이 생산됨)

14세기 영국과 프랑스 사이에서 벌어진 백 년 전쟁 당시, 칼레는 런던에서 파리를 가기 위해 반드시 거쳐야 하는 항구 도시였다. 프랑스와의 전쟁에서 승리한 영국 왕 에드워드 3세는 ⓓ굴욕적인 항복 조건을 요구했다. 여섯 명의 선발된 시민들이 죄수복을 입고 성문 밖으로 걸어 나와 오랏줄을 감고 죽임을 당하면, 칼레 시를 보전해 주겠다는 것이었다. 이에 『칼레 시에서 가장 부자였던 '외스타슈 드 생 피에르'를 비롯한 시장, 귀족 등 여섯 명의 지도자들은 칼레 시와 시민들을 구하기 위해 스스로 목숨을 바치겠다며 나섰다.』 다행히 에드워드 3세는 복중 태아에게 해가 될 것을 염려한 왕비의 간청을 들어 그들의 목숨을 살려주었다고 한다. 이 일화는 노블레스 오블리주의 예로 자주 ⓔ회자된다.

(백 년 전쟁: 1337년부터 1453년까지 백여 년 동안 영국과 프랑스가 여러 차례 일으킨 전쟁 / 에드워드 3세가 요구한 항복 조건 / 『 』: 칼레 시와 시민들을 위해 노블레스 오블리주의 정신을 실천한 당시 사회 지도층 인사들의 행동)

라 근현대에도 사회 지도층들의 이런 도덕의식은 계층 간의 대립을 완화하고, 전쟁과 같은 국난을 극복하는 데 꼭 필요한 태도로 여겨지며 이어져 왔다. 『그렇다면 오늘날 우리 사회의 현실은 어떠한가. 우리 사회 지도층들의 태도와 행동이 2천 년 전 고대 로마 귀족들의 그것보다 나은지, 새삼 진지하게 생각해 보아야 할 일이다.』

(현대 사회에서도 의미를 가지는 노블레스 오블리주의 가치(주제문) / 『 』: 오늘날 우리 사회 지도층의 태도에 대한 문제의식을 드러냄 → 비판적 태도를 취함)

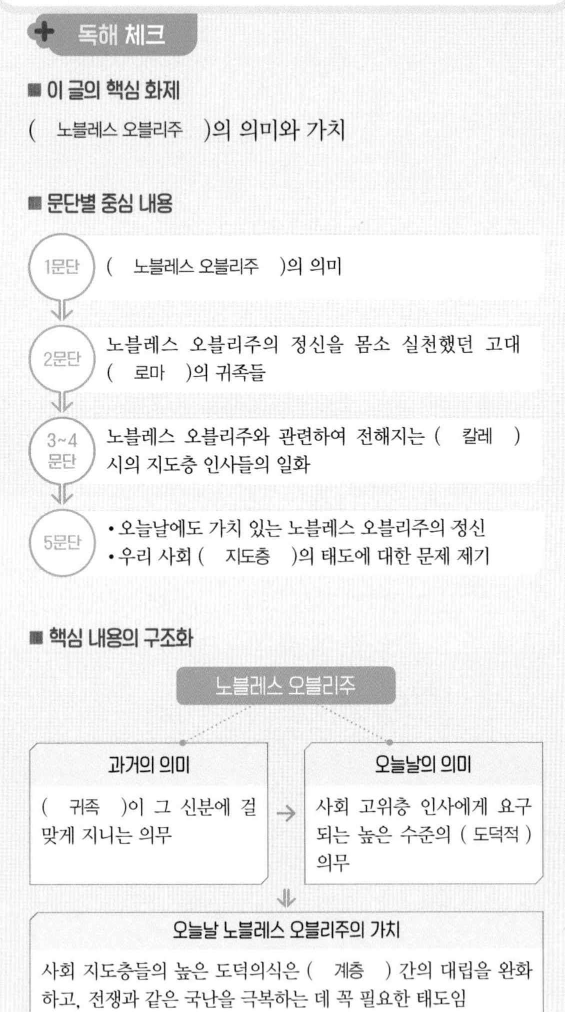

1 '노블레스 오블리주(Noblesse oblige)'는 '귀족들은 태어나면서부터 타고난 신분에 따른 각종 특권을 누리는 만큼, 그 신분에 상응하는 윤리적 의무와 책임을 다해야 한다.'라는 의미를 지닌 프랑스 말로, 오늘날에는 '사회 고위층 인사에게 요구되는 높은 수준의 도덕적 의무'를 뜻한다.

오답 풀이 ❶ '노블레스 오블리주'는 고귀한 신분에는 그에 상응하는 대우가 필요하다는 의미가 아니라, 그 신분에 상응하는 윤리적 의무와 책임이 필요하다는 의미이다.

❷ '노블레스 오블리주'의 정신은 19세기 이전 앞장서서 봉사와 기부를 행하고, 전쟁에 참여하거나 희생하는 것을 명예롭게 여겼던 고대 로마의 귀족들로부터 온 것으로, 자신의 이름을 명예롭게 드높여야 한다는 것과는 관련이 없다.

❸ '노블레스 오블리주'는 '귀족의 신분'을 뜻하는 '노블레스(noblesse)'와 '의무가 있다.'를 뜻하는 '오블리주(oblige)'가 합쳐진 말로, 귀족들은 자신이 지닌 신분에 상응하는 윤리적 의무와 책임을 다해야 한다는 것을 강조하는 말이다. 즉 귀족들의 신분에 부합하는 특권을 포함하는 의미가 아니다.

❺ '노블레스 오블리주'가 귀족들 자신에게 주어진 윤리적 의무와 책임을 다해야 한다는 의미이기는 하지만, 자신에게 주어진 의무와 책임을 다하는 사람이 고귀한 사람이라는 점을 드러내는 말은 아니다.

2 ⑤는 외국 유학 중에 위험에 처한 사람을 구하기 위해 자신을 희생한, 한국 젊은이의 숭고한 이야기이다. 그러나 젊은 유학생의 신분이 사회 지도층(고위층)의 위치라고 볼 수는 없으므로, '노블레스 오블리주'의 사례와는 거리가 있어 적절하지 않다.

오답 풀이 ❶ 로마의 최고 지도자인 집정관은 사회 고위층 인사로 볼 수 있는데, 이들이 전쟁에서 전사한 것은 높은 수준의 도덕적 의무와 책임을 다한 것으로 볼 수 있다.

❷ 142명의 미군 장성들의 아들들은 사회 고위층 인사의 자제들로, 이들이 자국이 아닌 한국 전쟁에 참전한 것은 높은 수준의 도덕적 의무와 책임을 다한 것으로 볼 수 있다.

❸ 소득 수준에 따라 벌금을 내는 핀란드의 '노블레스 오블리주 법(法)'은 높은 소득 수준의 사람일수록 잘못된 행동에 대해 더 큰 벌금을 물어야 한다는 것으로 '사회 고위층 인사에게 요구되는 높은 수준의 도덕적 의무'를 뜻하는 노블레스 오블리주의 사례로 볼 수 있다.

❹ 사회 고위층의 자녀들이 다니던 이튼 칼리지 졸업생 중, 2천여 명이 제1, 2차 세계 대전에 참전하여 전사한 것은 노블레스 오블리주의 사례로 볼 수 있다.

3 〈보기〉에 제시된 문장에는 '사물이나 현상을 관찰할 때, 그 사람이 보고 생각하는 태도나 방향 또는 처지'라는 뜻을 지닌 '관점'이 들어가는 것이 적절하다.

오답 풀이 ❶ '의무'는 '사람으로서 마땅히 하여야 할 일', 곧 '맡은 직분'이라는 의미이다.

❸ '번영'은 '번성하고 영화롭게 됨'이라는 의미이다.

❹ '굴욕'은 '남에게 억눌리어 업신여김을 받음'이라는 의미이다.

❺ '회자'는 '회와 구운 고기'라는 뜻으로, '칭찬을 받으며 사람의 입에 자주 오르내림'을 이르는 말이다.

어휘 체크

1 인사 – 사회 – 회자 – 자부심 – 심정 – 정치

2 ❶ ㉢ ❷ ㉠ ❸ ㉡

인간의 본성은 이성일까?

본문 018~021쪽

1 ③ 2 ⑤ 3 ③

㉮ 철학에서는 인간의 본성에 대해 다양한 생각을 내어놓고 있다. 그중에서도 가장 대표적인 생각은 인간은 이성적 존재라는 것이다. 이러한 생각에 바탕을 둔 사상을 '이성 중심주의'[이성 중심주의의 의미][핵심어]라고 부르는데, 이성 중심주의에서는 이성적 존재로서의 인간에 대해 다음의 세 가지로 설명한다.

㉯ 첫째, 인간은 수학적 존재[인간의 이성에 대한 설명 ①]이다. 이는 인간이 계산하는 능력을 통해 대상들 사이의 비례 관계를 이해하여 알 수 있음[인간이 수학적 존재라는 것의 의미]을 뜻한다. 라틴어에서 이성을 뜻하는 말은 'ratio', 즉 '라티오'이다. 라티오란 본래 '비례'나 '비율'을 뜻하는데, 영어 'rational(합리적)'의 어원이기도 하다. 이를 통해 볼 때 이성은 수학적인 원리를 이해하고 세계를 합리적으로 파악할 수 있는 능력[수학적 존재로서의 인간의 이성]을 뜻하는 것이다.

㉰ 둘째, 인간은 도덕적 존재[인간의 이성에 대한 설명 ②]이다. 이는 인간이 이성을 바탕으로 하여 자신의 행동에 대한 판단을 스스로의 힘으로 내릴 수 있음[인간이 도덕적 존재라는 것의 의미]을 뜻한다. 다시 말해 인간이 어떤 행동을 하든지 그 행동은 자기 자신이 선택하고 결정하는 것[도덕적 존재로서의 인간이 지니는 판단의 자유]이며, 따라서 모든 행동의 원인은 자신에게 있는 것이다. 이러한 판단의 자유를 '자율(自律)'이라고 부른다.

㉱ 셋째, 인간은 언어적 존재[인간의 이성에 대한 설명 ③]이다. 여기서 언어적 존재란 단순하게 의사소통을 할 수 있는 존재를 의미하는 것이 아니다. 이는 인간이 이성적 대화를 통해 최선의 방법을 찾아낼 수 있음[인간이 언어적 존재라는 것의 의미]을 뜻한다. 인간은 이성적 대화를 통해 정치를 하며, 이는 곧 인간이 사회를 만들고 살아갈 수 있는 근거가 된다. 외부적인 힘에 의해 잘못된 판단을 하지 않는다면, 인간은 언어적 소통을 통해 사회의 조화와 발전을 이룰 수 있는 능력[이성적 대화를 통해 최선의 방법을 찾아 사회를 발전시키는 능력]을 지닌다는 뜻도 포함된다.

㉲ [㉠] 시간이 흐르며 이성 중심주의는 여러 가지 면에서 비판을 받기도 하였다. 그중에서도 가장 대표적인 내용은 『이성 중심주의에서는 감정, 상상력, 욕구 등 이성 이외의 능력들을 비이성적인 것으로 보고, 이를 인간 본성이 아닌 것으로 여긴다는 것이다.』[『 』: 이성 중심주의에 대한 비판 ①] 특히 『이성 중심주의는 인간의 비이성적인 부분들을 동물성의 한 형태로 보고, 이것들을 이성으로 통제하고 조절해야만 한다고 생각한다.』[『 』: 이성 중심주의에 대한 비판 ②] 이는 인간의 다양한 본성 중 한 가지에만 치우친 생각으로, 인간 본성에 대해 잘못된 해석을 할 수 있다[이성 중심주의가 지닌 문제점]는 점에서 문제가 있다.

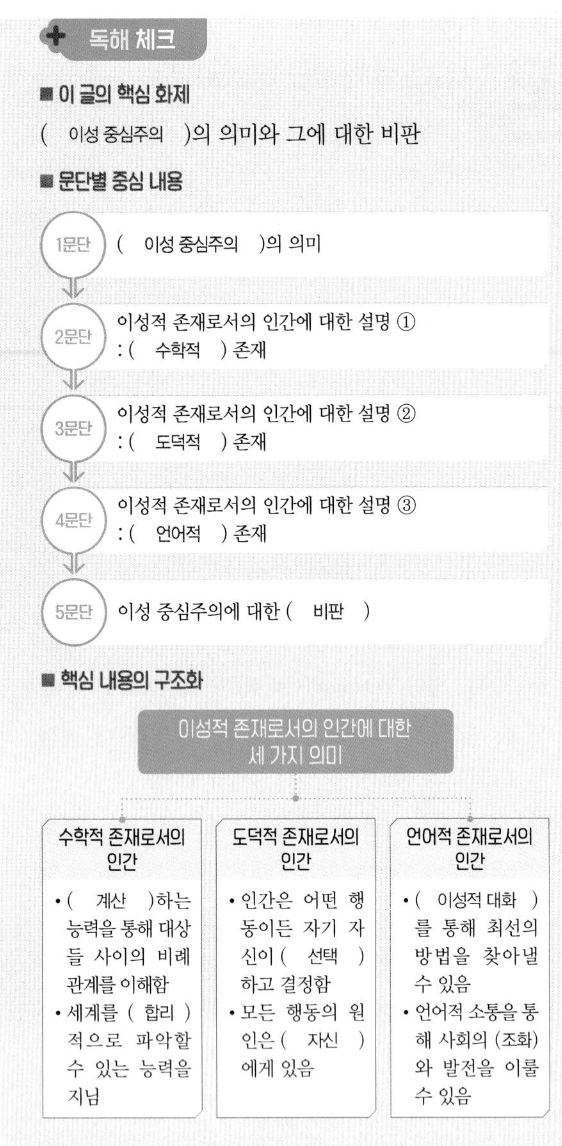

1 (가)의 첫 문장에서, 철학에서는 인간의 본성에 대해 다양한 생각을 내어놓고 있다고 하였다. 그러나 이 글에서는 그중 대표적인 사상인 '이성 중심주의'만을 언급하고 있을 뿐, 인간 본성과 관련된 다른 철학 사상들에 대해서는 언급하고 있지 않다.

오답 풀이 ❶ (가)에서 인간은 이성적 존재라는 생각에 바탕을 둔 사상이 이성 중심주의라고 설명하였다.

❷ (마)에서 이성 중심주의는 인간의 다양한 본성 중 한 가지에만 치우친 생각으로, 인간 본성에 대해 잘못된 해석을 할 수 있다는 점에서 문제가 있다고 하였다.

❹ (나)~(라)에서 이성적 존재로서의 인간에 대한 세 가지 의미인 수학적 존재, 도덕적 존재, 언어적 존재에 대해 설명하고 있다.

❺ (마)에서 이성 중심주의가 감정, 상상력, 욕구 등 이성 이외의 능력들을 비이성적인 것으로 본다고 언급하였다.

2 (다)에서 인간은 자신의 행동에 대한 판단을 스스로의 힘으로 내릴 수 있고, 이러한 판단의 자유를 '자율'이라고 부른다고 하였다. 이는 어떤 행동을 하든지 자신이 선택하고 결정한다는 것이지, 다른 사람으로부터 행동에 대한 도덕적인 평가를 받지 않는다는 의미는 아니다.

오답 풀이 ❶ (마)를 통해 감정, 상상력, 욕구 등 이성 이외의 능력들을 비이성적인 것으로 보고, 이를 인간 본성이 아닌 것으로 여기는 이성 중심주의에 대해 비판하는 입장이 있음을 알 수 있다. 이와 같은 입장에 있는 사람들은 감정, 상상력, 욕구 등 이성 이외의 능력들도 인간의 본성이라고 생각할 것이다.

❷ (라)에서 인간은 이성적 대화를 통해 최선의 방법을 찾아낼 수 있고, 이러한 언어적 소통을 통해 사회의 조화와 발전을 이룰 수 있다고 하였다. 따라서 이성적 대화를 하지 못한다면 사회의 조화와 발전을 이루기 어려울 것이라고 생각할 수 있다.

❸ (마)에서 이성 중심주의는 인간의 다양한 본성 중 한 가지에만 치우친 생각으로, 인간 본성에 대해 잘못된 해석을 할 수 있다는 점에서 문제가 있다고 하였다. 이를 통해 한 가지에만 치우친 생각으로는 인간의 본성을 올바르게 이해하기 힘들다는 것을 알 수 있다.

❹ (나)에서 인간이 수학적 존재라는 것은 인간이 계산하는 능력을 통해 대상들 사이의 비례 관계를 이해하여 알 수 있음을 뜻한다고 하였다.

더 알아두기 이성주의와 경험주의

	이성주의	경험주의
개념	진정한 인식은 경험이 아닌, 태어날 때부터 가지고 난 이성에 의하여 얻어진다고 하는 태도	인식의 바탕이 경험에 있다고 보아, 경험의 내용이 곧 인식의 내용이 된다고 보는 태도
장점	• 이성을 통해 도덕의 보편적 기준을 확고히 함 • 보편적 진리와 도덕 기준을 제시하여 상대주의나 회의주의를 벗어날 수 있도록 함	• 인간의 경험에 대한 긍정 → 현실 문제 해결에 실질적인 도움을 줌 • 객관적 지식을 강조하므로 이성주의적 독단을 점검·경계할 수 있음
단점	인간의 감정과 경험이 지닌 가치를 무시할 우려가 존재함	도덕적 상대주의나 회의주의로 흐를 우려가 존재함

3 ㉠ 앞에서는 이성 중심주의에 대한 구체적인 내용을 설명하고 있다. 그리고 ㉠ 뒤에서는 이성 중심주의에 대해 비판하는 내용을 소개하고 있다. 따라서 ㉠에는 앞의 내용과 대립되는 내용을 이야기할 때 쓰는 부사인 '그러나'가 들어가는 것이 적절하다.

오답 풀이 ❶ '또한'은 앞의 내용과 유사한 내용을 덧붙일 때 쓰는 부사이다.

❷ '그리고'는 앞의 내용과 뒤의 내용이 자연스럽게 이어질 때 쓰는 부사이다.

❹ '따라서'는 앞의 내용에 대한 결과를 이야기할 때 쓰는 부사이다.

❺ '요컨대'는 중요한 내용을 요약하여 정리할 때 쓰는 부사이다.

어휘 체크

1 (1) 원리 (2) 통제 (3) 합리적

2 ❶ 의사소통 ❷ 사상 ❸ 본성 ❹ 이성

본문 022~025쪽

인문 03

스피노자가 추구한 이상적인 인간상은 무엇일까?

1 ① 2 ② 3 ⑤

가 스피노자가 궁극적으로 탐구하고자 했던 것은 바로 인간의 행복과 윤리의 문제였다. 스피노자에 의하면, 인간은 자연의 일부이고 자연의 현상은 필연적인 법칙을 따른다. 「그는 '자연 안에 하나라도 우연한 것은 없으며 모든 것은 일정한 방식으로 존재하고 작용하도록 신적 본성의 필연성에 의하여 결정되고 있다.'라고 말한다.」 이 말에 따른다면 인간에게는 결코 자유로운 의지나 결단이란 있을 수 없게 된다. 스피노자는 이것을 다음과 같이 비유한다. 「자유로운 선택과 결단이 가능하다고 생각하는 인간이 있다면, 그는 공중에 던져진 돌이 일정한 궤도를 따라서 떨어지고 난 뒤에 마치 자신의 자유로운 의지에 따라 날아갔다고 생각하는 것과 마찬가지라고.」

(핵심어 / 스피노자 철학의 궁극적 탐구 과제 / 스피노자 철학의 내용 / 「 」: 스피노자의 말을 직접 인용함 – 자연의 현상은 필연적인 법칙에 따름 / 이유: 인간은 필연적인 법칙에 따라 움직이므로 / 「 」: 인간의 자유 의지 및 주체적 행동의 가능성을 강하게 부정한 스피노자 / 인간 / 필연적인 법칙에 따라 움직임)

나 이처럼 인간의 행동은 자연 현상과 마찬가지로 불변의 법칙을 벗어날 수 없다. 또 자연의 필연적인 운행에 선과 악을 말할 수 없듯이, 모든 인간이 추구해야 할 선이나 악이 이 세상에 객관적으로 존재하지는 않는다. 그러나 자연 안의 존재는 스스로를 보전하려는 성향을 가지고 있다고 스피노자는 말한다. 그러므로 이런 관점에서 볼 때 인간이 자신을 보전하는 데 유용한 것은 선하다고 할 수 있으며, 그렇지 않은 것은 악하다고 할 수 있다.

(인간 역시 자연의 일부라는 인식을 드러냄 / 자신을 보전하려는 성향이 필연적이라고 볼 때 / 스피노자 철학에서 선과 악을 구분 짓는 기준)

다 자신을 보전한다고 할 때는 동물적인 본능도 부인할 수 없지만, 인간에게는 이성이 있다는 것을 스피노자는 강조한다. 인간의 이성은 결코 일시적이고 자기 개인에게만 유용한 것을 생각하지 않게 한다. 이성은 순간적인 현재를 뛰어넘어서 지금의 행동이 후일에 가져올 결과까지 미리 생각하게 해 준다. 「생명의 추진력으로서 인간에게는 충동과 본능이 있지만, 그러한 것들은 이성의 빛에 의해 인도되고 정돈되는 것이다.」

(인간과 동물을 구분 짓는 것 / 인간의 이성은 영구적이며 모두에게 유용한 것을 생각하게 함 → 인간을 동물적인 본능에 머무르게 하지 않음 / 「 」: 이성의 역할 – 동물적인 충동과 본능을 다스림)

라 스피노자는 인간이 추구해야 할 가치 있는 행동과 삶이란 바로 자연의 법칙을 이해하고 감정의 ㉠동요를 일으키지 않는 것이라고 말한다. 지혜로운 사람은 자연의 법칙을 깨우치고 자연의 변화에 대해 불안을 느끼지 않는다. 필연적인 것은 곧 신의 의지이므로 필연에 대한 보다 큰 인식은 곧 신에 대한 보다 깊은 사랑과 복종을 뜻한다. 스피노자는 인간이 도달할 수 있는 최고의 상태를 '신에 대한 지적인 사랑'이라고 말한다.

(스피노자가 추구하는 이상적인 삶(주제문) / 스피노자가 규정한 '지혜로운 사람' / 이상적인 인간상: 신에 대한 지적인 사랑에 도달한 인간)

+ 독해 체크

■ 이 글의 핵심 화제

(스피노자) 철학의 특징과 그가 추구한 이상적인 인간상

■ 문단별 중심 내용

- 1문단 (신적 본성)의 필연성에 따라 움직이는 인간
- 2문단 자신을 (보전)하려는 성향을 지닌 인간
- 3문단 충동과 본능을 다스리는 (이성)을 지닌 인간
- 4문단 인간이 추구해야 할 (가치) 있는 행동과 삶

■ 핵심 내용의 구조화

스피노자의 철학

자연의 현상은 (필연적)인 법칙을 따르므로, (자연)의 일부인 인간의 행동 역시 불변의 법칙을 벗어날 수 없음	인간의 (이성)은 인간을 충동과 본능에서 벗어나게 하고, 이로 인해 감정의 (동요)를 피할 수 있게 함

↓

스피노자가 궁극적으로 추구한 이상적인 인간상

자연 현상에 내재된 필연성에 대해 (인식)하고, (이성)을 통해 감정의 동요에서 벗어나 '신에 대한 지적인 사랑'에 이른 인간

1 (가)의 '인간은 자연의 일부이고 자연의 현상은 필연적인 법칙을 따른다.'와 (나)의 '인간의 행동은 자연 현상과 마찬가지로 불변의 법칙을 벗어날 수 없다.'를 통해, 스피노자는 인간을 불변의 법칙에 지배를 받는 존재로 인식하고 있음을 알 수 있다.

오답 풀이 ② (가)에서 인간은 필연적인 법칙에 따르는 존재이므로, 인간에게는 자유로운 의지나 결단이란 있을 수 없다고 하였다.

③ (다)에서 인간이 자신을 보전하고자 할 때, 동물적인 본능도 부인할 수 없다고 하였다.

④ (가)에서 인간은 신적 본성의 필연성에 따라 결정된다고 언급하고는 있지만, 인간이 신을 부정할 때 행복한 삶에 이르지 못한다는 내용은 언급하고 있지 않다.

⑤ (다)에서 인간은 충동과 본능을 다스리는 이성에 의해 지금의 행동이 후일에 가져올 결과를 예측할 수 있다고 하였다.

2 〈보기〉의 A가 출근 시간에 쫓겨 급히 승용차를 운전한 것은 지각을 하지 않기 위해 자신을 보전하려는 행동으로 볼 수 있다. 그러나 스피노자는 자연의 일부인 인간이 필연적인 법칙에 따라 존재하고 작용한다고 보았으므로, 이와 같은 A의 행동을 우연하게 작용한 결과로 보는 것은 적절하지 않다.

오답 풀이 ① A가 교통 신호를 어기고 싶은 충동을 억제한 것은 일시적이고 자기 개인에게만 유용한 것을 생각하지 않는 태도이므로, 인간의 이성이 작용한 결과로 볼 수 있다.

❸ A에게 교통 신호를 어기고 싶은 충동이 일어난 것은 회사에 지각하지 않으려는 자신의 욕구에 의해 순간적으로 자기에게 유용한 것만 생각한 것으로 볼 수 있다.
❹ A가 교통 신호를 어기고 싶은 충동을 억누르고 차를 멈춘 것은 인간의 충동이 이성의 빛에 의해 인도되고 정돈된 것으로 볼 수 있다.
❺ A가 정지선에 차를 멈춘 것은 신호를 어기는 지금의 행동이 나중에 교통 혼잡이나 교통사고 등의 부정적 결과를 초래할 수 있다는 것을 이성을 통해 예측했기 때문으로 볼 수 있다.

3 ㉠의 '동요'는 '생각이나 처지가 확고하지 못하고 흔들림'이라는 의미로 쓰였다. ⑤의 '동요' 역시 이와 같은 의미로 쓰였다.
오답 풀이 ❶, ❷ '물체 따위가 흔들리고 움직임'이라는 의미로 쓰였다.
❸ '어린이를 위하여 동심(童心)을 바탕으로 지은 노래'라는 의미로 쓰였다.
❹ '어떤 체제나 상황 따위가 혼란스럽고 술렁임'이라는 의미로 쓰였다.

+ 어휘 체크
• ㉤ – 필연성 ㉢ – 결단 ㉣ – 불변 ㉡ – 보전 ㉠ – 유용

본문 026~029쪽

유추란 무엇일까?

1 ② 2 ① 3 ④

가 무엇인가를 알아내는 사고 방법에는 여러 가지가 있는데 그중 하나가 유추이다. 유추(핵심어)란 어떤 사물이나 현상의 성질을 그와 비슷한 다른 사물이나 현상에 기초하여 미루어 짐작하는 것(유추의 개념)을 말한다. 이는 학문 또는 예술 활동에서뿐만 아니라 일상생활에서도 흔히 행하고 있는 사고법이다.

나 유추는 '알고자 하는 특성의 확정–알고 있는 대상과의 비교–결론 내리기'(유추의 과정)의 과정을 통해 이루어진다. 『동물원에 가서 '백조'를 처음 본 어린아이가 그것이 날 수 있는가의 여부를 판단하는 과정을 생각해 보자. 이 경우 '알고자 하는 대상'(백조)과 그 '알고자 하는 특성'(그것이 날 수 있는가)을 확정하면 '백조가 날 수 있는가?'[알고자 하는 특성의 확정]가 된다. 그런데 그 아이가 자신이 이미 알고 있는 '비둘기'(알고 있는 대상)를 떠올리고는 백조와 비둘기 사이에 '깃털이 있다.', '다리가 둘이다.', '날개가 있다.' 등의 공통점을 발견하였다.[알고 있는 대상과의 비교] 이렇게 공통점을 발견하는 것이 바로 비교이다.(비교의 개념) 그다음에 '비둘기는 난다.'는 특성을 다시 확인한 후 '백조가 날 것이다.'[결론 내리기]라고 결론을 내리면 유추가 끝난다.』(『 』: 유추의 과정을 예를 들어 설명함(예시))

다 많은 논리학자들은 유추가 판단을 그르치게 한다고 평하한다. 유추를 통해 알아낸 것이 옳다는 보장이 없기 때문이다.(유추의 한계, 문제점) 『위의 경우 '백조가 난다.'는 것은 옳다. 그런데 똑같은 방법으로 '타조'에 대해 '타조가 난다.'는 결론을 내렸다면, 이는 사실에 어긋난다.』(『 』: 유추가 지닌 한계를 예를 들어 설명함(예시)) 이는 공통점이 가장 많은 대상을 비교 대상으로 선택하지 못했기 때문이다.(유추로 잘못된 결론이 도출된 이유) 이렇게 유추를 통해 알아낸 것은 옳을 가능성이 있다고는 할 수 있어도 틀림없다고는 할 수 없다.

라 결국 ㉠유추를 통해 옳은 결론을 내릴 가능성을 높이는 것이 중요한데, '범위 좁히기'(유추를 통해 옳은 결론을 내릴 가능성을 높이는 방법)의 과정을 통해 비교할 대상을 선정함으로써 그 가능성을 높일 수 있다. 『만약 어린아이가 수많은 새 중에서 비둘기 말고, 타조와 더 많은 공통점을 갖고 있는 것, 예를 들면 '몸통에 비해 날개 크기가 작다.'는 공통점을 하나 더 갖고 있는 '닭'을 가지고 유추를 했다면 '타조는 날지 못할 것이다.'라는 결론을 내렸을 것이다.』(『 』: '범위 좁히기'의 과정을 예를 들어 설명함(예시))

마 옳지 않은 결론을 내릴 가능성을 항상 안고 있음에도 불구하고 유추는 필요하다. 우리 인간은 모든 것을 알고 태어나지 않을 뿐만 아니라 어느 한순간에 모든 것을 알아내지는 못한다. 그런데도 인간이 많은 지식을 갖게 된 것은 유추와 같은 사고법을 가지고 있기 때문이다.(유추의 유용성 강조)

+ 독해 체크

■ 이 글의 핵심 화제
인간이 지식을 습득하는 방법 중 하나인 (유추)

■ 문단별 중심 내용
1문단 유추의 (개념)
2문단 유추의 (과정)
3문단 유추의 (한계)
4문단 유추의 (한계)를 극복하는 방법
5문단 유추의 (의의)

■ 핵심 내용의 구조화

유추의 개념	유추의 과정	유추의 한계 및 극복 방법
어떤 사물이나 현상의 성질을 그와 (비슷한) 다른 사물이나 현상에 기초하여 미루어 짐작하는 것	알고자 하는 특성의 (확정) → 알고 있는 대상과의 (비교) → 결론 내리기	• 한계: 잘못된 결과를 도출할 우려가 있음 • 극복 방법: (범위) 좁히기

유추의 의의
유추는 인간이 보다 많은 (지식)을 가지게 해 줌

1 〈보기〉에서 (A)는 [가]만이 갖고 있는 특성이고, (C)는 [나]만이 갖고 있는 특성이다. 그리고 (B)는 [가]와 [나]가 공통으로 갖고 있는 특성이다. 이 글에서는 ㉠을 위한 방법으로, 더 많은 공통점을 갖고 있는 대상을 선택해서 비교할 것을 제시하고 있다. 따라서 이를 고려할 때 정답은 ②이다.

오답 풀이 ❶, ❸ [가]와 [나] 사이의 공통점인 (B)가 적거나 없을 수 있으므로, ㉠을 위한 방법이 아니다.

❹ (A)와 (C)의 면적은 유추를 통해 옳은 결론을 내릴 가능성을 높이는 것과 관련이 없다.

❺ (B)의 면적이 (A), (C)와 동일할 경우, 유추의 결론이 옳을 가능성이 있기는 하지만, ②의 경우보다는 옳을 가능성이 적다.

2 '화성과 태양의 거리'를 확인하는 것은 '알고자 하는 대상'인 '화성'과 알고 있는 대상인 '지구'를 비교하여 공통점을 파악하기 위한 것이므로, '알고자 하는 특성'을 확정한 것이 아니다. 〈보기〉에서 '알고자 하는 특성'의 확정은 '화성에도 생명체가 존재할까?'이다.

오답 풀이 ❷ 화성에 생명체가 있는지를 유추하기 위해 우리가 가장 잘 알고 있는 '지구'를 비교 대상으로 삼았다.

❸ 〈보기〉에서는 화성과 지구를 비교하여 찾은 공통점으로 '태양과의 거리가 비슷함, 최저 기온에 크게 차이가 없음, 암석과 물의 존재가 확인됨'을 들었다. 따라서 '암석과 물의 존재'는 화성과 지구를 비교한 결과 확인한 공통점이라 할 수 있다.

❹ '화성에도 생명체가 존재할 가능성이 높다.'라는 결론을 내리기 전에 '그런데 지구에는 생명체가 존재한다.'라는 지구의 특성을 다시 확인하고 있다.

❺ 최종적으로 내린 결론은 제일 앞서 던진 질문, '알고자 하는 특성의 확정'에 대한 답인 '화성에도 생명체가 존재할 가능성이 높다.'이다.

3 '유추'는 '어떤 사물이나 현상의 성질을 그와 비슷한 다른 사물이나 현상에 기초하여 미루어 짐작하는 것'을 의미한다. ④의 '진단 키트'는 질병을 신속하고 간편하게 진단하는 검사 기구이므로, 빈칸에는 미루어 짐작한다는 의미의 '유추'가 아닌 '판단이나 결론 따위를 이끌어 냄'을 뜻하는 '도출'이 들어가기에 적절하다.

오답 풀이 ❶ 그의 마음을 또래 친구들을 통해 미루어 짐작해 낼 수 있다는 의미로 바꿀 수 있으므로, '유추'가 들어가기에 적절하다.

❷ 이러한 추측이 침팬지의 행태 관찰을 통해 미루어 짐작된 것이라는 의미이므로, '유추'가 들어가기에 적절하다.

❸ 오렌지는 귤과 같은 종류의 과일이라고 짐작할 수 있다는 의미로 바꿀 수 있으므로, '유추'가 들어가기에 적절하다.

❺ 셜록 홈스가 범인의 표정에서 어떤 단서를 짐작해 냈다는 의미로 바꿀 수 있으므로, '유추'가 들어가기에 적절하다.

+ 어휘 체크

1 (1) 유추 (2) 폄하 (3) 비교

2 ❶ 확정 ❷ 확인 ❸ 여부 ❹ 부각

본문 030~033쪽

사회 01 문화가 서서히 전파되는 방법

1 ③　2 ⑤　3 ①

가 「한 지역의 문화가 사람들의 이동과 무역, 정복 활동, 대중 매체 등을 통해 다른 지역으로 이동하거나 주변으로 퍼져 나가는 현상」을 문화 전파라고 한다. (「 」: 문화 전파의 개념) 문화 전파는 한 지역의 문화가 다른 지역으로 서서히 전파되는 ㉠문화 확산(문화 전파의 종류 ①)과, 문화가 일정 거리를 뛰어넘어 멀리까지 전해지는 문화 이식(문화 전파의 종류 ②)으로 나눌 수 있다. 이 중 문화 확산(핵심어)은 팽창 확산, 이동 확산, 혼합 확산 등 크게 세 가지 모습으로 나타난다. (문화 확산의 세 가지 유형(주제문))

나 팽창 확산(문화 확산의 유형 ①)은 어떤 문화가 한 곳에서 다른 곳으로 전파되는 과정에서 그 문화가 발생 지역에 남아 있고, 때로는 그 힘이 더 커지기도 하는 경우(팽창 확산의 특징 ①)이다. 이 경우에는 그 문화가 발생지에서 원심적으로 전파되는 모습을 띤다(팽창 확산의 특징 ②). 미국에서 처음 개발된 인터넷이 전 세계로 확산(팽창 확산의 사례)되면서 오늘날에는 주요한 소통 매체로 자리 잡은 것이 대표적인 예이다.

다 ㉡이동 확산(문화 확산의 유형 ②)은 문화 자체가 새로운 지역으로 이동(이동 확산의 특징 ①)하는 것으로 그 문화가 발생 지역에서 빠져나간 만큼 줄어들거나 때로는 아예 남아 있지 않은 경우(이동 확산의 특징 ②)이다. 「근대화가 급속하게 이루어지던 시기에 농촌의 많은 사람들이 서울과 같은 대도시로 이동하면서 농촌의 노동력이 눈에 띄게 줄어들었던 것」은 이동 확산의 사례로 볼 수 있다. (「 」: 이동 확산의 사례)

[A]
라 혼합 확산(문화 확산의 유형 ③)은 팽창 확산과 이동 확산이 섞인 모습(혼합 확산의 특징 ①)으로 나타난다. 이는 새로운 문화 지역이 문화 발생 지역의 일부와 겹치면서 전파(혼합 확산의 특징 ②)되는 경우이다. 이 경우 「시간이 지남에 따라 처음에 겹쳤던 지역에서는 그 문화가 점차 사라지고, 문화가 전파된 지역의 범위 자체가 이동을 하는 모습을 보인다.」 (「 」: 혼합 확산의 특징 ③)

마 문화가 확산되는 과정에서는 여러 가지 원인에 의해 장애가 발생하기도 한다. 「험한 산맥, 사막, 늪과 같은 자연적인 환경(문화가 확산되는 과정에서 발생하는 장애 원인 ①)과 보수적인 사고방식이나 종교, 법률, 언어 등의 인문적인 환경(문화가 확산되는 과정에서 발생하는 장애 원인 ②)에 의해서 방해를 받는다. 이와 같은 장애의 원인들」을 흡수 장벽이라 하는데, (「 」: 흡수 장벽의 개념) 때로는 자연적인 환경보다 인문적인 환경이 더 큰 영향을 미치기도 한다. 문화가 확산되는 과정에서 흡수 장벽에 부딪히게 되면 문화가 확산되지 못하고 파묻혀 버리거나 흡수 장벽을 피하여 전파된다. (흡수 장벽의 영향)

1 (마)에서는 문화가 확산되는 과정에서 흡수 장벽, 즉 자연적인 환경과 인문적인 환경에 의해서 방해를 받는데, 때로는 자연적인 환경보다 인문적인 환경이 더 큰 영향을 미치기도 한다고 하였다. 따라서 인문적인 환경이 자연적인 환경에 비해 문화가 확산되는 과정에서 큰 방해가 되지 않는다는 ③의 내용은 적절하지 않다.

오답 풀이 ❶ (가)에서 한 지역의 문화가 다른 지역으로 이동하거나 주변으로 퍼져 나가는 현상을 문화 전파라고 하였다.

❷ 미국에서 처음 개발된 인터넷은 팽창 확산의 사례이다. (나)에서 팽창 확산은 어떤 문화가 전파되는 과정에서 그 문화가 발생 지역에 남아 있고, 때로는 그 힘이 더 커지기도 한다고 하였다.

❹ (마)에서 문화가 확산되는 과정에서 부딪히게 되는 장애의 원인들을 흡수 장벽이라고 하는데, 이러한 흡수 장벽에 부딪히게 되면 문화가 확산되지 못하고 파묻혀 버리거나 흡수 장벽을 피하여 전파된다고 하였다.

❺ (다)에서 이동 확산은 문화 자체가 새로운 지역으로 이동하는 것으로, 그 문화가 발생 지역에서 빠져나간 만큼 줄어들거나 때로는 아예 남아 있지 않다고 하였다.

2 [A]는 문화 확산의 세 가지 유형 중 혼합 확산에 대한 설명이다. 혼합 확산은 새로운 문화 지역이 문화 발생 지역의 일부와 겹치면서 전파되는데, 시간이 지나면서 겹치는 지역에서는 그 문화가 점차 사라지게 된다고 하였다. 따라서 새로운 지역으로 문화가 전파된 후에도 문화 발생 지역 중 새로운 지역과 겹치는 지역에서는 한동안 그 문화가 남아 있다가, 시간이 지난 후에 전파 지역의 범위 자체가 이동을 하면서 점차 사라지게 되는 것이다.

오답 풀이 ❶ 문화 확산의 세 가지 유형 중, 어떤 것이 문화가 전파되는 데 더 오랜 시간이 걸리는지에 대해서는 이 글에 언급되어 있지 않다.

❷ 혼합 확산은 새로운 문화 지역이 문화 발생 지역의 일부와 겹치면서 전파되는 것이라고 하였다. 따라서 문화가 발생한 지역의 일부와 문화가 전파된 지역은 거리상 가까울 것이라고 예측할 수 있다.

❸ 혼합 확산의 경우, 시간이 지남에 따라 처음에 겹쳤던 지역에서 문화가 점차 사라지고 문화가 전파된 지역의 범위 자체가 이동하는 모습을 보인다고 하였다. 따라서 전파된 문화는 그 문화가 전파되었던 모든 지역에 조금씩 남아 있을 것이라는 추측은 적절하지 않다.

❹ 혼합 확산의 경우, 문화가 전파된 지역의 범위 자체가 이동하는 모습을 보이지만, 이로 인해 흡수 장벽에 부딪힐 가능성이 크다고 볼 수 있는 근거는 이 글에 나타나지 않는다.

더 알아두기 문화의 섬

다른 문화가 공존하는 과정에서 다수 집단의 문화에 동화되지 않고 고유의 문화를 유지하는 지역을 바다 위의 섬에 비유하여 '문화의 섬'이라고 한다. 문화의 섬에는 오스트레일리아의 애버리지니, 미국의 인디언과 같은 '인종의 섬'과, 라틴 아메리카의 에스파냐어에 둘러싸인 브라질의 포르투갈어, 캐나다의 영어에 둘러싸인 퀘벡주의 프랑스어와 같은 '언어의 섬', 그리고 동부 유럽의 슬라브족에 둘러싸인 루마니아의 라틴족과 같은 '민족의 섬'이 있다.

이와 같은 문화의 섬은 주변 지역의 문화와는 다른 고유의 문화적 특성을 지킴으로써, 주변과 다른 독특한 문화 경관을 형성한다.

3 이동 확산은 문화 확산이 나타나는 세 가지 유형 중 하나이다. 따라서 ㉠의 '혼합 확산'은 ㉡의 '이동 확산'을 포함하는 상의어라고 할 수 있다. ①의 '신발' 역시 '구두'를 포함하는 상의어이므로, ㉠과 ㉡의 상하 관계와 비슷하다고 볼 수 있다.

오답 풀이 ❷ '아우'와 '동생'은 비슷한 뜻을 지닌, 유의 관계이다.

❸ '남자'와 '여자'는 서로 반대되는 뜻을 지닌, 반의 관계이다.

❹ '기름'과 '지방'은 비슷한 뜻을 지닌, 유의 관계이다.

❺ '교실'과 '강당'은 둘 다 학교에 있는 공간의 일부로, 서로 대등한 관계이다.

어휘 체크

1 (1) 매체 (2) 팽창

2 ❶ ㉠ ❷ ㉢ ❸ ㉡

본문 034~037쪽

02 뜻을 모아 함께 만드는 단체, 협동조합

1 ②　2 ①　3 ④

가 「안전한 농산물을 농민들로부터 직접 공급받고 싶었던 K 씨는 자신과 뜻이 같은 사람들이 주위에 있음을 알게 되었다. K 씨는 이들과 함께 일정 금액의 출자금을 내어 단체를 만들었다(협동조합의 결성). K 씨는 이 단체(협동조합)를 통해 안전한 농산물을 농민들로부터 직접 구매할 수 있었고, 농민들은 중간의 유통 비용 없이 적절한 대가를 받고 농산물을 공급할 수 있었다. 이 단체에서는 출자금의 일부를 미리 농민에게 지불하여 농민들이 더욱 안정적으로 농산물을 생산할 수 있도록 도왔다.」(「 」: 협동조합의 구체적 사례를 제시함(예시)) 이 사례와 같이 「뜻을 같이하는 사람들이 일정 금액을 모아 공동의 경제, 사회, 문화적 수요와 요구를 충족시키기 위해 자발적으로 결성한 조직을 '협동조합'(핵심어)이라고 한다.」(「 」: 협동조합의 개념)

나 협동조합은 5인 이상의 사람들이 모여 출자금을 내면 누구나 만들 수 있으며(협동조합의 설립 조건), 가입과 탈퇴도 자유롭다. 「협동조합은 평등한 협력체이기 때문에 사업의 목적이 이윤의 추구가 아니라 조합원 간의 상호부조(협동조합의 목적)에 있다. 그래서 모든 조합원이 협동조합을 공동으로 소유하고, 출자금을 통해 협동조합에 필요한 자본을 조성하는 데 공정하게 참여한다. 그리고 조합 내에서 발생한 수익은 협동조합의 발전과 조합원의 권익 증진을 위해 사용한다.」(「 」: 협동조합의 특징)

다 이윤 추구를 목적으로 하는 주식회사와 달리 협동조합은 '조합원'을 중심으로 운영된다.(주식회사와 협동조합의 차이점 ① - 운영 목적) 「주식회사는 주식을 가진 비율에 따라 의사 결정권이 부여되므로 주식을 많이 가진 대주주가 의사를 결정하는 경우가 많다. 반면 협동조합에서는 대체로 조합원 한 사람에게 한 표의 의사 결정권이 부여되므로, 조합원의 의사가 존중된다.」(「 」: 주식회사와 협동조합의 차이점 ② - 의사 결정의 주체) 따라서 이런 구조로 인해 조합원이 추구하는 공동의 가치인 일자리 창출이나 사회적 약자 보호, 그리고 지역 사회 발전과 같은 사회적 가치를 실현하는 데 유리하다.(협동조합의 의의)

라 그러나 협동조합은 구조적 특성상 신속한 자본 조달이 어렵다는 단점을 지닌다.(협동조합의 단점 ①) 의사 결정의 기간도 상대적으로 길어 급변하는 상황에 신속하게 대처하기가 어려울 수 있다.(협동조합의 단점 ②) 또 이윤 추구에 몰두하여 협동조합의 기본 정신을 잃어버렸을 경우 지속되기 힘들다.(협동조합의 단점 ③) 이를 극복하기 위해서는 「조합원들이 분명한 목표와 가치를 서로 공유해야 하며, 협동조합 간의 긴밀한 협력을 통해 지속적인 발전 방안을 모색해야 한다.」(「 」: 협동조합의 단점을 극복하기 위한 방법)

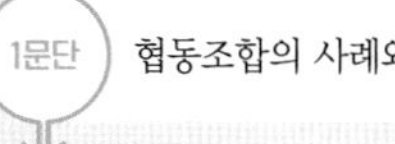

독해 체크

■ 이 글의 핵심 화제

(협동 조합)의 개념과 특징

■ 문단별 중심 내용

- 1문단: 협동조합의 사례와 (개념)
- 2문단: (협동조합)의 설립 조건과 특징
- 3문단: (주식회사)와 협동조합의 비교
- 4문단: 협동조합의 (단점)과 이를 극복하기 위한 방법

■ 핵심 내용의 구조화

협동조합		
뜻을 같이하는 사람들이 (일정 금액)을 모아 공동의 경제, 사회, 문화적 수요와 요구를 충족시키기 위해 (자발적)으로 결성한 조직	특징	• 가입과 탈퇴가 자유로움 • 조합원 간의 (상호부조)가 목적임 • 조합원이 협동조합을 공동으로 소유함 • 수익은 조합의 발전과 조합원의 (권익) 증진을 위해 사용함 • 조합원 중심으로 운영되며, 조합원 한 사람이 한 표의 의사 결정권을 행사함
	단점	• 신속한 (자본) 조달이 어려움 • 의사 결정 기간이 길어 급변하는 상황에 신속하게 대처하기 어려움 • (이윤) 추구에 몰두할 경우 조직이 지속되기 어려움 → 협동조합 간의 긴밀한 (협력)을 통해 지속적인 발전 방안을 모색해야 함

1 (라)에서 협동조합은 조합의 구조적 특성상 신속한 자본 조달이 어렵다고 하였다.

오답 풀이 ❶ (다)의 첫 문장에 주식회사는 이윤 추구를 목적으로 한다고 제시되어 있다.
❸ (나)에서 조합원들의 출자금을 통해 협동조합에 필요한 자본을 조성한다고 하였다.
❹ (다)에서 주식회사는 주식을 가진 비율에 따라 의사 결정권이 부여된다고 하였다.
❺ (다)에서 협동조합은 조합원이 추구하는 사회적 가치인 일자리 창출이나 사회적 약자 보호 등에 유리하다고 하였다.

2 (나)에서 협동조합은 모든 조합원이 협동조합을 공동으로 소유한다고 제시하고 있으므로, 바르사의 소유주는 조합원에 의해 선정되는 것이 아니라 조합원 전체라고 할 수 있다.

오답 풀이 ❷ 〈보기〉에서 출자금을 내면 누구나 바르사의 조합원이 될 수 있다는 것과, (나)에서 협동조합은 가입이 자유롭다고 제시되어 있는 것을 통해 알 수 있다.

❸ 〈보기〉에서 바르사가 광고료를 받지 않고 공익 광고를 해 주었다는 것과, (나)에서 협동조합의 사업 목적이 이윤의 추구가 아니라고 제시되어 있는 것을 통해 알 수 있다.

❹ 〈보기〉에서 수익금은 유소년 축구 클럽 육성과 시설 개선에 쓰인다는 것과, (나)에서 조합 내에서 발생한 수익은 협동조합의 발전에 쓰인다고 제시되어 있는 것을 통해 알 수 있다.

❺ 〈보기〉에서 조합원은 클럽 회장 선거에서 한 표를 행사할 수 있었다는 것과, (다)에서 조합원에게 한 표의 의사 결정권이 부여되므로 조합원의 의사가 존중된다고 제시되어 있는 것을 통해 알 수 있다.

더 알아두기 | 협동조합의 종류

경제적으로 약소한 처지에 있는 소비자, 농 · 어민, 중소기업자 등이 각자의 생활이나 사업의 개선을 위하여 만든 협력 조직을 협동조합이라고 한다. 이러한 협동조합은 크게 '생산 조합'과 '소비조합'으로 나눌 수 있다. '생산 조합'은 독립적인 생산 활동을 영위하는 수공업자나 농민이 생산 수단의 구입, 생산물의 가공 및 판매 따위를 공동으로 하기 위하여 조직한 협동조합과, 조합원인 노동자가 노동력과 자본을 제공하여 공동 계산 아래 생산과 판매를 전담하는 협동조합을 아울러 이른다. '소비조합'은 소비자가 조직한 협동조합으로, 조합에서 도매상이나 생산자로부터 일용품을 직접 구입하여 조합원에게 싼값에 판매하고, 그 이익을 조합원들에게 분배한다. 또한 협동조합에는 단일 기능만 하는 '단일 조합'과, 구매, 판매, 가공 등 복합적인 기능을 하는 '복합 조합'이 있다. 예를 들어 우리나라의 농업 협동조합은 신용, 구매, 소비 등의 복합적인 기능을 하고 있다.

3 '협동조합'은 뜻을 같이하는 사람들이 출자금을 내어 공동의 수요와 요구를 충족하고자 결성한 단체이므로, 밑줄 친 곳에는 '무슨 일이든지 서로 뜻이 맞아야 이루어질 수 있다.'는 의미의 속담인 ④가 들어가기에 가장 적절하다.

오답 풀이 ❶ '소도 언덕이 있어야 비빈다'는 언덕이 있어야 소도 가려운 곳을 비비거나 언덕을 디뎌 볼 수 있다는 뜻으로, 누구나 의지할 곳이 있어야 무슨 일이든 시작하거나 이룰 수가 있음을 비유적으로 이르는 말이다.

❷ '우물을 파도 한 우물을 파라'는 일을 너무 벌여 놓거나 하던 일을 자주 바꾸어 하면 아무런 성과가 없으니, 어떠한 일이든 한 가지 일을 끝까지 하여야 성공할 수 있다는 말이다.

❸ '윗물이 맑아야 아랫물이 맑다'는 윗사람이 잘하면 아랫사람도 따라서 잘하게 된다는 말이다.

❺ '사공이 많으면 배가 산으로 간다'는 여러 사람이 저마다 제 주장대로 배를 몰려고 하면 결국에는 배가 물로 못 가고 산으로 올라간다는 뜻으로, 주관하는 사람 없이 여러 사람이 자기주장만 내세우면 일이 제대로 되기 어려움을 비유적으로 이르는 말이다.

+ 어휘 체크

1 (1) 유통 (2) 자발적 (3) 모색

2 ❶ 상호부조 ❷ 조달 ❸ 창출 ❹ 출자금

사회 03 피해자와 가해자, 그 사이에 있는 방관자

1 ⑤ 2 ④ 3 ⑤

(가) 학급에서 발생하는 괴롭힘 상황에 대한 전통적인 접근 방법은 '가해자 – 피해자 모델'이다. (괴롭힘 상황에 대한 접근 방법 1) 이 모델에서는 「가해자와 피해자의 개인적인 특성 때문에 괴롭힘 상황이 발생한다고 보고, 문제의 해결에서 개인적인 처방이 ⓐ중시된다.」 (「 」: 괴롭힘 상황에 대한 '가해자 – 피해자 모델'의 관점과 해결 방안) 예를 들어 가해자는 선도하고 피해자는 치유 프로그램에 참여하도록 한다. (예시)

[A] (나) 하지만 학급에서 일어난 괴롭힘의 상황에는 가해자, 피해자뿐만 아니라, 방관자(핵심어)도 존재한다. 방관자는 상황에 대해 침묵하거나 모르는 척하는데, (방관자의 특징) 이런 행동은 가해자를 소극적으로 지지하게 되는 것이다. (방관자의 문제점) 만약 방관만 하던 친구들이 적극적으로 나선다면 어떨까? 괴롭힘을 멈출 수 있게 된다. (방관자가 적극적으로 나설 때의 상황) 피해자는 보호를 받게 되고 가해자는 자기의 행동을 되돌아볼 수 있게 된다. 반면 방관자가 무관심하게 대하거나 알면서도 모르는 체를 한다면 괴롭힘은 지속된다. (방관자가 계속 방관할 때의 상황) 따라서 방관자의 역할이야말로 학급의 괴롭힘 상황을 해결할 때 가장 ⓑ주목해야 할 부분이다.

(다) 이러한 방관자의 역할을 이해하고 학급 내 괴롭힘 상황을 근본적으로 해결하기 위한 새로운 모델이 '가해자 – 피해자 – 방관자 모델'이다. (괴롭힘 상황에 대한 접근 방법 2) 이 모델에서는 방관하는 행동이 바로 괴롭힘 상황을 유지하게 만드는 근본적인 원인이라고 생각한다. (괴롭힘 상황에 대한 '가해자 – 피해자 – 방관자 모델'의 관점 ①) 즉 괴롭힘 상황에서 방관자는 단순한 제3자가 아니라 가해자와 마찬가지의 책임이 있다고 보는 것이다. (괴롭힘 상황에 대한 '가해자 – 피해자 – 방관자 모델'의 관점 ②)

(라) 그렇다고 이 모델에서 방관자를 가해자와 동일하게 처벌하자는 것은 아니다. 대신 방관자가 피해자를 돕는 행동을 할 수 있도록 학급 환경 자체를 변화시켜야 함을 강조한다. (괴롭힘 상황에 대한 '가해자 – 피해자 – 방관자 모델'의 해결 방안) 예를 들어 「괴롭힘 상황이 발생했을 때에는 학급의 모든 구성원이 이러한 상황을 인지하고 문제의 심각성을 ⓒ공유해야 한다.」 (「 」: 학급 환경을 변화시키기 위한 방법 ①) 또한 돕고 싶지만 두려움 때문에 방관만 하던 소극적인 학생들은 피해자를 적극적으로 도울 수 있도록 심리적, 물리적으로 지원받아야 한다. (학급 환경을 변화시키기 위한 방법 ②) 이를 통해 학생들은 방관하는 행동이 문제임을 깨닫게 되고, 이후에는 누군가가 괴롭힘을 당할 때 방관하지 않고 나서서 피해자를 도우려는 태도를 지니게 된다. (방관자가 지녀야 할 태도(주제문))

(마) 이 모델에 따르면 학급의 괴롭힘 상황을 가해자와 피해자 사이의 문제로만 여기고 '나는 저 문제에 끼어들지 않겠다.' 또는 '나는 남을 괴롭히지 않으니까 괜찮아.' (방관자의 잘못된 인식)

라고 ⓓ회피하는 태도는 가해자를 돕는 것과 마찬가지이다. 이 새로운 모델은 「방관자였던 학생들이 피해자를 돕는 행동을 할 수 있는 학급 환경이 조성될 때 학급에서 친구를 괴롭히는 일이 ⓔ근절될 수 있음을 보여 준다.」

「 」: '가해자 - 피해자 - 방관자 모델'의 의의

독해 체크

■ 이 글의 핵심 화제

학급 내 괴롭힘 상황의 해결을 위한 (방관자)의 역할과 태도

■ 문단별 중심 내용

1문단 괴롭힘 상황에 대한 전통적인 접근 방법 : (가해자 – 피해자) 모델

2문단 괴롭힘 상황의 해결을 위해 중요한 (방관자)의 역할

3문단 괴롭힘 상황에 대한 새로운 접근 방법 : (가해자 – 피해자 – 방관자) 모델

4~5문단 괴롭힘 상황에 대한 '(가해자 – 피해자 – 방관자) 모델'의 해결 방안 및 의의

■ 핵심 내용의 구조화

학급 내 괴롭힘 상황에 대한 접근 방법

가해자 - 피해자 모델		가해자 - 피해자 - 방관자 모델
• 가해자와 피해자의 (개인적) 특성 때문에 괴롭힘 상황이 발생한다고 봄 • 문제의 해결에서 개인적인 처방이 중시됨(가해자는 선도하고, 피해자는 치유 프로그램에 참여하게 함)	→	• 방관자의 방관하는 행동이 괴롭힘 상황을 유지하게 만든다고 봄 • 방관자가 피해자를 도울 수 있도록 (학급 환경) 자체를 변화시켜야 한다고 강조함

방관자가 지녀야 할 태도	학생들은 (방관)하는 행동이 문제임을 깨닫고, 누군가가 괴롭힘을 당할 때 (방관) 하지 않고 나서서 피해자를 도우려는 태도를 지녀야 함

1 (다)~(라)에서 '가해자 – 피해자 – 방관자 모델'이 방관자를 단순히 제3자가 아니라 가해자와 마찬가지의 책임이 있다고 보기는 하지만, 그렇다고 이 모델에서 방관자를 가해자와 동일하게 처벌하자는 것은 아니라고 밝히고 있다.

오답 풀이 ❶ (가)의 첫 문장에서 학급 내 괴롭힘 상황에 대한 전통적인 접근 방법이 '가해자–피해자 모델'이라고 밝히고 있다.

❷ (나)에서 방관자가 상황에 대해 침묵하거나 모르는 척하는데, 이는 가해자를 소극적으로 지지하게 되는 것이라고 하였다.

❸ (마)의 마지막 문장에서 방관자였던 학생들이 피해자를 돕는 행동을 할 수 있는 환경이 조성될 때 친구를 괴롭히는 일이 근절될 수 있다고 하였다.

❹ (가)를 통해 '가해자–피해자 모델'에서는 괴롭힘의 상황이 가해자와 피해자의 개인적인 특성 때문에 발생한다고 본다는 것을 알 수 있다.

2 [A]에서는 괴롭힘 상황의 해결을 위해 중요한 방관자의 역할에 대해 이야기하고 있다. 즉 괴롭힘 상황에서 방관하지 않고 학생들이 적극적으로 나설 때 괴롭힘을 멈출 수 있으며, 반대로 방관을 계속한다면 가해자의 괴롭힘이 지속된다는 것이다. 이러한 주장의 타당성을 높이려면 ④와 같이 주변 학생들의 방관으로 인해 괴롭힘을 지속했다는 가해자의 면담 자료를 인용하는 것이 적절하다.

오답 풀이 ❶, ❷ 가해자 처벌을 통한 문제 해결 사례와 피해자 치유 프로그램의 성공적인 결과를 보여 주는 통계 자료는 괴롭힘 상황의 해결을 위해 가해자와 피해자의 개인적인 처방이 중요하다는 주장, 즉 '가해자–피해자 모델'의 입장에 타당성을 높여 준다. 따라서 방관자의 역할이 중요하다고 이야기하는 [A]의 타당성을 높이기에는 적절하지 않은 자료이다.

❸, ❺ 방관자의 중요성을 확인할 수 없고 글의 내용과도 직접적인 관련이 없으므로, [A]의 타당성을 높이기에 적절하지 않은 자료이다.

더 알아두기 방관자 효과와 감시자 효과

심리학 용어인 '방관자 효과'란, 주변에 사람이 많으면 많을수록 책임이 분산되어 오히려 위험에 처한 사람을 덜 돕게 되는 현상을 말한다. 사람들은 일반적으로 자신이 어떻게 행동해야 할지 불확실한 상황에서 대부분 다른 사람의 반응과 행동을 살피는 경향이 있다. 이 경우 서로 눈치만 살피다가 결국 방관으로 이어질 가능성이 높다.

이러한 방관자 효과를 피하고 위급한 상황에서 타인의 도움을 얻기 위해서는 도움을 줄 대상을 명확하게 지목하는 것이 필요하다. "거기 파란 셔츠 아저씨, 소매치기 좀 잡아 주세요!"와 같이 구체적이고 명확하게 대상을 지목할 경우, 요청을 받은 사람은 상황을 회피하지 않고 자신이 직접적으로 도움을 줄 책임이 있다고 받아들이게 되기 때문이다.

이러한 방관자 효과와 반대되는 말이 '감시자 효과'이다. 즉 누군가가 지켜보고 있을 때 더 바람직한 방향으로 혹은 적극적으로 행동하는 것을 말한다.

3 ⓔ의 '근절될'은 '다시 살아날 수 없도록 아주 뿌리째 없애 버려질'이라는 의미이므로, '줄어들'이 아니라 '없어질'로 바꾸는 것이 적절하다.

오답 풀이 ❶ '중시된다'는 '가볍게 여길 수 없을 만큼 매우 크고 중요하게 여겨진다.'라는 의미이다.

❷ '주목해야'는 '관심을 가지고 주의 깊게 살펴야'라는 의미이다.

❸ '공유해야'는 '두 사람 이상이 한 물건을 공동으로 소유해야'라는 의미이다. ⓒ에서 '공유'의 의미는 문제의 심각성에 대해 학급의 모든 구성원이 함께 알아야 한다는 의미이므로, 문맥상 '함께 알아야' 정도로 바꿔 쓸 수 있다.

❹ '회피하는'은 '일하기를 꺼리어 선뜻 나서지 않는'이라는 의미이다.

어휘 체크

1 가해자 - 자처 - 처방 - 방관 - 관심 - 심리

2 ❶ ⓒ ❷ ㉠ ❸ ⓛ

금융 기관의 종류와 특징

1 ② 2 ③ 3 ②

가 은행이나 농협이라고 하면 알겠는데, 제1금융권, 제2금융권이라는 말은 왠지 ㉠낯설다. 상호 저축 은행, 새마을 금고 등 여러 금융 기관(핵심어)이 있다고 하는데, 이러한 금융 기관은 어떻게 다른 걸까?

나 은행에는 중앙은행과 일반 은행, 특수 은행(은행의 종류)이 있다. 이 중, 중앙은행(은행의 종류 ①)으로는 금융 제도의 중심이 되는 한국은행이 있다. 한국은행은 「우리가 사용하는 돈인 한국 은행권을 발행하고, 경제 상태에 따라 시중에 유통되는 돈의 양(통화량의 개념), 곧 통화량을 조절」(「」: 중앙(한국)은행의 주요 업무)한다.

다 일반 은행(은행의 종류 ②)의 종류에는 「큰 도시에 본점을 두고 전국적인 지점망을 형성하는 시중 은행과 지방 위주로 영업하는 지방 은행, 외국 은행의 국내 지점이 있다.」(「」: 일반 은행의 종류) 일반 은행은 예금 은행 또는 상업 은행(일반 은행의 다른 명칭)이라고도 하며, 예금을 주로 받고 그 돈을 빌려주어서 이익을 얻는 상업 목적으로 운영된다(일반 은행의 특징).

라 특수 은행(은행의 종류 ③)은 정부가 소유한 은행(특수 은행의 특징)으로서, 일반 은행으로서는 수지가 맞지 않아 자금 공급이 어려운 경제 부문에 자금을 공급하는 것(특수 은행의 주요 업무)이 주요 업무이다. 「국가 주요 산업이나 기술 개발용 장기 자금을 공급하는 한국 산업 은행, 기업이 수출입 거래를 하는 데 필요한 자금을 공급해 주는 한국 수출입 은행, 중소기업 금융을 전문으로 하는 중소기업 은행이 이에 해당한다. 농업과 축산업 금융을 ㉡다루는 농업 협동조합 중앙회, 또는 수산업 금융을 다루는 수산업 협동조합 중앙회도 특수 은행에 포함된다.」(「」: 특수 은행의 종류) 일반적으로 일반 은행과 특수 은행을 제1금융권(제1금융권의 개념)이라고 한다.

마 「제2금융권은 은행은 아니지만 은행과 ㉢비슷한 예금 업무를 다루는 기관」(「」: 제2금융권의 개념)으로, 은행에 비해 규모가 작고 특정한 부문의 금융 업무를 전문(제2금융권의 특징 및 주요 업무)으로 한다. 상호 저축 은행, 신용 협동 기구, 투자 신탁 회사, 자산 운용 회사 등(제2금융권의 종류)이 이에 해당한다.

상호 저축 은행은 도시 자영업자를 주요 고객으로 하는 소형 금융 기관(상호 저축 은행의 개념)이다. 「은행처럼 예금 업무가 가능하고 돈을 빌려주기도 하지만 이자가 더 높고, 일반 은행과 구별하기 위해서 상호 저축 은행이라는 이름을 ㉣쓴다.」(「」: 상호 저축 은행의 특징 ①) 신용 협동조합, 새마을 금고, 농협과 수협의 지역 조합을 통틀어(신용 협동 기구의 개념) 신용 협동 기구라고 하는데, 「직장 혹은 지역 단위로 조합원을 ㉤모아서 이들의 예금을 받고, 그 돈을 조합원에게 빌려주는 금융 업무」(「」: 신용 협동 기구의 주요 업무)를 주로 담당한다. 투자 신탁 회사, 자산 운용 회사는 「투자자들이 맡긴 돈을 모아 뭉칫돈으로 만들어 증권이나 채권 등에 투자해 수익을 올리지만, 돈을 빌려주지는 않는다.」(「」: 투자 신탁 회사 및 자산 운용 회사의 특징)

독해 체크

이 글의 핵심 화제

(금융 기관)의 개념 및 종류와 특징

문단별 중심 내용

- 1문단: (금융 기관)들의 차이점에 대한 궁금증
- 2문단: 은행의 종류와 (중앙(한국)은행)의 주요 업무
- 3문단: (일반 은행)의 종류와 특징
- 4문단: (특수 은행)의 종류와 주요 업무 및 (제1금융권)의 개념
- 5~6문단: (제2금융권)의 개념 및 종류와 특징

핵심 내용의 구조화

금융 기관의 종류

중앙은행		한국은행으로, 한국 은행권을 발행하며 (통화량)을 조절함
제1금융권	일반 은행	• (예금)을 주로 받고 그 돈을 빌려주어서 이익을 얻음 • 시중 은행, 지방 은행, 외국 은행의 국내 지점
	특수 은행	• (정부)가 소유한 은행으로, 자금 공급이 어려운 경제 부문에 자금을 공급함 • 한국 산업 은행, 한국 수출입 은행, 중소기업 은행, 농업 협동조합 중앙회, 수산업 협동조합 중앙회
(제2금융권)		• 예금 업무를 다루며, 특정한 부문의 금융 업무를 전문으로 함 • 상호 저축 은행, 신용 협동 기구, 투자 신탁 회사, 자산 운용 회사

1 이 글은 금융 기관의 종류와 특징에 대한 설명을 통해 독자에게 새로운 정보를 제공하고 있다.

오답 풀이 ❶ 이 글에서는 금융 기관들의 특징과 주요 업무에 대해 이야기하고 있지만, 새로운 역할이 부여되어야 한다는 점을 주장하고 있지는 않다.
❸ 이 글에서는 금융 기관들의 주요 업무를 이야기하고 있으므로, 대상의 기능을 말하고 있다고 볼 수는 있다. 그러나 이를 강조하여 독자의 인식 전환을 촉구하고 있지는 않다.
❹ 이 글에서는 금융 기관의 개념 및 종류와 특징을 다루고 있지만, 특별히 금융 기관의 장점에 대해 언급하고 있지는 않다.

❺ 금융 기관과 관련된 미담, 즉 사람을 감동시킬 만큼 아름다운 내용을 가진 이야기는 이 글에 제시되어 있지 않다.

2 (마)에서 제2금융권에 속하는 투자 신탁 회사는 개인에게 돈을 빌려주지 않는다고 했으므로 ③의 의견은 적절하지 않다.

오답 풀이 ❶ (나)에서는 경제 상태에 따라 시중에 유통되는 돈의 양, 즉 통화량을 조절하는 것이 중앙은행인 한국은행의 주요 업무라고 하였다.
❷ B 씨가 시작하려는 버섯 농사는 농업과 관련된 일로, 이와 관련한 자금 부족은 (라)에 제시된 것처럼 농업과 축산업 금융을 다루는 농업 협동조합 중앙회에서 해결할 수 있을 것이다.
❹ (마)에서는 제2금융권의 하나인 상호 저축 은행이 도시 자영업자를 주요 고객으로 하는 소형 금융 기관으로, 은행처럼 예금 업무가 가능하고 돈을 빌려준다고 하였다. C 씨는 중소기업 사장이므로 도시의 자영업자라고 볼 수 있다. 따라서 C 씨는 제1금융권뿐만 아니라 제2금융권에도 예금할 수 있을 것이다.
❺ (마)에서는 자산 운용 회사가 투자자들이 맡긴 돈을 모아 증권이나 채권에 투자해 수익을 올린다고 하였으므로, C 씨가 여유 자금을 자산 운용 회사에 맡긴다면 증권이나 채권에 투자해 수익을 올릴 수도 있을 것이다.

⊕ 더 알아두기 자산 운용 회사와 증권 회사의 차이

자산 운용 회사는 채권과 주식을 매매하고 펀드를 관리하는 펀드 매니저가 있는 회사로, 펀드를 만들고 투자자의 이익을 위해 유가 증권과 자산을 투자 목적에 맞게 전문적으로 운용한다. 반면 증권 회사는 증권 시장과 투자자 사이에서 증권을 매매시키는 업무를 담당하는 회사로, 투자 신탁 회사나 자산 운용 회사에서 만든 상품의 판매를 대행해 일정 수준의 수수료만 챙긴다.

3 ㉡의 '다루는'은 '어떤 물건이나 일거리 따위를 어떤 성격을 가진 대상 혹은 어떤 방법으로 취급하는'의 의미로 쓰였다. ②의 '언급하는'은 '어떤 문제에 대하여 말하는'이라는 의미이므로, ㉡과 바꿔 쓰기 적절하지 않다. ㉡은 '취급하는'이라는 말로 바꾸는 것이 적절하다.

오답 풀이 ❶ ㉠의 '낯설다'는 '전에 본 기억이 없어 익숙하지 아니하다.'의 의미이다. '생소하다'는 '어떤 대상이 친숙하지 못하고 낯이 설다.'의 의미이므로, ㉠과 바꿔 쓸 수 있다.
❸ ㉢의 '비슷한'은 '두 개의 대상이 크기, 모양, 상태, 성질 따위가 똑같지는 아니하지만 전체적 또는 부분적으로 일치하는 점이 많은 상태에 있는'의 의미이다. '유사한'은 '서로 비슷한'의 의미이므로, ㉢과 바꿔 쓸 수 있다.
❹ ㉣의 '쓴다'는 '어떤 일을 하는 데에 재료나 도구, 수단을 이용한다.'의 의미이다. '사용한다'는 '일정한 목적이나 기능에 맞게 쓴다.'의 의미이므로, ㉣과 바꿔 쓸 수 있다.
❺ ㉤의 '모아서'는 '여러 사람을 한곳에 오게 하거나 한 단체에 들게 해서'의 의미이다. '모집해서'는 '사람이나 작품, 물품 따위를 일정한 조건 아래 널리 알려 뽑아 모아서'라는 의미이므로, ㉤과 바꿔 쓸 수 있다.

✚ 어휘 체크

• ㉢ – 신탁 ㉤ – 발행 ㉣ – 시중 ㉡ – 통화량 ㉠ – 수지

본문 046~049쪽

과학 01 스스로 빛을 내는 가로수

1 ② 2 ④ 3 ④

가 과거에는 여름이면 시골에서 별처럼 빛을 깜박이며 날아다니는 반딧불이(핵심어)의 묘기를 자주 볼 수 있었다. 「중국 진나라 때 차윤(車胤)이라는 사람은 기름을 살 돈이 없어 반딧불이를 모아 그 빛으로 밤에 책을 읽었다고 한다. 형설지공(螢雪之功)에 얽힌 이야기다. 차윤은 반딧불이를 전구로 사용한 셈이다.」(「 」: 고사성어에 얽힌 이야기를 제시하여 독자의 호기심을 불러일으킴)

나 「사람이 만든 전구는 빛을 내기 위한 것이지만 열도 함께 발생한다. 백색의 빛 외에도 열을 전달하는 적외선 빛이 함께 나오기 때문이다. 하지만 반딧불이는 가시광 파장 영역의 황록색 빛만을 내기 때문에 열이 나지 않는다.」(「 」: 전구 빛과 반딧불이 빛의 차이점(대조)) 이처럼 생물체가 특정 색의 빛을 내는 것은 생체 내에서 화학 반응으로 일어나는 화학 ⓐ발광 때문이다.(생물체가 빛을 낼 수 있는 이유) 이러한 화학 발광 과정에서는 열을 내는 적외선이 나오지 않는다. 그래서 반딧불이와 같은 생물체가 내는 빛을 차가운 빛, 즉 '냉광(冷光)'이라고 한다.(열을 내는 적외선이 나오지 않기 때문에) 이와 같은 발광 생물 중에는 반딧불이 이외에도 발광 박테리아, 발광 달팽이, 발광 버섯, 빛 해파리, 야광충, 반디 오징어 등 다양한 종류가 있다.(발광 생물의 종류)

다 현대 도시의 밤을 화려하게 밝히고 있는 형광등의 발광 ⓑ효율은 20% 이하인 반면, 반딧불이의 발광 효율은 90% 이상이다.(형광등보다 반딧불이의 발광 효율이 높음) 그러면 이러한 발광 생물들을 이용해 정말 조명등을 만들 수도 있지 않을까? 과학자들은 차윤이 반딧불이를 전구로 사용한 것처럼 발광 생물을 이용해 열이 나지 않고 전기도 필요 없는 조명 장치를(발광 생물을 이용한 조명 장치의 장점) 만들기 위해 오래전부터 노력해 왔다. 실제로 1935년 프랑스 파리 해양 연구소에서 개최된 국제 학회에서는 연구소의 큰 홀을 '발광 박테리아 전구'로 밝혔다고 한다. 발광 박테리아 한 마리가 내는 빛은 매우 약하지만, 작은 유리 용기에 엄청나게 많은 수를 쉽게 ⓒ배양할 수 있기 때문에 상당한 밝기의 전구를 만드는 것이 가능했을 것이다.

라 최근에는 동물의 유전자를 식물의 유전자에 ⓓ조합하려는 유전자 조작 기술이 급속도로 발전하고 있다. 유전 공학자들은 빛을 내는 각종 분재, 정원수, 가로수가 머지않아 거실이나 정원 그리고 밤거리를 밝혀 줄 수 있을 것으로 기대한다.(글쓴이의 태도: 과학 기술에 대해 낙관적인 전망을 하고 있음) 발광 생물의 발광 유전자를 분리해 식물 유전자 속에 재조합하면 다양한 발광 색의 빛을 내는 식물, 예를 들면 난초나 가로수와 같은 식물을 만들 수 있기 때문이다. 가까운 장래에 이 기술이 실용화에(발광 생물의 유전자를 식물 유전자 속에 조합하는 기술)

성공하게 되면 조명 산업뿐만 아니라 도시의 환경에도 큰 변화가 오고, 아름다운 빛을 내는 가로수가 늘어선 ⓔ운치 있는 도시의 밤이 실현될 것이다.

독해 체크

■ 이 글의 핵심 화제

(발광 생물)을 이용한 발광 식물의 개발 전망

■ 문단별 중심 내용

1문단 (반딧불이)와 관련된 고사성어 이야기 제시

2문단 반딧불이 화학 발광의 특징과 (발광 생물)의 종류

3문단 발광 생물을 이용한 (조명) 장치의 제작 노력

4문단 (유전자 조작) 기술을 이용한 발광 식물의 개발 전망

■ 핵심 내용의 구조화

사람이 만든 전구(형광등)		반딧불이의 빛
• 열을 내는 (적외선)이 나옴 • (빛)과 함께 열도 발생함 • 발광 효율이 20% 이하임	↔	• 화학 발광이기 때문에 (적외선)이 안 나옴 • 차가운 빛, 즉 (냉광)임 • 발광 효율이 90% 이상임

↓

글쓴이의 전망

동물의 유전자와 식물의 유전자를 조합하는 기술을 이용한 (발광 식물)의 개발을 낙관적으로 전망함

1 (다)에 '현대 도시의 밤을 화려하게 밝히고 있는 형광등의 발광 효율은 20% 이하인 반면, 반딧불이의 발광 효율은 90% 이상이다.'라고 제시되어 있다.

오답 풀이 ❶ (다)에 '발광 박테리아 한 마리가 내는 빛은 매우 약하지만'이라고 제시되어 있다.

❸ (다)에 1935년에 발광 박테리아 전구를 활용한 예가 제시되어 있기는 하지만, 상용화의 단계에 와 있다는 내용은 언급되어 있지 않다.

❹ (나)에 '화학 발광 과정에서는 열을 내는 적외선이 나오지 않는다.'라고 제시되어 있다.

❺ (나)에서는 반딧불이가 가시광 파장 영역의 황록색 빛만을 내기 때문에 열이 나지 않으며, 이런 빛을 차가운 빛(냉광)이라고 한다고 하였다.

2 이 글은 발광 생물의 유전자와 식물의 유전자를 조합한 새로운 발광 식물이 개발될 것이라는 기대를 서술하고 있다. 이러한 글의 논지에 맞는 특허품 개발 계획은 유전자 조작 기술을 이용하여 '자체 발광 크리스마스트리'를 개발하겠다는 ④가 된다.

오답 풀이 ❶ (나)에서 발광 버섯은 빛을 내는 발광 생물 중 하나라고 소개하였다. 그러나 발광 버섯의 대량 생산을 위한 '발광 버섯 재배법'은 유전자 조합을 통한 발광 식물 개발이 아니므로, 이 글의 논지를 바탕으로 한 특허품으로 보기 어렵다.

❷ 유기물 박테리아가 내는 가스를 모아 불을 밝히는 것은 단순히 생물을 이용하여 새로운 연료를 만든다는 것이므로, 이 글의 논지를 바탕으로 한 특허품으로 보기 어렵다.

❸ (다)에 의하면 '발광 박테리아 전구'는 이미 개발되어 1935년에 개최된 국제 학회에서 사용되었으므로, 새로운 기술을 개발한 특허품에 해당하지 않는다.

❺ 단순히 반딧불이를 대량으로 통에 넣고 공중에 띄워 방사한 것이므로, 이 글의 논지를 바탕으로 한 특허품으로 보기 어렵다.

3 ⓓ의 '조합(組合)하려는'은 '여럿을 한데 모아 한 덩어리로 짜려는'의 의미이다. ④는 '조합(照合)하려는'의 의미에 해당한다.

오답 풀이 ❶ '발광'은 '빛을 냄'의 의미로, ⓐ의 사전적 의미로 적절하다.

❷ '효율'은 '들인 노력과 얻은 결과의 비율'을 뜻하는데 특히 과학에서는 '일한 양과 공급되는 에너지와의 비(比)'를 의미하므로, ⓑ의 사전적 의미로 적절하다.

❸ '배양할'은 '인공적인 환경을 만들어 동식물 세포와 조직의 일부나 미생물 따위를 가꾸어 기름'을 의미하므로, ⓒ의 사전적 의미로 적절하다.

❺ '운치'는 '고상하고 우아한 멋'을 의미하므로, ⓔ의 사전적 의미로 적절하다.

어휘 체크

1 (1) 실용화 (2) 이상 (3) 영역

2 ❶ 묘기 ❷ 기술 ❸ 조명 ❹ 조작

본문 050~053쪽

과학 02 봄의 불청객, 황사

1 ③ 2 ⑤ 3 ④

가 올해도 어김없이 봄의 불청객 황사가 찾아왔다. 황사(핵심어)란 「주로 중국 서북부의 건조한 황토(黃土) 지대에서 바람에 의하여 하늘 높이 ⓐ불리어 올라간 무수의 미세한 모래 먼지가 대기 중에 퍼져서 하늘을 덮었다가 서서히 강하하는 현상 또는 강하하는 모래 먼지를 말한다.」(「 」: 황사의 개념(정의)) 한반도 최악의 봄철 환경 재앙인 황사는 하늘을 탁하게 하고 앞을 안 보이게 하는 것은 물론 눈병, 피부병, 호흡기 질환 등을 유발한다(황사로 인한 피해 ①). 또한 삶의 질을 저하시키고 산업 활동에 피해를 준다(황사로 인한 피해 ②). 최근에는 중국의 산업화로 중금속을 비롯한 각종 유독성 물질이 함유되어 강에 큰 위협이 되고 있다(황사로 인한 피해 ③).

나 황사는 왜 봄에 발생하는 것일까? 그것은 황사의 발생을 이해하면 쉽게 풀 수 있다. (문답법을 활용해 독자의 관심을 끌고 주의를 집중시킴) 우리나라에 영향을 미치는 황사의 주요 발원지는 중국과 몽골의 사막 지대와 황하 중류의 황토 지대이다. 이런 「중국의 서북 건조 지역은 연 강수량이 400mm 이하(우리나라의 연 강수량은 약 1,100~1,700mm)이고 사막이 대부분이어서 모래 먼지가 많이 발생한다.」(「 」: 황사의 발생 과정 ① - 사막 지역에서 모래 먼지가 발생함) 건조한 사막의 먼지가 「겨울 내내 얼어 있다가 봄이 되어 건조한 토양이 잘게 부서져 크기 20μm 이하의 작은 모래 먼지가 발생한다.」(「 」: 황사의 발생 과정 ② - 봄이 되어 모래 먼지가 잘게 부서짐) 이렇게 발생한 「모래 먼지 위에 저기압이 지나가면 저기압의 강한 상승 기류에 의해 3,000~5,000m의 높은 상공으로 올라간 뒤,」(「 」: 황사의 발생 과정 ③ - 저기압에 의해 먼지가 상공으로 올라감 / 강한 상승 기류: 저기압의 일반적인 특성) 봄에 우리나라가 위치한 중위도 지역에 영향을 미치는 편서풍을 타고 이동을 한다. (황사의 발생 과정 ④ - 편서풍을 타고 이동함) 「발원지에서 배출되는 먼지 중 입자가 크고 무거운 30% 정도가 발원지에 다시 가라앉아 사막의 세력 확장에 영향을 주고, 20%는 주변 지역으로 수송되며, 가장 미세한 입자를 가진 50%는 장거리까지 수송돼 한국·일본·태평양 등에 영향을 끼치게 된다.」(「 」: 먼지의 크기에 따른 황사의 영향)

다 황사의 발원지인 중국이나 몽골뿐 아니라 황사 피해를 직접적으로 받는 한국·일본 등에서도 황사 피해를 줄이기 위한 각종 대책이 수립되고 있지만, 아직 근본적인 해결책은 없는 상태이다. (황사 문제가 해결되지 않는 이유) 현재까지 가장 많이 이용되는 방법은 방풍림 조성이다. (황사 피해를 줄이기 위한 방안) 「중국에서는 황사의 발원지인 사막 지역에 꾸준히 방풍림을 조성해 왔는데, 중국의 전체 면적 가운데 15%가 넘는 1억 5천만 ha가 사막 지역이기 때문에 이 방대한 지역에 방풍림을 조성한다는 것은 현실적으로 거의 불가능하다.」(「 」: 황사 피해를 줄이기 위한 방풍림 조성의 한계 / 이유: 사막 지역이 너무 방대하므로) 따라서 최근에는 「한국·중국·일본·몽골 등 관련국들이 공동으로 황사 문제에 대처하기 위해 학술적인 논의는 물론, 중국 서북부 지역의 사막화를 줄이고 나아가 사막화 지역 주민의 사회·경제적 문제까지 해결할 수 있는 방안을 추진하고 있다.」(「 」: 황사 피해를 줄이기 위한 관련국들의 노력)

 독해 체크

■ 이 글의 핵심 화제

황사의 발생 (원인)과 해결을 위한 노력

■ 문단별 중심 내용

1문단 황사의 (개념)과 황사로 인한 피해

2문단 황사가 (봄)에 발생하는 이유

3문단 황사 피해를 줄이기 위한 (관련국)들의 노력

■ 핵심 내용의 구조화

황사에 대한 이해

황사의 개념	황사의 발생 원인	황사 피해를 줄이기 위한 노력
중국 서북부의 황토 지대에 있던 미세한 모래 먼지가 대기 중에 퍼져서 하늘을 덮었다가 서서히 강하하는 현상 또는 강하하는 (모래 먼지)	•(중국)과 몽골의 사막 지대와 황하 중류의 황토 지대에서 발원함 • 건조한 사막의 먼지가 봄이 되어 잘게 부서져 하늘로 올라간 뒤, (편서풍)을 타고 이동해 우리나라로 날아옴	• 황사 피해를 막기 위한 근본적인 (해결책)은 없음 • 사막 지역에 (방풍림) 조성은 현실적인 한계로 거의 불가능함 • 관련국들이 황사 문제에 대처하기 위해 공동 방안을 추진하고 있음

1 ㉠: (나)에서 황사의 주요 발원지, 즉 발생지가 중국과 몽골의 사막 지대와 황하 중류의 황토 지대임을 알 수 있다. ㉢: (나)에서 황사의 발생 시기가 봄이라는 것과 황사의 발생 원인을 알 수 있다. ㉣: (가)에서 각종 질병을 유발하고 산업 활동에 피해를 주는 등 황사가 우리나라에 미치는 부정적 영향을 알 수 있다.

오답 풀이 ㉡: (다)에서 황사의 근본적인 해결책은 없는 상태라고 하였다. ㉤: 황사와 미세 먼지의 공통점과 차이점은 제시되어 있지 않다.

2 〈보기〉는 한·중·일 환경 장관 회의에서 황사 문제를 해결하기 위해 채택한 내용들을 알리는 자료이다. (다)에서 한·중·일 등 관련국들이 황사 문제에 대처하기 위해 공동으로 노력을 기울이고 있음을 소개하고 있으므로, 이를 뒷받침하는 자료로 〈보기〉를 활용하는 것이 적절하다.

오답 풀이 ❶ 이 글은 황사 피해를 줄이기 위한 관련국들의 노력을 설명하고 있지만, 그 성과에 대해서는 언급하고 있지 않다.

❷ 이 글과 〈보기〉는 황사 문제에 대한 한·중·일 각국의 대처 방안을 비교하는 것이 아니라, 관련국들의 공동 대응 노력을 소개하고 있다.

❸ 이 글에 황사 예보의 정확도가 상승한 원인은 제시되어 있지 않다.

❹ (다)에서 황사 피해를 줄이기 위한 근본적인 해결책은 없는 상태이며, 방대한 사막 지역에 방풍림 조성은 현실적으로 불가능하다고 하였다.

3 ⓐ와 ④의 '불리어'는 모두 '바람에 의해 어느 방향으로 움직여져'라는 뜻으로 쓰여 문맥상 그 의미가 일치한다.

오답 풀이 ❶ '이름이나 명단이 소리 내어 읽히며 대상이 확인되어'의 의미로 쓰였다.

❷ '분량이나 수효를 많아지게 해'의 의미로 쓰였다.

❸ '쇠를 불에 달구어 단단하게 해'의 의미로 쓰였다.

❺ '배를 불리다'는 관용구로, '재물이나 이득을 많이 차지하여 사리사욕을 채워'의 의미로 쓰였다.

어휘 체크

1 (1) 발원지 (2) 함유 (3) 유발

2 ❶ 무수 ❷ 수송 ❸ 저하 ❹ 강하

본문 054~057쪽

음파가 가지고 있는 속성

1 ⑤　2 ④　3 ⑤

가 「소리는 진동으로 인해 발생한 파동이 전달되는 현상으로, 이때 전달되는 파동을 음파라고 한다.」[「 」: 음파의 개념(정의)] 음파[핵심어]는 일정한 방향으로 나아가려는 직진성[음파의 성질 ①]이 있고, 물체에 부딪치면 반사되는 성질[음파의 성질 ②]을 갖고 있다.

나 음파는 주파수의 크기[음파의 분류 기준]에 따라 고주파와 저주파[음파의 종류]로 나뉜다. 고주파는 「직진성이 강하고 작은 물체에도 반사파가 잘 생기며 물에 흡수되는 양이 많아 수중에서의 도달 거리가 짧다.」[「 」: 고주파의 특징] 반면, 저주파는 「직진성이 약하고 작은 물체에는 반사파가 잘 생기지 않으며 물에 흡수되는 양이 적어 수중에서의 도달 거리가 길다.」[「 」: 저주파의 특징]

다 음파는 파동을 전달하는 물질의 밀도가 높을수록[음파의 속도에 영향을 미치는 요인 ①] 속도가 빨라진다. 그래서 음파의 속도는 공기 중에 비해 물속에서 훨씬 빠르다. 또한 음파의 속도는 물의 온도나 압력에 따라 변화한다[음파의 속도에 영향을 미치는 요인 ②]. 일반적으로 수온이나 수압이 높아질 경우 속도가 빨라지고, 수온이나 수압이 낮아지면 속도는 느려진다. 300m 이내의 수심에서 음파는 초당 약 1,500m의 속도로 나아간다.

라 한편 음파는 이런 속성을 바탕으로 어업과 해양 탐사, 지구 환경 조사, 군사적 용도 등[음파의 활용 분야]으로 폭넓게 사용된다. 음파를 활용하는 대표적인 예로는 물고기의 위치를 탐지하는 어군 탐지기와 지구 온난화와 관련된 실험[음파가 활용되는 구체적인 예]을 들 수 있다.

마 어군 탐지기[음파의 활용 ①]는 음파가 물체에 ㉠부딪쳐 반사되는 원리를 이용한 기기이다. 고깃배에서 발신한 음파가 물고기에 부딪쳐 반사되는 방향과 속도를 분석하여 물고기가 있는 위치를 알아낸다. 「예를 들어 어군 탐지기가 특정 방향으로 발신한 음파가 0.1초 만에 반사되어 돌아왔다면, 목표물은 발신 방향으로 75m(1,500m/s×0.1s×0.5) 거리에 있음을 알 수 있다. 일반적으로 가까운 거리에 있는 물고기를 찾을 때에는 반사파가 잘 생기는 고주파를 사용한다. 이에 반해 먼 거리에 있는 물고기 떼를 찾을 때에는 도달 거리가 긴 저주파를 사용한다.」[「 」: 어군 탐지기가 물고기의 위치를 알아내는 구체적인 방법(예시)]

바 음파를 활용하면 지구 온난화 연구에 대한 기초 자료[음파의 활용 ②]를 얻을 수도 있다. 미국의 한 연구팀은 미국 서부 해안의 특정 지점에서 발신한 음파가 호주 해안의 특정 지점에 도달하는 시간을 주기적으로 측정하였다. 이를 통해 연구팀은 수온이 지속적으로 높아지고 있다는[음파를 통해 발견한 지구 온난화의 증거] 결론을 내렸다. 연구팀은 이러한 결과가 지구 온난화를 입증할 수 있는 증거 중의 하나라고 주장하였다.[음파의 도달 시간이 짧아지는 추세였음을 추론]

독해 체크

■ 이 글의 핵심 화제

음파의 성질과 다양한 (활용) 방법

■ 문단별 중심 내용

- 1문단: 음파의 (개념)과 성질
- 2~3문단: 음파의 (종류)와 속도
- 4문단: 음파의 다양한 (활용)
- 5~6문단: 음파가 활용되는 예: 어군 탐지기, 지구 온난화 연구에 대한 기초 자료 수집

■ 핵심 내용의 구조화

음파의 개념	소리는 진동으로 인해 발생한 파동이 전달되는 현상으로, 이때 전달되는 (파동)을 말함

음파의 성질과 종류	음파의 속도	음파의 활용
• 성질: 일정한 방향으로 나아가려는 (직진성)과 물체에 부딪치면 반사되는 성질을 지님 • 종류: 주파수의 크기를 기준으로 (고주파)와 (저주파)로 나뉨	• 파동을 전달하는 물질의 (밀도)가 높을수록 속도가 빨라짐 • 수온이나 수압이 높아질 경우 속도가 빨라지고, 수온이나 수압이 낮아지면 속도는 느려짐	• 물고기의 위치를 탐지하는 (어군 탐지기) • 지구 온난화 연구에 대한 기초 자료 수집

1 물체는 음파를 이용하여 찾을 수 있다. 그런데 고주파나 저주파 모두 전달되는 과정에서 물에 흡수된다. 그러므로 멀리 있는 물체일수록 반사파의 양은 줄어들게 된다.

오답 풀이 ❶ (가)의 첫 번째 문장에서 소리는 진동으로 인해 발생한 파동이 전달되는 현상이라고 하였다.
❷ (다)에서 음파는 파동을 전달하는 물질의 밀도가 높을수록 속도가 빨라진다고 하였는데, 공기 중에 비해 물속에서 음파가 더 빠르다고 하였다. 이를 통해 물의 밀도가 공기의 밀도보다 높음을 추론할 수 있다.
❸ (다)에서 수중에서 음파가 물의 온도나 압력에 따라 속도가 달라진다고 하였으므로, 수중에서는 음파가 물을 매개로 전달됨을 알 수 있다.
❹ (다)에서 수중에서 음파의 속도가 수온이나 수압이 높아질 경우 빨라진다고 하였으므로, 음파의 속도는 수압에 따라 달라짐을 알 수 있다.

2 작은 물고기를 찾는 데 고주파가 이용되는 이유는 고주파가 작은 물체에도 반사파가 잘 생기기 때문이다. 또한 고주파는 직진성이 강한 음파이므로 ④는 적절하지 않다.

오답 풀이 ❶ (마)에서 어군 탐지기는 음파가 물체에 부딪쳐 반사되는 원리를 이용한 기기라고 하였다. 따라서 ⓐ나 ⓑ로 물고기를 찾을 수 있는 것은 음파가 반사되어 돌아왔기 때문임을 알 수 있다.

❷ (마)에서 어군 탐지기가 특정 방향으로 발신한 음파가 0.1초 만에 반사되어 돌아왔다면, 목표물은 발신 방향으로 75m(1,500m/s×0.1s×0.5) 거리에 있음을 알 수 있다.
❸ (나)에서 고주파는 작은 물체에도 반사파가 잘 생기지만, 저주파는 작은 물체에는 반사파가 잘 생기지 않는다고 하였다.
❺ (나)에서 저주파는 고주파와 달리 물에 흡수되는 양이 적어 도달 거리가 길다고 하였다.

3 '부딪치다'는 강세 접미사 '–치–'를 결합하여 '부딪다'를 강조한 능동사이다. 차를 몰고 가다가 내 차가 뒤에 오는 차에 의해 부딪는 행위를 당한 ⑤의 경우에는 '부딪다'에 피동 접미사 '–히–'를 결합한 '부딪히다(부딪혀)'가 들어가야 한다.

오답 풀이 ❶, ❷, ❸, ❹ 모두 다른 대상에 의한 것이 아니라 주체의 능동적 행위이므로, '부딪쳐'를 쓸 수 있다.

+ 어휘 체크

• ⓒ – 주기적 ⓜ – 파동 ⓛ – 밀도 ⓡ – 탐사 ㉠ – 온난화

과학 04 물질의 제4태, 플라스마

본문 058~061쪽

1 ③ 2 ④ 3 ⑤

㉮ 고체, 액체, 기체를 물질의 3태(態)라고 한다. 모든 물질은 이 3태 중 하나로 ⓐ존재한다고 여겼기 때문이다. (물질의 상태에 대한 통념) 그러나 물질 중에는 고체, 액체, 기체와는 다른 상태로 존재하는 것이 있다. (통념에서 벗어나는 발견) 더욱이 우주를 이루는 물질의 대부분은 이 새로운 상태(플라스마)로 존재한다는 것이 알려지면서 이에 대한 관심이 높아졌다. 이 새로운 상태가 바로 플라스마(핵심어)이다.

㉯ 기체 분자들은 전기적으로 중성이다. 분자들은 플러스 전하를 띤 양성자 수와 마이너스 전하를 띤 전자 수가 같은, 중성 원자(양성자 수 = 전자 수)로 이루어져 있기 때문이다. 따라서 기체 분자들의 운동은 「전기장이나 자기장의 영향을 받지 않으며 스스로 전기장이나 자기장을 만들어 내지도 않는다.」(「 」: 기체 분자의 일반적 특성 – 전기적으로 중성임) 그런데 이러한 「기체 상태의 분자를 열이나 빛 또는 강한 전자기파 등으로 계속 ⓑ가열하면 전기를 띤 입자로 나누어지게 된다. 이는 기체와 전혀 다른 성질을 나타내게 되는데, 이러한 상태를 바로 플라스마라고 한다.」(「 」: 플라스마의 개념) 플라스마 상태에서는 원자에서 떨어져 나온 자유 전자, 양이온 그리고 중성 원자들이 함께 존재하며 (플라스마의 특성 ①) 끊임없이 상호 작용을 하고, 주위의 전기장이나 자기장과도 상호 작용을 한다. (플라스마의 특성 ②)

㉰ 태양계 질량의 99퍼센트 이상을 차지하고 있는 태양은 바로 플라스마 상태이다. (플라스마 상태의 예) 태양은 78퍼센트가 수소, 20퍼센트가 헬륨, 그리고 2퍼센트 정도가 무거운 원소로 되어 있다. (태양을 구성하는 물질) 태양의 ⓒ구성 물질의 대부분을 차지하는 수소 원자는 양성자 하나로 이루어진 원자핵과 그 주위를 돌고 있는 전자로 이루어져 있다. 그런데 태양 내부의 온도가 매우 높아 수소는 양성자와 전자가 분리된다. (태양을 플라스마 상태로 볼 수 있는 이유) 따라서 태양은 양성자와 전자로 이루어진 플라스마 상태라고 할 수 있다.

㉱ 또한 태양은 빛 에너지뿐만 아니라 많은 양의 물질을 ⓓ방출하고 있다. (태양풍을 플라스마의 바람이라고 할 수 있는 이유) 태양에서 방출된 이러한 물질은 태양계 전체로 퍼져 나가는데 이것을 태양풍이라고 한다. (태양풍의 개념) 따라서 태양풍은 태양계에 불고 있는 플라스마의 바람이라고 할 수 있다. 이러한 플라스마를 이해하는 것은 우주의 ⓔ기원을 밝히는 기초가 된다는 점에서 아주 중요하다. (플라스마에 대한 이해의 중요성(주제문)) 우주도 바로 플라스마 상태에서 시작했기 때문이다.

+ 독해 체크

■ 이 글의 핵심 화제

(플라스마)의 상태적 특성과 중요성

■ 문단별 중심 내용

1문단	고체, 액체, 기체와는 다른 상태로 존재하는 (플라스마)
2문단	플라스마의 (상태적) 특성
3문단	플라스마 상태의 대표적인 예: (태양)
4문단	플라스마에 대한 (이해)의 중요성

■ 핵심 내용의 구조화

플라스마에 대한 이해

플라스마의 개념	플라스마의 특성
기체 상태의 분자가 열이나 빛 등으로 계속 가열되어 (전기)를 띤 입자로 나누어짐으로써, (기체)와 전혀 다른 성질을 나타내게 된 상태	• 원자에서 떨어져 나온 (자유 전자), (양이온) 그리고 중성 원자들이 함께 존재하며 내부적으로 상호 작용을 함 • 주위의 전기장이나 자기장과도 상호 작용함

플라스마에 대한 이해는 (우주의 기원)을 밝히는 기초가 된다는 점에서 아주 중요함

1 (나)에서 기체 분자들이 전기적으로 중성이므로, 기체 분자들의 운동은 전기장이나 자기장의 영향을 받지 않으며 스스로 전기장이나 자기장을 만들어 내지도 않는다고 하였다. 즉 ③의 내용은 플라스마에 대한 설명이 아니라, 기체 분자에 대한 설명이다.

오답 풀이 ❶ (가)에서 플라스마는 고체, 액체, 기체, 즉 물질의 3태와는 다른 새로운 상태의 물질이라고 하였다.

❷ (가)에서 우주를 이루는 물질의 대부분이 플라스마 상태로 존재한다고 하였다.

❹ (나)에서 플라스마 상태에서는 원자에서 떨어져 나온 자유 전자, 양이온 그리고 중성 원자들이 함께 존재한다고 하였다.

❺ (라)에서 태양이 빛 에너지뿐만 아니라 많은 양의 물질을 방출하고 있으며, 이 물질들은 태양계 전체로 퍼져 나가는데 이를 태양풍이라고 하였다. 이러한 이유로 태양풍을 태양계에 불고 있는 플라스마의 바람이라고 할 수 있다고 하였다. 따라서 태양에서 방출되어 태양계 전체로 퍼져 나가는 많은 양의 물질은 결국 플라스마의 바람이라고 볼 수 있다.

2 (나)에서 기체 상태의 분자가 열이나 빛 또는 강한 전자기파 등으로 계속 가열되어 전기를 띤 입자로 나누어지게 된 상태를 플라스마라고 하였다. 〈보기〉에서 태양 대기층인 코로나의 온도가 100만 ℃가 넘는다고 하였으므로, 코로나를 이루는 기체, 특히 수소의 일부가 열로 인해 전기를 띤 입자로 나누어져 플라스마 상태가 되었음을 추론할 수 있다.

오답 풀이 ❶ (나)에서 기체 분자들은 전기적으로 중성이며, 스스로 전기장이나 자기장을 만들어 내지도 않는다고 하였다. 이를 근거로 추론해 보면 코로나의 기체 분자들 역시 스스로 자기장을 만들어 내지는 않을 것임을 알 수 있다.

❷ 코로나를 구성하는 물질의 비율이 태양 내부와 동일한지의 여부는 이 글을 통해 알 수 없다.

❸ 플라스마 상태는 전기적으로 중성이었던 기체 분자들이 가열되어 전기를 띤 입자로 나누어진 것이다. 따라서 코로나를 구성하고 있는 수소와 헬륨이 중성 원자라면 플라스마 상태로 볼 수 없다.

❺ 코로나의 기체 분자들의 운동이 태양의 빛 에너지로 인해 활성화된다는 설명은 이 글에서 찾아볼 수 없다.

3 ⓔ의 '기원'은 '사물이 처음으로 생김. 또는 그런 근원'을 의미하는 말이다. '일의 차례를 따라 나아가는 과정'을 의미하는 말은 '단계'로, '기원'의 사전적 의미로 적절하지 않다.

오답 풀이 ❶ '존재'는 '현실에 실제로 있음. 또는 그런 대상'을 의미하므로, ⓐ의 사전적 의미로 적절하다.

❷ '가열'은 '어떤 물질에 열을 가함'을 의미하므로, ⓑ의 사전적 의미로 적절하다.

❸ '구성'은 '몇 가지 부분이나 요소들을 모아서 일정한 전체를 짜 이룸. 또는 그 이룬 결과'를 의미하므로, ⓒ의 사전적 의미로 적절하다.

❹ '방출'은 '입자나 전자기파의 형태로 에너지를 내보냄'을 의미하므로, ⓓ의 사전적 의미로 적절하다.

어휘 체크

1 (1) 분리 (2) 자유 전자 (3) 질량

2 ❶ 기원 ❷ 기초 ❸ 분자 ❹ 자기장

본문 062~065쪽

기술 01 기계 번역의 두 가지 입장

1 ③ 2 ④ 3 ②

가 기계 번역(핵심어)이란 기계가 사람의 개입 없이 한 언어를 다른 언어로 번역하는 것(기계 번역의 개념)을 말한다. 이 기술이 세상의 언어 장벽을 조금씩 무너뜨리고 있다. 「2015년 아일랜드에서는 영어를 전혀 하지 못하는 아프리카계 여성이 영어만 할 수 있는 의료진의 지시에 따라 무사히 출산을 했다. 기계 번역을 도입한 스마트폰 애플리케이션을 통해서였다.」(「」: 언어의 장벽을 무너뜨린 기계 번역의 사례)

기계 번역이 이 정도 수준까지 발전한 것은 인공 지능 기술(기계 번역이 눈에 띄게 발전할 수 있었던 이유) 덕분이다. 초기의 기계 번역은 사람이 입력한 언어의 규칙에 따라서 번역을 수행하였다. 그래서 규칙에서 벗어나는 문장이 있는 경우 번역상 오류가 많이 생겼다(초기 기계 번역의 문제점). 이와 달리 「인공 지능을 활용한 기계 번역은 컴퓨터가 인터넷상의 빅 데이터를 활용하여 스스로 오류를 수정하며 번역한다.」(「」: 기계 번역의 속도와 정확성이 향상된 요인) 그렇기 때문에 기계 번역의 속도는 물론 정확성까지 상당히 ⓐ향상되었다.

2017년 2월에 한국에서 있었던 기계와 인간의 번역 대결(㈎의 관점을 뒷받침하는 근거: 우월한 번역 속도, 정확성 향상)은 기계 번역이 눈부시게 발전하였음을 보여 주었다. 이 대결에서 기계는 전문 번역가들이 50분간 번역한 내용을 1분 안에 처리하여 속도 면에서 우월함을 보여 주었다. 또한 물건의 사용 설명서와 같은 글을 번역할 경우 원문의 뜻을 약 80% 정도까지 제대로 전달할 만큼 정확성도 향상되었다. 이렇게 볼 때 앞으로 펼쳐질 기계 번역의 미래는 밝을 것으로 보인다(기계 번역의 미래에 대한 ㈎의 관점(주제문)).

나 「1954년 조지타운 대학에서 기계가 러시아어 문장 60개를 영어로 번역하는 실험에 성공하였다. 이후 사람들은 3~5년 안에 기계 번역이 인간이 하는 번역을 대신할 것이라고 예상하였다.」(「」: 기계 번역에 대한 과거의 낙관적 전망) 그러나 1966년에 발표된 한 연구(㈏의 관점을 뒷받침하는 근거 ①)는 기계 번역에 대한 사람들의 낙관적 전망(기계 번역이 인간의 번역을 대신할 것이라는 전망)을 무너뜨렸다. 이 연구에 따르면 기계 번역은 사람이 하는 번역보다 「돈이 많이 들고 시간은 더 오래 걸렸으며 정확성도 ⓑ떨어졌다고 한다.」(「」: 기계 번역에 대한 낙관적 전망이 무너진 이유) ㉠기계 번역은 인간이 한 번역보다 정확성이 떨어질 수밖에 없는데, 이는 기계 번역이 맥락에 따라 달리 쓰이는 언어의 복잡한 의미를 반영하기 어렵기 때문이다.

이러한 기계 번역의 한계가 여전히 극복되지 못하고 있음(기계 번역에 대한 ㈏의 관점(주제문))이 2017년 2월에 한국에서 열린 기계와 인간의 번역 대결(㈏의 관점을 뒷받침하는 근거 ②)에서 드러났다. 전문 번역가 4명과 인공 지능 기술을 활용한 기계가 펼친 이 대결에서 기계 번역은 내용의 정확성 면에서 인간이 한 번역을 따라오지 못했다. 의미가 명확한 짧은 문장은 비교적 잘 번역하였으나 구조가 복잡한 긴 문장의 번역은 오류가 많았다.(기계 번역의 한계 ①) 특히 글의 맥락이나 작가의 의도를 고려하여 해석해야 하는 문학 작품의 번역에서 기계는 전체 지문의 90%를 문장조차 제대로 구성하지 못했다.(기계 번역의 한계 ②)

독해 체크

■ **이 글의 핵심 화제**

- (가): 기계 번역에 대한 (낙관적(긍정적)) 전망
- (나): 기계 번역의 (한계)

■ **문단별 중심 내용**

(가)

1문단 언어의 장벽을 조금씩 무너뜨리는 (기계 번역)

2문단 기계 번역 기술의 (향상)

3문단 기계 번역에 대한 (낙관적(긍정적)) 전망

(나)

1문단 기계 번역에 대한 (낙관적) 전망을 무너뜨린 연구 사례

2문단 기계 번역의 (한계)

■ **핵심 내용의 구조화**

기계 번역의 두 가지 입장

(가)의 관점	(나)의 관점
• 기계 번역은 세계의 언어 장벽을 조금씩 무너뜨리고 있음 • (인공 지능)을 활용한 기계 번역은 속도 면에서 우월하며, 정확성까지 향상됨 • 2017년 인간과 기계의 번역 대결에서, 기계 번역의 눈부신 발전을 보여 줌	• 1966년에 발표된 한 연구에 따르면 기계 번역은 시간과 돈이 많이 들고, (정확성)이 떨어짐 • 2017년 인간과 기계의 번역 대결에서, 기계 번역은 내용의 정확성 면에서 번역의 (한계)가 여전히 극복되지 못하고 있음이 드러남
(낙관적(긍정적)) 전망	(비관적(부정적)) 전망

1 ㉠은 기계 번역이 인간이 한 번역보다 정확성이 떨어질 수밖에 없는 문제에 대해, 기계 번역은 맥락에 따라 달리 쓰이는 언어의 복잡한 의미를 반영하기 어렵다는 원인을 밝혀 내용에 대한 이해를 돕고 있다.

오답 풀이 ❶ 전문가의 말을 인용하면, 내용의 객관성을 높이고 독자에게 신뢰감을 줄 수 있다는 장점이 있다. 그러나 ㉠에는 이러한 설명 방식이 사용되지 않았다.

❷ 대상의 사전적 의미를 제시하여 뜻을 명확히 하는 설명 방식을 '정의'라고 하는데, ㉠에는 사용되지 않았다.

❹ ㉠에는 문제에 대한 원인이 제시되어 있을 뿐, 이를 해결하기 위한 방안의 장점과 단점을 비교하고 있지는 않다.

❺ 시간의 순서에 따라 사건을 나열하는 설명 방식을 '서사'라고 하는데, ㉠에는 이러한 설명 방식이 사용되지 않았다.

더 알아두기 글에 사용되는 다양한 설명 방식

비교·대조	둘 이상의 항목의 공통점과 차이점을 견주어 가며 설명하는 방법
예시	구체적인 사례를 들어 설명하는 방법
분석	전체를, 그것을 구성하는 세부 요소로 나누어 설명하는 방법
분류	일정한 기준에 따라 작은 것들을 묶어 큰 것으로 나아가면서 설명하는 방법 예 공책, 풀, 가위, 자, 색연필 등을 학용품이라고 한다.
구분	일정한 기준에 따라 큰 것에서 작은 것으로 세분하여 단계적으로 설명하는 방법 예 악기는 소리 내는 방법에 따라 현악기, 관악기, 타악기 등으로 나눌 수 있다.
과정	사건이나 현상이 진행되는 순서에 따라 설명하는 방법
인과	원인과 결과에 의해 내용을 이해시키는 방법

2 기계 번역은 컴퓨터와 인공 지능 기술을 기반으로 한다. 따라서 컴퓨터의 통계 처리 능력과 인공 지능 기술이 끊임없이 향상된다는 것은 기계 번역의 미래가 밝다는 (가)의 관점을 뒷받침하는 자료로 적절하다. 나머지는 모두 (나)의 관점을 뒷받침하는 자료로 적절하다.

오답 풀이 ❶ 다의어가 포함된 겹문장을 번역할 때 오류가 많이 발견된다는 것은 기계 번역이 인간의 번역보다 정확성이 떨어짐을 보여 주는 것이므로, (나)의 관점을 뒷받침하는 자료로 적절하다.

❷ 글에 담긴 글쓴이만의 개성적 문체를 온전히 번역할 수 없다는 것은 기계 번역의 한계로, (나)의 관점을 뒷받침하는 자료로 적절하다.

❸ 기계 번역의 결과가 늘 완벽하지 않다는 것은 기계 번역의 한계를 보여 주므로, (나)의 관점을 뒷받침하는 자료로 적절하다.

❺ 인간의 문화를 완벽히 이해할 수 없는 인공 지능 기술을 활용한 기계 번역은 인간의 문화가 반영된 언어의 복잡한 의미를 반영할 수 없다. 따라서 이는 기계 번역의 한계를 보여 주는 것이므로, (나)의 관점을 뒷받침하는 자료로 적절하다.

3 '향상되다 : 떨어지다'는 두 단어의 의미가 서로 반대되는 반의 관계를 지닌다. ②의 '벗다 : 신다' 역시 '신발을 벗다.', '신발을 신다.'에서 알 수 있듯이 반의 관계를 지닌다.

오답 풀이 ❶ '과일'은 상의어, '수박'은 하의어로 두 단어는 단어의 한쪽이 의미상 다른 쪽을 포함하거나 다른 쪽에 포함되는 상하 관계를 지닌다.

❸, ❹, ❺ 말소리는 다르지만 단어의 의미가 서로 비슷한 유의 관계에 해당한다.

어휘 체크

1 원문 – 문맥 – 맥락 – 낙관 – 관전 – 전망

2 ❶ ㉢ ❷ ㉡ ❸ ㉠

에너지를 저장하는 여러 가지 방법

1 ⑤ 2 ④ 3 ①

가 에너지 저장 시스템이란 「전기를 많이 사용하지 않을 때 남아 있는 전력을 저장해 두었다가 전기를 필요로 하는 사람이 많을 때 저장된 전기를 공급해 주는 시스템이다.」 에너지 저장 시스템의 저장 방식은 물리적 저장 방식과 화학적 저장 방식으로 나뉜다.
(핵심어 / 「 」: 에너지 저장 시스템의 개념 / 에너지 저장 시스템의 두 가지 저장 방식(주제문))

나 물리적 에너지 저장 방식에는 양수 발전, 공기 압축식 전력 저장, 플라이휠 등이 있다. 먼저 양수 발전은 「펌프를 이용해 아래쪽에 있는 저수지 물을 위쪽으로 퍼 올려 두었다가, 전기가 필요할 때 이 물을 다시 아래쪽으로 흘려보내 전기를 ㉠일으키는 원리이다.」 양수 발전은 오랜 기간 사용할 수 있지만 땅의 높낮이를 이용하기 때문에 적당한 공간을 찾는 것이 쉽지 않다. 다음으로 공기 압축식 전력 저장은 남아 있는 전력으로 공기를 동굴이나 지하에 압축하고, 압축된 공기에 열을 가하여 모터를 돌리는 방식이다. 이 방법은 전력을 많이 저장할 수 있고 전기를 일으키는 데 드는 비용이 적게 든다는 장점이 있으나, 초기에 시설물을 만드는 비용이 많이 들고 땅이나 바위를 뚫어 공간을 만들어야 하는 단점이 있다. 마지막으로 플라이휠은 전기 에너지를 회전하는 운동 에너지로 저장해 두었다가 다시 전기 에너지로 바꾸어서 사용하는 방식이다. 이 방법은 에너지 효율이 높고 전력을 빠른 속도로 저장할 수 있지만, 처음에 시설물을 만드는 데 비용이 많이 들고 오랜 시간 사용하면 효율성이 떨어진다는 문제점이 있다.
(물리적 에너지 저장 방식의 종류 / 물리적 에너지 저장 방식 ① / 「 」: 양수 발전의 원리 / 양수 발전의 장점 / 양수 발전의 단점 / 물리적 에너지 저장 방식 ② / 공기 압축식 전력 저장의 원리 / 공기 압축식 전력 저장의 장점 / 공기 압축식 전력 저장의 단점 / 물리적 에너지 저장 방식 ③ / 플라이휠의 원리 / 플라이휠의 장점 / 플라이휠의 단점)

다 화학적 에너지 저장 방식에는 리튬 이온 전지, 나트륨 유황 전지, VRB 등이 있다. 먼저 리튬 이온 전지는 리튬 이온이 양극과 음극을 오가면서 발생하는 위치 에너지의 차이를 통해 에너지를 저장하는 방식이다. 리튬 이온 전지는 에너지 효율이 높지만, 다소 위험하고 비용이 많이 들며 저장 용량이 적은 편이다. 다음으로 나트륨 유황 전지는 300~350℃의 온도에서 액체로 변한 나트륨 이온이 고체 전해질을 이동하면서 전기 화학 에너지를 저장하는 방식이다. 이 방법은 비용이 싸다는 장점이 있지만, 에너지 효율이 낮고 저장할 수 있는 에너지의 양이 정해져 있다는 단점이 있다. 마지막으로 VRB는 「전해질 용액을 순환시켜 전해액 안에 있는 이온들의 위치 에너지 차이를 이용하여 전기 에너지를 충전 및 방전시키는 원리이다.」 이 방법은 비용이 적게 들고 용량을 크게 만들기가 쉬우며 오랜 시간 사용이 가능하지만, 반응 속도가 느리고 에너지 효율이 낮다는 단점이 있다.
(화학적 에너지 저장 방식의 종류 / 화학적 에너지 저장 방식 [1] / 리튬 이온 전지의 원리 / 리튬 이온 전지의 장점 / 리튬 이온 전지의 단점 / 화학적 에너지 저장 방식 [2] / 나트륨 유황 전지의 원리 / 나트륨 유황 전지의 장점 / 나트륨 유황 전지의 단점 / 화학적 에너지 저장 방식 [3] / 「 」: VRB의 원리 / VRB의 장점 / VRB의 단점)

독해 체크

■ 이 글의 핵심 화제

(에너지 저장 시스템)의 개념과 (종류)

■ 문단별 중심 내용

- 1문단: (에너지 저장 시스템)의 개념과 두 가지 저장 방식
- 2문단: (물리)적 에너지 저장 방식의 종류
- 3문단: (화학)적 에너지 저장 방식의 종류

■ 핵심 내용의 구조화

물리적 에너지 저장 방식

(양수 발전)	공기 압축식 전력 저장	(플라이휠)
• 장점: 오랜 기간 사용할 수 있음 • 단점: 땅의 높낮이를 이용하기 때문에 적당한 공간을 찾기가 쉽지 않음	• 장점: 전력을 많이 저장할 수 있고, 비용이 적게 듦 • 단점: 초기 비용이 많이 들고, (땅)이나 바위를 뚫어야 함	• 장점: (에너지 효율)이 높고, 전력을 빠른 속도로 저장할 수 있음 • 단점: 초기 비용이 많이 들고, 오래 사용하면 효율성이 떨어짐

화학적 에너지 저장 방식

(리튬 이온 전지)	나트륨 유황 전지	VRB
• 장점: 에너지 효율이 높음 • 단점: 다소 (위험)하고 비용이 많이 들며, 저장 용량이 적음	• 장점: 비용이 쌈 • 단점: (에너지 효율)이 낮고, 저장할 수 있는 에너지의 양이 정해져 있음	• 장점: 비용이 적게 들고 (용량)을 크게 만들기 쉬우며, 오랜 시간 사용이 가능함 • 단점: 반응 속도가 느리고, 에너지 효율이 낮음

1 (나)에서 플라이휠은 전기 에너지를 위치 에너지가 아니라, 회전하는 운동 에너지로 저장해 두었다가 다시 전기 에너지로 바꾸어서 사용하는 방식이라고 하였다.

오답 풀이 ❶ (가)에서 에너지 저장 시스템의 저장 방식은 물리적 저장 방식과 화학적 저장 방식으로 나뉜다고 하였다.
❷ (나)에서 양수 발전은 펌프를 이용해 아래쪽에 있는 저수지 물을 위쪽으로 퍼 올려 두었다가, 전기가 필요할 때 이 물을 다시 아래쪽으로 흘려보내 전기를 일으키는 원리라고 하였다.
❸ (다)에서 나트륨 유황 전지와 VRB는 에너지 효율이 낮다는 단점이 있다고 하였다.
❹ (나)에서 공기 압축식 전력 저장은 남아 있는 전력으로 공기를 압축하고, 압축된 공기에 열을 가하여 모터를 돌리는 방식이라고 하였다.

2 〈보기〉의 A국은 바위가 없는 평지가 대부분이므로, 땅이나 바위를 뚫어서 공간을 만들어야 하는 공기 압축식 전력 저장(⑤)이나 땅의 높낮이를 이용하는 양수 발전(②)은 적절하지 않다. 또한 적은 비용으로 위험하지 않고 오랫동안 사용할 수 있는 저장 방식을 찾고 있으므로, 다소 위험한 리튬 이온 전지(③)나 초기 비용이 많이 들고 오랜 시간 사용하면 효율성이 떨어지는 플라이휠(①)도 적절하지 않다. 따라서 주어진 선지 중에서 A국에 가장 적절한 에너지 저장 방식은 나트륨 유황 전지(④)이다.

3 ㉠의 '일으키는'은 '물리적이거나 자연적인 현상을 만들어 내는'의 의미로 쓰였다. 이와 같은 의미로 쓰인 것은 '불'이라는 자연적인 현상을 만들어 냈다는 의미로 쓰인 ①이다.

오답 풀이 ❷ '무엇을 시작하거나 흥성하게 만들기'의 의미로 쓰였다.
❸ '생리적이거나 심리적인 현상을 생겨나게 한'의 의미로 쓰였다.
❹ '일어나게 하셨다.'의 의미로 쓰였다.
❺ '어떤 사태나 일을 벌이거나 터뜨린'의 의미로 쓰였다.

+ 어휘 체크

• ㉣ – 순환 ㉡ – 양수 ㉠ – 원리 ㉢ – 압축 ㉤ – 방전

기술 03 모두의 행복을 위한 착한 기술, 적정 기술

본문 070~073쪽

1 ⑤ 2 ③ 3 ②

가 1970년대 이후부터 세계적으로 '적정 기술(Appropriate Technology)'(핵심어)에 대한 활발한 논의가 있어 왔다. 넓은 의미로 적정 기술은 「인간 사회의 환경, 윤리, 도덕, 문화, 사회, 정치, 경제적인 측면들을 두루 고려하여 인간의 삶의 질을 향상시킬 수 있는 기술」(「」: 적정 기술의 넓은 의미)이다. 좁은 의미로는 가난한 자들의 삶의 질을 향상시키는 기술(적정 기술의 좁은 의미)이다.

나 적정 기술이 사용된 대표적 사례는 아바(Abba, M. B.)가 ㉠고안한 항아리 냉장고(적정 기술의 사례)이다. 아프리카 나이지리아의 시골 농장에는 전기, 교통, 물이 부족하다(항아리 냉장고를 고안한 배경 ①). 이곳에서 가장 중요한 문제 중의 하나는 곡물을 저장할 시설이 없다는 것이다(항아리 냉장고를 고안한 배경 ②).

다 이를 해결하기 위해 그는 항아리 두 개와 모래흙 그리고 물(항아리 냉장고의 재료)만 있으면 채소나 과일을 장기간 보관할 수 있는 저온조를 만들었다. 이것은 물이 증발할 때 열을 빼앗아 가는 간단한 원리를 이용한(항아리 냉장고에 적용된 원리) 것이다. 한여름에 몸에 물을 뿌리고 시간이 지나면 시원해지는데, 이는 물이 증발하면서 몸의 열을 빼앗아 가기 때문이다. 항아리의 물이 모두 증발하면 다시 보충해서 사용하면 된다.

라 토마토의 경우 항아리 냉장고 없이 2~3일 정도 저장이 가능하지만, 항아리 냉장고를 사용하면 21일 정도 저장이 가능하다. 이 덕분에 이 지역 사람들은 신선한 과일을 장기간 보관해서 시장에 판매해 많은 수익을 올릴 수 있었다(항아리 냉장고의 효과).

마 적정 기술은 새로운 기술이 아니다. 우리가 알고 있는 여러 기술 중의 하나로, 어떤 지역의 직면한 문제를 해결하는 데 적절하게 사용된 기술이다. 1970년 이후 적정 기술을 기반으로 많은 제품이 개발되어 현지에 보급되어 왔지만 그 성과에 대해서는 여전히 논란이 있다. 이는 기술의 보급만으로는 특정 지역의 빈곤 탈출과 경제적 자립을 이룰 수 없기 때문(적정 기술의 한계)이다. 빈곤 지역의 문제 해결을 위해서는 기술 개발 이외에도 지역 문화에 대한 이해와 현지인의 교육까지도 필요(적정 기술의 과제)하다.

+ 독해 체크

■ 이 글의 핵심 화제

(적정 기술)의 의미와 과제

■ 문단별 중심 내용

- 1문단: 적정 기술의 (의미)
- 2문단: 적정 기술의 사례(항아리 냉장고) ①: 문제 상황
- 3문단: 적정 기술의 사례(항아리 냉장고) ②: (문제 해결)
- 4문단: 적정 기술의 사례(항아리 냉장고) ③: (효과)
- 5문단: 적정 기술의 (한계)와 과제

■ 핵심 내용의 구조화

적정 기술

적정 기술의 의미	적정 기술의 사례(항아리 냉장고)
• 넓은 의미: 인간 사회의 여러 측면들을 두루 고려하여 인간의 삶의 질을 향상시킬 수 있는 기술 • 좁은 의미: (가난)한 자들의 삶의 질을 향상시키는 기술	• 물이 (증발)할 때 열을 빼앗아 가는 원리를 이용한 저온조를 만듦 • 항아리 냉장고로 신선한 과일을 장기간 보관해서, 이를 시장에 판매해 많은 수익을 올림

적정 기술의 한계와 과제

(기술)의 보급만으로는 특정 지역의 빈곤 탈출과 경제적 자립을 이룰 수 없음 → (지역 문화)에 대한 이해와 현지인의 교육까지도 필요함

1 (마)에서는 적정 기술의 특성과 한계 및 적정 기술의 과제에 대해 말하고 있다. 따라서 적정 기술의 전망을 중심 내용으로 보기 힘들다.

오답 풀이 ❶ (가)에서는 적정 기술의 개념을 넓은 의미와 좁은 의미로 나누어 제시하고 있다.
❷ (나)에서는 항아리 냉장고가 나오게 된 배경으로 아프리카 나이지리아의 시골 농장에 전기, 교통, 물이 부족하다는 것과 곡물을 저장할 시설이 없다는 것을 들고 있다.
❸ (다)에서는 물이 증발할 때 열을 빼앗아 가는 간단한 원리가 항아리 냉장고에 적용되었음을 밝히고 있다.
❹ (라)에서는 항아리 냉장고를 통해 그 지역 사람들이 신선한 과일을 장기간 보관할 수 있었고, 이를 시장에 판매해 많은 수익을 올릴 수 있었다는 효과를 밝히고 있다.

2 항아리 냉장고는 가난한 지역 사람들의 삶의 질을 향상시키기 위해 나온 적정 기술의 사례로, 간단한 원리를 적용해 그들이 이용할 수 있도록 쉽게 만들었다는 특징이 있다. ③에 나오는 물통은 차량이 없는 사람들을 위해 만든 것으로, 무거운 물통을 굴리는 것이 들고 다니는 것보다 편하며, 드럼통에 줄만 매달면 쉽게 만들 수 있다는 점에서 항아리 냉장고와 유사한 적정 기술의 사례로 볼 수 있다.

오답 풀이 ❶, ❷, ❹, ❺ 모두 가난한 사람들의 삶을 개선하기 위해 만든 것이 아니며, 원리나 방법(나노 기술, 발광 다이오드, 엔진과 전기 모터, 인공위성과 전자 지도)도 가난한 사람들이 사용하기에는 복잡하다.

3 '고안하다'는 기존에 없는 새로운 안을 생각해 내는 것이므로, ②에는 '어떤 것을 깊이 생각하고 연구해'라는 의미의 '고찰해'가 들어가기에 적절하다.

오답 풀이 ❶ 우리 생활에 알맞은 의복에 대한 새로운 안을 생각해 냈다는 의미이므로, '고안하다'가 들어가기에 적절하다.
❸ 개인 정보 유출을 막기 위해 전에 없던 '개인 정보 보호 키트'를 새롭게 제작하였다는 의미이므로, '고안하다'가 들어가기에 적절하다.
❹ '이색'은 '보통의 것과 색다른 것'이라는 의미이므로, '이색 마스크'는 일반적인 것과는 다르게 새로이 만들어진 것이라 볼 수 있다. 따라서 '고안하다'가 들어가기에 적절하다.
❺ 백작이 노름을 하면서도 식사를 할 수 있도록 '샌드위치'를 새롭게 만들어 냈다는 의미이므로, '고안하다'가 들어가기에 적절하다.

+ 어휘 체크

1 (1) 향상 (2) 직면 (3) 보급
2 ❶ 장기간 ❷ 기반 ❸ 개발 ❹ 증발

본문 074~077쪽

예술 01 음향 효과의 다양한 기능

1 ① 2 ② 3 ⑤

가 ㉠음향 효과(Sound Effects)란 영상에 더해지는 대사 이외의 소리를 일컫는 것으로, 효과음이라고도 한다. 음향들은 영상을 촬영할 때 동시에 녹음되거나, 장면에 맞추어 이에 ⓐ적합한 소리로 따로 녹음된다. 혹은 원하는 음향을 얻기 위해 직접 신시사이저로 ⓑ제작하기도 한다.

(핵심어 / 음향 효과의 개념(정의) / 음향을 얻는 방법 ① / 음향을 얻는 방법 ② / 음향을 얻는 방법 ③)

나 영화에 활용되는 음향 효과는 장면의 분위기를 살릴 뿐만 아니라 장면에 대한 관객의 반응에 큰 영향을 미치므로 감독은 음향 효과의 높이, 크기, 속도 등을 섬세하게 조절한다. 높은 음조의 음향은 듣는 사람이 긴장감을 갖게 만들기 때문에 서스펜스 시퀀스나, 극의 클라이맥스 또는 바로 그 직전에 사용되는 경우가 많다. 한편, 낮은 음조의 음향은 무겁고 충만하며, 긴장이 덜하다. 따라서 위엄이나 장엄성을 강조하는 데 이용되며, 근심이나 신비로움을 나타낼 수도 있다.

(음향 효과의 기능 ① / 음향 효과의 기능 ② / 영화에서 높은 음조의 음향을 활용하는 경우 / 영화에서 낮은 음조의 음향을 활용하는 경우)

다 음향의 크기와 속도도 거의 ⓒ유사하게 작용한다. 큰 음향은 강렬하고 위협적이며, 조용한 음향은 섬세하고 무기력한 느낌을 주는 경우가 많다. 또한 음향의 속도가 빠를수록 듣는 사람의 긴장감이 더욱 커지기에 추적 시퀀스에서는 이러한 원리를 능숙하게 활용한다. 「추적이 절정에 이를 즈음 날카로운 자동차 바퀴 소리와 폭주하는 기차의 충돌 소리가 더 커지고 빨라지고 높아지는 것이 그 예이다.」

(빠른 속도의 음향이 활용되는 부분 / 「 」: 영화에서 음향의 크기와 속도를 활용하는 구체적인 사례)

라 또한 음향 효과는 관객의 공포감을 불러일으키는 데 활용되기도 한다. 일반적으로 사람들은 자신이 볼 수 없는 대상에 대해 두려움을 느낀다. 공포물의 감독들은 이러한 면에 주목하여 외화면의 음향 효과를 효과적으로 이용한다. 「누가 몰래 문을 열고 들어오는 영상 대신 어두운 방에서 들리는 문 삐걱거리는 소리를 삽입함으로써 관객의 공포감을 ⓓ극대화하는 것이다.」

(음향 효과의 기능 ③ / 「 」: 영화에서 외화면의 음향 효과를 활용하는 구체적인 사례)

마 최근에는 음향 효과가 방송과 영화 등에서만 활용되는 것이 아니라 스포츠, 마케팅, 동물 사육 등 일상생활에도 그 영향을 미치고 있으며, 음향 효과를 활용하여 인간의 삶을 더욱 ⓔ유익하게 만들기 위한 지속적인 노력이 이루어지고 있다.

독해 체크

■ 이 글의 핵심 화제

영화에 활용되는 (음향 효과)의 다양한 기능

■ 문단별 중심 내용

1문단 (음향 효과)의 개념과 음향을 얻는 방법

음향 효과의 기능과 영화에서 음향의 (높이)를 활용하는 방법

영화에서 음향의 (크기)와 (속도)를 활용하는 방법

영화의 (외화면)에서 활용되는 음향 효과의 기능

(활용) 범위가 확대되고 있는 음향 효과

■ 핵심 내용의 구조화

음향 효과 →	높이	• 높은 음조: 듣는 사람이 (긴장감)을 갖게 만듦 → 서스펜스 시퀀스, 극의 (클라이맥스) 또는 그 직전에 사용함 • 낮은 음조: 무겁고 충만하며, 긴장감이 덜함 → (위엄)이나 장엄성, 근심이나 신비로움을 나타낼 때 사용함
	크기	• 큰 음향: (강렬)하고 위협적인 느낌을 줌 • 조용한 음향: 섬세하고 (무기력)한 느낌을 줌
	속도	음향의 속도가 (빠를)수록 듣는 사람의 긴장감이 커짐 → 추적 시퀀스에서 활용함

1 (가)에서 원하는 음향을 얻기 위해 직접 신시사이저로 제작하기도 한다고 설명하였으므로, 자연적인 소리만을 활용하여 제작한다는 ①의 설명은 적절하지 않다.

오답 풀이 ❷ (나)에서 영화에 활용되는 음향 효과는 장면의 분위기를 살린다고 설명하였다.

❸ (가)에서 음향 효과란 영상에 더해지는 대사 이외의 소리를 일컫는 것이라고 하였다.

❹ (라)에서 음향 효과는 관객의 공포감을 불러일으키는 데 활용된다고 하였다.

❺ (마)에서는 음향 효과가 방송과 영화 등에서만 활용되는 것이 아니라 다양한 분야의 일상생활에도 영향을 미치고 있다고 하였다.

2 (다)에서 음향의 속도가 빠를수록 듣는 사람의 긴장감이 더욱 커지기에 추적 시퀀스에서는 이러한 원리를 활용한다고 하였다. 따라서 경찰이 범인을 쫓는 장면에서 긴장감을 극대화하기 위해 빠른 속도의 음향을 활용한다는 생각은 적절하다고 볼 수 있다.

오답 풀이 ❶ (나)에서 낮은 음조의 음향이 위엄이나 장엄성을 강조하는 데 이용된다고 하였으므로, 왕의 위엄을 강조하기 위해 높은 음조의 음향을 활용한다는 생각은 적절하지 않다.

❸ (다)에서 조용한 음향은 섬세하고 무기력한 느낌을 주는 경우가 많다고 하였으므로, 연인과 이별한 주인공의 무기력한 상태를 표현하기 위해 큰 음향을 활용한다는 생각은 적절하지 않다.

❹ (나)에서 극의 클라이맥스 또는 바로 그 직전에는 높은 음조의 음향을 사용하는 경우가 많다고 하였다. 그러므로 등장인물 간의 갈등이 최고조에 이르는 장면에서 낮은 음조의 음향을 활용한다는 생각은 적절하지 않다.

❺ (다)에서 큰 음향은 강렬하고 위협적이라고 하였으므로, 빠르게 달려가는 위협적인 사자의 모습을 표현하기 위해 조용한 음향을 활용해야겠다는 생각은 적절하지 않다.

더 알아두기 | 배경 음악의 역설법적 기능과 묵음의 효과

기본적으로 음악은 영상과 조화를 이루면서 영상을 보완하는 역할을 한다. 그러나 관객이 보고 있는 사건이나 상황과 정반대가 되는 음악이 사용되면 역설법처럼 기능할 수 있다. 때로는 영상과 음악의 부조화가 화성적인 조화보다 정서적 효과를 증폭시킬 수도 있는 것이다. 「지옥의 묵시록」이라는 영화에서는 미군이 베트남의 밀림을 헬리콥터가 폭격하는 영상에 경쾌한 행진곡을 겹치게 하여, 전쟁의 잔혹함을 역설적으로 표현하였다.

또한 영화의 특정 장면에서 모든 음향을 의도적으로 제거하는 묵음을 사용하기도 한다. 묵음을 사용할 경우, 강력한 효과음만큼이나 효과적인 성과를 거둘 수 있다. 이 경우 묵음은 정지 화면과 마찬가지로 일종의 심리적 긴장감이나 비현실적인 느낌을 조성하게 된다. 특히 요란한 소리로 뒤덮인 장면에서 일순간 묵음으로 이어지면, 느낌의 대비로 인해 그 효과가 극대화된다.

3 '쓸모 있게'는 '유용하게'의 의미이며, ⓔ의 '유익하게'는 '이롭거나 도움이 될 만한 것이 있게'의 의미이다. 따라서 ⓔ는 '이롭게' 정도로 바꿔 쓸 수 있다.

오답 풀이 ❶ '적합한'은 '일이나 조건 따위에 꼭 알맞은'이라는 의미를 지니므로, ⓐ는 '알맞은'으로 바꿔 쓸 수 있다.

❷ '제작하기도'는 '재료를 가지고 기능과 내용을 가진 새로운 물건이나 예술 작품을 만들기도'라는 의미를 지니므로, ⓑ는 '만들기도'로 바꿔 쓸 수 있다.

❸ '유사하게'는 '서로 비슷하게'라는 의미를 지니므로, ⓒ는 '비슷하게'로 바꿔 쓸 수 있다.

❹ '극대화하는'은 '아주 크게 하는'이라는 의미를 지니므로, ⓓ는 '아주 크게 하는'으로 바꿔 쓸 수 있다.

어휘 체크

• ㉠ – 지속적 ㉣ – 위엄 ㉡ – 무기력 ㉤ – 외화면, ㉢ – 절정

자연과 대화하는 건축

1 ②　　2 ④　　3 ②

㉮ 스위스의 한 작은 마을 경사진 산기슭에 ㉠'성 베네딕트 채플'로 불리는 건물이 있다. 이 건물은 경사 대지 위에 위치해 있다. 「전체적으로 타원형 평면의 실린더가 언덕에 박혀 있는 형상을 띠고 있고, 건물 내부에는 나무로 만들어진 평평한 타원형의 예배 공간이 있다.」(「 」: 성 베네딕트 채플의 구조) 그리고 그 예배당 마루와 경사 대지 사이는 빈 공간으로 남아 있다. 「이 작은 건물은 인간이 자연을 어떻게 대해야 하는지를 잘 보여 준다.」(「 」: 성 베네딕트 채플이 지닌 의의)

㉯ 인간이 자연을 바라보는 관점은 인간의 행위인 건축이 자연을 대하는 방식에도 자연스레 구현된다.(핵심어) 첫 번째로, 인간은 자연을 극복의 대상으로 본다.(인간이 자연을 바라보는 관점 ①) 「우리나라의 재개발 아파트 단지에서 쉽게 확인할 수 있는 관점이다. 대지의 경사를 극복의 대상으로 보고 거대한 축대를 쌓아서 평평한 땅을 만들고 그 위에 아파트 건물을 앉힌다.」(「 」: 자연을 극복의 대상으로 본 건축의 예(예시)) 대형 토목 공사가 필요하고 자연의 모습을 모두 바꾸어 버리는 폭력적인 방식이다.(자연을 극복의 대상으로 보는 관점에 대한 글쓴이의 부정적 인식)

㉰ 두 번째는 자연을 이용 대상으로 보고 건축물을 구축하는 방식이다.(인간이 자연을 바라보는 관점 ②) 「예를 들어 경사 대지에 교회를 짓는다면, 대지의 경사면을 이용해서 객석을 배치하고 강대상을 아래쪽에 두어서 교인들이 편하게 설교를 들을 수 있는 기능적인 교회를 만드는 것이다.」(「 」: 자연을 이용 대상으로 본 건축의 예(예시)) 자연을 훼손하는 정도는 그곳을 평평하게 만드는 방식에 비해 현저히 낮아진다.

㉱ 세 번째는 자연을 동등한 대화의 상대로 보는 방식이다.(인간이 자연을 바라보는 관점 ③) 「'성 베네딕트 채플'이 그러한 경우이다. 이 교회는 경사 대지에 마루를 평평하게 만들었다. 그리고 벽체와 마루 사이에 틈을 만들었다. 그렇게 해서 땅과 교회 마루 사이의 비어 있는 공간을 통해 음향의 울림을 만들어 내고, 인공의 건축물과 자연이 대화할 수 있도록 했다.」(「 」: 자연을 동등한 대화의 상대로 본 건축의 예(예시)) 건축가는 이러한 디자인을 하게 된 이유로 '땅의 소리를 들을 수 있는 교회를 디자인하려고 했음'(건축물과 자연의 대화)을 ⓐ들었다.

㉲ 인간관계에서 그러하듯이, 건축에서도 대상을 동등한 대화의 상대로 보는 것이 가장 성숙한 방식이다.(글쓴이가 생각하는 이상적인 건축 방식) '성 베네딕트 채플'은 그곳에서 그리 멀리 떨어지지 않은 도시에서 주변 환경과의 교감 없이 우후죽순 솟아난 현대 건축물의 편리를 좇고 있는 우리에게 인간과 자연이 아름답게 공존할 수 있는 건축(글쓴이의 궁극적 바람이 드러남)에 대해 이야기해 보자고 손을 내민다.

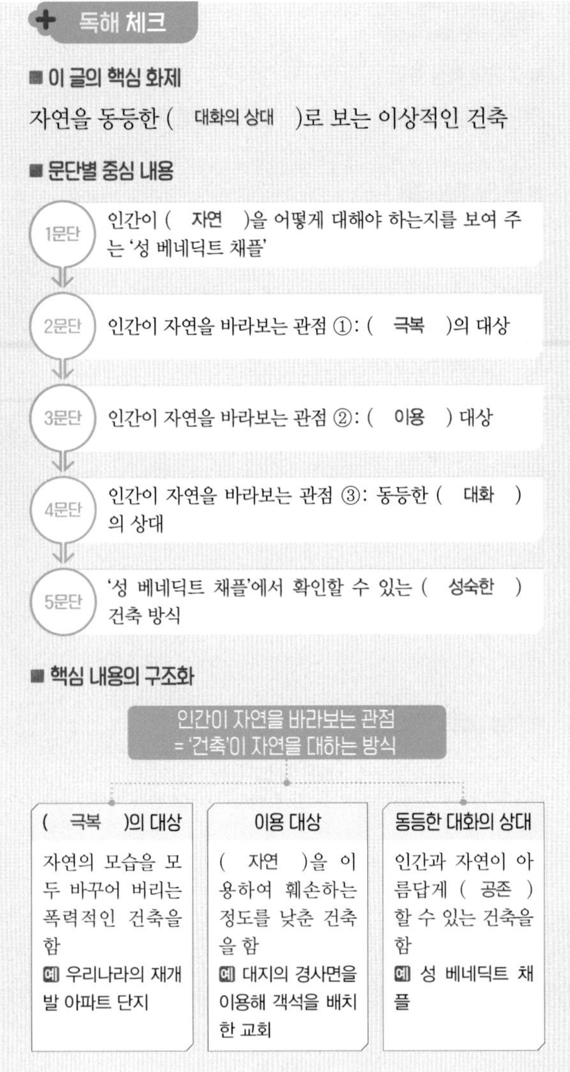

독해 체크

■ 이 글의 핵심 화제

자연을 동등한 (대화의 상대)로 보는 이상적인 건축

■ 문단별 중심 내용

- 1문단: 인간이 (자연)을 어떻게 대해야 하는지를 보여 주는 '성 베네딕트 채플'
- 2문단: 인간이 자연을 바라보는 관점 ①: (극복)의 대상
- 3문단: 인간이 자연을 바라보는 관점 ②: (이용) 대상
- 4문단: 인간이 자연을 바라보는 관점 ③: 동등한 (대화)의 상대
- 5문단: '성 베네딕트 채플'에서 확인할 수 있는 (성숙한) 건축 방식

■ 핵심 내용의 구조화

인간이 자연을 바라보는 관점 = '건축'이 자연을 대하는 방식

(극복)의 대상	이용 대상	동등한 대화의 상대
자연의 모습을 모두 바꾸어 버리는 폭력적인 건축을 함 예 우리나라의 재개발 아파트 단지	(자연)을 이용하여 훼손하는 정도를 낮춘 건축을 함 예 대지의 경사면을 이용해 객석을 배치한 교회	인간과 자연이 아름답게 (공존)할 수 있는 건축을 함 예 성 베네딕트 채플

1 (가)의 '실린더가 언덕에 박혀 있는', '나무로 만들어진 평평한 타원형의 예배 공간'과 같은 표현을 통해, '성 베네딕트 채플' 역시 인간의 손을 거친 건축물임을 알 수 있다. 또한 (라)에서 '인공의 건축물과 자연이 대화할 수 있도록 했다.'라며, '성 베네딕트 채플'이 인공의 건축물임을 직접적으로 밝히고 있다.

오답 풀이 ❶ (라)에서 '성 베네딕트 채플'이 자연을 동등한 대화의 상대로 보는 방식이 적용된 건축물이라고 하였으며, (마)에서 대상을 동등한 대화의 상대로 보는 것이 가장 성숙한 건축 방식이라고 밝혔으므로 올바른 설명이라고 할 수 있다.

❸ (나)에서 설명한 우리나라의 재개발 아파트 단지와 달리, '성 베네딕트 채플'은 자연의 형태를 그대로 두고 만들어 낸 건축물이므로 자연의 모습을 인위적으로 변화시키지 않은 건축물이라고 할 수 있다.

❹ '성 베네딕트 채플'은 자연의 형태를 인위적으로 변화시키지 않았음에도 '교회'의 기능은 정상적으로 수행하고 있다. 또한 (마)에서는 직접적으로 '성 베네딕트 채플'을 인간과 자연이 아름답게 공존할 수 있는 건축물의 예로 들고 있다.

❺ (가)에서 '성 베네딕트 채플'이 예배당 마루와 경사 대지 사이가 빈 공간으로 남아 있다고 하였는데, (라)에서 이 빈 공간을 통해 음향의 울림을 만들어 내고, 인공의 건축물이 자연과 대화할 수 있도록 했다고 하였다. 이를 두고 이 건물을 지은 건축가는 '땅의 소리를 들을 수 있는 교회'를 디자인하기 위한 것이었다고 밝히고 있으므로, 올바른 설명이라고 할 수 있다.

2 〈보기〉에서 설명하고 있는 '정자'는 인간에게 사유할 수 있는 여유를 주는 건축물이다. 또한 땅의 모양을 바꾸지 않고 기둥의 길이를 조절했다는 점에서 자연을 훼손하지 않고 지은 건축물로 볼 수 있다. 따라서 이 글의 '성 베네딕트 채플'과 같이 자연을 동등한 대화의 상대로 보는 관점이 반영된 건물이라고 할 수 있다.

오답 풀이 ❶ 땅에 닿는 지점을 최소화하고, 땅의 모양을 바꾸지 않는 대신 기둥의 길이를 조절하여 정자를 건축한 행위는 자연을 극복의 대상으로 본 것이 아닌, 인간이 자연을 존중하고 자연에 순응한 행위라고 할 수 있다.

❷ 〈보기〉에 묘사된 정자는 자연과 건축물 사이에서 인간이 사유할 수 있는 여유를 줄 만큼 이질감이 없는 모습을 보이고 있다. 또한 자연과 정자, 인간 중 누구를 특별히 더 위한 흔적이 없는 건축물임을 유추할 수 있다. 따라서 인간의 편리만을 추구하다가 주변 환경과 교감하지 못하는 현대 건축물과는 다른 특성을 보인다고 할 수 있다.

❸ 정자는 땅에 닿는 지점을 최소화하고, 땅의 모양을 바꾸지 않는 대신 기둥의 길이를 조절하여 지은 건축물이므로, 폭력적인 방식이 사용되지 않은 건축물이라고 할 수 있다. 글쓴이는 (나)에서 '우리나라의 재개발 아파트 단지'와 같이 자연을 극복의 대상으로 여기고 훼손하는 행위를 폭력적인 방식이라고 규정하였다.

❺ 정자의 위치와 건축 방식을 통해, 그것을 지은 선조들이 인간과 자연의 공존을 꾀했다는 점은 유추할 수 있다. 하지만 그것이 기능에 우선했는지는 이 글과 〈보기〉의 내용만으로 유추할 수 없다.

더 알아두기 자연과의 조화를 중시한 조선의 건축

조선의 건축물들은 대체로 규모가 작고 검소하다. 하지만 위엄을 갖추려고 노력했고, 특히 주변 환경과 조화를 이루는 아름다움을 지니고 있다. 산을 깎거나 나무를 베어 내는 폭력적인 방식이 아니라, 자연을 있는 그대로 살리면서 그와 어울리는 건물을 지었는데, 벽을 쌓아야 할 자리에 커다란 나무가 있으면 나무를 베는 대신 차라리 벽을 중간에서 끊는 방식을 택했다. 건물을 짓는 것과 마찬가지로 그 안에 딸린 정원 역시 인공을 가하지 않고 자연 그대로를 살린 것이 조선 시대 정원의 특색이다.

3 ⓐ에서 '들었다'는 '설명하거나 증명하기 위하여 사실을 가져다 대었다.'의 의미로 쓰였는데, ②의 '들어'는 이와 같은 의미로 쓰였다.

오답 풀이 ❶ '들'은 '남을 위하여 어떤 일을 할'의 의미이다.

❸ '들기'는 '수면을 취하기 위한 장소에 가기'의 의미이다.

❹ '드는'은 '어떤 일에 돈, 시간, 노력, 물자 따위가 쓰이는'의 의미이다.

❺ '드는'은 '어떤 물건이나 사람이 좋게 받아들여지는'의 의미이다.

어휘 체크

1 (1) 현저히 (2) 경사면 (3) 동등

2 ❶ 축대 ❷ 대지 ❸ 구축 ❹ 구현

본문 082~085쪽

예술 03 휘슬러, 「회색과 검은색의 조화」

1 ④ 2 ③ 3 ②

가 1834년, 미국 매사추세츠주에서 태어난 휘슬러(Whistler, James Abbott McNeill)는 화가이자 판화가로, 1855년 유럽으로 건너가 파리와 런던을 중심으로 활동했다. 「그는 인상주의의 영향을 받았으며 인상주의 화가들과 함께 활동하기도 했지만, 엄밀히 말하자면 인상주의 화가는 아니었다.」 (「 」: 마네, 모네 등 인상파 화가들과 교류하면서 점차 독자적인 화풍을 개척함)

나 다른 인상주의 화가들과는 달리, 휘슬러의 주된 관심사는 빛과 색채의 효과(인상주의의 화풍의 특징)에 있지 않았다. ⓐ정작 그의 관심은 미묘한 색면의 조화로운 구성(휘슬러가 추구한 화풍의 특징 ①)에 있었다. 또한 그는 ⓑ회화에서 중요한 점은 주제가 아니라, 그것을 색채와 형태들로 전이시키는 방식(휘슬러가 추구한 화풍의 특징 ②)에 있다고 주장했다. 즉, 그림 자체의 ⓒ미학을 중요시한 것이다.

다 ㉠이런 그의 경향이 가장 뚜렷하고 또 뛰어나게 드러난 작품이 바로, 흔히 '휘슬러의 어머니'로 불리는 「회색과 검은색의 조화, 제1번: 화가의 어머니(1872)」이다. 이 작품은 휘슬러가 67세인 자신의 어머니를 그린 것(작품의 주제)이다. 오늘날 대중적으로 가장 유명한 이 작품을 '런던 왕립 아카데미'에 전시했을 당시, 그는 「회색과 검은색의 조화」(핵심어)라는 독특한 제목을 붙였으며, 이 그림에 대한 어떤 서사적 정보나 감상적 ⓓ단서도 드러내지 않고자 노력했다. '어머니'라는 대상, 곧 주제가 그림의 형식적 요소보다 중요하지 않다고 생각했기 때문(그림 자체의 미학을 중요시함)이다. 이에 대해 그는 「"이것은 내 어머니의 그림이기 때문에 내게도 흥미롭다. 그러나 초상화에 대해 대중들이 관심을 가져야 할 것은 무엇일까? 음악이 귀로 듣는 시이듯 그림은 눈으로 보는 시다. 그리고 음악의 주제가 화음과 아무 상관없듯이 그림의 주제도 색의 조화와는 아무 관련이 없다."(그림은 주제에 종속되지 않는, 자유롭고 순수한 색채와 형태의 조형적 요소에 주목해야 함)라고 말했다.」 (「 」: 휘슬러 자신이 말한 작품의 경향을 직접 인용함)

라 이처럼 그는 '예술을 위한 예술'을 ⓔ표방하며 그림 자체의 미학을 우선시(휘슬러의 작품 경향)했지만, 그가 추구한 형태와 색채의 조화가 주제와 모순된 것은 아니었다. 실제로 이 작품을 감상한 대중들은 늙고 야윈 모습으로 묘사된 여자의 모습과, 인물에서 배경에 이르기까지 배열된 회색과 검은색의 차분히 가라앉은 색조로부터 어머니의 희생과 체념적 쓸쓸함(대중들이 읽어 낸 작품의 주제)을 읽어 내며 공감한 것이다.

독해 체크

■ 이 글의 핵심 화제

휘슬러의 대표작 (「회색과 검은색의 조화」)에 나타난 그의 작품 경향

■ 문단별 중심 내용

1문단 (휘슬러)에 대한 소개

2문단 휘슬러가 추구한 화풍의 특징

3문단 휘슬러의 대표작 (「회색과 검은색의 조화」)에 나타난 그의 작품 경향

4문단 그림 자체의 (미학)을 추구한 휘슬러의 그림에 대해 정서적으로 공감한 대중들

■ 핵심 내용의 구조화

「회색과 검은색의 조화」

휘슬러의 창작 의도	그림을 감상한 대중들의 반응
자신의 (어머니)를 주제로 하였지만, 모든 외부적 요소를 배제한 채 회색과 검은색을 바탕으로 한 형태와 색채의 조화로운 구성에 주목하여 그림	대중들은 늙고 야윈 모습으로 묘사된 어머니의 모습과, 회색과 검은색의 차분히 가라앉은 (색조)로부터 어머니의 (희생)과 체념적 쓸쓸함을 읽어 냄

휘슬러의 작품 경향

- 그림 자체의 (미학)을 중요시함
- 미묘한 색면의 조화로운 구성에 관심을 둠
- 그림의 (주제)는 색의 조화와는 아무 관련이 없다고 생각함

1 「회색과 검은색의 조화」는 주제보다는 표현 방식에 주목하여 작업된 작품이지만, 대중들은 늙고 야윈 모습으로 묘사된 여자의 모습과 회색과 검은색의 차분히 가라앉은 색조에서 어머니의 희생과 체념적 쓸쓸함을 읽어 내며 공감하였다.

오답 풀이 ❶ 「회색과 검은색의 조화」는 휘슬러가 67세인 자신의 어머니를 그린 것이다.

❷ (라)를 통해 휘슬러가 '예술을 위한 예술'을 표방했음을 알 수 있으며, (다)를 통해 「회색과 검은색의 조화」는 이러한 그의 경향이 가장 뚜렷하고 뛰어나게 드러난 대표작에 해당함을 알 수 있다.

❸ 「회색과 검은색의 조화」는 인물에서 배경에 이르기까지 배열된 회색과 검은색의 차분히 가라앉은 색조가 잘 어우러져 있다.

❺ 작가가 작품을 런던 왕립 아카데미에 전시했을 당시, 작품에 대한 어떤 서사적 정보나 감상적 단서를 드러내지 않기 위해 「회색과 검은색의 조화」라는 제목을 붙였다.

2 ㉠에서 말하는 휘슬러의 경향이란 예술을 위한 예술을 표방하며 그림 자체의 미학을 우선시하는 태도를 말한다. (나)에서 빛과 색채의 효과에 관심을 두던 다른 인상주의 화가들과 달리, 휘슬러의 주된 관심사는 빛과 색채의 효과에 있지 않았다고 하였다. ③은 사물 고유의 색을 부정하고, 태양 광선에 의해 시시각각으로 변하는 대상의 순간적인 색채를 포착해서 그리는 인상주의 화풍의 특징에 해당한다.

오답 풀이 ❶ (라)를 통해 휘슬러는 형태와 색채의 조화를 추구하며 그림 자체의 미학을 우선시했음을 알 수 있다.

❷ 이 글을 통해 휘슬러는 그림, 즉 회화 자체의 미학을 중요시하는 경향을 보였음을 알 수 있다.

❹ (나)에서 휘슬러는 미묘한 색면의 조화로운 구성에 관심이 있었다고 하였다.

❺ (나)를 통해 휘슬러가 회화에서 중요한 점은 주제가 아니라, 그것을 색채와 형태들로 전이시키는 방식에 있다고 주장하였음을 알 수 있다.

더 알아두기 | 예술에 대한 휘슬러와 러스킨의 대립

1877년, 휘슬러는 최근 몇 년간 매달렸던 '야상곡' 연작 중 하나인 「검정과 금빛의 야상곡: 추락하는 불꽃」을 영국의 한 갤러리에 출품했다. 앞쪽에는 구경꾼들이 유령처럼 그려져 있고, 안개 낀 밤하늘 위로 쏘아진 폭죽은 노란 불꽃이 되어 강물로 떨어지고 있는 모습이다. 이 느낌을 강조하기 위해 그는 물감을 흩뿌리듯 빠른 필치로 점을 찍어 표현했다. 전시에서 이 그림을 본 평론가 존 러스킨은 휘슬러를 두고 미완성 작품을 출품한 뻔뻔한 화가라 말하며 "대중의 얼굴에 물감 통을 내던졌다."라고 맹비난했다. 유명 평론가가 혹평한 그림을 살 고객은 아무도 없었다. 1878년, 휘슬러는 그를 명예 훼손으로 고소했고 러스킨의 변호사는 "이틀 만에 그린 그림에 200기니(옛 영국의 화폐 단위)나 받는 것이 공정한 것인가?"라고 물으며 그를 비도덕적인 화가로 몰아붙였다. 휘슬러는 "일생에 거쳐 깨달은 지식에 대한 가치에 매긴 값이다."라고 응수했으며, 결국 소송에서 승소했다.

3 ⓑ의 '회화(繪畫)'는 '여러 가지 선이나 색채로 평면상에 형상을 그려 내는 조형 미술'을 의미하는 것이지만, ②에 쓰인 '회화(會話)'는 '외국어로 이야기를 나눔. 또는 그런 이야기'를 의미한다.

오답 풀이 ❶ ⓐ의 '정작'은 '어떤 일이 닥쳤을 때 기대하거나 의도했던 것과는 달리'의 의미로 쓰였고, ①의 '정작' 역시 같은 의미로 쓰였다.

❸ ⓒ의 '미학'은 '자연이나 인생 및 예술 따위에 담긴 미의 본질과 구조를 해명하는 학문'의 의미로 쓰였고, ③의 '미학' 역시 같은 의미로 쓰였다.

❹ ⓓ의 '단서'는 '어떤 문제를 해결하는 방향으로 이끌어 가는 일의 첫 부분'의 의미로 쓰였고, ④의 '단서' 역시 같은 의미로 쓰였다.

❺ ⓔ의 '표방'은 '어떤 명목을 붙여 주의나 주장 또는 처지를 앞에 내세움'의 의미로 쓰였고, ⑤의 '표방' 역시 같은 의미로 쓰였다.

어휘 체크

1 채색 – 색조 – 조화 – 화음 – 음악 – 악감정

2 ❶ ㉠ ❷ ㉢ ❸ ㉡

2. 긴 지문 실전

본문 088~091쪽

인문 01 콜버그의 도덕성 발달 단계

1 ①　　2 ②　　3 ②

가 도덕적 판단이란 어떤 행위나 의도를 일정한 기준에 따라 좋은 것 혹은 정당한 것으로 판단하는 것을 의미한다(도덕적 판단의 개념). 그런데 도덕적 판단의 기준은 사람이 성장하면서 달라질 수 있다. 도덕성 발달 단계를 연구한 콜버그는 사람들에게 '하인즈 딜레마'를 들려주고 하인즈의 행동의 옳고 그름에 대한 질문을 하였다. 그리고 그는 사람들의 대답에서 단순하게 '예' 혹은 '아니요'라는 응답에 관심을 둔 것이 아니라, 그 판단 근거를 기준으로 도덕성 발달 단계(핵심어: 콜버그의 도덕성 발달 단계)를 '전 관습적 수준', '관습적 수준', '후 관습적 수준'의 세 수준으로 나누었다. 그리고 이를 다시 세분화하여 총 여섯 단계로 구성했다.

나 콜버그가 구성한 가장 낮은 도덕성 발달 단계는 ㉠전 관습적 수준이다. 이 수준은 판단의 기준이 오로지 행위자에게 미치는 직접적인 결과와 연관되어 있기(전 관습적 수준의 도덕적 판단 기준) 때문에 자기중심적인 단계(전 관습적 수준의 특징)라고 할 수 있다. 이 수준은 다시 두 단계로 구성된다. 가장 낮은 도덕성인 1단계에서 판단의 기준은 처벌(1단계의 판단 기준)이다. 벌을 받으면 나쁜 것이고 칭찬을 받으면 좋은 것으로 인식한다. 2단계에 도달하면 자신의 이익(2단계의 판단 기준)이 판단의 기준이 된다. 즉 자신의 욕망을 충족하는 것을 옳다고 간주한다.

다 전 관습적 수준을 넘어서면 대다수의 사람들이 속하는 ㉡관습적 수준에 다다르게 된다. 이 수준에서는 행위자에게 미치는 결과를 고려하는 것에서 벗어나 사회 집단이나 국가의 기대를 따르게 된다(관습적 수준의 특징). 관습적 수준의 첫 단계인 3단계에서는 자신이 속한 사회의 구성원들이 동의하는 것을 좋은 것으로 인식한다. 즉 사회에 속한 사람들이 추구하는 것(3단계의 판단 기준)이 도덕적 판단의 기준이 되는 것이다. 4단계에 이르면 모든 잘잘못은 법에 의해 판단되어야 한다고 생각하며, 어떤 예외도 허용하지 않는다. 질서 유지를 위한 법의 준수(4단계의 판단 기준)가 도덕적 판단의 기준이 되는 것이다.

라 관습적 수준을 넘어서면 ㉢후 관습적 수준에 도달하게 된다. 이 수준은 자신의 가치관과 도덕적 원칙이 자신이 속한 집단과 별개임을 깨닫고 집단을 넘어 개인의 양심에 근거하는 단계(후 관습적 수준의 특징)라고 할 수 있다. 후 관습적 수준의 첫 번째 단계인 5단계에 이르면 법의 합리성(5단계의 판단 기준)이 도덕적 판단의 기준이 된다. 법이 합리적이지 못할 경우, 법적으로는 잘못이지만 도덕적으로는 옳다고 판단하는 것이다. 6단계에 이르면 도덕적 판단은 스스로 선택한 양심의 결정(6단계의 판단 기준 ①)을 따르는 것이라고 인식한다. 따라서 법이나 관습과 같은 제약을 넘어 인간 존엄, 생명 존중과 같은 본질적 가치(6단계의 판단 기준 ②)가 중요한 판단의 기준이 되는 것이다.

마 콜버그 이론의 특징으로는 우선 인간의 도덕성 발달이 단계에 따라 순차적으로 이루어진다고 보았다는 점(콜버그 이론의 특징 ①)을 들 수 있다. 즉 사람은 각 단계를 순서대로 거쳐 간다는 것이다. 그리고 도덕성 발달은 자기 수준보다 높은 도덕적 난제를 스스로 해결하는 과정에서 이루어진다고 보았다는 점(콜버그 이론의 특징 ②)을 들 수 있다. 이러한 콜버그의 이론은 도덕성 발달을 이끌어 줄 수 있는 유용한 도덕 교육의 ⓐ틀을 제시했다는 점에서 가치가 있다(콜버그 이론의 가치).

독해 체크

■ 이 글의 핵심 화제

콜버그의 (도덕성 발달 단계)의 단계별 특징과 가치

■ 문단별 중심 내용

- 1문단 (도덕적 판단)의 개념과 콜버그의 도덕성 발달 단계
- 2문단 (전 관습적 수준)의 특징과 판단 기준
- 3문단 (관습적 수준)의 특징과 판단 기준
- 4문단 (후 관습적 수준)의 특징과 판단 기준
- 5문단 콜버그 이론의 특징과 (가치)

■ 핵심 내용의 구조화

전 관습적 수준	관습적 수준	후 관습적 수준
• 1단계: (처벌)을 기준으로 판단 • 2단계: 자기 자신의 (이익)을 기준으로 판단	• 3단계: 사회에 속한 사람들이 (추구)하는 것을 기준으로 판단 • 4단계: (법)의 준수를 기준으로 판단	• 5단계: (법)의 합리성을 기준으로 판단 • 6단계: 스스로의 양심, 본질적 가치를 기준으로 판단

콜버그 이론의 가치

(도덕) 교육의 틀을 제시함

1 이 글은 콜버그의 이론을 소개한 후, 그의 이론이 유용한 도덕 교육의 틀을 제시하고 있다고 설명하고 있다. 그러므로 특정한 이론을 소개한 후 그 의의(가치)를 밝히고 있다고 할 수 있다.

오답 풀이 ❷ 권위자의 이론을 설명하고 있지만, 장단점에 대한 분석이 아닌 특징과 의의를 설명하고 있다.

❸ 콜버그 이론만을 소개하고 있을 뿐, 다양한 이론을 제시하고 있지 않으며 각각의 한계 역시 제시되어 있지 않다.

❹ 콜버그의 이론이 소개되어 있지만, 이에 상반되는 이론은 소개되어 있지 않다.

❺ 콜버그의 이론에 대해 자세하게 설명하고 그 가치를 밝힐 뿐, 이론의 문제점을 설명하고 있지는 않다.

2 ㉠은 행위자에게 미치는 직접적인 결과가 판단의 기준이 되는 수준으로 자기중심적인 단계라고 설명하고 있다. 그러므로 이 수준은 처벌이나 칭찬처럼 이기적인 자신의 욕망에 따라 도덕성을 판단하는 수준이라고 할 수 있다. ㉡은 ㉠의 수준을 넘어 집단의 기대나 법을 판단 기준으로 삼는 단계라고 설명하고 있다. 그러므로 자신이 속한 집단의 가치를 고려하는 수준이라고 할 수 있다. ㉢은 집단을 넘어 개인의 양심에 근거하는 단계로 인간 존엄과 같은 본질적 가치가 판단의 기준이 되는 단계라고 설명하고 있다. 그러므로 보편적인 도덕 원칙을 지향하는 수준이라고 할 수 있다.

오답 풀이 ❶ 콜버그에 따르면 도덕성 발달 단계는 순차적으로 이루어지므로, 관습적 수준(㉡)에 다다르기 위해서는 전 관습적 수준(㉠)을 거쳐야 한다. 따라서 ㉠은 ㉡보다 더 많은 사람들이 거쳐 가는 수준이라고 볼 수 있을 것이다.

❸ 전 관습적 수준(㉠)은 자기중심적 단계이므로 집단의 질서를 지향하는 수준이라고 볼 수 없다. 집단의 질서를 지향하는 수준은 관습적 수준(㉡)에 해당한다.

❹ 개인의 자율성이 중시되는 단계는 후 관습적 수준(㉢)이다. 따라서 ㉢은 집단에 의한 강제성이 중시된다고 볼 수 없다.

❺ 도덕성 발달은 낮은 단계에서 높은 단계로 발달하므로, ㉡을 거친 후에 ㉢으로 발전하게 된다. 따라서 ㉢이 아동들에게서 많이 보이는 수준이라고 할 수는 없다.

3 ⓐ의 '틀'은 '일정한 격식이나 형식'을 의미하는 ②와 유사한 의미로 쓰였다.

오답 풀이 ❶ '사람 몸이 외적으로 갖추고 있는 생김새나 균형'이라는 의미로 쓰였다.

❸ '골이나 판처럼 물건을 만드는 데 본이 되는 물건'이라는 의미로 쓰였다.

❹ '(수량을 나타내는 말 뒤에 쓰여) 가마, 상여 따위와 기계를 세는 단위'라는 의미로 쓰였다.

❺ '어떤 물건의 테두리나 얼개가 되는 물건'이라는 의미로 쓰였다.

+ 어휘 체크

1 (1) 의도 (2) 세분화 (3) 존엄

2 ❶ 난제 ❷ 제약 ❸ 관습적 ❹ 합리적

본문 092~095쪽

조선 중화론과 북학론

1 ⑤ 2 ③, ④ 3 ⑤

가 조선으로부터 '오랑캐'라고 업신여김을 받던 만주족이 중국 땅을 차지한 것은 동북아시아의 국제 정세를 송두리째 바꿔 놓은 엄청난 사건이었다. (청나라의 건국) 명나라를 세상의 중심인 중화(中華)의 나라로 받들고, 조선을 작은 중화의 나라로 여기던 조선의 사대부들에게 하늘이 노래지는 것과 같은 충격을 주었다. 더욱이 그들이 일으킨 병자호란으로 조선 임금이 만주족의 적장 앞에 무릎을 꿇고 항복한 것은 ⓐ잊을 수 없는 치욕이었다. (만주족에 대한 반감이 컸던 이유) 효종 때 대두된 청나라에 대한 북벌론(北伐論)에는 병자호란의 치욕을 복수하고, 오랑캐가 뒤흔든 중화 질서를 회복하겠다는 뜻이 담겨 있었다. (북벌론에 담긴 뜻)

나 정치적으로는 청나라가 주도하는 동북아시아의 질서를 받아들이면서도 문화적으로는 이를 수긍할 수 없었던 조선의 사대부들, 특히 노론이 들고나온 것이 '존주론(尊周論)'이었다. (조선 후기의 정치 세력) 『중화의 상징적 존재인 주(周)나라 왕실을 높여 오랑캐를 물리치고 평화로운 국제 질서를 회복시켜야 한다는 논리』였다. (『 』: '존주론'의 핵심 사상) 그리고 이는 '조선 중화론'으로까지 이어졌다. (핵심어) 주나라를 계승한 명나라가 오랑캐에게 망했으므로 이제 중화를 간직한 유일한 국가는 조선이며, 조선은 중화를 지켜야 할 의무를 가졌다는 것이다. ('조선 중화론'의 핵심 사상)

다 『조선 왕조는 정기적으로 청나라에 조공 사절을 보내고 각종 문서에 청나라 연호를 쓰는 등 겉으로는 청나라에 충성을 바쳤다.』 (『 』: 조선과 청나라의 대외 관계) 청나라는 조선이 자신에게 신하의 예를 다하는 한, 더 이상의 간섭은 하지 않았다. 그렇기 때문에 버젓이 조선 중화론을 내세우면서도 조선이 태평성대를 누릴 수 있었던 것이다. (기본적인 충성은 다했기 때문에 간섭받지 않음) 하지만 노론 집권층은 청나라에 가는 사신으로 임명되는 것을 달가워하지 않았다. 오랑캐라고 생각하는 나라에 가서 머리를 조아려야 했기 때문이다.

라 그러나 노론의 집권층 자제들 가운데는 생각이 다른 이도 있었다. 특히 박제가, 이덕무, 유득공 등은 청나라에서 새로운 세상을 발견했다. (북학파의 대표적 인물) 이들이 청나라의 수도인 베이징에 가서 본 것은 결코 오랑캐의 열등한 문화가 아니라 널찍한 길을 가득 메우며 오가는 많은 수레와 으리으리한 건물, 그리고 세계 각국에서 들어온 다채로운 문물이었다. 노론의 자제들은 조선 중화론의 한계를 바로 알아채고, ㉠조선이 마음을 열고 청나라 문물을 받 (북학파의 핵심 사상 ①)

아들여야 한다고 생각하게 되었다. 이들 북학파(北學派)[핵심어]는 청나라가 다른 나라와의 활발한 교류를 통해 강성해졌다는 사실을 확인하고, 상업 진흥과 대외 교류 확대에 힘써야 한다고[북학파의 핵심 사상 ②] 생각했다.

마 그러나 북학파는 어디까지나 노론 집권층의 자제들[북학파의 신분적 한계]이었고, 더 넓게는 양반 엘리트에 속하는 사람들이었다. 이들이 주장한 상업 진흥과 대외 교류 확대는 그것을 담당할 만한 상공업 세력이 성장해야 이루어질 수 있는 것[북학파의 한계 ①]이었다. 하지만 18세기 조선 사회는 거기까지 나아가지 못했다. 북학파가 주장한 대로 청나라에서 배운 내용을 제대로 실천할 수 있는 사회 세력이 성장하지 못한 것은[북학파의 한계 ②] 향후 100여 년의 역사를 볼 때 유감스러운 일이 아닐 수 없다.

독해 체크

■ 이 글의 핵심 화제

(조선 중화론)과 북학론의 핵심 사상

■ 문단별 중심 내용

- 1문단 (북벌론)이 대두된 배경
- 2문단 존주론과 (조선 중화론)의 핵심 사상
- 3문단 조선과 (청나라)의 외교 관계
- 4문단 (북학파)의 핵심 사상
- 5문단 북학파의 (한계)

■ 핵심 내용의 구조화

조선 중화론		북학론
• 기존의 (노론) 집권층 • (병자호란)의 치욕을 씻고 중화 질서를 회복하자. • 조선은 (중화)를 지켜야 할 의무를 가졌다.	→ 청나라 ←	• 젊은 실학자들 중심의 북학파 • (청나라)의 발달된 선진 문물을 수용하자. • 상업 진흥과 (대외 교류) 확대에 힘써야 한다.

1 이 글에서는 조선 중화론의 등장 배경과 핵심 사상을 소개하고, 당시 조선과 청나라의 외교 관계를 설명하고 있다. 또한 북학론의 핵심 사상 및 한계점을 설명하고 있으나, 조선 중화론이 후대에 어떤 영향을 미쳤는지는 제시하고 있지 않다.

오답 풀이 ❶ (나)에서 조선 사대부들, 특히 노론은 주나라를 중화의 상징적 존재로 여기고 '존주론'을 주장하였다는 점을 통해 알 수 있다.

❷ (나)에서 조선 사대부들은 중화의 상징적 존재인 주나라를 계승한 것은 명나라인데, 명나라가 멸망하자 중화를 간직한 나라는 조선밖에 없다고 하였다. 또한 (가)에서 청나라를 세운 만주족을 오랑캐라고 업신여겼다는 점을 통해 알 수 있다.

❸ (마)에서 글쓴이가 상업 진흥과 대외 교류 확대를 주장한 북학파의 세력이 성장하지 못한 것을 유감스럽게 여기는 점에서 추측할 수 있다.

❹ (가)에서 조선은 병자호란 때 만주족에 당한 치욕을 갚으려 북벌론을 주장했다는 점에서 알 수 있다.

2 (라)에서 노론 집권층 자제들이었던 북학파는 청나라 수도인 베이징의 발달된 모습을 보고, 그들처럼 강성한 나라가 되기 위해서는 상업의 진흥 및 다른 나라와의 교류가 필요하다는 것을 깨달았다고 하였다.

오답 풀이 ❶ 조선의 사대부들은 내키지는 않지만 어쩔 수 없이 오랑캐라고 생각하는 청나라에 조공을 바쳤던 것이므로, 이를 위하여 상업을 일으켜야 한다는 주장은 받아들여지지 않을 것이다.

❷ (마)에서 상업 진흥과 대외 교류 확대를 위해서는 그것을 담당해야 할 상공업 세력이 성장해야 하고, 그를 뒷받침해 줄 수 있는 사회 세력이 성장해야 하는데 18세기 조선 사회는 그러지 못했다고 하였다.

❺ 조선의 사대부들은 기본적으로 청나라에 대한 반감을 가지고 있었다. 그러나 북학파는 청나라가 다른 나라와의 활발한 교류를 통해 강성해졌다는 사실을 확인하고, 조선이 그들처럼 강성한 나라가 되기 위해서는 청나라로부터 문물을 받아들여야 한다고 생각했다. 즉 조선이 강성한 나라가 되기 위해 그들의 문물을 받아들여야 한다는 것이었지, 동북아시아의 질서를 유지하기 위해 청나라 문물을 받아들이자는 것은 아니었다.

더 알아두기 북학파와 개화사상

북학이란 『맹자(孟子)』 「등문공장(藤文公章)」에 나오는 말로, 17~18세기 청에서 일어난 학문을 가리켜 우리나라에서 불렀던 용어인데, 청의 문물을 소개한 박제가의 『북학의』에서 비롯된다. 북학파는 농업이나 상업 문제뿐 아니라 청에 들어와 있던 서학에도 관심을 가졌다. 이들이 서양의 학문이나 발달된 과학 기술을 접하면서, 중국이 세계의 중심이고 중국 문화가 가장 뛰어나다는 생각에 변화가 생기기 시작했다. 그리고 이런 생각은 훗날 개화사상에도 영향을 끼쳤다.

3 ⓐ는 조선 임금이 청나라의 적장 앞에 무릎을 꿇고 항복을 해야만 했던 치욕을 의미한다. 이처럼 억울하고 수치스러운 일을 잊지 못함을 의미하는 한자 성어는 '몹시 분하여 이를 갈며 속을 썩임'이라는 뜻의 '절치부심(切齒腐心)'이다.

오답 풀이 ❶ '각골난망(刻骨難忘)'은 '남에게 입은 은혜가 뼈에 새길 만큼 커서 잊히지 아니함'이라는 뜻이다.

❷ '백골난망(白骨難忘)'은 '죽어서 백골이 되어도 잊을 수 없다.'는 뜻으로, 남에게 큰 은덕을 입었을 때 고마움의 뜻으로 이르는 말이다.

❸ '오매불망(寤寐不忘)'은 '자나 깨나 잊지 못함'이라는 뜻이다.

❹ '전전긍긍(戰戰兢兢)'은 '몹시 두려워서 벌벌 떨며 조심함'이라는 뜻이다.

어휘 체크

• ⓜ – 사절 ㉠ – 수긍 ㉣ – 조공 ㉡ – 대외 ㉢ – 태평성대

본문 096~099쪽

인문 03

내 안의 감정 덩어리, 콤플렉스

1 ②   2 ⑤   3 ③

가 시험에 자주 떨어지는 사람은 시험 치기 전에 유난히 불안해한다. 시험 실패의 상처가 콤플렉스(핵심어)가 되어 시험 치기 전부터 또 떨어지면 어떻게 하나 미리 걱정하는 것이다. 「큰 차와 부딪치는 교통사고를 겪은 사람은 큰 차만 보아도 가슴이 두근거리고 깜짝 놀라는 버릇이 있으며, 누군가를 깊이 사랑한 사람은 그 사람의 이름만 들어도 가슴이 설렌다.」(「」: 관련 속담 – 자라 보고 놀란 가슴 솥뚜껑 보고 놀란다.) 또, 외국에서 사는 한국 사람에게 '코리아'는 결코 무관심할 수 없는 단어로, 이는 그 말과 함께 마음속에 잠자는 '조국 콤플렉스'가 눈을 뜨기 때문이다.(외국에 살고 있지만 한국 사람이므로)

나 단어 연상 검사라는 것이 있다. 100개의 단어를 하나씩 불러 주고 머리에 떠오르는 단어를 될 수 있는 대로 빨리 말하는 검사법이다. 단어에 따라서 즉시 반응을 못 하고 지나치게 느리게 반응하거나 아예 전혀 연상을 못 하는 경우(콤플렉스로 인한 반응 지연, 연상 불능)가 있다. 그럴 경우에는 「대부분 생각이 막히거나 감정이 북받쳐 올라오거나 당황하거나 말을 더듬거나 웃거나 아무 생각도 안 나거나」(「」: 콤플렉스의 영향을 열거함) 한다. ⓐ불러 준 단어의 자극으로 의식 또는 ⓑ무의식의 콤플렉스가 자극되어 그 콤플렉스에서 방출되는 정감 때문에 정상적인 생각의 흐름이 끊어지거나 방해되기 때문이다.

다 돈에 치사한 사람을 보고 "저 사람 돈에 무슨 콤플렉스가 있나 보다."라고 말하는 경우처럼, 콤플렉스는 일반적으로 '문제점', '약점'과 같은 뜻으로 쓰이고 있다.(콤플렉스를 부정적으로 보는 일반적 견해) 그러나 융(C. G. Jung)의 분석 심리학에서는 그렇게 보지 않는다. 콤플렉스는 글자 그대로 정신적인 여러 내용이 감정으로 뭉친 응어리(콤플렉스의 정의)이다. 물론, 시험 콤플렉스나 돈 콤플렉스, 애정 콤플렉스 등 감정의 응어리가 풀리지 않으면 정신 기능을 일시적으로 방해하거나 그 사람의 생각을 제약(콤플렉스로 인한 문제점)해서 편협한 사람으로 있게 한다.

라 그러므로 콤플렉스는 될 수 있는 대로 소화시켜서 ㉠의식으로 동화시켜야(스스로 인식할 수 있어야) 할 것이다. 이를 위해서는 콤플렉스를 외면하지 말고 그것에 직면하여 얽힌 감정을 표현해야 한다. 콤플렉스가 반드시 열등감과 같은 것은 아니며, 그것은 다양한 감정을 유발하므로 경우에 따라 우월감을 불러일으킬 수도 있다. 「콤플렉스는 그 자체가 병적인 것이 아니다. 그것이 병적이고 해로운 때는 그것이 무의식에 억압되어 있어서 의식의 통제를 벗어났을 때이다.」(「」: 콤플렉스는 의식의 통제를 벗어나면 병적인 것이 됨) 이에 대해서 융은 "사람들은 자기가 콤플렉스를 가지고 있다는 것을 안다. 그러나 콤플렉스가 그 사람을 가지고 있다는 것은 모른다.(사람이 무의식의 콤플렉스를 가지고 있는 상태)"라고 말하였다. 콤플렉스가 사람을 가지고 있다는 것은 사람이 무의식의 콤플렉스를 가지고 있는 상태를 의미하며, 이러한 무의식의 콤플렉스가 더 해로울 수 있다는 것이다. 또한 이러한 무의식의 콤플렉스는 개인 차원을 넘어서 특정 집단이나 민족적 차원의 콤플렉스를 형성하기도 한다.

마 콤플렉스는 정상적인 정신 구조의 구성 요소라 할 수 있다. 콤플렉스는 모든 사람에게 있고 또한 정상적으로 있어야 하며 결코 두려워하거나 피해야 하는 것이 아니다. 다만 우리 내부, 곧 무의식에서 우리가 우리도 모르게 억압한 콤플렉스가 무엇인지 주의 깊게 살펴볼 필요가 있다.(콤플렉스에 대해 유의할 점)

독해 체크

■ 이 글의 핵심 화제

(콤플렉스)에 대한 올바른 이해

■ 문단별 중심 내용

- 1문단: (콤플렉스)의 다양한 사례
- 2문단: (단어 연상 검사)와 콤플렉스의 상관성
- 3문단: 콤플렉스의 정의 및 문제점
- 4문단: 콤플렉스에 대한 올바른 (이해)의 필요성
- 5문단: (콤플렉스)의 본질 이해

■ 핵심 내용의 구조화

콤플렉스에 대한 통념		콤플렉스의 본질
정신적인 여러 내용이 감정으로 뭉친 응어리, 콤플렉스를 '문제점'이나 '(약점)'으로 봄	↔	콤플렉스 자체가 나쁜 것은 아니며, 그것이 (무의식)에 억압될 때 해로운 것이 됨

↓

(무의식) 상태의 콤플렉스를 (의식) 상태로 표현화해야 함

1 (라)에서 콤플렉스가 병적이고 해로운 때는 그것이 무의식에 억압되어 의식의 통제를 벗어났을 때라고 하였다. 따라서 콤플렉스가 의식의 통제를 받을 때 정신 기능을 방해한다고 한 ②의 설명은 적절하지 않다.

오답 풀이 ❶ (마)에서 콤플렉스는 정상적인 정신 구조의 구성 요소라고 하였다.

❸ (다)에서 콤플렉스는 일반적으로 '문제점', '약점'과 같이 부정적인 뜻으로 쓰인다고 하였다.

❹ (라)에서 콤플렉스는 다양한 감정을 유발하므로 경우에 따라 우월감으로 나타나기도 한다고 하였다.

❺ (다)에서 콤플렉스는 정신적인 여러 내용이 감정으로 뭉친 응어리라고 정의하였다.

더 알아두기 | 분석 심리학

스위스의 융이 창시한 심층 심리학이다. 무의식을 개인 무의식과 집단 무의식으로 나누고, 집단 무의식 속에 고태형(古態形: 선조 때부터 이어져 내려오는 무의식적 사고나 심상. 신·영웅 따위)을 가정한다. 꿈이나 신화의 분석을 통하여 무의식적인 내용을 의식화하는 과정을 중시하였다.

2 단어 연상 검사는 불러 준 단어가 의식 및 무의식의 콤플렉스를 자극하여 정상적인 생각의 흐름이 끊어지거나 방해된다는 점에 착안해서 이루어진 검사이다. ⑤의 속담은 이런 발상과 관련이 있으며, '자라'는 무의식의 콤플렉스(ⓑ)로, '솥뚜껑'은 불러 준 단어의 자극(ⓐ)으로 볼 수 있다.

오답 풀이 ❶ '까마귀 날자 배 떨어진다.'는 아무 관계 없는 일이 우연히 동시에 일어나 관계있는 것처럼 의심받게 됨을 비유하는 속담으로, '까마귀'와 '배'는 서로 아무 관계 없음을 가리킨다.

❷ '숭어가 뛰니까 망둥이도 뛴다.'는 남이 한다고 하니까 분별없이 덩달아 나서는 행위를 비유하는 속담으로, '망둥이'는 '숭어'의 행동을 따라 하는 대상을 의미한다.

❸ '낮말은 새가 듣고 밤말은 쥐가 듣는다.'는 아무도 듣지 못한다고 생각하는 때나 장소이더라도 말조심을 해야 함을 이르는 말로, 비밀리에 한 말이라도 반드시 남의 귀에 들어가게 된다는 속담이다. 이때 '새'와 '쥐'는 비밀을 듣는 대상을 나타낸 말로, 서로 유사한 의미를 지닌다.

❹ '말은 해야 맛이고 고기는 씹어야 맛이다.'는 마땅히 할 말은 속 시원하게 해야 한다는 속담으로, '고기'는 '말'과 비교되는 대상으로 볼 수 있다.

3 '동화시키다'는 '어떤 대상을 다른 대상에 일치시켜 같은 성질이나 상태 등을 갖게 만들다.'라는 의미로, 문맥상 ㉠은 콤플렉스를 스스로 인식할 수 있어야 한다는 뜻이다. 그러므로 ㉠과 바꾸어 쓰기에 ③이 가장 적절하다.

오답 풀이 ❶ '활성화하다'는 '사회나 조직 등의 기능이 활발하다.' 또는 '그러한 기능을 활발하게 하다.'라는 뜻이다.

❷ '제지하다'는 '말려서 못 하게 하다.'라는 뜻이다.

❹ '망각하다'는 '어떤 사실을 잊어버리다.'라는 뜻이다.

❺ '제외하다'는 '따로 떼어 내어 한데 헤아리지 아니하다.'라는 뜻이다.

어휘 체크

1 통제 – 제약 – 약점 – 점진적 – 적응 – 응어리

2 ❶ ㉢ ❷ ㉠ ❸ ㉡

본문 100~103쪽

인문 04 사상의 자유를 위한 순교자, 조르다노 브루노

1 ④ 2 ③ 3 ③

㉮ 중세 유럽의 철학이나 과학은 로마 가톨릭교의 교리를 ⓐ대변하고(중세 유럽의 철학과 과학의 역할 ①), 신과 신학에 대해 제기되는 근본적인 질문들에 맞서서 신과 신의 말씀을 이성을 통해 설명하기 위해(중세 유럽의 철학과 과학의 역할 ②) 존재했다고 해도 ⓑ과언이 아니다. 그러나 그와 같은 엄중한 규범과 구속으로부터 벗어나고자 저항하며(브루노의 특징 ①) 자신만의 철학 사상이나 과학 이론을 펼쳐 나가던 사람들이(브루노의 특징 ②) 있는데, 그중의 한 명이 바로 르네상스 시대 이탈리아의 사상가이자 철학자였던 조르다노 브루노(Giordano Bruno)(핵심어)이다.

㉯ 브루노는 1548년 나폴리 인근의 놀라(Nola)에서 태어났다. 그는 열여덟 살이 되던 해에 도미니크 수도회에 들어가 수도사가 되었지만, 점차 가톨릭 교리에 대한 ⓒ회의를 품게 되었고, 정통 신학을 의심한다는 혐의를 받아 1576년에 파문당했다(신도로서의 자격을 빼앗기고 쫓겨났다.). 그는 가톨릭의 박해를 피해 제네바로 피신했지만, 그곳에서 칼뱅주의자들의 개혁 교회 역시 그의 사상을 받아들이지 않는다는 점을 깨닫고는(가톨릭과 마찬가지로 개혁 교회에서도 이단으로 몰리게 된 브루노) 파리, 옥스퍼드, 프랑크푸르트 등 유럽의 여러 도시를 떠돌며 수학과 천문학 등을 가르쳤다. 그러던 중 어느 귀족의 초청으로 베네치아에 갔다가 이단 혐의로(종교의 교리에 어긋나는 이론이나 행동을 펼친 죄) 종교 재판소에 고발되었고, 로마 교황청 종교 재판소로 ⓓ이송되어 이단 심문을 받았다. 그는 7년 동안 감금된 채 재판을 받았지만, 끝내 자신의 철학적·과학적 신념을 굽히지 않았기에 결국 1600년 로마의 피오리 광장에서 화형(火刑)을 당했다.

㉰ 그는 지구가 우주의 중심이 아니라고 생각했으며, 코페르니쿠스의 지동설을 받아들였다(브루노의 사상 ①). 그리고 더 나아가 우주는 무한하며, 무수히 많은 태양과 별들로 가득 차 있고(브루노의 사상 ②), 태양계와 비슷한 수많은 세계로 이루어져 있다고(브루노의 사상 ③) 주장했다. 또한 신과 자연, 즉 신과 우주 전체를 하나라고 생각했다(브루노의 사상 ④). 그에게 있어서 신이란 「우주 만물 속에 각각 깃들어 있음과 동시에 우주 전체 그 자체이기도 한 것」(「 」: 브루노가 생각한 '신'의 의미(범신론))이었다. 그러나 당시의 로마 교황청과 성직자들은 지구가 우주의 유일무이한 중심이 아니며, 신과 우주를 하나라고 보는 브루노의 이런 범신론적 주장이 신학의 ⓔ근간을 뒤흔든다고 생각했다. 브루노는 종교 재판소의 재판관들로부터 자신의 철학과 과학적 이론을 무조건 철회하라는 요구를 받았지만, 이를 거부하고 자신의 견해가 교황청의 입장과 양립할 수 있음을 끝까지 주장했다.

라 결국 교황 클레멘스 8세로부터 회개할 줄 모르는 고집 센 이단자라는 판정을 받은 브루노는 교황청 이단 심문소로부터 유죄를 선고받고 공개적으로 화형을 당했다. 이런 그의 죽음은 후대에 커다란 영향을 끼쳤다. 신념을 포기하지 않고 자신의 철학적·과학적 견해를 최후까지 주장한 브루노는 사상의 자유를 상징하는 존재이자, 과학을 위한 첫 순교자가 된 것이다.
(브루노의 삶이 갖는 의미(주제문))

마 빅토르 위고, 헨리크 입센 등의 지식인들은 훗날 사상의 자유를 위해 순교한 브루노를 기리며 그가 화형당한 로마의 캄포 데 피오리 광장에 그의 동상을 건립(1899)했다.

독해 체크

이 글의 핵심 화제

사상의 (자유)와 신념을 지키고자 했던 조르다노 브루노의 생애와 그 의미

문단별 중심 내용

- 1문단: 자신만의 철학 사상과 (과학) 이론을 펼쳤던 조르다노 브루노

- 2문단: 브루노의 (생애)

- 3문단: 자신의 신념을 지키고자 한 브루노와 (교황청)의 대립

- 4문단: 사상의 (자유)를 지키기 위해 죽음을 택한 브루노

- 5문단: 브루노를 기리기 위해 (동상)을 세운 후대의 지식인들

핵심 내용의 구조화

브루노의 사상

- 지구는 우주의 중심이 아님
- 신과 우주 전체는 하나임
- 우주는 무한하며, 수많은 태양과 별들로 가득 차 있음
- 우주는 태양계와 비슷한 수많은 세계로 구성됨

⇓

브루노의 입장	로마 교황청의 입장
자신의 견해는 신과 창조에 관한 교황청의 입장과 양립할 수 있음	지구가 (우주)의 중심이 아니며, 신과 우주가 (하나)라는 브루노의 범신론적 사상은 신학의 근간을 뒤흔드는 주장임

⇓

브루노에 대한 오늘날의 평가

비록 당시에는 이단자로 몰려 화형을 당했지만, 자신의 신념을 끝내 굽히지 않았던 그는 오늘날 사상의 자유를 상징하는 존재이자 (과학)을 위한 첫 순교자가 됨

1 (나)에서 브루노는 칼뱅주의자들의 개혁 교회가 주로 활동하였던 제네바에서도 정착하지 못했으며, 이후 유럽을 방랑하며 자신의 지식을 가르쳤음을 알 수 있다.

오답 풀이 ❶ 브루노는 1548년 나폴리 인근의 '놀라'라는 지역에서 태어났다.

❷, ❸ 브루노는 18살이 되던 해에 도미니크 수도회에 들어가 수도사가 되었지만, 점차 가톨릭 교리에 대한 회의를 품게 되었고, 정통 신학을 의심한다는 혐의를 받아 1576년에 파문당했다.

❺ 브루노는 7년간 이어진 교황청의 탄압에도 굴하지 않고 끝내 자신의 신념을 굽히지 않았으며, 결국 교황청 이단 심문소로부터 유죄를 선고받고 공개적으로 화형을 당했다.

2 (다)로 보아, 브루노는 코페르니쿠스의 지동설을 받아들이고 있음을 알 수 있다. 그러나 지동설은 지구가 자전하면서 태양 주위를 돈다는 견해이므로 ③은 적절하지 않다.

오답 풀이 ❶ 브루노는 지구가 우주의 유일무이한 중심이 아니라고 생각했으며, 코페르니쿠스의 지동설을 받아들였다.

❷ 브루노는 신과 자연, 즉 우주 전체로서의 자연과 신은 하나라고 생각했고, 우주 만물 속에 각각 신의 속성이 깃들어 있으며, 그 전체로서 또한 신과 하나임을 주장했다.

❹, ❺ 브루노는 우주는 무한하며, 그 속에는 무수히 많은 태양과 별들로 가득 차 있다고 생각했다. 이것은 또한 태양계와 비슷한 수많은 세계가 존재함을 의미하는 것이기도 했다. 이와 같은 브루노의 사상은 지구가 우주의 중심이며, 신이 창조한 유일한 지적 피조물이 인간이라고 생각했던 당시 가톨릭의 교리와 충돌하는 것이었다.

3 ⓒ의 '회의(懷疑)'는 '의심을 품음. 또는 마음속에 품고 있는 의심'의 의미로 쓰였는데, ③의 '회의(會議)'는 '여럿이 모여 의논함. 또는 그런 모임'을 의미하므로 ⓒ의 문맥적 의미를 활용하여 만든 문장에 해당하지 않는다.

오답 풀이 ❶ ⓐ의 '대변'은 '어떤 사람이나 단체를 대신하여 그의 의견이나 태도를 표함'의 의미로 쓰였고, ①의 '대변' 역시 이와 같은 의미로 쓰였다.

❷ ⓑ의 '과언'은 '지나치게 말을 함. 또는 그 말'의 의미로 쓰였고, ②의 '과언' 역시 이와 같은 의미로 쓰였다.

❹ ⓓ의 '이송'은 '다른 데로 옮겨 보냄'의 의미로 쓰였고, ④의 '이송' 역시 이와 같은 의미로 쓰였다.

❺ ⓔ의 '근간'은 '사물의 바탕이나 중심이 되는 중요한 것'의 의미로 쓰였고, ⑤의 '근간' 역시 이와 같은 의미로 쓰였다.

어휘 체크

- ㉣ – 범신론 ㉡ – 파문 ㉤ – 이단 ㉠ – 양립 ㉢ – 철회

본문 104~107쪽

사회 01

근로자의 도덕적 해이를 막을 수 있는 방법

1 ④ 2 ⑤ 3 ③

가 언제나 일정한 보수를 받게 되어 있는 근로자라면 구태여 열심히 일하려 하지 않을 것이다.(작업 실적에 따라 보수가 달라져야 하는 이유) 열심히 일해 기업의 이윤이 올라가도 그의 보수에는 아무 변화가 없을 것이기 때문이다.(일정한 보수를 받는 근로자가 열심히 일하려 하지 않는 이유) 근로자에게 열심히 일할 마음을 갖게 하기 위해서는 작업 실적에 따라 그의 보수가 달라지게 해야 한다.(근로자가 열심히 일할 마음을 갖게 하는 방법) 하지만 『실적이 나쁘다고 전혀 보수를 주지 않을 수는 없으므로 현실적으로는 기본급을 아주 낮게 책정하고 나머지 부분의 ⓐ보수는 작업 실적에 비례하도록 만드는 방법을 많이 쓴다.』(『 』: 보수 금액을 책정하는 일반적인 방식)

나 이와 같은 방법이 성과를 거두기 위해서는 각 개인의 작업 성과가 비교적 명백하게 드러나야 한다. 그런데 일반적인 생산 방식에서는 개인의 작업 성과를 정확히 평가하기가 쉽지 않아(성과에 따른 보수 지급 방식을 시행하기 어려운 이유 ①) ㉠성과에 따른 보수 지급(근로자의 보수 지급 방식 ①) 방식을 채택하기 어렵다. 또한 실적에 비례한 보수를 지급할 경우에 나타나는 근로자의 불안정한 소득도(성과에 따른 보수 지급 방식을 시행하기 어려운 이유 ②) 이러한 보수 지급 방식의 채택을 어렵게 만든다. 하여튼 성과에 따른 보수의 지급은 도덕적 해이를 어느 정도 막을 수 있지만 완벽한 대책은 되지 못한다.

다 전통적 이론에 따르면 근로자의 생산성이 임금의 크기를 결정하는 요인이 된다.(전통적 이론: 근로자의 생산성이 임금의 크기를 결정) 그러나 이와 반대로 '효율 임금 이론'은 임금의 크기가 생산성의 결정 요인이 된다고 본다.(효율 임금 이론: 임금의 크기가 생산성을 결정) 즉 임금이 높으면 자발적으로 열심히 일하려는 의욕이 생긴다고 보는 것이다. 『이 점에 착안해 기업이 일부러 균형 임금보다 더 높은 임금을 지급함으로써 열심히 일하게 만드는 경우가 있다. 이와 같은 의도에서 지급되는 임금을 ㉡효율 임금(근로자의 보수 지급 방식 ②)이라고 부른다.』(『 』: 효율 임금의 개념과 적용 목적) 『일반적으로 지급되는 임금보다 더 높은 임금을 받는다는 것을 아는 사람은 일을 태만히 할 수 없다. 일을 태만히 하다가 발각될 경우 이렇게 높은 임금을 받는 기회를 박탈당할 수 있기 때문이다.』(『 』: 효율 임금이 근로자의 생산성을 높일 수 있는 이유)

라 현실에서는 조그만 태만이 큰 손실을 입힐 수 있는 종류의 작업에 종사하는 사람들에게(효율 임금이 적용되는 직종 ①) 비교적 높은 임금을 지급하는 경향이 있다. 이들에게는 높은 임금을 지급해 태만히 일할 여지를 아예 없애 버리는 것이 바람직하다고 생각하기 때문이다.(해당 직종에 효율 임금을 적용하는 이유 1) 또한 작업 성과의 측정이 매우 힘든 직종에 근무하는 사람에게도(효율 임금이 적용되는 직종 ②) 높은 임금을 지급하는 경우가 종종 있다. 이는 작업 성과를 측정하기 힘든 것을 틈타 일을 태만히 하는 행동을 보이지 않도록 막기 위한 조치로 볼 수 있다.(해당 직종에 효율 임금을 적용하는 이유 2)

마 최근에는 ㉢팀 생산 체제(근로자의 보수 지급 방식 ③)의 도입이 활발하게 일어나고 있다. 그 이면에는 『팀의 성과를 임금에 반영하여 팀의 구성원 모두가 자발적으로 열심히 일하는 분위기를 만들려는 의도가 깔려 있다.』(『 』: 팀 생산 체제 도입의 이유) 이 체제하에서 구성원들은 서로가 상대방의 작업을 감독하게 되고, 나아가 각자가 맡은 작업을 서로 바꾸어 가면서 수행함으로써 지루함을 느끼지 않고 일하게 된다. 자발적으로 열심히 일하는 태도를 갖게 하는 것은 근로자의 도덕적 해이를 막는 최선의 방책이 될 수 있다.(팀 생산 체제 도입의 궁극적 목적)

독해 체크

■ 이 글의 핵심 화제

근로자의 (도덕적 해이)를 방지할 수 있는 방법

■ 문단별 중심 내용

- 1문단: 근로자의 보수 지급 방식 ①: 성과에 따른 (보수) 지급
- 2문단: 성과에 따른 보수 지급 방식의 (한계)
- 3문단: 근로자의 보수 지급 방식 ②: (효율 임금)
- 4문단: 효율 임금이 적용되는 (직종)과 이유
- 5문단: 근로자의 보수 지급 방식 ③: (팀 생산 체제)

■ 핵심 내용의 구조화

근로자의 도덕적 해이를 방지하기 위한 다양한 보수 지급 방식

성과에 따른 보수 지급	효율 임금	팀 생산 체제
• 기본급을 아주 낮게 책정하고, 나머지 부분의 보수는 (작업 실적)에 비례하여 지급함 • 정확한 작업 성과 평가의 어려움, 근로자의 불안정한 소득 등 여러 문제점이 존재함	• 균형 임금보다 더 높은 임금을 지급함 • 높은 임금이 자발적인 노동 의욕을 부추긴다고 봄 • 조그만 (태만)도 용납되지 않는 작업장, 작업 성과의 측정이 매우 힘든 직종에 적용됨	• (팀의 성과)를 반영하여 임금을 지급함 • 팀의 구성원 모두가 자발적으로 업무에 참여하는 분위기를 조성하여, 근로자의 도덕적 해이를 막고자 도입된 방식임

1 (다)에서는 기업이 일부러 균형 임금보다 더 높은 임금을 지급함으로써 근로자가 열심히 일하도록 만드는 경우가 있다고 했을 뿐, 기업이 일반적으로 균형 임금보다 더 낮은 임금을 지급하려는 경향이 있는지는 이 글에 언급되어 있지 않다.

오답 풀이 ❶ (마)의 '구성원들은 서로가 상대방의 작업을 감독하게 되고'를 통해 알 수 있다.

❷ (가)의 '근로자에게 열심히 일할 마음을 갖게 하기 위해서는 작업 실적에 따라 그의 보수가 달라지게 해야 한다.'를 통해 짐작할 수 있다.

❸ (다)의 '일반적으로 지급되는 임금보다 더 높은 임금을 받는다는 것을 아는 사람은 일을 태만히 할 수 없다.'를 통해 짐작할 수 있다.

❺ (나)의 '일반적인 생산 방식에서는 개인의 작업 성과를 정확히 평가하기가 쉽지 않아 성과에 따른 보수 지급 방식을 채택하기 어렵다.'를 통해 알 수 있다.

2 (라)에서 작업 성과의 측정이 매우 힘든 직종에 근무하는 사람에게 높은 임금을 지급하는 경우가 있다고 한 것을 통해, ㉡이 성과의 측정이 어려울 때 사용하는 근로자의 보수 지급 방식임을 알 수 있다. 하지만 ㉢이 성과의 측정이 쉬울 때 사용한다는 것은 이 글의 내용을 통해 확인할 수 없다.

오답 풀이 ❶ (나)의 '성과에 따른 보수의 지급은 도덕적 해이를 어느 정도 막을 수 있지만 완벽한 대책은 되지 못한다.'라고 한 데서 알 수 있다.

❷ (다)의 '임금이 높으면 자발적으로 열심히 일하려는 의욕이 생긴다고 보는 것이다.', '이와 같은 의도에서 지급되는 임금을 '효율 임금'이라고 부른다.' 등을 통해 짐작할 수 있다.

❸ (마)의 '팀의 구성원 모두가 자발적으로 열심히 일하는 분위기를 만들려는', '자발적으로 열심히 일하는 태도를 갖게 하는 것은 근로자의 도덕적 해이를 막는 최선의 방책이 될 수 있다.'를 통해 짐작할 수 있다.

❹ (나)의 '이와 같은 방법이 성과를 거두기 위해서는 각 개인의 작업 성과가 비교적 명백하게 드러나야 한다.'를 통해 ㉠이 개인의 성과를 임금에 반영함을 알 수 있고, (마)의 '팀의 성과를 임금에 반영하여'를 통해 ㉢이 팀 구성원 전체의 성과를 임금에 반영함을 알 수 있다.

3 ⓐ의 '보수'는 '일한 대가로 주는 돈이나 물품'의 의미로 쓰였는데, ③의 '보수' 역시 이와 같은 의미로 쓰였다.

오답 풀이 ❶ '건물이나 시설 따위의 낡거나 부서진 것을 손보아 고침'의 의미로 쓰였다.

❷ '남이 저에게 해를 준 대로 저도 그에게 해를 줌'의 의미로 쓰였다.

❹ '걸음의 수'의 의미로 쓰였다.

❺ '새로운 것이나 변화를 적극적으로 받아들이기보다는 전통적인 것을 옹호하며 유지하려 함'의 의미로 쓰였다.

+ 어휘 체크

1 (1) 방책 (2) 착안 (3) 여지

2 ❶ 구태여 ❷ 태만 ❸ 해이 ❹ 이윤

본문 108~111쪽

사회 02 근대 민법의 형성과 발전

1 ③ 2 ⑤ 3 ④

가 『법은 크게 사회적 질서나 공공의 생활을 규율하는 공법(公法)과 개인 간의 법적 관계를 규율하는 사법(私法)으로 구분할 수 있다. 공법은 헌법이나 형법, 행정법과 같은 것들로 나눌 수 있으며 사법은 민법이나 상법으로 나눌 수 있다.』 이중 민법은 개인의 권리와 관련된 법규, 즉 사람이 사회생활을 하면서 지켜야 할 법으로 우리의 삶과 밀접한 관계를 지니고 있다.

(『 』: 법의 분류 / 공법의 개념 / 사법의 개념 / 공법의 분류 / 사법의 분류 / 핵심어 / 민법의 개념)

나 서구 근대 사회에서 형성된 민법의 세 가지 원칙은 오늘날까지도 민법의 기본 원칙으로 중요하게 여겨지고 있다. 첫 번째 원칙은 사유 재산권 존중의 원칙이다. 개인은 자신이 소유하는 재산에 대해 모든 권리를 가지며 다른 사람이나 국가가 이 권리를 침해해서는 안 된다는 원칙이다. 두 번째 원칙은 계약 자유의 원칙이다. 타인과의 사이에 계약을 맺어 법률관계를 형성하는 것 역시 개인의 자유로운 의사에 맡겨야 하고 국가가 개입해서는 안 된다는 원칙이다. 세 번째 원칙은 과실 책임의 원칙이다. 어떤 사람이 다른 사람에게 손해를 입혔을 때 자신에게 고의나 과실이 인정되는 경우에만 책임을 지고, 그렇지 않으면 책임을 지지 않는다는 원칙이다. 얼핏 보면 개인의 자유로운 활동을 제약하는 원칙처럼 보이지만 오히려 신분의 제약이나 연좌제 등에 얽매여 있던 이전과 달리 자신이 저지른 잘못에 대해서만 책임을 지도록 하였다는 점에서 개인의 자유를 더욱 확대한 것이라고 할 수 있다.

(▒: 민법의 기본 원칙 세 가지 / 민법 기본 원칙의 의의)

다 이러한 근대 민법의 원칙들은 심각한 빈부 격차와 대기업의 독점 등 자본주의의 발달에 따른 문제점을 경험하면서 다음과 같이 수정되었다. 첫 번째는 사유 재산권 존중의 원칙이 소유권 공공복리의 원칙으로 변화한 것이다. 이로써 개인의 재산권은 여전히 보호받아야 할 대상이지만, 절대로 침해될 수 없는 신성한 권리라기보다 공공복리의 차원에서 제한될 수 있는 상대적 권리가 되었다. 두 번째는 계약 자유의 원칙이 계약 공정의 원칙으로 변화한 것이다. 개인 간의 법적 관계가 각자의 의사에 따라 형성되는 것은 당연히 인정되어야 할 원칙이지만, 그 내용이 사회 질서에 반하고 공공의 이익을 위협해서는 안 된다는 내용이 추가되었다. 세 번째는 과실 책임의 원칙에 더해 무과실 책임의 원칙이라는 예외를 인정하게 된 것이다. 이로 인해 어떤 기업이나 개인

(민법이 수정된 원인: 개인의 자유로운 활동을 보장하였으나, 강자에게 유리하게 작용함 / □: 수정된 민법의 기본 원칙 / 사유 재산권은 오로지 그 권리자만 위한 것이 아니라, 사회 공공을 위해 이바지해야 함 / 강자의 횡포를 억제하고 약자를 보호하기 위해 계약의 자유에 국가가 간섭함)

이 사회적인 위험이나 환경 오염 등을 초래한 경우, 과실이 없더라도 이에 대한 손해 배상 책임을 지도록 할 수 있게 되었다. 『예를 들어 어느 공장에서 폐수를 흘려보냈는데 멀리 떨어져 있는 양식장이 피해를 보게 되었다면, 이 공장은 손해 배상의 책임을 지게 될 것이다. 원자력 발전소와 같은 위험성이 높은 시설과 관련하여 손해가 발생했을 경우에도 무과실 책임의 원칙이 적용된다.』

『 』: 무과실 책임의 구체적인 예

라 근대 민법의 세 가지 원칙은 ㉠폐기된 것이 아니라 여전히 우리 사회의 기본 원리로 작용하고 있다. 다만, 『예외 상황이 발생하였을 때 우리는 수정된 원칙들을 통해 이전보다 권리를 폭넓게 보장받을 수 있다.』

『 』: 근대 민법의 발전 - 개인의 이익보다는 공공의 복리를 추구하는 방향으로 원칙이 수정됨

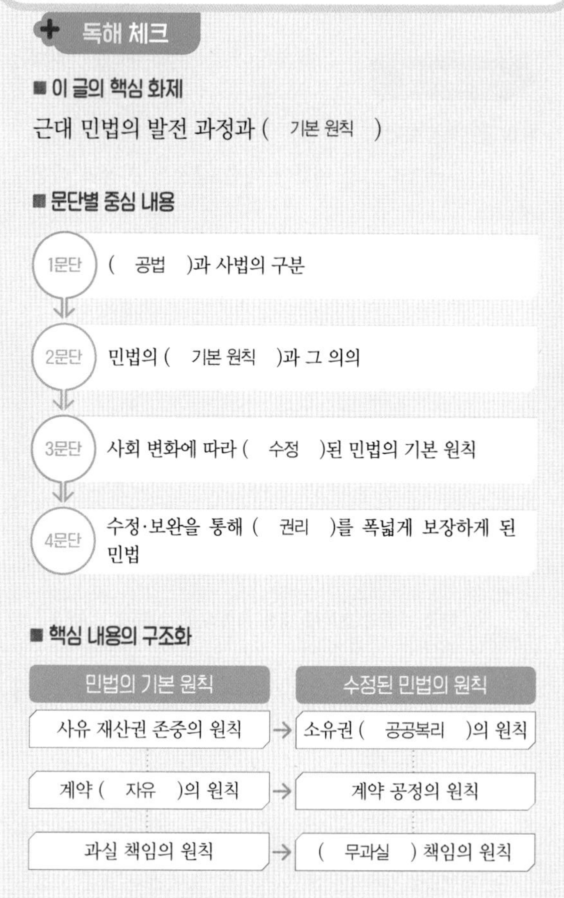

+ 독해 체크

■ 이 글의 핵심 화제

근대 민법의 발전 과정과 (기본 원칙)

■ 문단별 중심 내용

1문단 (공법)과 사법의 구분

2문단 민법의 (기본 원칙)과 그 의의

3문단 사회 변화에 따라 (수정)된 민법의 기본 원칙

4문단 수정·보완을 통해 (권리)를 폭넓게 보장하게 된 민법

■ 핵심 내용의 구조화

민법의 기본 원칙		수정된 민법의 원칙
사유 재산권 존중의 원칙	→	소유권 (공공복리)의 원칙
계약 (자유)의 원칙	→	계약 공정의 원칙
과실 책임의 원칙	→	(무과실) 책임의 원칙

1 이 글에서는 개인의 권리와 자유를 보호하는 사상이 반영되었던 민법의 기본 원칙이 공익의 가치를 고려하게 되면서 그 내용이 수정되었다고 설명하고 있다. 따라서 이러한 내용을 모두 포괄할 수 있는 ③이 제목으로 적절하다.

오답 풀이 ❶ 이 글에서는 시간의 흐름에 따른 민법의 변화를 다루지만, 민법이 복잡하거나 어려운 이유를 설명하고 있지 않다.

❷ 이 글에서는 근대 민법에 적용된 원칙과 그것의 수정 내용을 다룰 뿐 국가별 민법의 차이나 다른 나라의 구체적 사례를 제시하고 있지 않다.

❹ 민법의 형성 과정과 민법이 공익성을 강조하는 방향으로 변화한 점을 제시하였으므로 '민법의 변천 과정'을 설명하고 있다고는 볼 수 있지만, 다른 법률과의 차이와 관련한 '민법의 특수성'에 관해서는 언급하고 있지 않다.

❺ 민법의 발전 과정을 설명하고 있을 뿐, 민법을 통해 바라본 우리의 역사를 서술하고 있지는 않다. 또한 민법 개정과 관련한 역사적 사건 역시 제시되어 있지 않다.

2 〈보기〉의 민법 제750조는 근대 민법의 원칙인 과실 책임의 원칙에 대한 내용을 그대로 담고 있다. 그러나 (나)에 따르면 과실 책임의 원칙은 개인의 자유를 제약하는 것이 아니라, 자신이 저지른 잘못에 대해서만 책임을 지도록 하여 개인의 자유를 오히려 확대한 것이라고 하였다.

오답 풀이 ❶ 민법 제103조는 선량한 풍속, 기타 사회 질서에 위반한 법률 행위를 무효로 만드는 예외를 규정한 조항으로, 법적 관계가 사회 질서에 반하고 공공의 이익을 위협해서는 안 된다는 계약 공정의 원칙이 반영된 것이라고 할 수 있다.

❷ A와 B가 불공정한 계약을 맺었다면, 제103조의 규정대로 선량한 풍속이나 기타 사회 질서에 위반한 사항을 내용으로 하는 계약이므로 법률 행위는 무효가 될 수 있다.

❸ 제211조는 소유자가 법률의 테두리 안에서 자유의사대로 소유물을 사용하고, 소유물로부터 생기는 이익을 취득하며, 소유물을 소비·양도하는 등의 처분을 할 수 있는 소유권 행사를 할 수 있음을 규정한 것이다. 이는 근대 민법의 원칙인 사유 재산권 존중의 원칙에 근거를 두고 있다고 할 수 있다.

❹ 제211조는 법률의 범위 내에서 소유권이 있다고 하여, 사유 재산권이나 소유권이 절대로 침해할 수 없는 신성한 권리라기보다 법률에 의해 공공복리 차원에서 제한될 수도 있는 상대적 권리임을 보여 주고 있다.

+ 더 알아두기 | 대한민국 민법 구성

대한민국 민법은 민법의 기본 원리를 규정하는 제1편 총칙(제1조~제184조), 사람과 물건 사이의 관계를 규정하는 제2편 물권편(제185조~제372조), 사람과 사람 사이의 계약 관계를 비롯한 기타 권리와 의무 관계 따위를 규정하는 제3편 채권편(제373조~제766조), 그리고 친족 관계를 대상으로 하는 제4편 친족편(제767조~제996조)과 사람이 사망한 후 벌어지는 재산 귀속 문제에 대하여 규정하는 제5편 상속편(제997조~제1118조)으로 구성된다. 이상의 구성에서 재산 관계를 규율하는 제2편과 제3편을 합하여 '재산법'이라고 부르고, 가족 관계를 규율하는 제4편과 제5편을 합하여 '가족법'이라고 부른다. 이처럼 대한민국 민법은 무려 1118조에 이르는 만큼 그 내용이 깊고 정교하다.

3 ㉠에서 '폐기된'은 '조약, 법령, 약속 따위가 무효로 된'을 의미하므로, 문맥상 ㉠은 '무효가 된 것'과 바꾸어 쓰기에 가장 적절하다.

오답 풀이 ❶ '무시된'은 '사물의 존재 의의나 가치가 하찮게 여겨진'의 의미이다.

❷ '간과된'은 '큰 관심 없이 대강 보아 넘겨진'의 의미이다.

❸ '부패된'은 '정치, 사상, 의식 따위가 타락하게 된'의 의미이다.

❺ '불필요하게 된'은 '필요하지 아니하게 된'의 의미이다.

+ 어휘 체크

1 광고 – 고의 – 의사 – 사법 – 법규 – 규율

2 ❶ ㉠ ❷ ㉢ ❸ ㉡

본문 112~115쪽

사회 03

한국 가족의 변화 경향과 전망

1 ⑤　　2 ⑤　　3 ①

(가) 최근 한국 가족의 변화(핵심어)에서 주목할 만한 경향은 여성 가구주(家口主) 가구의 증가 추세(한국 가족의 주된 변화 경향)이다. 여성 가구주의 증가는 주로 미혼 여성들의 1인 가구주와 이혼으로 인한 여성 가구주의 증가(여성 가구주 가구 증가의 주된 요인)에 기인한다. 반드시 결혼을 해야 한다고 ㉠보지 않는 여성들이 증가하고, 이혼에 관대한 사회 분위기가 조성되는 등 결혼 및 이혼에 대한 우리 사회의 인식 변화는 여성 가구주 가구의 증가 추세를 더욱 강화시킬 것이라는 전망도 가능하게 한다. 이처럼 여성 가구주 가구가 증가하는 현실에서 남성 가구주가 생계를 부양하는 가족의 비율은 점차 줄어들고 있다.(전통적인 한국 가족의 형태가 줄어듦)

(나) 한국 가족의 이러한 변화 추세는 불가피하게 남성 중심이었던 가부장적 질서의 약화라는 방향(한국 가족의 변화가 전개되는 방향)으로 전개되고 있다. 많은 전문가들은 이러한 변화가 가족의 해체라는 역기능을 ㉡불러올 수도 있을 것(□: 한국 가족의 변화를 부정적으로 보는 견해)이라고 경고하고 있다. 그러나 이러한 생각의 이면에는 남성 가장 중심적이고 부계 혈연 주의에 기반을 둔 기존의 가족 형태만을 정상적인 가족 제도로 인정하려는 생각이 전제되어 있는 것처럼 보인다. 가족의 새로운 변화를 비정상적인 것으로 매도하지 않고 그 다양성을 인정함으로써 가족 개념에 대한 인식의 폭을 ㉢넓혀 나간다(: 글쓴이의 반론)면, 위기의식에서 벗어나 변화에 대한 긍정적이고 개방적인 수용이 가능하게 될 것이다.

(다) 『변화를 위기로 받아들이는 사람들에 의해 부정적이라고 지적되는 것들은, 사실 그것 자체가 문제라기보다는 기존 질서에 익숙한 사람들의 시각이 쉽게 바뀌지 않기 때문에 변화 자체를 문제로 ㉣생각하는 데서 빚어진 것이라고 할 수 있다.』(『 』: 기존 제도의 불합리성을 자각하지 못함) 또 변화의 부정적인 측면으로 보이는 갈등의 표출은 그동안의 위계적이고 억압적인 관계가 평등한 관계로 대체되는 과도기에 일어나는 문제로 볼 수도 있다. 즉, 여성의 평등에 대한 요구가 증가하는 상황에서 가족이 여전히 보수적인 성별 분업을 정당화하고, 남성들이 변화에 저항하는(기존 가부장적 질서의 고수: 위계적·억압적 관계의 강요) 한 결혼은 여성들에게 기존의 가족 형태에 대한 회의를 더욱 강화시키는 결과를 초래하게 될 것이다. 따라서 성별 분업의 해체(남자는 생계를 책임져야 하고, 여자는 가사와 육아를 전담해야 한다는 생각의 해체)는 오히려 기존의 왜곡된 남녀 간의 불평등 관계가 새로운 방식의 조화로운 정서적 동반 관계로 나아갈 수 있는 출발점이 될 수도 있다.

(라) 가족을 포함하여 인간이 만든 모든 제도는 고정불변의 것이 아니라 시대의 흐름에 따라 변화한다고 할 수 있다. 『관심을 가져야 할 일은 가족이 변화하는 방향을 기존의 억압적인 요소들을 해소하도록 설정하고 변화 과정에서 새롭게 발생하는 문제들에 대한 구체적인 해결책을 ㉤찾는 것이다.』(『 』: 한국 가족의 변화에 대한 대응 전략) 구체적으로는 『노동 시장에서의 여성의 지위를 어떻게 제고할 것인가? 이혼 부모의 자녀에게 미치는 부정적 영향을 어떻게 피할 것인가?』(『 』: 변화의 과정에서 고려해야 될 문제들) 하는 점들이 고려되어야 한다. 또한, 민주적이고 평등한, 다양한 가족(한국 가족의 변화에 대한 대응 전략의 궁극적 목표)을 위해서는 기존의 가족과 관련된 여러 제도들을 특권적 지위로부터 내려오게 할 수 있는 조치가 이루어져야 할 것이다. 이러한 것들은 궁극적으로 가족과 사회의 가부장적 성격을 해체하고 개인의 다양성을 존중하며 민주적 가치를 실현할 방안을 추구하는 것이다.(글쓴이가 주장하는 이상적인 가치)

독해 체크

이 글의 핵심 화제

한국 (가족 형태)의 변화에 대한 긍정적 전망과 대응 전략

문단별 중심 내용

- 1문단: 한국 가족 형태의 주된 변화 경향과 전망
- 2문단: 한국 가족의 변화를 (부정적)으로 보는 견해에 대한 반론
- 3문단: 한국 가족의 변화에 대한 (긍정적) 전망
- 4문단: 한국 가족의 변화에 대한 사회적·(제도적) 대응 전략

핵심 내용의 구조화

한국 가족의 변화에 대한 기존 견해		글쓴이의 반론
(가부장적) 질서의 약화라는 방향으로 전개되는 한국 가족의 변화가 가족의 (해체)라는 역기능을 불러올 수도 있을 것임	↔	• 한국 가족의 변화를 (부정적)으로 보는 것은 고정관념 때문임 • 기존 질서의 고수는 여성들의 반발을 불러올 것임 • (성별 분업)의 해체로 남녀 간의 조화로운 관계 정립이 가능함

↓

글쓴이의 견해	가족 형태의 변화를 (민주성), 평등성, 다양성의 방향으로 이끌어야 함

1 글쓴이는 (나)~(다)에서 한국 가족의 변화가 가족의 해체를 불러올 것이라는 전문가들의 부정적인 기존 견해를 비판하고 있다. 또한 (라)에서는 한국 가족의 변화에 대한 대응 전략과 함께 지향해야 할 가치와 궁극적인 목표를 제시하고 있다.

오답 풀이 ❶ 한국 가족의 변화에 대한 이론적 설명은 나타나지 않으며, 글쓴이는 한국 가족의 변화를 문제로 인식하고 있지 않고 오히려 긍정적으로 전망하고 있다.

❷ 한국 가족의 변화에 대한 기존 전문가들의 우려를 제시하고 있으나, 글쓴이는 이를 인용하여 자신의 논지를 강화하는 것이 아니라 오히려 그들의 주장에 반론을 펼치고 있다.

❸ 구체적인 사례와 통계 자료는 제시되어 있지 않으며, 한국 가족의 변화와 관련한 기존의 부정적 견해들을 반박하는 글쓴이의 견해를 바탕으로 글을 전개하고 있다.

❹ 여성 가구주 가구가 증가하는 한국 가족의 변화 현상을 사회적 차원에서 살펴보고 있으나, 그러한 현상의 원인을 개인적·사회적 차원으로 나누어 분석하고 있지는 않다.

2 글쓴이는 시대의 흐름에 따른 가족 형태의 변화를 인정하고 이를 올바른 방향으로 이끌어야 한다고 주장하고 있다. 그러기 위해서는 사회적·제도적 조치가 필요하다는 언급을 하고 있으나, 사회 구성원들이 개인적으로 취해야 할 행동에 대해서는 언급하고 있지 않다. 또한 갈등 상황을 해소하기 위해 전통적 가치와 현대적 가치가 조화를 이루어야 한다는 전제도 이 글에 나타나 있지 않다.

오답 풀이 ❶ (가)의 '결혼 및 이혼에 대한 우리 사회의 인식 변화'라는 부분에서 기존의 제도에 대해 과거와 다르게 보는 현대인의 인식 변화를 짐작할 수 있다. 또한 글 전체의 내용을 통해서도 사람들이 그동안 보편적이라고 여겼던 가족 형태나 성별 분업(남성과 여성의 역할 분배)에서 벗어나 다양성을 인정하고 있음을 알 수 있다.

❷ (나)~(라)에서 글쓴이는 개성의 존중이나 민주주의 등을 강조하고 있으므로, 이러한 관점과 관련이 있다고 볼 수 있다.

❸ (다)에서 글쓴이는 성별 분업을 정당화하는 기존 질서를 고수하는 사람들이 가족 변화에 대해서도 부정적인 태도를 보인다고 언급하고 있으므로, 이러한 관점과 관련지을 수 있다.

❹ (라)에서 글쓴이는 '민주적이고 평등한, 다양한 가족을 위해서' 여러 제도를 개선해야 한다고 주장하고 있으므로, 이러한 관점과 관련지을 수 있다.

3 ㉠의 '보지'는 문맥상 '생각하지' 혹은 '인식(認識)하지'의 의미를 가지므로, '상태, 모양, 성질 따위가 그와 같다고 여기지'의 의미인 '간주(看做)하지'로 바꿔 쓰는 것은 적절하지 않다.

오답 풀이 ❷ ㉡은 문맥상 '어떤 결과를 가져오게 할'의 의미이므로, '초래(招來)할'로 바꿔 쓰는 것은 적절하다.

❸ ㉢은 문맥상 '범위를 넓혀'의 의미이므로, '확장(擴張)해'로 바꿔 쓰는 것은 적절하다.

❹ ㉣은 문맥상 '사물을 분별하고 판단하여 아는'의 의미이므로, '인식(認識)하는'으로 바꿔 쓰는 것은 적절하다.

❺ ㉤은 문맥상 '일이나 사건 따위를 해결할 수 있는 방법이나 실마리를 더듬어 찾는'의 의미이므로, '모색(摸索)하는'으로 바꿔 쓰는 것은 적절하다.

+ 어휘 체크

1 (1) 이면 (2) 역기능 (3) 표출

2 ❶ 부계 ❷ 부양 ❸ 과도기 ❹ 매도

본문 116~119쪽

구독경제, 어디까지 구독해 봤니?

1 ③ 2 ① 3 ⑤

가 「직장인 A 씨는 셔츠 정기 배송 서비스를 신청하여 일주일간 입을 셔츠를 제공 받고, 입었던 셔츠는 반납한다. A 씨는 셔츠를 직접 사러 가거나 세탁할 필요가 없어져 시간을 절약할 수 있게 되었다.」 이처럼 소비자가 회원 가입 및 신청을 하면 정기적으로 원하는 상품을 배송 받거나, 필요한 서비스를 언제든지 이용할 수 있는 경제 모델을 구독경제라고 한다.

(「 」: 구독경제의 사례를 제시함(예시) / 구독경제의 개념 / 핵심어)

나 신문이나 잡지 등 정기 간행물에만 적용되던 구독 모델은 최근 들어 그 적용 범위가 점차 넓어지고 있다. 이로 인해 사람들은 소유와 관리에 대한 부담은 줄이면서 필요할 때 사용할 수 있는 방식으로 소비를 할 수 있게 되었다. 이러한 구독 경제에는 크게 세 가지 유형이 있다. 첫 번째 유형은 ㉠정기 배송 모델인데, 월 사용료를 지불하면 칫솔, 식품 등의 생필품을 지정 주소로 정기 배송해 주는 것을 말한다. 두 번째 유형은 ㉡무제한 이용 모델로, 정액 요금을 내고 영상이나 음원, 각종 서비스 등을 무제한 또는 정해진 횟수만큼 이용할 수 있는 모델이다. 세 번째 유형인 ㉢장기 렌털 모델은 구매에 목돈이 들어 경제적 부담이 될 수 있는 자동차 등의 상품을 월 사용료를 지불하고 이용하는 것을 말한다.

(구독경제로 인한 긍정적 영향 / 구독경제의 유형 ① / 정기 요금 → 주기적으로 생필품이나 식재료 등을 배송 / 구독경제의 유형 ② / 정액 요금 → 스마트폰으로 도서나 강좌 수강 등을 이용 / 구독경제의 유형 ③ / 월 사용료 지불 → 정수기와 의료 기기 등을 이용)

다 최근 들어 구독경제가 빠르게 확산되고 있는데, 그 이유는 무엇일까? 경제학자들은 구독경제의 확산 현상을 합리적 선택 이론으로 설명한다. 경제 활동을 하는 소비자가 주어진 제약 속에서 자신의 효용을 최대화하려는 것을 합리적 선택이라고 하는데, 이때 효용이란 「소비자가 상품을 ⓐ소비함으로써 얻는 만족감」을 의미한다. 소비자들이 한정된 비용으로 최대한의 만족을 얻기 위해 노력한 결과가 구독경제의 확산으로 이어졌다는 것이다. 이것은 최근의 소비자들이 상품을 ⓑ소유함으로써 얻는 만족감보다는 상품을 사용함으로써 얻는 만족감을 더 중요시한다는 것을 보여 준다고 할 수 있다.

(합리적 선택의 개념 / 「 」: 효용의 개념 / 구독경제의 확산을 설명하는 합리적 선택 이론)

라 구독경제는 소비자의 입장에서 「소유하기 이전에는 사용해 보지 못하는 상품을 사용해 볼 수 있다는 장점이 있다. 구독경제를 이용하면 값비싼 상품을 사용하는 데 큰 비용을 들이지 않아도 되고, 상품 구매 행위에 들이는 시간과 구매 과정에 따르는 불편함 등의 문제를 해결할 수 있다.」 생산자의 입장에서는 「상품을 사용하는 고객들의 정보를 수집하고, 이를 통해 개별화된 서비스를 제

(「 」: 소비자의 입장에서 구독경제의 장점 / 「 」: 생산자의 입장에서 구독경제의 장점)

공하여 고객과의 관계를 지속적으로 유지할 수 있다. 또한 매월 안정적으로 매출을 올릴 수 있다는 장점도 있다.
마 그러나 구독경제의 확산이 경제 활동의 주체들에게 긍정적인 면만 있는 것은 아니다. 소비자의 입장에서는 구독하는 서비스가 지나치게 많아질 경우 고정 지출이 늘어나 경제적으로 부담이 될 수 있다.(소비자의 입장에서 구독경제의 단점) 생산자의 입장에서는 「상품이 소비자에게 만족감을 주지 못하거나 고객과의 관계를 지속적으로 유지하지 못할 경우 구독 모델 이전에 얻었던 수익에 비해 낮은 수익을 얻는 경우도 있다.」(「 」: 생산자의 입장에서 구독경제의 단점) 따라서 소비자는 합리적인 소비 계획을 수립하고 생산자는 건전한 수익 모델을 연구하여 자신의 경제 활동에 도움이 되는 방향으로 구독경제를 활용할 필요가 있다.(구독경제가 주는 시사점)

독해 체크

■ 이 글의 핵심 화제

구독경제의 개념과 유형 및 (장단점)

■ 문단별 중심 내용

1문단 구독경제의 사례와 (개념(정의))

2문단 구독경제의 (세) 가지 유형

3문단 구독경제의 확산을 설명해 주는 (합리적 선택 이론)

4문단 구독경제의 (장점)

5문단 구독경제의 (단점) 및 시사점

■ 핵심 내용의 구조화

구독경제의 유형	정기 배송 모델, (무제한 이용) 모델, 장기 렌털 모델

구독경제의 장점	구독경제의 단점
• 소비자: 큰 비용을 들이지 않아도 값비싼 상품을 사용해 볼 수 있고, 상품 구매 행위에 들이는 시간과 구매 과정에 따르는 불편함 등의 문제 해결이 가능함 • 생산자: 상품 사용 고객들의 정보 수집을 통해 (개별화)된 서비스를 제공하여 고객과의 관계를 지속적으로 유지할 수 있고, 매월 안정적으로 매출을 올릴 수 있음	• 소비자: 구독하는 서비스가 지나치게 많을 경우 (경제적)으로 부담이 될 수 있음 • 생산자: 상품이 소비자에게 만족감을 주지 못하거나, 고객과의 (관계)를 지속적으로 유지하지 못할 경우 낮은 수익을 얻을 수 있음

1 (가)에서 소비자가 구독경제를 이용하기 위해서는 회원 가입 및 신청을 한다는 것을 확인할 수 있고, (라)에서 생산자가 상품을 사용하는 고객들의 정보를 수집한다는 내용을 확인할 수 있다.

오답 풀이 ❶ (라)에서 생산자는 구독경제를 통해 상품을 이용하는 고객들의 정보를 수집하여 개별화된 서비스를 제공할 수 있다고 하였다.
❷ (라)에서 소비자는 정기적으로 원하는 상품을 배송해 주거나 필요한 서비스를 제공해 주는 구독경제를 이용함으로써, 상품 구매 행위에 들이는 시간을 줄일 수 있다고 하였다.
❹ (라)에서 생산자는 구독경제를 통해 상품을 사용하는 고객들의 정보를 수집하여 개별화된 서비스를 제공하게 되면 고객과의 관계를 지속적으로 유지하고, 안정적인 매출도 올릴 수 있다고 하였다. 반면 (마)에서는 생산자가 구독경제를 이용하는 고객과의 관계를 지속적으로 유지하지 못할 경우 구독 모델 이전에 얻었던 수익보다 낮은 수익을 얻을 수 있다고 하였다. 따라서 구독경제를 통해 고객과의 관계를 지속적으로 유지하게 되면 생산자는 매월 안정적으로 매출을 올릴 수 있게 될 것이다.
❺ (다)에서는 소비자들이 한정된 비용으로 최대한의 만족을 얻고자 하는 것을 '합리적 선택 이론'이라고 하는데, 이는 구독경제의 확산에 영향을 미쳤다고 하였다.

더 알아두기 | 구독경제(Subscription Economy)의 확장

구독경제는 지속해서 소비가 필요한 상품을 제공 받는 서비스와 자동차, 명품 의류, 가구 등의 상품을 원하는 만큼만 빌려 쓰는 대여(rental) 서비스, 그리고 영화, 드라마, 게임, 전자책, 음악 스트리밍처럼 디지털 플랫폼(digital platform)을 통해 제공되는 서비스를 말한다. 기존의 신문, 우유뿐만 아니라 영화, 게임, 의류, 식료품, 자동차에서 비행기까지 영역이 지속적으로 넓어지더니 주택 및 주거 등 모든 분야로 확장되고 있다. 최근에는 비행기를 택시로 이용하는 에어 택시 출퇴근 구독 서비스도 있다고 한다.

2 매월 일정 금액을 지불하고 정수기를 렌털해서 사용하는 서비스는 ㉢에 해당한다.

오답 풀이 ❷ 월정액을 지불하고 주 1회 집으로 식재료를 보내 주는 서비스는 정기 배송 모델에 해당한다.
❸ 스마트폰 앱에서 월 구독료를 내고 도서를 무제한으로 이용할 수 있게 하는 것은 무제한 이용 모델에 해당한다.
❹ 웹사이트에서 정액 요금을 결제하고 강좌를 일정 기간 원하는 만큼 수강할 수 있게 하는 것은 무제한 이용 모델에 해당한다.
❺ 월 사용료를 지불하고 정해진 기간에 집에서 사용할 수 있는 의료 기기는 장기 렌털 모델에 해당한다.

3 ⓐ, ⓑ의 '으로써'는 (주로 '-ㅁ/-음' 뒤에 붙어) 어떤 일의 이유를 나타내는 격 조사로 쓰였다. ⑤의 '으로써'도 문제가 발생하는 이유를 나타내는 격 조사로 쓰였다.

오답 풀이 ❶, ❸ 시간을 셈할 때 셈에 넣는 한계를 나타내거나 어떤 일의 기준이 되는 시간임을 나타내는 격 조사로 쓰였다.
❷ 어떤 일의 수단이나 도구를 나타내는 격 조사로 쓰였다.
❹ 어떤 물건의 재료나 원료를 나타내는 격 조사로 쓰였다.

어휘 체크

• ㉤ – 개별화 ㉡ – 배송 ㉣ – 구독 ㉢ – 생필품 ㉠ – 확산

본문 120~123쪽

과학 01 머리 좋아지는 냄새는 없을까?

1 ① 2 ② 3 ④

가 머리가 좋아지는 냄새가 있다면 어떨까? 「몇 년 전 미국 예일대 학생 72명에게 초콜릿 냄새를 맡게 하고 암기력을 측정했다. 학생들은 교수가 부르는 대로 40개의 형용사와 그 반대말을 받아썼다. 다음날 교수는 학생들에게 전날 썼던 단어를 생각나는 대로 쓰라고 지시했다. 그 결과 초콜릿 냄새를 맡은 학생은 단어의 21%를, 냄새를 맡지 않은 학생은 17%를 기억했다. 냄새가 암기력을 높인 것이다.」

(질문을 통해 독자의 호기심을 유발함)
(「 」: 냄새와 암기력의 관계를 밝히기 위한 실험)

나 1928년 프랑스 화학자 가트포스는 방향 치료라는 표현을 사용하면서 냄새의 의학적 활용을 본격적으로 주장했다. 그가 방향 물질의 치료 가능성을 발견한 것은 우연이었다. 「가트포스가 실험에 열중하던 중 사고로 팔에 불이 붙었다. 그는 급히 주변의 찬 액체에 팔을 담갔다. 그러자 상처는 붉어지지도 않고 염증과 물집도 생기지 않았다. 그리고 흉터도 남지 않았다.」 라벤더유로 추정되는 그 액체는 가트포스의 관심을 끌기에 충분했다. 「그는 식물에서 추출한 이 물질이 독특한 향기를 낸다는 점에 착안하여 방향 물질을 이용한 치료 가능성을 떠올린 것이다.」 이후 향초나 생약에 포함된 필수 성분 정유가 몸에 어떤 영향을 미치는지에 관한 많은 사례 연구가 진행되어 왔다.

(핵심어)
(「 」: 방향 치료의 배경이 된 가트포스의 일화)
(「 」: 가트포스의 추론 - 방향 물질은 치료 가능성이 있을 것이다.)

다 방향 치료에서 정유를 흡입하는 통로는 코뿐만이 아니다. 피부에 바르거나 약처럼 복용하기도 한다. 일단 흡입되면 이 물질이 체내에서 원하는 곳으로 잘 이동할 수 있을까? 「방향 치료의 효능을 지지하는 사람들은 정유의 입자가 작고 지방에 잘 용해되므로 지방질을 통해 체내에 잘 흡수된다고 말한다.」 한 예를 들어 보자. 라벤더 2% 수용액을 만들어 이 중 1g으로 마사지한 후 혈액 속 라벤더 함량을 조사했다. 마사지 후 몇 분 내 수 나노그램의 라벤더 성분이 검출됐고, 20분 후 최대 농돗값이 관찰됐다고 한다. 「피부에 스며든 라벤더가 혈액을 통해 각종 지방 조직으로 흡수된 것이다. 그렇다면 정유는 중추 신경계와 같은 지방이 풍부한 조직으로 어렵지 않게 도달하여 뇌의 특정 영역을 자극함으로써 치료 효과를 낼 수 있을 것이다.」

(방향 치료의 특징 ① - 흡입, 도포, 복용을 통해 정유를 흡입함)
(「 」: 방향 치료의 특징 ② - 체내 흡수가 잘 됨)
(예를 들어 설명함(예시))
(「 」: 정유의 체내 이동 경로(피부 → 혈액 → 지방 조직 → 뇌))

라 과학자들은 이렇게 경험적으로 입증된 방향 치료의 객관적인 원리를 찾고 있다. 그러나 지금까지 후각 분야에 대한 연구는 상대적으로 낙후된 것이 사실이다. 「㉠'냄새 못 맡는 정도야 별로 심각한 문제가 아니다.'라는 잘못된 편견 탓이다.」 하지만 후각은 일상생활에서 매우 중요한 역할을 한다. 「우선 후각은 음식물의 맛을 알게 하기 때문에 나이가 들어 후각 기능이 퇴화하면 미각 기능이 현저히 떨어진다. 예를 들어 사람이 감기에 걸리면 맛을 잘 모르는 것과 같다. 게다가 후각은 천연가스나 상한 음식물, 오염물, 연기 등 유해한 휘발성 물질을 찾는 감시 기능을 한다.」

(「 」: 후각을 다른 감각 기관에 비해 중요하게 생각하지 않음)
(「 」: 후각이 일상생활에서 중요한 역할을 하는 사례(예시))

마 냄새가 뇌의 어떤 부위에 영향을 미치는지에 대해서도 아직 정설이 없다. 다만 감성을 지배하고 있는 뇌 우반구의 특정 부위로 신호가 전달될 것이라는 의견이 많다. 냄새를 의학적으로 이용하려면 아직 풀어야 할 과제가 많이 쌓여 있다. 따라서 충분한 생리적, 임상적 실험을 거쳐 그 효과가 검증되어야 한다.

(방향 물질이 영향을 주는 뇌 부위의 불명확성)
(방향 치료가 풀어야 할 과제)

독해 체크

■ 이 글의 핵심 화제

(방향 치료)의 이해 및 앞으로의 과제

■ 문단별 중심 내용

- 1문단: 냄새가 (암기력)을 높인 실험 사례
- 2문단: (방향 물질)을 이용한 치료 가능성의 발견
- 3문단: (방향 치료)의 특징
- 4문단: (후각) 분야에 대한 연구의 필요성
- 5문단: 방향 치료가 풀어야 할 (과제)

■ 핵심 내용의 구조화

방향 치료

방향 치료의 특징	방향 치료의 한계
•코뿐만 아니라 피부에 바르거나 복용하여 (정유)를 흡입함 •정유가 지방질을 통해 (체내)에 잘 흡수되어 치료 효과를 낼 수 있음	(후각)을 다른 감각에 비해 중요하게 생각하지 않는 잘못된 편견으로 (후각) 분야에 대한 연구가 낙후됨

↓

방향 치료에 대한 정설이 없기 때문에 충분한 (실험)을 통한 검증이 필요함

1 (다)의 '한 예를 들어 보자.'와 (라)의 '예를 들어'에서 알 수 있듯이, 이 글은 구체적인 예를 들어 가며 독자의 이해를 돕고 있다.

오답 풀이 ❷ 상위 항목을 하위 항목으로 나누어 가며 설명하는 '구분'은 이 글에 쓰이지 않았다.
❸ 전문가의 의견을 끌어다 쓴 내용은 이 글에 나타나 있지 않다.
❹ 설명 대상의 개념을 정확히 풀이하는 '정의'는 이 글에 쓰이지 않았다.
❺ 복잡하고 어려운 내용을 단순하고 친숙한 대상에 빗대어 설명하는 '유추'는 이 글에 쓰이지 않았다.

2 (다)에서 '방향 치료에서 정유를 흡입하는 통로는 코뿐만이 아니다. 피부에 바르거나 약처럼 복용하기도 한다.'라고 하였으므로, 정유를 복용하더라도 방향 치료의 효과를 볼 수 있음을 알 수 있다.

오답 풀이 ❶ (가)에서 초콜릿 냄새를 맡은 학생들이 그렇지 않은 학생들에 비해 전날 썼던 단어를 더 많이 기억했다는 실험 사례를 통해, 방향 치료가 인간의 기억에 도움을 줄 수 있음을 짐작할 수 있다.
❸ (라)에서는 나이가 들어 후각 기능이 퇴화하면 미각 기능이 현저히 떨어진다고 하면서, 그 예로 감기에 걸렸을 때 맛을 잘 모르는 것을 들었다. 이를 통해 감기에 걸렸을 때 맛을 모르는 것은 코가 막혀 후각 기능이 떨어졌기 때문으로 짐작할 수 있다.
❹ '방향 치료'란 방향 물질을 활용해 환자를 치료하는 것이므로, 향기 있는 식물에서 추출한 아로마 오일로 불면증을 개선하는 것 역시 방향 치료에 해당한다고 볼 수 있다.
❺ (마)의 '냄새가 뇌의 어떤 부위에 영향을 미치는지에 대해서도 아직 정설이 없다.'와 '충분한 생리적, 임상적 실험을 거쳐 그 효과가 검증되어야 한다.'를 통해 방향 치료의 활성화를 위해서는 냄새가 뇌의 어떤 부위에 영향을 미치는지에 대한 연구가 필요하다는 것을 짐작할 수 있다.

3 ㉠은 일반적으로 사람들이 후각에 문제가 있을 때 대수롭지 않게 생각한다는 내용이다. 따라서 후각이 일상생활에서 중요한 역할을 한다고 생각하는 글쓴이는 '작은 결점이라 하여 등한히 하면 그것이 점점 더 커져서 나중에는 큰 결함을 가져오게 됨'을 비유적으로 이르는 말인 '큰 방죽도 개미구멍으로 무너진다.'를 통해 조언할 수 있을 것이다.

오답 풀이 ❶ '귀가 보배라'는 배우지 않았으나 얻어들어서 아는 것이 많음을 비유적으로 이르는 말이다.
❷ '다 된 죽에 코 풀기'는 거의 다 된 일을 망쳐 버리는 주책없는 행동을 비유적으로 이르는 말이다.
❸ '혹 떼러 갔다 혹 붙여 온다'는 자기의 부담을 덜려고 하다가 다른 일까지도 맡게 된 경우를 비유적으로 이르는 말이다. 혹부리 영감이 도깨비를 속여 혹을 떼었다는 소문을 들은 다른 혹부리 영감이 도깨비를 만나 혹을 떼려 했지만 오히려 혹을 하나 더 붙여 왔다는 이야기에서 나온 말이다.
❺ '길고 짧은 것은 대어 보아야 안다'는 크고 작고, 이기고 지고, 잘하고 못하는 것은 실지로 겨루어 보거나 겪어 보아야 알 수 있다는 말이다.

+ 어휘 체크

1 착안 – 안중 – 중추 – 추정 – 정유 – 유해
2 ❶ ㉠ ❷ ㉢ ❸ ㉡

과학 02 플라세보 효과

1 ② 2 ③ 3 ④

㉮ 플라세보(placebo)는 위약(僞藥) 또는 위치료(僞治療)를 의미한다. 플라세보 효과(핵심어)란 의사가 환자에게 진짜 약이라고 말하면서 가짜 약을 투여하면, 효과가 있을 것이라고 생각하는 환자의 믿음 때문에 병이 낫는 현상(플라세보 효과의 의미)을 말한다. 20세기 초반까지만 해도 의사들은 플라세보 효과, 즉 약을 복용하는 데에서 비롯된 심리적 효과에 관심이 없었다. 당시는 자극에 대한 반사의 개념으로만 인체를 이해했지, 환자의 심리는 ⓐ헤아리지 않았던 것이다. 그러나 학자들은 스트레스를 연구하는 가운데 인간의 심리가 뇌를 통해 인체 생리에 영향을 끼친다는 사실을 차츰 알게 됐으며, 1950년대 하버드 대학의 헨리 비처(Henry Beecher)는 처음으로 통증, 고혈압, 천식 등 광범위한 질환 환자의 30~40%가 플라세보만으로 증세가 가벼워진다고 보고했다.

㉯ 플라세보 효과는 실제 약의 효능성과 안전성을 가리는 데 방해 인자로 작용하기도 한다. 이 때문에 「약의 효과가 있는지 없는지를 판단하기 위한 임상 시험으로, 환자와 의사 모두 실제 약인지 위약인지 모르는 상태에서 약을 투여」하는 ㉠'이중 맹검법'이 고안되기도 했다. (「 」: 이중 맹검법의 의미) 그런데 최근 이 방해 인자(플라세보 효과)를 활용할 방도가 활발하게 논의되기 시작했다. 초자연적 존재의 힘을 믿고 기도로써 병을 치료(신앙 요법의 개념)하는 신앙 요법, 환자가 앓고 있는 병과 유사한 증상을 유발하여 치료(동종 요법의 개념)하는 동종 요법 등 많은 대체 요법이 플라세보 효과이지만 실제 병 치료에 도움이 된다는 인식이 생겼기 때문이다.

㉰ 환자에 따라 효과가 다른 것은 환자의 플라세보에 대한 인지 차이에서 비롯되는데, 문화적 환경이나 질병에 따라 효과가 다르게 나타난다. 「실제로 궤양 치료에서는 브라질 사람보다 독일 사람에게 플라세보 효과가 더 크게 나타났는데, 고혈압 치료에서는 다른 나라의 사람들에 비해 독일 사람에게 효과가 작게 나타났다. 반면, 우울증 치료에서는 국가별로 차이가 거의 나타나지 않았다.」 (「 」: 문화적 환경이나 질병에 따른 플라세보 효과의 차이) 그러나 이런 연구는 아직은 확정적이 아니며 그 원리를 밝히거나 일반화시키기도 어렵다. 그러나 그동안의 연구를 통해 어떤 말이나 맛, 색깔 등으로 환자를 자극하였을 때 플라세보 효과가 크게 나타난다는 결과를 얻을 수 있었다. 「아스피린보다 모르핀을 투여한다고 말할 경우에 진통의 완화 작용이 크게 나타나는 것」이 이에 해당한다. (「 」: 플라세보 효과가 더 크게 나타나는 경우의 예)

라 일부 질병에 대해 부작용이 많은 약보다는 플라세보를 처방하자는 주장도 들리고 있으나, 학자들은 『플라세보 효과에 대한 청사진이 나오기까지는 이를 확신하기 어렵다고 말한다. 또, 환자를 속여야 효과가 나타나는 처방이라는 점에서, 플라세보를 약이라고 속여 처방하는 것은 환자를 속이는 일이 되는 것이다. 이것은 해법이 없는 딜레마이다. 더욱이 의사는 환자에게 플라세보가 아니라 적절한 약을 투여해야 할 윤리적 책임이 있다.』 1989년에 세계 의학자 협회는 1964년 헬싱키에서 채택한 임상 시험의 윤리적 원칙, 즉 '헬싱키 선언'을 수정하는 가운데 피실험자에 대한 플라세보 사용의 윤리적 정당성 문제와 관련된 조항을 넣었다.

『 』: 플라세보 효과에 대한 부정적 견해

+ 독해 체크

■ **이 글의 핵심 화제**

플라세보의 효과와 (윤리적) 차원에서의 딜레마

■ **문단별 중심 내용**

1문단 (플라세보) 효과의 의미와 등장

2문단 (이중 맹검법)의 고안과 플라세보 효과에 대한 인식의 변화

3문단 (인지) 차이에서 비롯되는 플라세보 효과의 차이

4문단 (윤리적) 차원에서 플라세보의 딜레마

■ **핵심 내용의 구조화**

플라세보 효과		플라세보 효과의 윤리적 딜레마
환자에게 가짜 약을 투여하면서 진짜 약이라고 말하면, 효과가 있을 것이라고 생각하는 환자의 (믿음) 때문에 병이 낫는 현상	↔	• 플라세보 효과는 (환자)를 속여야 효과가 나타나는 처방임 → 플라세보를 약이라고 속여 처방하는 것은 환자를 속이는 일이 됨 • 의사는 환자에게 플라세보가 아니라 적절한 약을 투여해야 할 (윤리적) 책임이 있음

1 (라)에서 '학자들은 플라세보 효과에 대한 청사진이 나오기까지는 이를 확신하기 어렵다고 말한다.'는 것으로 보아, 플라세보 효과는 어느 정도 입증되고 있으나 아직도 많은 학자들이 이 효과를 질병의 치료에 사용하는 데 흔쾌히 동의하지 않고 있음을 알 수 있다. 또한, 글쓴이가 플라세보를 약이라고 하며 환자를 속이는 것에 대해 윤리적 딜레마가 있음을 언급한 것으로 보아, 의학계에서 플라세보 효과를 보편적으로 인정하고 있다는 ②의 설명은 적절하지 않다.

오답 풀이 ❶ (다)에서 환자의 플라세보에 대한 인지의 차이에 따라 효과가 다르게 나타난다고 하며, 아스피린보다 모르핀을 투여한다고 말할 때 진통의 완화 작용이 크게 나타남을 예로 들고 있다. 이로 보아, 플라세보 효능에 대한 믿음이 강할수록 치료 효과가 더 크게 나타남을 알 수 있다.
❸ (다)에서 궤양 치료나 고혈압 치료, 우울증 치료와 관련하여 플라세보 효과를 설명하고 있는데, 이를 통해 일부 질병에 대해 플라세보 효과가 실제로 치료 효과를 보이고 있음을 알 수 있다.
❹ (라)에서 위약을 가지고 처방을 하는 것이 해법 없는 딜레마이자, 위약인 것을 알면서도 환자에게는 효과가 있는 약인 것처럼 속여 처방을 한다는 점에서 의사의 윤리적 책임을 거론할 수 있다고 하였다.
❺ (나)에서 환자와 의사 모두 실제 약인지 위약인지 모르는 상태에서 약을 투여하는 이중 맹검법이 고안되었다는 내용을 통해 확인할 수 있다.

2 ㉠의 '이중 맹검법'은 의사와 환자 모두 약의 효과 유무를 모르는 상태에서 약을 투여하는 것이다. 〈보기〉에서는 클로렐라의 효과가 실제 그것의 약효 때문인지, 환자들이 알고 있었던 약효에 대한 믿음(플라세보 효과) 때문인지 판단하기 어렵다고 하였다. 따라서 클로렐라에 대해 이중 맹검법이 고안되었다면, 그 이유는 의사와 환자 모두 투약되는 약의 효과를 모르게 하는 이중 맹검법을 통해 실제 클로렐라의 약효가 있는지를 객관적으로 확인하기 위해서라고 할 수 있다.

오답 풀이 ❶ 〈보기〉에서 클로렐라는 실제로 사람에 대한 효과에 대해서는 신뢰할 만한 데이터가 없는 일종의 위약에 해당한다. 따라서 클로렐라와 위약의 효과를 비교하기 위해서 이중 맹검법을 고안했다는 것은 적절하지 않다.
❷ 클로렐라에 약효가 있는지 없는지의 여부를 확인하기 위해 이중 맹검법을 고안하는 것이지, 약효가 조작되는 것을 막기 위해 고안하는 것은 아니다.
❹ 클로렐라의 효능에 대해 환자나 의사가 모르는 상태여야 클로렐라의 실제 약효를 확인할 수 있기 때문에 이중 맹검법을 고안하는 것이지, 플라세보 효과를 부정하는 근거를 마련하기 위해서가 아니다.
❺ 클로렐라의 효능을 환자와 의사가 알고 있었어야 플라세보 효과가 나타나므로, 플라세보 효과와 실제 약효의 상승 작용을 밝히기 위해서라는 설명은 적절하지 않다.

3 ④의 '고려(考慮)하지'는 '생각하고 헤아려 보지'를 의미하므로, ⓐ의 '헤아리지'와 바꾸어 쓰기에 가장 적절하다.

오답 풀이 ❶ '추정하지'는 '미루어 생각하여 판정하지'의 의미이다.
❷ '성찰하지'는 '자기의 마음을 반성하고 살피지'의 의미이다.
❸ '추측하지'는 '미루어 생각하여 헤아리지'의 의미이다.
❺ '상정하지'는 '어떤 정황을 가정적으로 생각하여 단정하지'의 의미이다.

+ 어휘 체크

• ⓜ – 방도 ⓛ – 완화 ⓡ – 인자 ⓒ – 청사진 ㉠ – 고안

본문 128~131쪽

과학 03

식물은 꽃 피는 시기를 어떻게 알까?

1 ⑤ 2 ④ 3 ①

가 식물의 꽃 피는 시기(핵심어)는 어떻게 정해지는 것일까? 식물은 외부와 내부의 환경 변화를 인식한다. 「밤낮의 길이와 온도의 변화는 식물 내부의 화학 물질이나 생장 물질에 영향을 주고 이를 통해 식물은 동일한 시간, 동일한 계절에 꽃을 피운다.」(「」: 밤낮의 길이+온도 → 식물에 영향 → 개화 시기가 일정함) 모든 생물들은 지구의 자전 주기와 동일한 24시간을 주기로 하는 생체 시계를 ㉠가지고 있다.(일주기성의 개념) 이 주기를 일주기성이라고 하는데, 생물체는 이것으로 하루의 시간을 인식할 수 있다. 일주기성과 더불어 생물체는 낮의 길이를 측정할 수 있는 광주기 능력(광주기성)을 보유한 덕분에 어떤 현상을 일 년 중 특정한 시기에 일으킬 수 있으며 계절에 따라 반응할 수 있는 것이다.

나 식물은 개화기로 접어들 때 광주기성이 어떻게 영향을 주느냐에 따라 단일 식물, 장일 식물, 중일 식물 등으로 나눌 수 있다.(광주기성에 따른 식물의 분류) ⓐ단일 식물은 밤의 길이, 즉 암기(暗期)가 임계 암기와 같거나 그보다 더 길어지면 개화한다.(단일 식물의 개화 조건: 밤의 길이≥임계 암기) 단일 식물의 개화는 낮의 길이가 짧아짐과 동시에 밤의 길이가 일정 기간 동안 지속적으로 길어져야지만 시작된다. 식물 종에 따라 차이가 나지만, 최소로 요구되는 임계 암기는 대부분 12~14시간 정도이다. 단일 식물로는 코스모스(단일 식물의 예)가 있으며, 이들은 일반적으로 늦여름이나 가을에 개화한다.(단일 식물의 개화 시기) ⓑ장일 식물은 밤의 길이가 임계 암기보다 짧거나 같아지면 개화한다.(장일 식물의 개화 조건: 밤의 길이≤임계 암기) 시금치, 상추, 붓꽃(장일 식물의 예)과 같은 장일 식물은 봄이나 초여름 밤의 길이가 짧아지는 것을 인식하여 늦봄이나 여름에 개화한다.(장일 식물의 개화 시기) ⓒ중일 식물은 낮과 밤의 길이가 같아질 때 개화한다.(중일 식물의 개화 조건: 밤의 길이=낮의 길이) 사탕수수와 콜레우스(중일 식물의 예)는 중일 식물로, 밤의 길이가 너무 길거나 너무 짧아지면 꽃이 피지 않는다. 식물의 광주기성에 대한 지식을 이용하면 제철이 아닌 시기에 꽃을 재배하여 소비자들에게 공급할 수 있다. 예를 들면 국화는 늦가을에 꽃을 피우는 식물이지만, 밤의 길이를 적절히 조절하면 봄, 여름, 겨울에도 개화를 유도할 수 있다.

다 한편, 식물의 개화에는 밤의 길이 이외에도 여러 환경 요인들이 관여할 수 있다. 그중에서 온도는 여러 가지 방법으로 광주기성에 영향을 미친다.(온도 → 광주기성에 영향 → 개화 시기 조정) 식물들은 최적 온도에서 개화하는데, 1년생 식물과 2년생 꽃 피는 식물의 경우 저온 처리하지 않으면 개화가 지연되거나 억제된다. 이와 관련하여 식물의 개화를 앞당기는 춘화 처리라는 것이 있다.

라 춘화 처리는 개화를 촉진하기 위해서 식물을 특정의 온도에서 일정 기간 노출시킴으로써 개화가 촉진되는 것을 말한다.(춘화 처리의 개념) 겨울 호밀은 장일 식물이 아니며 광주기와 관계없이 스물두 번째 잎이 발생한 후에만 개화를 한다. 그러나 「겨울 호밀을 발아시킨 후 수 주일 동안 저온 처리(1℃)하여 심으면 봄 호밀처럼 장일 조건에 반응하여 일찍 개화하게 된다.」(「」: 춘화 처리의 사례) 중일 식물을 저온 처리하고 나면 개화는 광주기와 관계없이 진행된다. 춘화에 유효한 온도 범위는 종과 처리 기간(춘화 처리 시 고려 사항)에 따라 차이가 나는데, 이러한 한계 내에서 춘화 처리의 효과는 처리한 기간에 비례한다. 일반적으로 춘화 처리를 1~2℃에서 1~2주일 정도하면 개화가 촉진되고, 같은 온도에서 약 7주 처리하면 최대의 효과를 얻을 수 있다.

독해 체크

■ 이 글의 핵심 화제

(광주기성)에 따른 식물의 개화 시기와 (춘화) 처리

■ 문단별 중심 내용

1문단 식물의 (개화(꽃 피는)) 시기를 결정하는 요인

2문단 (광주기성)에 따른 식물의 분류

3문단 (온도)가 개화에 미치는 영향

4문단 (춘화 처리)의 방법과 효과

■ 핵심 내용의 구조화

식물의 개화 시기에 영향을 미치는 것

(광주기성) + 온도

단일 식물	(장일 식물)	중일 식물	춘화 처리
• '(밤의 길이) ≥ 임계 암기'일 때 개화함 • 코스모스 • 늦여름이나 가을에 개화함	• '밤의 길이 ≤ 임계 암기'일 때 개화함 • 시금치, 상추, 붓꽃 • 늦봄이나 여름에 개화함	• '밤의 길이=(낮의 길이)'일 때 개화함 • 사탕수수, 콜레우스	• 식물을 특정 온도에서 일정 기간 노출시켜 개화를 촉진하는 것 • 춘화 처리의 효과는 처리한 그 기간에 (비례)함

1 (라)에서 춘화에 유효한 온도 범위는 종과 처리 기간에 따라 차이가 난다고 하였다.

오답 풀이 ❶ (가)에서 모든 생물체는 하루의 시간을 인식하는 일주기성과 낮의 길이를 측정할 수 있는 광주기 능력을 보유하고 있다고 하였다.

❷ (가)에서 생물체는 광주기 능력을 보유한 덕분에 어떤 현상을 일 년 중 특정한 시기에 일으킬 수 있다고 하였다.
❸ (나)에서 임계 암기는 식물 종에 따라 차이가 있지만, 개화하려면 최소한의 임계 암기가 요구된다고 하였다.
❹ (라)에서 중일 식물을 저온 처리하고 나면 개화는 광주기와 관계없이 진행된다고 하였다.

2 ㄱ은 개화 시기가 낮의 길이와 밤의 길이가 같아질 때이므로 중일 식물 그래프이다(ⓒ). ㄴ은 낮의 길이가 길어질수록 개화율이 떨어지므로 단일 식물을 나타내는 그래프이다(ⓐ).

3 ㉠의 '가지고'는 '손이나 몸 따위에 있게 하고'의 의미로, ①의 '가지고'와 같은 의미로 사용되었다.
오답 풀이 ❷ '가지고'는 보조 동사로 쓰인 것으로, 앞말이 뜻하는 행동의 결과나 상태가 그대로 유지되거나, 또는 그럼으로써 뒷말의 행동이나 상태가 유발되거나 가능하게 됨을 나타내는 말이다.
❸ '가지고'는 앞에 오는 말이 대상이 됨을 강조하여 나타내는 말이다.
❹ '가지고'는 앞에 오는 말이 수단이나 방법이 됨을 강조하여 나타내는 말이다.
❺ '가지고'는 모임을 나타내는 말과 함께 쓰여 '모임을 치르고'라는 의미를 나타낸다.

+ 어휘 체크
1 (1) 개화 (2) 관여 (3) 촉진
2 ❶ 보유 ❷ 유도 ❸ 생체 ❹ 생장

본문 132~135쪽

04 인체에 적용된 지레의 원리

1 ④ 2 ② 3 ①

가 우리의 팔이 지레의 원리로 움직인다면 낯설게 느껴질 것이다. 인체에 적용된 지레의 원리(이 글의 중심 화제)는 무엇일까? 지레(핵심어)는 막대를 어떤 점에 받쳐서 그 받침점을 중심으로 움직일 수 있게 한 도구이다(지레의 개념). 지렛대로 쓰이는 막대를 고정한 곳이 받침점(지레의 구성 요소 ①), 지렛대에 힘을 주는 곳이 힘점(지레의 구성 요소 ②), 물체를 움직이게 하는 곳이 작용점(지레의 구성 요소 ③)이다.

나 지레는 가운데에 어떤 점이 놓이느냐에 따라 1종, 2종, 3종 지레로(지레의 종류) ㉠나뉜다. 1종 지레는 그림 [A]와 같이 작용점과 힘점 사이에 받침점이 놓여 있으며, 힘점과 작용점은 힘의 방향이 반대이다(1종 지레의 원리). 무거운 돌을 들기 위해서는 지렛대 끝에 힘을 주어야 하는데, 그 이유는 「받침점과 작용점 사이의 거리보다 받침점과 힘점 사이의 거리가 길수록 작용점에 미치는 힘이 커지기(더 쉽게 무거운 것을 들 수 있기) 때문이다.」(「 」: 1종 지레의 특징) 2종 지레는 그림 [B]와 같이 받침점과 힘점 사이에 작용점이 놓여 있으며, 힘점과 작용점은 힘의 방향이 같다(2종 지레의 원리). 이 경우도 「1종 지레와 마찬가지로 병따개 손잡이의 뒤쪽을 잡을수록(받침점과 힘점 사이의 거리를 최대한 벌릴수록) 작은 힘으로 병뚜껑을 딸 수 있다.」(「 」: 2종 지레의 특징) 따라서 1, 2종 지레를 사용하면 작은 힘을 가하여 큰 힘을 얻을 수 있다(1종 지레와 2종 지레의 공통점).

다 3종 지레는 그림 [C]와 같이 받침점과 작용점 사이에 힘점이 놓여 있으며, 힘점과 작용점은 힘의 방향이 같다(3종 지레의 원리). 3종 지레는 1, 2종 지레와 달리 받침점에서 힘점까지의 거리가 받침점에서 작용점까지의 거리보다 짧기 때문에 작은 힘을 가하여 큰 힘을 얻을 수는 없다(3종 지레의 단점). 하지만 힘점을 짧게 움직여서 작용점을 길게 움직일 수 있기 때문에 이동 거리 측면에서는 효율적(3종 지레의 장점)이다. 「핀셋의 경우, 힘점에 가하는 힘에 비해 작용점에 미치는 힘이 더 작지만(작은 힘으로 큰 힘을 얻을 수는 없지만), 힘점인 가운데 부분을 조금만 움직여도 작용점인 끝부분이 더 많이 움직이게 된다.」(「 」: 3종 지레의 예) 따라서 3종 지레를 사용하면 짧은 거리를 움직여서 긴 거리를 움직이게 할 수 있다(3종 지레의 특징).

라 인체에서 팔은 3종 지레의 원리로 움직인다. 물건을 손으로 들어 올릴 경우, 팔꿈치(받침점)를 중심으로 아래팔뼈에 연결된 이두근이 수축하면서 아래팔뼈에 힘이 가해지면(이두근의 작용 → 힘점의 움직임(힘을 줌)) 팔이 움직인다(팔을 움직임 → 작용점의 움직임). 이때 힘점에 가하는 힘은 작용점에 미치는 힘보다 크다. 그렇지만 근육이 수축한 거리보다 손바닥이 움직인 거리가 길기 때문에 거리 면에서는 효율적인 움직임이 된다(짧은 거리를 움직여 긴 거리를 움직이게 할 수 있음). 인체는 팔뿐만 아니라 다리나 턱도 3종 지레로 되어 있다. 이 덕분에 우리는 근육을 짧게 움직여 팔다리를 크게 움직일 수 있고, 음식물을 씹을 수도 있는 것이다.

+ 독해 체크

■ **이 글의 핵심 화제**
지레의 (종류)와 인체에 적용된 (3)종 지레의 원리

■ **문단별 중심 내용**
1문단 (지레)의 개념과 구성
2문단 (1, 2)종 지레의 원리와 특징
3문단 (3)종 지레의 원리와 특징
4문단 (3)종 지레의 원리가 적용된 인체의 예

■ 핵심 내용의 구조화

지레의 구성 요소	•(받침점): 지렛대로 쓰이는 막대를 고정한 곳 • 힘점: 지렛대에 힘을 주는 곳 •(작용점): 물체를 움직이게 하는 곳

1종 지레	• 작용점 – 받침점 – 힘점 • 힘점과 작용점: 힘의 방향이 (반대)	받침점과 작용점 사이의 거리<받침점과 힘점 사이의 거리 → 작은 힘으로 큰 힘을 얻을 수 있음
2종 지레	• 받침점 – 작용점 – 힘점 • 힘점과 작용점: 힘의 방향이 (같음)	
3종 지레	• 작용점 – (힘점) – (받침점) • 힘점과 작용점: 힘의 방향이 같음	받침점과 작용점 사이의 거리>받침점과 힘점 사이의 거리 → 짧은 거리를 움직여 긴 거리를 움직이게 할 수 있음

1 이 글은 1종, 2종, 3종 지레의 종류와 작용 원리에 대해 지레, 병따개, 핀셋을 예로 들어 설명하고, 3종 지레의 원리로 움직이는 인체의 팔에 대해 설명하고 있다. 즉 도구와 인체를 중심으로 지레의 종류와 작용 원리에 대해 설명하고 있다.

오답 풀이 ❶ 지레의 원리가 적용된 병따개, 핀셋 등의 예시가 제시되었으나, 건축 분야와 관련된 사례는 제시되지 않았다.
❷ 이 글에는 지레가 어떻게 발달되었는지 그 과정은 드러나 있지 않다.
❸ 이 글에는 인체에서 찾을 수 있는 지레 원리로 3종 지레만 제시하였다.
❺ 지레가 인간이 최초로 사용한 도구라는 내용이 제시되지 않았고, 3종 지레는 힘이 아닌 거리를 효율적으로 활용할 수 있는 지레이다.

2 〈보기〉에 제시된 그림에서 ⓐ는 받침점, ⓑ는 힘점, ⓒ는 작용점으로, 3종 지레의 원리가 적용되는 것을 알 수 있다. 3종 지레는 ⓑ에 힘을 가하여 ⓒ를 움직이므로, 받침점인 ⓐ에 힘을 가해서 ⓒ를 움직이게 할 수는 없다.

오답 풀이 ❶ 받침점 ⓐ를 중심으로 ⓑ에 힘을 가하면 ⓒ가 움직인다.
❸ 힘점 ⓑ는 팔이 움직일 때 힘의 방향이 위쪽으로 향하고, 작용점 ⓒ도 팔이 위쪽으로 움직일 때 같이 위쪽으로 움직인다.
❹ (다)에서는 3종 지레인 핀셋을 예로 들면서 핀셋의 경우 힘점에 가하는 힘에 비해 작용점에 미치는 힘이 더 작다고 하였다. 따라서 힘점 ⓑ에 가해지는 힘은 작용점 ⓒ에 미치는 힘보다 크다고 할 수 있다.
❺ 3종 지레는 힘점 ⓑ가 움직인 거리보다 작용점 ⓒ가 움직인 거리가 더 길다.

3 지레는 가운데에 어떤 점이 놓이느냐에 따라 1종, 2종, 3종으로 나뉘므로, '종류에 따라서 갈라진다.'라는 의미의 '분류(分類)된다'로 바꿔 쓸 수 있다.

+ 어휘 체크

• ⓜ – 측면 ⓒ – 적용 ⓖ – 수축 ⓡ – 효율적 ⓛ – 원리

기술 01 도마뱀붙이가 천장을 걷는 방법

1 ② 2 ⑤ 3 ①

가 우리는 중력이 지배하는 환경에 살고 있으며 곤충을 제외한 발을 가진 동물들은 중력을 이용하여 땅 위를 걷거나 기어 다닌다. 그런데 이런 상식을 뛰어넘는 동물(상대적으로 중력에 구애받지 않는 동물)이 있다. 그것은 「흔히 게코(gecko)라고 불리는 열대 지방에 사는 도마뱀붙이(핵심어)로, 몸길이가 30~50센티미터, 몸무게가 4~5킬로그램 정도의 큰 동물이다.」(「 」: 도마뱀붙이에 대한 설명) 그럼에도 「도마뱀붙이는 벽을 따라 쉽게 달리기도 하고 천장에 거꾸로 매달려 걷는가 하면 심지어 한 발로 천장에 ⓐ붙어 있기도 한다.」(「 」: 도마뱀붙이가 중력에 구애받지 않고 움직이는 모습)

나 그럼 도마뱀붙이가 다른 동물과 달리 천장에 매달려서 걸을 수 있는 이유는 무엇일까? 그것은 바로 발가락 바닥에 발달한 나노 소재 때문이다(도마뱀붙이가 중력에 크게 구애받지 않을 수 있는 이유). 「도마뱀붙이의 발가락 바닥은 사람 손금처럼 작은 주름이 덮고 있는데, 이 주름은 발가락에 수직으로 정렬되어 있다. 주름을 확대시켜 보면, 주름은 다시 작은 솔털로 덮여 있다. 작은 솔털은 규칙적으로 빽빽하게 배열되어 있는데, 1제곱밀리미터당 약 1만 5천 개나 된다. 발가락 하나를 덮은 솔털이 약 50만 개 정도로, 이처럼 많은 솔털이 빽빽이 밀착되어 있어서 겉으로는 평평하게 보인다.」(「 」: 도마뱀붙이의 발바닥에 대한 구체적인 설명(발가락 바닥의 작은 주름 → 주름 속 작은 솔털))

다 흥미로운 사실은 작은 솔털에도 있다. 「솔털 하나는 길이가 0.1밀리미터 정도인 작은 빗자루 모양이며, 솔털 자루 끝에 수백 개가 넘는 잔가지가 나와 있다. 이 잔가지 끝은 모두 거머리나 오징어의 빨판처럼 평평한 모양이다. 뭉툭한 모양이 주걱과 비슷해서 이를 스패출러라고도 하는데, 지름이 수백 나노미터 정도인 스패출러는 나노 빨판처럼 보인다.」(「 」: 작은 솔털의 구체적인 모습을 설명함) ㉠도마뱀붙이가 벽과 천장에 붙어서 다닐 수 있는 비밀이 바로 발바닥에 있는 이 나노 빨판에 있다. 도마뱀붙이는 이른바 '반데르발스의 힘'이라고 불리는 결합력으로 천장을 걸어 다닌다(나노 빨판에 의해 가능해진 현상). 물체가 서로 달라붙는 힘에는 여러 종류가 있는데, 이 가운데 반데르발스의 힘이 가장 작은 결합력이다. 「나노 빨판 하나가 지탱하는 힘은 1만분의 1그램 정도로 지극히 작다. 그러나 발가락에 수백 개의 나노 빨판이 있는 작은 솔털이 50만 개나 있어서, 발가락 하나로 수 킬로그램이나 되는 무거운 몸통을 지탱할 수 있다.」(「 」: 도마뱀붙이 발가락 바닥에 있는 나노 빨판의 특성)

라 작은 솔털이 나란히 주름으로 정렬된 것도 매우 유용하다. 나노 빨판 덕분에 도마뱀붙이가 벽에 단단하게 붙는다면, 발을 떼기 위해서도 그만큼 큰 힘이 필요하고

걸음을 옮기기도 어렵고 둔할 것이다. 달라붙는 것은 반데르발스의 힘으로 설명되는데, 발은 어떻게 뗄 수 있는 것일까? 도마뱀붙이는 발가락을 수직으로 들어 올리지 않고, 뒤에서부터 조금씩 들어 올리면서 걷는다.(발바닥의 주름을 뒤에서부터 차례대로 들어 올리기 위한 행동) 즉 발바닥의 주름을 뒤에서부터 한 줄씩 순서대로 들어 올리면서 발을 뗀다. 나노 빨판 하나가 지탱하는 반데르발스의 힘이 워낙 작기 때문에(도마뱀붙이가 발을 뗄 때 많은 힘이 필요하지 않은 이유) 하나씩 떼는 것은 아주 쉬운 일이다. 이처럼 도마뱀붙이는 발바닥에 있는 독특한 나노 빨판 덕분에 천장에서도 힘들이지 않고 빠르게 뛰어다닐 수 있는 것이다.(도마뱀붙이가 천장에 붙어서 다닐 수 있는 방법(주제문))

독해 체크

■ 이 글의 핵심 화제

(도마뱀붙이)가 천장에 붙어서 다닐 수 있는 방법

■ 문단별 중심 내용

- 1문단: 천장에 매달려 걷는 (도마뱀붙이)
- 2문단: 도마뱀붙이의 발가락 바닥에 발달한 (나노) 소재
- 3문단: 도마뱀붙이의 발가락 바닥과 천장 사이에 작용하는 (결합력(반데르발스의 힘))
- 4문단: 도마뱀붙이가 천장을 (뛰어다니는) 비결

■ 핵심 내용의 구조화

도마뱀붙이 발가락 바닥의 작은 솜털

작은 솜털 속 나노 빨판	주름으로 정렬된 작은 솜털
• 도마뱀붙이의 발가락 한 개에는 솜털이 50만 개나 있음 • 솜털 하나당 수백 개의 (나노 빨판)을 가지고 있음 • 나노 빨판 하나당 1만분의 1그램 정도를 지탱할 수 있음	• 도마뱀붙이의 발바닥에 작은 솜털이 나란히 주름으로 정렬되어 있음 • 도마뱀붙이는 발을 뗄 때 발바닥의 주름을 (뒤)에서부터 한 줄씩 순서대로 들어 올림 • 나노 빨판 하나가 지탱하는 반데르발스의 힘은 매우 (작음)
'(반데르발스)의 힘(결합력)' 작용 → 발가락 하나로 수 킬로그램이나 되는 무거운 몸통을 지탱할 수 있음	달라붙을 때 필요한 힘과 달리, 발을 뗄 때에는 많은 힘을 필요로 하지 않음

도마뱀붙이는 (중력)에 크게 구애받지 않고, 천장에서도 힘들이지 않고 빠르게 뛰어다님

1 (다)의 '이 잔가지 끝은 모두 거머리나 오징어의 빨판처럼 평평한 모양이다.'에서 알 수 있듯, '작은 솜털' 끝부분의 잔가지가 거머리나 오징어의 빨판과 같은 모양이라는 것이지 그 성분까지 같다는 것은 아니다.

오답 풀이 ❶ (나)에서 도마뱀붙이의 발가락 바닥은 작은 주름이 덮고 있고, 이 주름은 다시 작은 솜털로 덮여 있다고 하였다.
❸ (다)에서 솜털은 작은 빗자루 모양이며, 솜털 자루 끝에 수백 개가 넘는 잔가지가 나와 있다고 하였다.
❹ (나)에서 도마뱀붙이의 발가락 하나를 덮은 솜털이 약 50만 개 정도라고 하였다.
❺ (나)에서 도마뱀붙이의 발가락 바닥 주름을 덮고 있는 작은 솜털은 규칙적으로 빽빽하게 배열되어 있다고 하였다.

2 도마뱀붙이가 천장에 붙어서 다닐 수 있는 비밀은 도마뱀붙이의 발바닥에 있는 수많은 나노 빨판으로 인해, 벽에 단단히 붙을 수도 있고 또 쉽게 벽에서 발을 뗄 수도 있다는 데에 있다. 그런데 두 물체를 붙였을 때 강력하게 붙어서 떨어지지 않는다면 나노 빨판의 작용과는 거리가 멀다고 할 수 있다.

오답 풀이 ❶ 쉽게 달라붙고 쉽게 뗄 수 있는 나노 빨판의 원리를, 자주 붙였다 떼었다 할 수 있는 테이프에 적용하는 것은 적절한 활용 방안이 될 수 있다.
❷ 단단히 붙었다 쉽게 떨어지는 나노 빨판의 원리를, 빙판에 달라붙었다가 걸음을 옮길 때 빙판에서 쉽게 떨어지는 신발에 적용하는 것은 적절한 활용 방안이 될 수 있다.
❸ 동물 모양의 장난감이 유리벽 위를 오르내리려면 장난감의 발바닥이 중력에 크게 구애받지 않고 유리벽에 쉽게 붙었다 쉽게 떨어지는 나노 빨판으로 되어 있을 때 가능하다.
❹ 로봇이 높은 벽이나 천장을 기어 다니며 작업을 하기 위해서는 로봇의 손발이 중력에 크게 구애받지 않고 벽이나 천장에 쉽게 붙었다 쉽게 떨어지는 나노 빨판으로 되어 있을 때 가능하다.

더 알아두기 도마뱀붙이의 빨판을 이용한 로봇

2006년 세계적 로봇 공학자인 김상배 교수는 도마뱀처럼 미끄러운 벽을 빠르게 올라가는 능력을 가진 로봇, 즉 스티키봇(stickybot)을 개발했다. 이 발명은 미국의 시사 주간지 『타임』으로부터 2006년 최고의 발명품으로 선정되기도 했으며, 미국 국방성은 이 기술을 적용한 신발과 장갑에 큰 관심을 보였다. 이 로봇은 방사선 피해 위험이 큰 원자로 속과 같은 곳에 쓰일 수 있는데, 사람이 직접 작업을 수행하기 힘든 곳에서 사람을 대신할 수 있어 매우 유용하다.

3 ⓐ의 '붙어'는 '맞닿아 떨어지지 아니해'라는 의미로 쓰였다. ①의 '붙고' 역시 이러한 의미로 쓰였다.

오답 풀이 ❷ '붙었다'는 '불이 옮아 타기 시작했다.'의 의미로 쓰였다.
❸ '붙으려고'는 '좇아서 따르려고'의 의미로 쓰였다.
❹ '붙어'는 '겨루는 일 따위가 서로 어울려 시작되어'의 의미로 쓰였다.
❺ '붙어서'는 '생활을 남에게 기대어서'의 의미로 쓰였다.

어휘 체크

1 유지 – 지배 – 배열 – 열대 – 대결 – 결합
2 ❶ ㉢ ❷ ㉡ ❸ ㉠

제책 기술의 발전 과정

1 ③　2 ⑤　3 ④

(가) 종이가 개발되기 전, 인류는 동물의 뼈나 양피지 등에 필요한 정보를 기록해 왔다. 하지만 담긴 정보량에 비해 부피가 방대하였고 그로 인해 보존과 가독에 어려움을 겪었다. 그런데 종이의 개발로 부피가 줄어들면서(종이의 장점) 종이로 된 책이 주된 기록 매체가 되었고 책의 보존성과 가독성, 휴대성 등을 더욱 높이기 위한(제책 기술 발달의 필요성) 제책 기술(핵심어)의 발달이 요구되었다.

(나) 「서양은 종이책을 만들기 시작했을 때 제지 기술이 동양에 비해 미숙했고 질 나쁜 종이로 책을 제작해야 했기에 책의 내구성을 높이기 위한 기술이 필요했다.」(「 」: 양장 기술이 등장한 배경) 그래서 표지에 가죽을 씌우거나 나무판을 덧대는 방법을(양장의 개념 ①) 개발했는데 이를 양장(洋裝)(제책 기술의 유형 ①)이라 한다. 양장은 내지 묶기와 표지 제작을 따로 한 후에 합치는 방법이다.(양장의 개념 ②) 「내지는 실매기 방식을 활용해 실로 단단히 묶고, 표지는 판지에 천이나 가죽 등의 마감 재료를 접착하여 만든다. 표지와 내지를 결합할 때는 책등과 결합되는 내지 부분에 접착제를 발라 책등에 붙인다. 또한 내지보다 두껍고 질긴 종이인 면지를 표지와 내지 사이에 접착제로 붙여 이어 줌으로써 책의 내구성을 높인다. 표지 부착 후에는 가열한 쇠막대로 앞뒤 표지의 책등 쪽 가까운 부분을 눌러 홈을 만들어 책의 펼침성이 좋도록 한다.」(「 」: 양장의 방법)

(다) 「18세기 말에 유럽은 산업 혁명으로 인쇄가 기계화되면서 대량 생산을 위한 기반이 갖추어지고, 경제의 발전으로 일부 계층에만 ㉠국한됐던 독서 인구가 확대되어 제책 기술도 대량 생산이 가능한 방식으로 발전해야 했다.」(「 」: 중철 기술이 등장한 배경) 이를 위해 간편하게 철사를 사용해 매는 제책 기술이 개발되었는데 처음에는 '옆매기'라 불리는 기술을 사용하였다. 그러나 옆매기는 책장 넘김이 용이하지 않아 '가운데매기'(중철에 사용되는 기술)라 불리는 중철(中綴)(제책 기술의 유형 ②)이 주된 방식으로 자리 잡았다. 중철은 「인쇄지를 포개 놓고 책장이 접히는 한가운데 부분을 ㄷ자형 철침을 이용해 매었는데, 보통 2개의 철침으로 표지와 내지를 고정하지만 표지나 내지가 한가운데서부터 떨어지는 경우가 잦아 철침을 4개로 박기도 하였다.」(「 」: 중철의 방법) 중철은 광고지, 팸플릿 등 오랜 보관이 필요 없거나 분량이 적은 인쇄물(중철이 주로 사용되는 것)에 사용해 왔으며, 중철된 책은 쉽게 펼치거나 넘길 수 있고 두루마리처럼 말아서 간편하게 휴대할 수도 있다.(중철의 장점)

(라) 20세기 중반에는 화학 접착제가 개발되며(무선철 기술의 등장 배경) 무선철(無線綴)(제책 기술의 유형 ③)이라는 제책 기술이 등장했다. 이름처럼 실이나 철사 없이 화학 접착제만으로 책을 묶는 방식(무선철의 개념)이다. 이 방법은 「자동화가 가능해 대량 생산에 더욱 적합했고, 생산 단가가 낮아지면서 판매 가격을 낮출 수 있어 책의 대중화에 기여했다.」(「 」: 무선철의 장점) 그리고 1990년대에는 습기 경화형 우레탄 핫멜트가 개발되면서 개발 초보다 내구성이 더욱 강화된 책을 만들게 되었다. 무선철 기술은 지금도 계속 보완, 발전하고 있으며 그로 인해 오늘날 대부분의 책은 무선철 방식으로 제작되고 있다.

독해 체크

■ 이 글의 핵심 화제

제책 기술의 (발전) 과정과 주요 방식

■ 문단별 중심 내용

- 1문단: 제책 기술 발달의 (필요성)
- 2문단: (양장) 기술의 특징
- 3문단: (중철) 기술의 특징
- 4문단: (무선철) 기술의 특징

■ 핵심 내용의 구조화

제책 기술의 발전 과정

양장	• 표지에 (가죽)을 씌우거나 나무판을 덧대는 방법임 • (내지) 묶기와 표지 제작을 따로 한 후에 합치는 방법임 • 내지(실매기 방식 활용) – 면지(내구성 높임) – 표지(판지에 마감 재료 접착) – 책등 홈(펼침성 높임)
중철	• 인쇄지를 포개 책장이 접히는 한가운데를 (ㄷ)자형 철침으로 매는 방법임 • '(가운데매기)'로 불리며, '옆매기'보다 책장 넘김이 용이함 • 오랜 보관이 필요 없거나 (분량)이 적은 인쇄물에 사용함
무선철	• 실이나 철사 없이 (화학 접착제)만으로 책을 묶는 방식임 • 자동화가 가능해 대량 생산에 더욱 적합함 → 책의 (대중화)에 기여함

1 이 글은 종이책이 나오면서 제책 기술의 등장이 필요해졌음을 밝히고, '실 → 철사 → 화학 접착제' 순으로 책 묶기 방식이 발전하는 과정을 제시하였다.

오답 풀이 ❶ 이 글은 제책 기술의 발전 과정을 다루고 있지만, 제책 기술의 한계는 언급하지 않았다. 또 각 제책 기술에 대한 문제점 진단과 보완 방안을 중심으로 제책 기술의 발전을 설명한 것도 아니다.

❷ (라)에서 화학 접착제 및 습기 경화형 우레탄 핫멜트의 개발과 관련하여 제책 기술의 발전을 설명하고 있다. 그러나 이러한 화학 접착제의 개발과 제책 기술 현대화의 경향은 이 글에서 제시한 '양장 – 중철 – 무선철'로 이어지는 발달 과정 중, 마지막 기술인 무선철에만 해당하는 내용이다.

❹ (다)에서 산업 혁명과 같은 사회적 상황이 대량 생산이 가능한 제책 기술의 발전을 가져왔음을 언급하고 있다. 하지만 이 글이 제책 기술 개발의 방향과 문제점을 중심으로 제책 기술의 발전과 사회적 영향에 대해 설명하고 있는 것은 아니다.

❺ 이 글은 제책 기술의 필요성과 발전 과정을 다루고 있지만, 제책 기술의 의의에 대해서는 언급하지 않았다. 또한 책의 내구성 향상 단계를 중심으로 제책 기술의 필요성을 설명한 것도 아니다.

2 실, 철사 없이 화학 접착제로만 책을 묶는 무선철 제책 기술로 생산 단가를 낮추고, 내구성을 높일 수 있으므로, 〈보기〉의 요구 사항에 따라 문집을 제작할 수 있다.

오답 풀이 ❶ 〈보기〉에서 작년 문집은 간편하게 말아서 휴대가 가능한 '중철' 기술로 제작되었음을 알 수 있다. 그런데 철침으로 책 옆을 묶는 '옆매기'라는 제책 기술은 책장 넘김이 용이하지 않았던 방식이다. 따라서 '중철' 기술을 보완할 방법으로 철침을 옆으로 묶는 '옆매기' 기술을 제시하는 것은 적절하지 않다.

❷ 〈보기〉에서 올해 문집은 전년에 비해 분량이 증가했으며, 오래도록 보관할 수 있도록 내구성을 높이려 함을 알 수 있다. 그런데 내지와 표지를 별도로 제작한 후 묶는 것은 '양장' 기술에 대한 것으로, 문집 제작 비용을 절감하려는 점을 고려할 때 적절하지 않다.

❸ 〈보기〉에서 작년에 제작된 문집은 표지의 한가운데가 떨어지는 문제가 있었다고 하였으므로, 그에 대한 대안으로는 표지와 내지가 떨어지지 않게 철침을 2개에서 4개로 늘리는 방안을 제시할 수 있다. 하지만 〈보기〉에서 올해는 기존보다 문집의 분량이 100쪽 이상 증가한 점과 학생들이 오래도록 보관하고 싶어 하는 점을 고려해 달라고 하였으므로, 분량이 적은 인쇄물에 주로 사용하는 '중철' 기술을 보완 방법으로 제시하는 것은 적절하지 않다.

❹ 실매기를 한 후 면지를 접착제로 붙이는 방법은 서양에서 책을 만들기 시작할 때 개발된 '양장' 기술에 대한 설명이다. 이런 '양장' 기술은 책을 오래 보관할 수 있으나 제작 비용이 많이 든다는 점에서 적절하지 않다.

3 ㉠은 18세기 말 이전에 독서 인구가 일부 계층에만 한정되었던 것을 의미한다. 이처럼 '국한'은 '범위를 일정한 부분에 한정함'을 의미하는 말로 '~에/에게', '~(으)로'라는 말을 앞에 두고 주로 동사 형태로 쓰인다. ④의 빈칸에는 '일정한 한도를 정하거나 그 한도를 넘지 못하게 막음'을 의미하는 '제한'이 들어가기에 적절하다.

오답 풀이 ❶ '너에게만'을 앞에 두고 범위를 한정하고 있으므로, '국한'이 들어가기에 적절하다.

❷ '우리 지역에'를 앞에 두고 범위를 한정하고 있으므로, '국한'이 들어가기에 적절하다.

❸ '20세 이상으로'를 앞에 두고 범위를 한정하고 있으므로, '국한'이 들어가기에 적절하다.

❺ '도시에만'을 앞에 두고 범위를 한정하고 있으므로 '국한'이 들어가기에 적절하다.

+ 어휘 체크

1 (1) 방대 (2) 양피지 (3) 용이
2 ❶ 제책 ❷ 책등 ❸ 가독성 ❹ 내구성

본문 144~147쪽

기술 03 날개 없는 선풍기의 비밀

1 ④ 2 ⑤ 3 ④

㉮ 선풍기가 처음 개발된 이후, 동력이나 기능은 달라졌지만 날개가 회전하며 바람을 일으키는 선풍기의 모습에는 큰 변화가 없다. 하지만 영국의 한 회사는 날개 없는 선풍기(핵심어)를 개발했다. 날개가 없는데 바람이 어떻게 생기는 것일까? (중심 화제 제시: 질문의 형식으로 독자의 흥미와 호기심을 자극함)

㉯ 날개 없는 선풍기는 스탠드와 고리 몸통으로 ⓐ이루어져 있다(날개 없는 선풍기의 구성). 스탠드의 내부에는 공기를 ⓑ빨아들이도록 제트 엔진처럼 팬과 모터가 있다(스탠드 내부의 구성). 고리 몸통은 내부가 비어 있어 공기가 지나가도록 설계되어 있으며(고리 몸통의 특징 ①), 여기에는 이 공기가 바깥으로 나가도록 둥근 고리 몸통을 따라 난 작은 틈이 있다(고리 몸통의 특징 ②).

㉰ 또한 고리 몸통 단면의 형태는 비행기 날개의 단면을 뒤집어 놓은 것과 비슷한 구조이다. 이런 구조로 만든 이유는 고리 몸통 안쪽과 바깥쪽의 기압 차이를 만들어 고리 몸통 주변의 공기를 이동시키기 위한 것이다. 비행기 날개의 경우, 윗면이 아랫면보다 불룩하다. 『공기는 비행기의 평평한 아랫면보다 불룩한 윗면을 지나갈 때 속도가 더 빨라지게 되는데, 공기의 속도가 빠른 윗면은 기압이 낮아지고 속도가 느린 아랫면의 기압은 상대적으로 높아지게 된다.』(『』: • 평평한 아랫면 – 공기의 속도↓, 기압↑ • 불룩한 윗면 – 공기의 속도↑, 기압↓) 공기는 고기압에서 저기압으로 힘이 작용해 이동하므로(공기의 이동: 고기압 → 저기압), 기압이 높은 날개의 아래쪽에서 기압이 낮은 날개의 위쪽으로 힘이 작용해 공기가 이동하면서 비행기가 뜨는 것이다. 날개 없는 선풍기의 고리 몸통 단면에도 ㉠이 원리가 ⓒ반영되어 있다.

라 「날개 없는 선풍기는 바람을 만들기 위해 우선 스탠드의 팬을 작동하여 주변의 공기를 빨아들인다. 이렇게 흡입된 공기는 고리 몸통 내부로 올라가는데, 이때 스탠드의 내부보다 좁아진 고리 몸통 내부의 공간으로 인해 약 88km/h 정도로 그 유속이 빨라지게 된다. 또한 고리 몸통 내부로 빠르게 밀려 올라온 공기는 1.3mm의 작은 틈을 통해 고리 몸통 밖으로 나온다. 이때 고리 몸통 내부의 공간보다 훨씬 더 좁은 틈 때문에 공기가 더 ⓓ가속된다. 이렇게 빨라진 공기로 인해 고리 몸통 안쪽의 기압은 낮아지고 고리 몸통 바깥의 기압은 상대적으로 높아지게 된다. 이 때문에 고리 몸통 주변의 공기가 고리 몸통 내부에서 나온 빠른 공기와 같은 방향으로 이동하여 합쳐지면서 바람이 생기는 것이다.」 이때 고리 몸통 안쪽을 통과하는 공기의 양은 처음 스탠드에 흡입된 공기의 양보다 15배 정도 ⓔ증가하게 된다.

(「 」: 날개 없는 선풍기에서 바람이 생기는 원리와 과정 / 유속이 빨라지게 된다: 공기의 속도↑, 기압↓ / 훨씬 더 좁은 틈 때문에 공기가 더 가속된다: 고리 몸통 내부보다 공기의 속도↑, 기압↓ / 고리 몸통 안쪽의 기압은 ~ 높아지게 된다: 공기의 흐름은 고리 몸통 바깥(고기압)에서 안쪽(저기압)으로 이동할 것임)

독해 체크

■ 이 글의 핵심 화제

(날개 없는 선풍기)의 구조와 원리

■ 문단별 중심 내용

- 1문단: 날개 없는 선풍기에서 (바람)이 생기는 원리에 대한 의문
- 2문단: 날개 없는 선풍기의 구성과 특징
- 3문단: 날개 없는 선풍기의 (고리 몸통) 단면에 반영되어 있는 비행기의 원리
- 4문단: 날개 없는 선풍기가 (바람)을 만드는 원리와 과정

■ 핵심 내용의 구조화

비행기의 원리		날개 없는 선풍기의 원리	
날개의 (윗면)	볼록하여 공기의 속도가 빠르고 기압이 낮음	고리 몸통 안쪽	좁은 틈으로 인해 공기의 (속도)가 빨라지며 기압이 낮아짐
날개의 (아랫면)	평평하여 공기의 속도가 느리고 기압이 상대적으로 높음	고리 몸통 바깥	공기의 속도가 안쪽보다 느리며 (기압)은 상대적으로 높아짐

공기의 이동: (고)기압 → (저)기압

비행기	날개 없는 선풍기
기압이 높은 날개의 (아래)쪽에서 기압이 낮은 날개의 (위)쪽으로 힘이 작용해 공기가 이동하면서 비행기가 뜨게 됨	기압이 높은 고리 몸통 (바깥(주변))의 공기가 기압이 낮은 고리 몸통 (안쪽(내부))의 빠른 공기와 같은 방향으로 이동하여 합쳐지면서 바람이 생김

1 1.3mm의 작은 틈은 날개 없는 선풍기의 스탠드에 있는 것이 아니라, 둥근 고리 몸통을 따라 나 있다는 것을 (나), (라)의 내용과 그림을 통해 확인할 수 있다.

오답 풀이 ❶ (가)에서는 날개가 회전하며 바람을 일으키는 선풍기의 모습에는 큰 변화가 없다고 하였다. 그러나 날개 없는 선풍기는 날개가 없으므로, 기존 선풍기의 외형과는 차이가 있다.
❷ (다)에서는 비행기가 뜨는 원리를 설명하고 있다. 공기의 속도에 따라 발생하는 기압 차이로, 기압이 높은 날개의 아래쪽에서 기압이 낮은 날개의 위쪽으로 힘이 작용해 공기가 이동하면서 비행기가 뜬다고 하였다. 그런데 날개 없는 선풍기의 고리 몸통 단면에도 이 원리가 반영되어 있다고 하였으므로, 날개 없는 선풍기는 공기의 속도에 따른 기압 차이를 활용한 것임을 알 수 있다.
❸ (라)에서 스탠드의 내부보다 좁아진 고리 몸통 내부의 공간으로 인해 약 88km/h 정도로 그 유속이 빨라진다고 하였다.
❺ (다)에서 고리 몸통 단면의 형태는 비행기 날개의 단면을 뒤집어 놓은 것과 비슷한 구조라고 하였다.

2 ㉠은 공기의 속도가 빠른 곳은 기압이 낮아지고 공기의 속도가 느린 곳은 기압이 높아져, 공기의 힘이 고기압에서 저기압으로 작용해 공기가 이동하는 원리를 보여 준다. 경주용 자동차를 만들 때 차의 상부보다 하부로 공기가 빠르게 흐르게 하면, 차의 하부는 저기압이 되고 상부는 고기압이 된다. 이로 인해 공기의 힘은 차의 상부에서 하부로 작용하게 되므로, 차가 뒤집히는 전복 사고의 위험을 줄일 수 있다.

오답 풀이 ❶ 바람이 창문에 가하는 힘 때문에 발생한 사례이다.
❷ 풍선에서 빠져나오는 바람의 반대 방향으로 풍선이 움직이는, 작용과 반작용의 원리가 나타난 사례이다.
❸ 공기가 확산되는 것을 이용하여 산불을 진화한 사례이다.
❹ 파동을 일으키는 물체가 관측자에게서 멀어지거나 가까워지면, 정지해 있을 때보다 파장이 길어지거나 짧아지는 '도플러 효과'의 사례이다.

3 ⓓ의 앞뒤 내용을 통해 공간이 좁아질수록 공기의 속도가 빨라짐을 알 수 있다. 따라서 '점점 속도가 더해진다.'는 의미의 ⓓ와 바꿔 쓸 말로는 '빨라진다.'가 적절하다.

오답 풀이 ❶ ⓐ는 '몇 가지 부분이나 요소들이 모여 일정한 전체가 짜여 이루어져 있다.'라는 뜻의 '구성되어 있다.'로 바꿀 수 있다.
❷ ⓑ는 '기체나 액체 따위를 빨아들이도록'이라는 뜻의 '흡입하도록'으로 바꿀 수 있다.
❸ ⓒ는 '다른 것에 영향을 받아 어떤 현상이 나타나 있다.'라는 의미로, 글의 앞뒤 문맥상 '(비행기의 원리가) 쓰이고 있다.'로 이해된다. 따라서 '알맞게 이용되거나 맞추어져 쓰이고 있다.'라는 뜻의 '적용되어 있다.'로 바꿀 수 있다.
❺ ⓔ는 '양이나 수치가 늘게 된다.'라는 의미로, '늘어나게 된다.'로 바꿀 수 있다.

어휘 체크

• ㉤ – 설계 ㉣ – 동력 ㉠ – 단면 ㉢ – 상대적 ㉡ – 가속

본문 148~151쪽

예술 01 다양한 색깔을 지닌 타악기

1 ⑤ 2 ③ 3 ①

(가) 흔히 사람들은 ㉠타악기가 오케스트라 연주에서 현악기와 관악기가 내는 소리 사이의 공백을 메우는 정도의 역할을 한다고 생각한다. 하지만 러시아 태생의 음악가인 스트라빈스키는 타악기를 중요하게 생각하여, 혹독한 겨울을 나야 하는 러시아인들에게 생명 줄이나 다름없는 중앙난방 장치에 빗대었다.

핵심어 / ↓ 타악기의 중요성을 중앙난방 장치에 비유하여 설명함

(나) 사실 타악기야말로 가장 원초적이면서 다양한 색깔을 가진 악기다. 타악기에는 「팀파니, 심벌즈, 실로폰, ㉡마림바, 차임벨 등」 종류가 수없이 많아 그 특징을 일일이 나열하기가 어렵다. 심지어 손뼉을 쳐 소리를 내는 것도 타악기를 연주하는 것이라고 볼 수 있는데, 실제로 바비 맥퍼린이라는 재즈 연주자는 자신의 몸을 타악기처럼 두드려서 연주를 한다.

타악기에 대한 글쓴이의 생각 / 「 」: 타악기의 다양한 종류를 열거함

(다) 클래식 음악에서 가장 많이 사용되는 타악기는 팀파니(timpani)다. 팀파니는 급작스러운 충격을 표현하거나 분위기를 바꿀 때, 그리고 리듬을 반복할 때 사용된다. 그리고 팀파니는 페달을 사용하여 한 음에서 다른 음으로 미끄러지듯 연주할 수 있다. 「큰북과 작은북은 음정을 조절할 수 없는 반면, 팀파니는 나사와 페달을 이용하여 음정을 자유롭게 표현할 수 있다.」 정규 편성 오케스트라에는 3개의 팀파니가 사용되는데, 팀파니는 음악을 클라이맥스로 몰고 가는 데 빠질 수 없는 악기다. 팀파니가 적극적으로 사용된 작품으로는 「하이든의 「놀람 교향곡」과 「팀파니 미사곡」이 있고, 베토벤의 「교향곡 9번」에서는 작품 전체에서 팀파니가 사용되고 있다.」

팀파니의 쓰임 ① / 팀파니의 쓰임 ② / 팀파니의 특징 ① / 「 」: 팀파니의 특성을 큰북, 작은북과 대조하여 설명함 / 팀파니의 특징 ② / 「 」: 팀파니가 적극적으로 사용된 작품을 예로 제시함

(라) 심벌즈(cymbals)는 「중앙에 손잡이 줄을 매는 돌기가 나와 있으며, 양쪽 가장자리만 서로 닿아 소리가 나도록 하기 위해 가장자리 쪽으로 갈수록 두께를 얇게 만든다.」 심벌즈는 오케스트라 연주의 클라이맥스 부분에서 팀파니만큼이나 중요한 역할을 한다. 하지만 어떤 경우에는 겨우 몇 마디만을 연주하고 끝나는 때도 있다. 「브루크너의 「교향곡 8번」 같은 경우 90분이 넘는 연주 시간에서 심벌즈는 겨우 3초 정도만 연주한다. 이 3초를 위해 심벌즈 연주자는 연주 내내 긴장하고 있어야 한다. 만약 방심해서 1초라도 빗나가는 순간 모든 연주가 물거품이 되기 때문이다.」 그래서인지 심벌즈 연주자는 시간을 정확하게 맞추려는 강박 관념에 시달리는 경우가 많다고 한다.

「 」: 심벌즈의 구조적 특징 / 「 」: 심벌즈를 몇 마디만 연주하고 끝내는 경우를 예로 들어 설명함

(마) 실로폰(xylophone)은 「길이가 다른 나무 막대를 실로폰 채로 두드려 음정을 만들어 내고, 두드리는 속도를 조절하여 박자를 만들어 내는 악기이다.」 실로폰은 소리가 건조하고 울림이 오래가지 않기 때문에 빠른 연주 작품에 더 잘 어울린다. 반면 실로폰의 외형과 매우 흡사한 마림바(marimba)는 음판 밑에 공명관이 붙어 있어 음향이 실로폰보다 훨씬 더 부드럽고 울림이 오래간다. 하지만 소리가 부드러운 반면 약하기 때문에 마림바는 오케스트라 연주에서는 자주 사용되지 않고, 주로 독주 악기로 사용된다.

「 」: 실로폰의 개념 / 실로폰의 특징 / 실로폰이 어울리는 곡 / 실로폰과 마림바의 공통점: 외형 / 실로폰과 마림바의 차이점 / 마림바의 쓰임

독해 체크

■ 이 글의 핵심 화제

(타악기)의 종류와 특성

■ 문단별 중심 내용

- 1문단: (타악기)에 대한 사람들의 일반적인 시각
- 2문단: (종류)가 많아 다양한 특징을 지닌 타악기
- 3문단: 타악기의 종류와 특성 ①: (팀파니)
- 4문단: 타악기의 종류와 특성 ②: (심벌즈)
- 5문단: 타악기의 종류와 특성 ③: 실로폰과 (마림바)

■ 핵심 내용의 구조화

타악기의 종류와 특성

팀파니	(심벌즈)	실로폰, 마림바
• 급작스러운 충격을 표현하거나 분위기를 바꿀 때, (리듬)을 반복할 때 사용함 • 나사와 페달을 이용하여 (음정)을 자유롭게 표현함	• 양쪽 가장자리만 서로 닿아 소리가 나도록 하기 위해, 가장자리 쪽으로 갈수록 심벌즈의 두께가 (얇아짐) • 몇 마디만을 연주하고 끝나는 경우도 있음	• 실로폰: 소리가 건조하고 울림이 오래가지 않아, (빠른) 연주 작품에 더 잘 어울림 • 마림바: 음판 밑에 (공명관)이 있어 음향이 실로폰보다 부드럽고 울림이 오래가는 반면, 소리가 약해 주로 독주 악기로 사용함

1 (가)에서는 비유적 표현, (나)에서는 열거, (다)에서는 대조, (라)에서는 예시의 방식을 사용하여 내용을 전개하고 있다. (마)에서는 두 대상(실로폰과 마림바)의 특징을 서로 견주어 설명하고 있다.

오답 풀이 ❶ (가)에서 스트라빈스키는 타악기를 중요하게 생각하여, 혹독한 겨울을 나야 하는 러시아인들에게 생명 줄이나 다름없는 중앙난방 장치에 빗대었다고 하였다.
❷ (나)의 '타악기에는 팀파니, 심벌즈, 실로폰, 마림바, 차임벨 등 종류가 수없이 많아 그 특징을 일일이 나열하기 어렵다.'에서 타악기의 다양한 종류를 구체적으로 열거하고 있다.
❸ (다)에서는 음정을 자유롭게 표현할 수 있는 팀파니의 특성을 분명하게 드러내기 위하여, 음정을 조정할 수 없는 큰북과 작은북에 견주고 있다.
❹ (라)에서는 심벌즈를 몇 마디만 연주하고 끝내는 경우를 브루크너의 「교향곡 8번」을 예로 들어 설명하고 있다.

2 (마)에서 실로폰은 소리가 건조하고 울림이 오래가지 않기 때문에 빠른 연주 작품에 더 잘 어울린다고 했으므로, ③은 적절한 반응으로 볼 수 있다.

오답 풀이 ❶ (다)에서 큰북과 작은북은 음정을 조절할 수 없다고 하였다.
❷ (다)에서 팀파니는 급작스러운 충격을 표현하거나 분위기를 바꿀 때 사용된다고 하였다.
❹ 이 글을 통해 오케스트라 연주의 클라이맥스 부분에는 소리가 약한 마림바가 아닌, 팀파니나 심벌즈가 주로 사용됨을 알 수 있다.
❺ (라)를 통해 심벌즈는 양쪽 가장자리만 서로 닿아 소리가 나는 악기임을 알 수 있다.

더 알아두기 | 오케스트라의 타악기

현대 오케스트라의 타악기는 두 가지 기본적인 유형이 있다. 트라이앵글과 각재 등을 포함한 가장 단순한 형태의 타악기는 음조가 맞지 않고 애매한 높이의 음을 낸다. 실로폰, 차임벨 등과 같이 음조가 있는 악기는 멜로디를 연주할 수 있다. 오케스트라 타악기의 역사는 심벌즈나 트라이앵글 같은 악기를 드럼부의 보충 악기로 처음 도입한 터키의 음악에 대해 관심이 고조되던 18세기로부터 시작되었다고 할 수 있다. 19세기에는 실로폰과 차임벨을 포함한 세련된 음조 악기가 차이콥스키나 다른 작곡가의 다수의 곡에 나타난다. 최근의 작곡가인 벤자민 브리튼의 경우는 특별한 효과를 내는 데 필요한 '다채로운 소리를 만든 사람'으로 유명한데, 컵을 던져 깨뜨리거나, 나무스푼 , 콕 래틀, 채찍 등을 이용하여 치는 것들이 이에 포함된다.

3 ㉠과 ㉡의 관계는 포함 관계에 해당된다. 즉 ㉠은 ㉡의 상의어로, ㉡을 포함하고 있는 것이다. ①에서 '집' 또한 '한옥'의 상의어로, 한옥을 포함하는 개념이다.

오답 풀이 ❷ 동일한 의미를 지닌 단어가 형태만 서로 다른 동의 관계이다.
❸ 서로 반대되는 의미를 지닌 반의 관계이다.
❹ 전체와 그것을 구성하는 부분 관계이다.
❺ 서로 의미가 닮은 유의 관계이다.

어휘 체크

1 (1) 태생 (2) 원초적 (3) 외형
2 ❶ 혹독하다 ❷ 독주 ❸ 음정 ❹ 정규

본문 152~155쪽

예술 02 빈센트 반 고흐

1 ④ 2 ⑤ 3 ⑤

가 ㉠'나의 그림은 내가 말할 수 없는 것을 보여 준다.' (고흐의 정서와 감정을 간접적으로 보여 주는 고흐의 그림) 이 말만큼 빈센트 반 고흐(핵심어)(Vincent van Gogh, 1853~1890)가 추구한 예술의 진실을 압축하는 말은 없다. 고흐의 예술 세계는 말로 설명하기 어려운 그의 정서와 감성을 대변한다. 고흐의 그림에는 누구의 이야기도 아닌 고흐 자신의 이야기가 있다. 그것도 몇 마디 말로는 설명 불가능한, 어쩌면 말로는 표현할 수 없는, 그러나 소통하고 싶은 그 무엇인가가 있다. 「누구나 우는 사람의 모습은 그릴 수 있다. 그러나 울고 싶은 마음을 어떻게 그릴 수 있을까? 그 대답은 고흐만이 해 줄 수 있을 것이다.」 (「」: 묻고 답하는 방식으로 주제를 부각하고 독자의 호기심을 유발함)

나 「고흐 그림의 특징인 보색 대비와 형태 왜곡은 인상주의 화가들의 영향을 받은 것이다. 무엇보다도 그는 정제되고 이상적인 색채 사용(당시의 실증주의와 사실주의의 특징)이라는 모범 답안을 찢어 버린 동시대 진보적 화가들(인상주의 화가들)에게 경의를 표했다.」 (「」: 동시대 인상주의 화가들의 영향을 받은 고흐) 그가 그린 두꺼운 물감 덩어리의 작품들을 보고 있으면, 금방이라도 화가가 미친 듯이 절규하며 나는 왜 이렇게 살아야 하냐고 소리를 지를 것만 같다. 그의 인생은 간질과 정신 발작 등으로 얼룩져 어떤 식으로 이야기를 들어도 쓸쓸하다. 「반듯하게 사실처럼 그려진 그림보다 하나도 실재를 닮지 않은 그의 그림이 더 현장감이 느껴지는 것은, 그가 그의 답답해서 미칠 것 같았던 자신의 고독과 절망을 그림 속에 고스란히 그려 넣었기 때문일 것이다.」 (「」: 내면의 고독과 절망을 표현한 고흐의 그림)

다 고흐의 그림은 물감 덩어리를 조화롭게 배열한 그림(실증주의와 사실주의의 그림)에 대놓고 시위라도 하는 듯하다. 그의 그림은 팔레트에 물감을 짜지 않고 캔버스에 그대로 물감을 대고 짠 것처럼 질감이 도드라진다(고흐의 그림이 지닌 형태적 특징). 과장해서 말하면 마치 평평한 면에 도드라지게 새겨진 조각을 보는 것처럼 화면에 물감 덩어리들이 들쑥날쑥 붙어 있다. 「이 정도의 물감을 사용했다면 어지간한 재력이 있는 화가들도 물감값을 감당하기 힘들었을 것 같다.」 (「」: 당시 물감값이 비쌌음을 짐작할 수 있음) 그래서 고흐는 늘 신세만 지던 동생 테오에게 "언젠가는 내 그림값이 물감값 이상의 가격에 팔릴 날이 있을 거야."라는 내용의 편지를 쓴 모양이다.

라 개신교 목사의 아들로 태어나 한때 성직자의 길을 걷기도 했지만 지나치게 이상적인 그의 태도는 종교계에서 별로 환영받지 못했다. 「이후 이런저런 일을 전전하다가 선택한 화가라는 직업도 역시 큰 벌이를 하지 못하 (「」: 화가로 큰 벌이를 하지 못했던 고흐)

여 동생 테오의 도움으로 간신히 입에 풀칠을 하고 살았다.」 언젠가는 동생에게 진 빚을 갚을 수 있을 것이라고 생각한 고흐는 10년 남짓 화가 생활을 하면서 무려 800여 점이나 되는 작품을 남길 만큼 계속 그림만 그렸다.

마 우울하고 외곬인 ⓐ성격으로 인해 사람을 그리워하면서도 막상 다가가는 것에는 늘 서툴렀던 고흐는 스스로를 치료하기 위해 그림을 그렸고, 또 한편으로는 그 그림으로 인해 미쳐 갔다. 「경제적 압박감을 호소하는 동생 테오의 편지를 받은 고흐는 동생에 대한 미안함으로 극심한 절망에 휩싸였다.」 죽기 직전 병원에서 잠시 깨어난 그가 "인생이 이렇게 슬픈 것인 줄을 누가 믿겠는가?"라고 한 말은 우리들의 심금을 다시 한번 울린다.

「 」: 동생 테오에 대한 미안함으로 고통스러워한 고흐
삶에 대한 비극적 인식

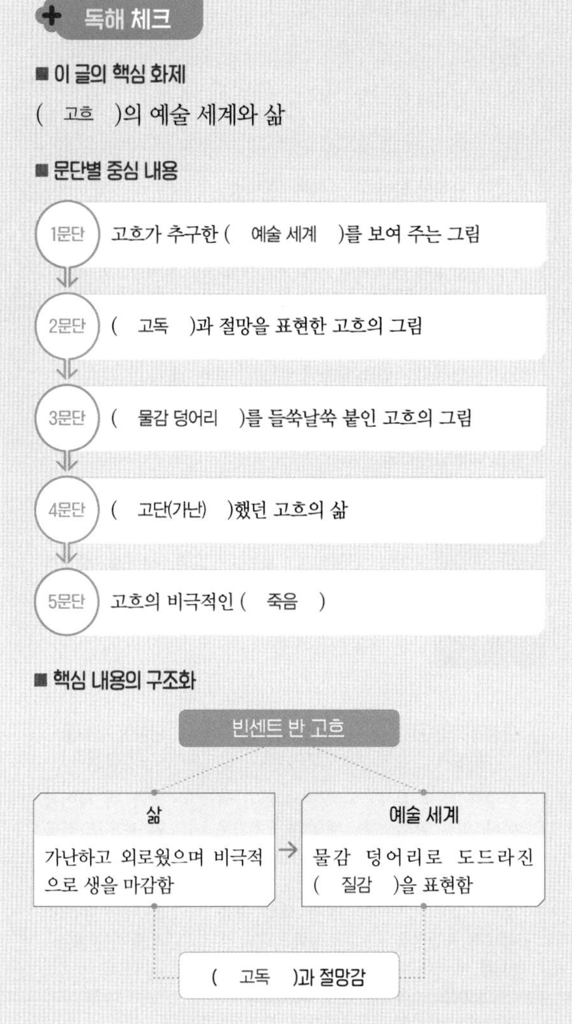

1 (나)에서 '고흐 그림의 특징인 보색 대비와 형태 왜곡은 인상주의 화가들의 영향을 받은 것이다.'라고 하였다. 인상주의 화가들은 고흐와 동시대의 작가이므로, 고흐가 동시대 화가들과 다른 독창적인 그림 세계를 창출했다는 내용은 적절하지 않다.

오답 풀이 ❶ (다)에서 고흐처럼 물감 덩어리를 붙였다면 재력이 있는 화가들도 물감값을 감당하기 힘들었을 것이라는 내용을 통해 짐작할 수 있다.

❷ (마)에서 고흐는 우울하고 외곬인 성격으로 인해 사람들에게 다가가는 것이 서툴렀다는 내용을 통해 짐작할 수 있다.

❸ (라)에서 고흐가 화가로 큰 벌이를 제대로 하지 못해 동생 테오의 도움으로 살았다는 내용을 통해 짐작할 수 있다.

❺ (마)에서 고흐가 자신에게 경제적으로 도움을 주는 동생 테오로부터 경제적 압박감을 호소하는 내용의 편지를 받고, 동생에 대한 미안함 때문에 극심한 절망에 휩싸였다는 내용을 통해 그가 부담을 느꼈음을 짐작할 수 있다.

더 알아두기 | 빈센트 반 고흐의 생애

1853년 네덜란드에서 출생하여 1890년 프랑스의 오베르 쉬르 우아즈에서 사망했다. 비극적일 정도로 짧은 생애였음에도 불구하고 빈센트 반 고흐는 세상에서 가장 유명한 미술가 중 하나다. 목사의 아들로 태어나 1869~1876년 화상인 구필의 조수로 헤이그, 런던, 파리에서 일했으며, 1880년 화가에 뜻을 두었다. 네덜란드 시절에는 어두운 색채로 비참한 주제가 특징적이었다. 1886~1888년 파리에서 인상파, 신인상파의 영향을 받는다. 1888년 봄 아를에 가서, 이상할 정도로 꼼꼼한 필촉(筆觸)과 타는 듯한 색채를 통해 반 고흐 특유의 화풍을 전개시킨다. 1888년 가을, 아를에서 고갱과 함께 생활하던 중 병의 발작으로 인해 자기의 왼쪽 귀를 자르는 사건을 일으켜 정신병원에 입원하였고, 그 후 그를 짓누르는 인간적인 외로움은 그를 점점 더 병들게 했다. 1890년 7월 11일, 그는 자살을 기도한 이틀 뒤, 요양원에서 37세의 나이로 세상을 떠나고 말았다. 그의 유작 「까마귀가 나는 밀밭」에는 강렬한 원색과 굵은 붓질을 통한 그의 슬픔과 끝없는 고독이 잘 나타나 있다.

2 ㉠에는 직접 말로 표현하기 어려운 이야기를 자신의 그림이 간접적으로 보여 주고 있다는 고흐의 생각이 드러나 있다. 이러한 입장을 뒷받침할 수 있는 것은 예술은 예술가의 모든 얘기와 그들이 안고 있는 고뇌를 들려주는 일종의 간접적인 고백이라고 한 ⑤이다.

오답 풀이 ❶ 예술은 사람의 마음에 있는 슬픔과 고뇌와 같은 좋지 않은 감정을 없애 주는 역할을 한다는 의미이다.

❷ 완벽한 예술가는 선천적으로 타고나는 능력보다는 꾸준한 학습을 통해서 이루어지는 경우가 많다는 의미이다.

❸ 예술은 자연의 모습을 모방해서 만들기 때문에 예술이 자연보다 뛰어날 수 없다는 의미이다.

❹ 예술은 인간이 느끼는 가장 좋은 감성을 다른 사람에게 전달하는 것을 목적으로 한다는 의미이다.

3 ⓐ의 '으로'는 고흐가 사람에게 다가가는 것에 서툴렀던 이유를 나타내는 격 조사로 쓰였는데, ⑤의 '으로'도 어떤 일의 원인이나 이유를 나타내고 있으므로 ⓐ와 쓰임이 유사하다.

오답 풀이 ❶ 움직임의 방향을 나타내는 격 조사로 쓰였다.

❷ 시간을 나타내는 격 조사로 쓰였다.

❸ 지위나 신분 또는 자격을 나타내는 격 조사로 쓰였다.

❹ 변화의 방향을 나타내는 격 조사로 쓰였다.

어휘 체크

• ㉠ – 실재 ㉢ – 재력 ㉤ – 심금 ㉣ – 절규 ㉡ – 외곬

예술 03 단청에 사용된 다채로운 기법들

본문 156~159쪽

1 ⑤ 2 ① 3 ③

가 단청이라 하면 일반적으로 목조 건물에 여러 가지 색으로 무늬를 그려 아름답게 장식하는 것을 말한다. 단청은 건물의 보존 효과를 높이기 위해서 시작되었는데, 이후 여러 가지 색감으로 문양을 더함으로써 보존 효과뿐만 아니라 장식성과 상징적 의미도 부여하게 되었다.
(핵심어 / 단청의 개념 / 단청의 기능 ① / 단청의 기능 ② / 단청의 기능 ③)

나 단청의 문양은 건축물의 성격에 따라, 그리고 나타내고자 하는 의미에 따라 달라진다. 「예를 들어 봉황은 주로 궁궐에만 사용되었고, 사찰에는 주로 불교적 소재들이 문양으로 사용되었다. 또 극락왕생의 의미를 나타낼 때는 연꽃 문양을 그리고, 자손의 번창을 나타낼 때는 박쥐 문양을 그렸다.」
(단청의 문양이 달라지는 기준 ① / 단청의 문양이 달라지는 기준 ② / 「 」: 단청의 문양이 달라지는 예(예시))

다 단청은 붉은색을 의미하는 '단(丹)'과 푸른색을 의미하는 '청(靑)'을 결합하여 만든 단어이다. 이처럼 상반된 색을 뜻하는 두 글자가 결합된 ㉠'단청(丹靑)'은 대비되는 두 색의 조화로운 관계를 의미한다.
(단청의 의미)

하지만 단청에서 붉은색과 푸른색만을 쓴 것은 아니었다. 단청은 오방색을 기본으로 하여 채색하는데, 여기서 오방색이란 오행의 각 기운과 직결된 청(靑), 백(白), 적(赤), 흑(黑), 황(黃)의 다섯 가지 기본색을 말한다. 단청을 할 때에는 이 「오방색을 적절히 섞어 여러 가지 다른 색을 만들어 썼는데, 이 색들을 적색 등의 더운 색 계열과 청색 등의 차가운 색 계열로 구분하여 사용하였다.」
(오방색의 개념 / 「 」: 단청의 채색 방법)

라 단청의 가장 대표적인 기법으로는 '빛 넣기', '보색 대비', '구획선 긋기' 등이 있다.
(단청의 대표적인 기법들)

빛 넣기는 문양에 백색 분이나 먹을 혼합하여 적절한 명도 변화를 주는 것으로, 한 계열에서 명도가 가장 높은 단계를 '1빛', 그보다 낮은 단계는 '2빛' 등으로 말한다. 빛 넣기를 통한 문양의 명도 차이는 시각적 율동성을 이끌어 내어 결과적으로 단순한 평면성을 탈피하는 시각적 효과를 얻을 수 있다. 즉 명도가 낮은 빛은 물러나고 명도가 높은 빛은 다가서는 듯한 느낌을 주게 된다.
(빛 넣기 기법의 개념 / 빛 넣기 기법의 효과)

보색 대비는 더운 색 계열과 차가운 색 계열을 서로 엇바꾸면서 색의 층을 조성함으로써 색의 조화를 이끌어 내는 것을 말한다. 「예를 들어 오색구름 문양을 단청할 때 더운 색과 차가운 색을 엇바꾸면서 대비시키는 방법이 그것인데,」 이것을 통해 색의 조화를 이끌어 낼 수 있으며 문양의 시각적 장식 효과를 더욱 높일 수 있다.
(보색 대비 기법의 개념 / 「 」: 보색 대비 기법의 예(예시) / 보색 대비 기법의 효과)

구획선 긋기는 색과 색 사이에 흰 분으로 선을 긋는 것을 말하는데, 특히 보색 대비가 일어나는 색과 색 사이에는 빠짐없이 구획선 긋기를 한다. 이 기법을 사용하면 문양의 색조를 더욱 두드러지게 하는 효과를 얻을 수 있다.
(구획선 긋기 기법의 개념 / 구획선 긋기 기법의 효과)

마 이러한 빛 넣기와, 보색 대비 그리고 구획선 긋기 등의 기법을 활용하여 시각적 단층을 형성함으로써 단청의 각 문양은 전체적으로 안정감을 얻게 된다.
(단청의 기법을 활용해 얻는 효과)

독해 체크

■ 이 글의 핵심 화제

단청의 개념과 기능 및 대표적인 (기법) 세 가지

■ 문단별 중심 내용

- 1문단: 단청의 개념과 (기능)
- 2문단: 단청의 (문양)이 달라지는 기준과 예
- 3~4문단: 단청의 의미와 (채색) 방법
- 5~7문단: 단청의 대표적인 기법 세 가지: (빛 넣기), 보색 대비, 구획선 긋기
- 8문단: 단청의 기법을 활용해 얻는 (효과)

■ 핵심 내용의 구조화

단청
- 개념: 목조 건물에 여러 가지 색으로 무늬를 그려 아름답게 장식하는 것
- 기능: 건물의 (보존) 효과, 장식성, 상징적 의미 부여
- 채색: (오방색)을 적절히 섞어 여러 가지 다른 색을 만들어 씀

단청의 기법 ①: 빛 넣기	단청의 기법 ②: 보색 대비	단청의 기법 ③: 구획선 긋기
• 문양에 백색 분이나 먹을 혼합하여 적절한 (명도) 변화를 주는 것 • 시각적 율동성을 이끌어 내어 (평면성)을 탈피하는 시각적 효과	• (더운(차가운)) 색 계열과 (차가운(더운)) 색 계열을 서로 엇바꾸면서 색의 층을 조성함으로써 색의 조화를 이끌어 내는 것 • 시각적 장식 효과	• 색과 색 사이에 흰 분으로 선을 긋는 것 • 문양의 (색조)를 더욱 두드러지게 하는 효과

1 (라)에서 구획선 긋기는 색과 색 사이에 흰 분으로 선을 긋는 것을 말하며, 이 기법을 활용하면 문양의 무늬와 색조를 더욱 두드러지게 하는 효과를 얻을 수 있다고 하였다. 따라서 ⑤의 주변 경관과의 조화를 위해 구획선 긋기를 사용하였다는 설명은 이 글의 내용과 일치하지 않는다.

오답 풀이 ❶ (다)의 '단청은 오방색을 기본으로 하여 채색하는데'를 통해 확인할 수 있다.

❷ (라)의 '빛 넣기는 문양에 백색 분이나 먹을 혼합하여 적절한 명도 변화를 주는 것으로'를 통해 확인할 수 있다.

❸ (가)의 '단청은 건물의 보존 효과를 높이기 위해서 시작되었는데'를 통해 확인할 수 있다.

❹ (나)의 '단청의 문양은 건축물의 성격에 따라, 그리고 나타내고자 하는 의미에 따라 달라진다.'를 통해 확인할 수 있다.

2 (라)에서 보색 대비는 더운 색 계열(적색)과 차가운 색 계열(청색)을 서로 엇바꾸면서 색의 층을 조성하는 것으로, 문양의 시각적 장식 효과를 더욱 높일 수 있다고 하였다. 그러나 〈보기〉의 ⓐ, ⓑ는 둘 다 빨강 계통의 더운 색 계열이므로 보색 대비가 아니며, 1빛과 2빛으로 명도의 차이가 있으므로 빛 넣기에 해당한다. 또한 문양의 색조를 두드러지게 하는 효과를 얻을 수 있는 것은 보색 대비가 아니라 구획선 긋기이다. 따라서 ①의 내용은 적절하지 않다.

오답 풀이 ❷ ⓐ는 명도가 가장 높은 1빛이고, ⓒ는 명도가 가장 낮은 3빛이다. (라)에서 명도가 낮은 빛은 물러나는 느낌을 준다고 하였으므로, ⓒ는 ⓐ에 비해 보는 사람 입장에서 물러나는 듯한 느낌을 받을 것이다.

❸ 1빛에서 3빛으로 갈수록 명도는 점점 낮아진다. 따라서 ⓐ, ⓑ, ⓒ는 명도에 변화를 주는 빛 넣기에 해당한다. 또한 (라)에서 빛 넣기를 통한 문양의 명도 차이는 시각적 율동성을 이끌어 낸다고 하였다.

❹ (라)에서 보색 대비는 더운 색 계열과 차가운 색 계열을 서로 엇바꾸면서 색의 층을 조성하는 것이라고 하였다. 또한 (다)에서 더운 색 계열은 적색, 차가운 색 계열은 청색이라고 제시하였다. ⓐ~ⓒ는 빨강 계통, 즉 더운 색 계열이므로 보색 대비를 이루어지게 하려면 ⓓ에 차가운 색 계열인 청색 계통의 색을 칠해야 한다.

❺ 〈보기〉의 단청 도안은 연꽃 문양이다. (나)에서 극락왕생의 의미를 나타낼 때 연꽃 문양을 그린다고 하였으므로, 〈보기〉의 문양이 건축물에 단청이 되었을 경우에는 극락왕생의 의미를 나타낼 것이다.

3 ㉠은 대비되는 두 색의 조화로운 관계를 의미한다고 했으므로, 거문고와 비파의 합주 소리가 조화를 잘 이룬다는 의미의 ③이 가장 유사한 의미를 지닌 한자 성어이다.

오답 풀이 ❶ '수화불통(水火不通)'은 '물과 불이 어울릴 수 없다.'는 뜻으로, 절교함을 이르는 말이다.

❷ '와신상담(臥薪嘗膽)'은 '불편한 섶에 몸을 눕히고 쓸개를 맛본다.'는 뜻으로, 원수를 갚거나 마음먹은 일을 이루기 위하여 온갖 어려움과 괴로움을 참고 견딤을 비유적으로 이르는 말이다.

❹ '오비이락(烏飛梨落)'은 '까마귀 날자 배 떨어진다.'는 뜻으로, 아무 관계도 없이 한 일이 공교롭게도 때가 같아 억울하게 의심을 받거나 난처한 위치에 서게 됨을 이르는 말이다.

❺ '유유상종(類類相從)'은 '같은 무리끼리 서로 사귐'을 의미하는 말이다.

+ 어휘 체크

1 문양 – 양보 – 보색 – 색조 – 조성 – 성수기
2 ❶ ㉠ ❷ ㉢ ❸ ㉡

3. 독해 성취도 평가

1회				본문 162~169쪽
01 ⑤	02 ⑤	03 ③	04 ②	05 ⑤
06 ③	07 ⑤	08 ①	09 ④	10 ⑤
11 ③	12 ④	13 ②	14 ②	15 ⑤
16 ①	17 ②	18 ②	19 ③	20 ⑤

[01~04] 인문
질병을 심리적 요인으로 설명하는 심인설

| 해제 |
우리 조상들이 믿고 있었던 심인설의 특성과 타당성 등을 병의 원인에 대한 민중들의 생각, 역사적 일화, 심인설에 대한 현대 의학적 입증 사례를 들어 설명하는 글이다. 심인설은 우리 민족의 보편적인 사고방식으로, 잘못된 통념에 불과한 것이 아니라 과학적 근거를 댈 수 있는 합리적이고 지혜로운 인식임을 강조하고 있다.

| 주제 |
우리 민족의 지혜와 과학적 합리성을 지닌 심인설

01 추론적 사고
(다)에서는 심인설이 현대 의학으로도 입증되고 있다며 이에 대한 의학적 사례를 제시하고 있다. 또한 마지막 부분에 심인설에 대한 조상들의 가르침이 진정한 과학이었다고 말하고 있다. 이를 종합해 볼 때 글쓴이는 심인설이 우리 민족의 지혜와 과학적 합리성을 지니고 있다고 보고 있음을 알 수 있다.

오답 풀이
❶ (다)에서 심인설이 현대 의학으로 입증되는 사례를 제시하고 있다.
❷, ❹ 글쓴이는 우리 선조들의 심인설이 현대의 우리들에게도 설득력을 줄 수 있다는 말을 하고 있을 뿐, 이를 세계적인 차원으로 확대하고 있지는 않다.
❸ (다)에서 글쓴이가 조상들의 가르침인 심인설이 현대 의학으로 입증될 수 있을 정도로 합리적이라고 말하고 있지만, 이를 현대인의 삶의 지침으로 본다는 것은 글쓴이의 의도를 확대 해석한 것이다.

02 추론적 사고
심인설은 기본적으로 모든 것의 원인이 마음에서 비롯된다는 인식이다. 즉, 신체의 질병이나 아픔 등이 신체적·환경적 원인 때문이 아니라, 마음에 근심거리가 있거나 나쁜 마음을 먹어서라고 보는 것이다.

오답 풀이
❶ 찜질은 집에서 간단하게 할 수 있는 치료법으로 심인설과는 관련이 없다.
❷, ❹ 현대 의학의 지식에 따라 원인을 살펴보는 사례에 해당한다.
❸ 할머니의 경험적 지식에 의한 것으로 심인설과는 관련이 없다.

03 비판적 사고
심인설은 몸이 아픈 까닭을 마음에서 찾고 있으며, 플라세보 효과는 심리적 기대가 병의 증상을 완화시킬 수 있다고 하였으므로 둘 다 몸과 마음의 관계를 매우 밀접하게 보고 있다고 할 수 있다.

오답 풀이
❶ 이 글만으로는 심인설에 어떤 약물이 사용되었는지의 여부를 알 수 없다.
❷ 심인설은 질병의 원인을 마음에서 찾음으로써 이미 일어난 결과에 대한 원인을 밝히는 것으로 볼 수 있으나, 플라세보 효과는 앞으로 일어날 효과에 대한 것이므로 결과를 합리화한다고 볼 수 없다.
❹ 심인설은 마음이 건강을 해치는 원인이 된다고 하며 육체적 질병의 원인을 설명한다. 그러나 플라세보 효과는 심리적 기대가 치료에 도움이 된다는 것이므로, 마음이 질병의 원인이 아니라 질병의 치료와 관련되어 있다.
❺ 이 글의 마지막 부분에서 심인설의 인체 작용은 과학적으로 해명되었다고 했으나, 〈보기〉에서 플라세보 효과는 설명될 수 없다고 하였다.

더 알아두기 노세보 효과(Nocebo effect)
플라세보 효과의 반대되는 현상을 뜻하는 말이다. 환자가 약의 효능을 믿지 못하여 진짜 약을 먹어도 약효가 나타나지 않는 일을 말한다.

04 어휘·어법
ⓛ의 '정착'은 '새로운 문화 현상, 학설 따위가 당연한 것으로 사회에 받아들여짐'을 의미한다. 그러나 ②의 '정착'은 '일정한 곳에 자리를 잡아 붙박이로 있거나 머물러 삶'을 의미한다.

오답 풀이
❶ '야기'는 '일이나 사건 따위를 끌어 일으킴'을 의미한다.
❸ '추궁'은 ' 잘못한 일에 대하여 엄하게 따져서 밝힘'을 의미한다.
❹ '수소문'은 '세상에 떠도는 소문을 두루 찾아 살핌'을 의미한다.
❺ '대응'은 '어떤 일이나 사태에 맞추어 태도나 행동을 취함'을 의미한다.

[05~08] 사회
저도 계약할 수 있나요?

| 해제 |
이 글은 우리 민법에서 미성년자가 유효한 계약을 체결하기 위한 방법을 설명하고 있다. 미성년자는 의사 능력은 있지만 행위 능력이 없으므로, 법정 대리인의 동의를 얻어 계약을 할 수 있다. 미성년자가 단독으로 계약할 경우에도 일단 계약은 유효하지만, 본인이나 그의 법정 대리인이 취소할 수 있다. 이처럼 우리 법은 미성년자가 손해를 보지 않도록 법적으로 보호하는 한편, 미성년자와 거래한 상대방도 보호할 수 있는 장치를 마련해 두고 있다.

| 주제 |
미성년자가 유효한 계약을 체결하기 위한 방법

05 사실적 사고

(다)에서 미성년자가 법정 대리인의 동의 없이 계약을 한 경우, 본인 혹은 법정 대리인이 계약을 취소하겠다는 의사를 표시하면 계약을 취소할 수 있다고 하였다. 또한 미성년자 단독의 계약이라 하더라도 일단 유효하다고 했으므로 아무런 의사 표시가 없으면 그 계약은 유지되는 것으로 보아야 한다.

오답 풀이

❶ (가)에서 만 19세 미만(만 18세까지)은 미성년자로, 단독으로 유효한 법률 행위를 할 수 없으나, 만 19세 이상의 성인이 되면 스스로 계약을 맺을 수 있다고 하였다.

❷ 우리 법은 미성년자가 법정 대리인의 동의 없이 계약을 맺었을 때는 본인이나 법정 대리인이 취소할 수 있도록 보장하고 있다. 반면 미성년자가 이를 악용할 수도 있으므로, 미성년자와 거래한 상대방을 보호하기 위한 법적 장치도 마련하고 있다.

❸ (다)에서 미성년자가 법정 대리인의 동의 없이 한 계약을 취소하려고 할 경우, 상대방이 그런 의사 표현을 들은 적 없다고 발뺌해도 내용 증명 우편 제도를 이용하면 법적 분쟁의 소지를 줄일 수 있다고 하였다.

❹ (라)에서 우리 법이 미성년자가 혼자서 계약하지 못하게 한 까닭은 미성년자의 권리를 제한하기 위해서가 아니라, 사회적 약자인 미성년자를 보호하기 위한 것이라고 하였다.

06 추론적 사고

미성년자와 관련된 각종 계약 사례는 일상생활에서 빈번히 일어날 수 있는 일이다. 따라서 이 글의 글쓴이는 이와 관련된 법률적 지식에 대한 설명을 통해, 독자의 이해를 돕고 상식을 높이고자 한다고 볼 수 있다.

오답 풀이

❶ '의사 능력', '행위 능력', '최고권', '철회권과 거절권' 등 어려운 법률 용어를 쉽게 풀어서 설명하고는 있으나, 이는 미성년자의 계약과 관련한 법률에 대한 이해를 돕기 위한 것이지, 계약의 대중화를 꾀하기 위한 것이 아니다.

❷ 미성년자의 계약 행위를 잘못된 행위라고 보기는 어렵다.

❹ 이 글은 법률을 실생활에 어떻게 적용할 것인지를 설명하고 있지, 실생활과 법률적 해석의 차이를 언급하고 있지는 않다.

❺ 이 글에서 설명하고 있는 법 제도는 미성년자의 계약과 관련한 것에 한정되어 있지, 다양한 제도를 소개하고 있지는 않다.

07 추론적 사고

이 글에서는 미성년자가 유효한 계약을 체결하기 위해서는 법정 대리인의 동의가 필요하다고 하였다. 그러나 백화점에서 물건을 살 때에는 특별한 계약이 필요한 것은 아니므로 미성년자가 단독으로 구매할 수 있다.

오답 풀이

❶ 대학생이라 하더라도 만 19세가 되지 않으면 미성년자이므로, 월세로 살 집을 구하기 위한 임대차 계약을 할 때는 반드시 법정 대리인의 동의가 필요하다.

❷ 초등학생이 아동복 회사의 광고 모델로 계약을 맺으려는 것이므로 법정 대리인의 동의가 필요하다.

❸ 햄버거 가게에서 아르바이트를 하는 것은 고용 계약을 맺으려는 것이므로 법정 대리인의 동의가 필요하다.

❹ 단지 기계만을 사는 것은 부모의 동의 없이도 살 수 있지만, 스마트폰을 이용하기 위해 이동 전화 서비스에 가입하는 것은 법정 대리인의 동의가 필요하다.

08 어휘·어법

㉠의 '갖추어야'는 '있어야 할 것을 가지거나 차려야'라는 의미로 사용되었다. 그러나 '장만해야'는 '필요한 것을 사거나 만들거나 하여 갖추어야'라는 의미이므로, 능력을 장만해야 한다는 표현은 어색하다.

오답 풀이

❷ '규정하고'는 '양이나 범위 따위를 제한하여 정하고'라는 의미로 사용되었다.

❸ '체결하기'는 '계약이나 조약 따위를 공식적으로 맺기'라는 의미로 사용되었다.

❹ '취소할'은 '발표한 의사를 거두어들이거나 예정된 일을 없애 버릴'이라는 의미로 사용되었는데, '무를'에는 '이미 행한 일을 그 전의 상태로 돌릴'이라는 뜻이 있어 바꾸어 쓰기에 적절하다.

❺ '요구할'은 '어떤 행위를 할 것을 청할'이라는 의미로 사용되었다.

[09~12] 과학
빛이 만들어 낸 예술, 무지개

| 해제 |

무지개가 생기는 원리를 소개하고 있는 글로, 무지개의 생성 원리에 해당하는 빛의 굴절과 빛의 분산 현상에 대해 설명하고 있다. 실생활과 관련된 사례를 제시하고, 유추를 통해 무지개의 과학적 현상을 쉽게 이해할 수 있도록 하였다.

| 주제 |

무지개의 생성 원리와 과정

09 사실적 사고

(마)를 통해 무지개가 가장 선명하게 보일 때는 태양의 위치가 지상으로부터 낮게 떠 있을 때임을 알 수 있다.

오답 풀이

❶ (다)를 통해 물질에 저항하는 어떤 것도 존재하지 않는 진공 상태에서는 빛이 굴절되지 않고 똑바로 진행됨을 알 수 있다.

❷ (나)와 (라)에서 무지개의 생성 원리를 이해하기 위해서는 빛과 관련한 몇 가지 원리를 이해해야 한다고 하며, 빛의 굴절과 분산을 설명하고 있다.

❸ (가)에서 고대 사람들은 찬란한 색채를 띠는 무지개를 신비로운 선망의 대상으로 여겼다고 하였다.

❺ (라)에서 우리가 무지개의 여러 가지 색을 볼 수 있는 것은 빛의 분산 때문인데, 이는 빛이 가지는 파장의 차이에서 비롯된 것이라고 하였다.

10 사실적 사고

(마)에서 태양을 통해 설명하고자 한 것은 무지개의 선명도에 대한 것일 뿐, 무지개가 생기는 현상의 부정적인 면을 드러내기 위해서가 아니다.

오답 풀이

❶ 기상학 전문가 도널드 아렌스의 말을 인용하여 무지개의 아름다움을 드러내고 있다.

❷ 물속에 있는 물건의 착시 현상과 수조에 손전등을 비출 때 빛이 꺾이는 현상을 예로 들어 빛의 굴절에 대해 설명하고 있다.

❸ 빛의 굴절 과정을, 비슷한 원리를 가진 자동차의 주행 사례를 통해 설명하고 있다.

❹ 프리즘을 통과한 빛이 무지개처럼 일곱 빛깔의 무늬를 만들어 내는 현상이 빛이 가지는 파장의 차이로 인해 일어나게 된다고 원인을 밝혀 빛의 분산을 설명하고 있다.

11 추론적 사고

매질은 빛을 꺾이게 하는 것으로, (다)에서 이와 유사한 기능을 하는 것은 '잔디'이다. 도로를 달리던 자동차가 잔디에 닿으면 자동차는 잔디가 닿는 쪽으로 방향이 꺾인다. 즉 잔디의 저항으로 자동차의 경로가 바뀌는 것이다. 이러한 현상은 빛이 공기 중의 매질을 통과할 때 일어나는 굴절 현상과 유사하다.

오답 풀이

❶ 빛은 진공 상태를 벗어나서 매질에 비스듬히 들어갈 때 매질의 저항 때문에 방향이 바뀐다. 따라서 자동차는 빛에 대응되는 개념이다.

❷ 빛은 특정한 물질을 지날 때 먼저 닿는 쪽으로 경로가 바뀌며, 자동차도 오른쪽 앞바퀴가 먼저 잔디에 닿았을 때 그쪽으로 방향이 꺾인다.

❹ 빛은 특정한 물질을 지날 때 나중에 닿는 쪽과 반대 방향으로 경로가 바뀐다. 이때 왼쪽 앞바퀴는 빛이 굴절되는 경로와 반대되는 쪽과 같다.

❺ 빛은 진공 상태에서 벗어나 매질을 통과할 때 저항에 부딪히게 된다. 자동차도 도로 위에서는 똑바로 주행하다가 잔디밭에 들어서면서 잔디의 저항 때문에 방향이 꺾이게 된다. 따라서 도로는 진공 상태와 대응되는 개념이다.

12 어휘·어법

ⓐ의 '여겨'는 '마음속으로 그러하다고 인정하거나 생각하여'라는 의미로 쓰였다. 그러나 ④의 '여겨'는 '주의 깊게 생각하여'의 의미로 쓰였다. 나머지는 모두 문맥상 ⓐ의 의미와 유사하게 쓰였다.

[13~16] 기술
자연을 재창조하는 생체 모방 공학

| 해제 |

다양한 사례를 들어 생체 모방 공학을 쉽게 이해할 수 있도록 설명한 글이다. 이 글은 먼저 정의를 통해 생체 모방 공학의 개념을 소개하고, 우리가 쉽게 접할 수 있는 생활 속의 생명체인 홍합, 곤충 등을 응용한 '하이브리드 접착제', '로보로치', '내시경 로봇', '지네 로봇'과 같은 생체 모방 기술의 사례를 제시하고 있다. 그리고 인간과 자연이 공존할 수 있는 하나의 방법이 생체 모방 공학이라는 점을 강조하며 글을 마무리하고 있다.

| 주제 |

생체 모방 공학의 개념과 사례

13 사실적 사고

(다)에서 곤충의 뇌신경 시스템이 척추동물보다는 상당히 단순한 구조이지만, 기억이나 학습 능력 등에서는 고도의 기능을 갖고 있기 때문에 생체 모방 공학에서 핵심 연구 대상이 되고 있음을 밝히고 있다.

오답 풀이

❶ (나)에서 홍합의 흡착 단백질을 활용해 다용도로 사용할 수 있는 '하이브리드 접착제'를 개발했는데, 이 홍합 접착제는 수술 후 상처 부위를 봉합하는 데 실 대신 사용할 수 있어 의학 분야에 혁명과 같은 변화를 몰고 왔다고 하였다.

❸ (다)에서 바퀴벌레가 움직일 때 더듬이에서 발생하는 미세한 전기 신호를 측정하고 이를 이용하여 울퉁불퉁한 곳에서도 똑바로 갈 수 있도록 설계된 로봇 '로보로치'를 만들었다고 하였다.

❹ (가)에서 생명체들이 획득한 노하우를 모방해 인간 생활에 적용하려는 연구가 본격화되고 있는데, 이를 생체 모방 공학이라고 하였다.

❺ (라)에서 '자가 치료가 가능한 우주선 소재'를 개발했는데, 이 아이디어는 상처가 공기에 노출되었을 때 혈액이 응고되는 사람의 피부에서 얻은 것이라고 하였다.

14 추론적 사고

과학자들이 "생물이야말로 혹독한 우주 환경에서 사용될 기술의 최적 모델로 활용될 수 있다."라고 말한 것은 오랫동안 변화를 거듭한 환경 속에서 살아남은 생명체들에게는 그 과정에서 획득한 노하우가 있다고 생각했기 때문이다.

오답 풀이

❶ 생물을 통해 현상을 관찰하고 측정하는 실험을 통해 과학이 발전한 것은 맞지만, ㉠의 이유로는 부족한 내용이다.

❸ 과학적 발전은 자연에서 착상되는 것도 있지만, 모든 발전이 그로 인한 것이라 볼 수는 없으므로, ㉠의 이유로는 적절하지 않은 내용이다.

❹ 자연이 가진 능력을 뛰어넘어야 한다는 것은 자연을 배워 모델로 활용한다는 ㉠의 이유로는 적절하지 않은 내용이다.

❺ 이 글을 통해 환경 변화 속에서 적응하여 살아남은 생명체들이 놀라운 능력을 지니고 있는 것은 알 수 있지만, 인간에게 없는 특별한 성분을 지니고 있는지는 알 수 없다.

15 추론적 사고

(마)에서 '과학은 자연을 모방하여 발전할 수 있고, 과학이 발전하면 신기술로 자연을 보존하는 데 도움이 될 수 있다.'라고 하였다. 이는 과학과 자연이 서로 도움이 될 수 있다는 의미이므로, ⓐ에 들어갈 내용으로 ⑤가 가장 적절하다.

오답 풀이

❶ 과학의 발전이 자연을 보존하는 데 도움이 될 수 있다는 내용을 포함하지 않으므로 적절하지 않다.

❷ 자연을 보존하는 데 도움이 될 수 있다는 내용과 배치되는 설명이므로 적절하지 않다.

❸ 과학을 통해 환경, 즉 자연을 되살릴 수 있다는 설명은 맞지만, 과학이 발전할 수 있다는 내용을 포함하지 않으므로 적절하지 않다.

❹ 과학의 발전을 통해 인간 생활이 편리해질 것임을 짐작할 수는 있지만, 자연을 보존하는 데 도움이 될 수 있다는 내용을 포함하지 않으므로 적절하지 않다.

16 추론적 사고

벌집의 육각형 구조는 최소의 재료로 최대의 면적과 강도를 얻을 수 있다는 특성을 지니고 있다고 하였다. 따라서 건축물의 외관 디자인보다는 내부를 튼튼하게 구성하는 데 벌집의 구조를 활용하는 것이 더 적절하다.

오답 풀이

❷ 날아오는 탄알을 막기 위한 방탄복의 소재는 단단하고 강해야 한다. 따라서 질기고 강한 거미줄의 특성을 모방해 방탄복을 만든다는 것은 적절하다.
❸ 물속을 헤엄칠 때 물과의 마찰을 줄여 기록을 높이는 것은 수영 선수들에게 필요한 것이므로, 상어 피부의 특성을 모방하여 전신 수영복을 만든다는 것은 적절하다.
❹ 도마뱀의 발바닥에 난 미세한 털은 벽면을 끌어당겨 도마뱀이 떨어지지 않게 한다고 하였으므로, 이 특성을 모방하여 강력한 테이프를 만드는 것은 적절하다.
❺ 연잎에 물방울이 닿으면 그냥 굴러 떨어지는데 이때 오염 입자들도 함께 제거된다고 하였으므로, 이러한 특성을 모방하여 오염 입자들이 쉽게 제거되어 깨끗한 상태로 유지되는 페인트를 만드는 것은 적절하다.

[17~20] 예술
사진의 특징

| 해제 |
이 글은 사진의 특징을 세 가지 항목으로 나누어 설명하고 있다. 사진은 시간을 정지시킨 기록물로 과거의 모든 인과 관계를 담고 있으며, 사진으로 찍힌 단편적인 이미지는 단순한 한 장의 사진 이상의 의미를 전달한다. 또한 사진을 찍는 사람과 그것을 보는 사람은 사진을 통해 어떤 의미를 부여하고, 세계와 관계를 맺는다. 글쓴이는 이런 사진의 특징을 에티오피아의 굶주린 어린이의 사진, 전쟁터에 쓰러진 병사의 사진, 사진작가 워커 에반스의 작품을 예로 들어 설명하여 독자의 이해를 돕고 있다.

| 주제 |
사진의 세 가지 특징

17 사실적 사고

이 글은 구체적인 사진을 예로 들어 사진의 특징에 대해 설명하고 있다. 그러나 설명 과정에서 특정한 이론을 언급하며 그에 따라 사진을 분석하고 있지는 않다.

오답 풀이

❶ (가)에서 에티오피아의 굶주린 어린이의 사진, 전쟁터에 쓰러진 병사의 사진을, (다)에서 워커 에반스의 작품 「어린아이의 무덤」을 예로 들어 사진의 특징을 설명하고 있다.
❸ (가)에서 사진을 '과거를 향해 열린 창'이라고 비유하며, 과거를 보여 주는 기록물인 사진의 특징을 효과적으로 설명하고 있다.
❹ (나)에서 사진의 기호를 사람이 쓰는 언어와 비교하며, 구체적인 서술 없이 단편적인 이미지만으로 단편적인 것 이상의 의미를 담는 사진의 특징을 설명하고 있다.
❺ (라)에서 사진을 찍는 것이 사건에 개입하지 않고 있는 것이라고 여기는 사람들의 잘못된 통념을 지적하며, 사진에는 사진을 찍는 사람이나 찍히는 사람의 의도가 개입되어 있음을 밝히고 있다.

18 추론적 사고

(라)에서 '대부분의 사진에는 찍는 사람이나 찍히는 사람의 의도가 개입되어 있다.'라고 하였다. 남하하는 피란민과 북상하는 국군의 모습을 극명하게 보여 주기 위해서 좌우가 대비되도록 촬영한 〈보기〉의 사진 또한 사진작가의 의도가 개입되어 있다고 할 수 있다.

오답 풀이

❶ (가)에서 사진은 시간을 정지시킨 기록물이라고 하였는데, 〈보기〉의 사진 역시 6·25 전쟁 시기의 어느 순간을 정지시킨 기록물이라고 할 수 있다.
❸ (나)에서 사진은 단편적인 것 이상의 의미를 전달할 수 있다고 하였다. 〈보기〉의 사진 속 피란민들에게서 전쟁으로 인한 고단함, 서글픔 등의 감정을, 북상하는 국군의 모습에서 전쟁의 긴장감 등을 읽어 낼 수 있다.
❹ (가)에서 사진은 정지된 시간을 담고 있지만, 그 이전의 사연들을 떠올릴 수 있게 한다고 하였다. 따라서 〈보기〉의 사진 속 피란민들의 모습을 보고 생필품만 챙겨 급하게 집을 떠나왔을 사연을 떠올릴 수 있다.
❺ (라)에서 사진을 보는 사람은 사진이라는 이미지를 통해 대상을 간접적으로 만남으로써 세계와 관계를 맺게 된다고 하였다. 따라서 6·25 전쟁을 배경으로 하는 〈보기〉의 사진을 보는 현대인들 또한 6·25 전쟁을 간접적으로 경험하고 당시의 시대적 상황과 관계를 맺을 수 있다고 할 수 있다.

19 비판적 사고

(가)의 '카메라의 셔터가 찰칵거리는 매우 짧은 시간이지만'이라는 내용으로 보아, 글쓴이는 Ⓐ '분석적 시간'을 통해 포착된 대상의 모습을 서술의 대상으로 삼고 있음을 알 수 있다. 하지만 〈보기〉에서는 Ⓑ '적립적 시간'을 통한 대상의 포착 또한 설명하고 있으므로, ㉠이 Ⓑ를 통해서도 구현될 수 있다고 말할 수 있다.

오답 풀이

❶, ❷, ❹ 〈보기〉에서 Ⓐ는 대상에 대한 아주 미세한 분석을 가능하게 하고, Ⓑ는 장기간의 노출을 통해 피사체의 새로운 모습을 보여 준다고 하였다. 그러나 글쓴이는 대상의 순간을 포착한 사진에 초점을 맞추고 있을 뿐, 적립적 시간으로 포착한 사진에 관련해서는 언급을 하고 있지 않다.
❺ 글쓴이는 제3의 시간이 아닌, Ⓐ로 포착된 대상의 모습을 서술하였다.

더 알아두기 사진 개념의 발달

사진(photography)은 '빛'과 '그린다'라는 그리스어 포스(phos)와 그라포스(graphos)의 합성어로, 카메라를 사용하여 사물의 빛을 기록하고 표현하는 전 과정을 포함한 개념이다. 사진 발명 초기 시대의 복잡한 카메라 메커니즘은 간편하고 쉽게, 그리고 보다 더 빨리 사용해야 한다는 목적을 향해 발전해 왔다. 1820년대에 광학과 화학의 결합으로 완성된 사진은 그 짧은 역사에도 불구하고 인류 사회의 제반 구조 속에 오늘날 그 영향이 미치지 않은 분야가 없을 정도로 발전하고 있다.

20 어휘·어법

ⓔ의 '의도'와 ⑤의 '의도(意圖)'는 '무엇을 하고자 하는 생각이나 계획. 또는 무엇을 하려고 꾀함'을 의미하는 같은 단어이다. 따라서 소리는 같으나 뜻이 다른 단어인 동음이의어가 아니다.

오답 풀이

❶ ⓐ의 '병사(兵士)'는 '부사관 아래의 군인'의 의미이고, ①의 '병사(病死)'는 '병으로 죽음. 또는 그런 일'의 의미이므로 두 단어는 동음이의어에 해당한다.
❷ ⓑ의 '이전(以前)'은 '기준이 되는 때를 포함하여 그보다 앞'의 의미이고, ②의 '이전(移轉)'은 '장소나 주소 따위를 다른 데로 옮김'의 의미이므로 두 단어는 동음이의어에 해당한다.
❸ ⓒ의 '기호(記號)'는 '어떠한 뜻을 나타내기 위하여 쓰이는 부호, 문자, 표지 따위를 통틀어 이르는 말'의 의미이고, ③의 '기호(嗜好)'는 '즐기고 좋아함'의 의미이므로 두 단어는 동음이의어에 해당한다.
❹ ⓓ의 '사색(思索)'은 '어떤 것에 대하여 깊이 생각하고 이치를 따짐'의 의미이고, ④의 '사색(死色)'은 '죽은 사람처럼 창백한 얼굴빛'의 의미이므로 두 단어는 동음이의어에 해당한다.

2회

본문 170~179쪽

01 ①	02 ⑤	03 ②	04 ④	05 ②
06 ④	07 ⑤	08 ③	09 ④	10 ①
11 ⑤	12 ③	13 ④	14 ④	15 ②
16 ③	17 ④	18 ③	19 ②	20 ⑤

[01~04] 인문
가야 흥망의 열쇠, 철갑옷

| 해제 |
이 글은 역사를 입증할 비문이나 문자 기록이 발견되지 않은 가야의 역사를 '철갑옷'이라는 특정 유물을 통해 밝혀 나가고 있다. 가야는 우수한 철 문화를 바탕으로 경제력과 군사력을 갖춘 국가였으며, 금관가야 멸망 이후에도 우수한 가야의 철 문화는 다른 지역으로 확산되어 명맥을 유지하였다고 설명하고 있다.

| 주제 |
가야의 우수한 철 문화를 입증하는 철갑옷

01 사실적 사고

(마)의 '금관가야에 이어 가야 연맹을 주도하게 된 대가야에서도'를 통해 가야 연맹의 주도권은 대가야에서 금관가야로 이동한 것이 아니라, 금관가야에서 대가야로 이동하였음을 알 수 있다.

오답 풀이

❷ (다)에서 기마인물형 토기를 들어 가야의 철 문화를 설명하며, 4세기 전반까지도 신라에서는 기마 전단을 입증하는 마구가 발견되지 않았다고 하였다. 이로 인해 4세기를 기준으로 철제 기술만을 놓고 보자면 가야가 신라보다 우위였음을 제시하고 있다.
❸ (가)에서 아직 가야의 역사를 입증할 비문이나 문자 기록이 발견되지 않았다고 하였다.
❹ (마)에서 금관가야가 패망한 이후 일본에는 금관가야의 영향을 받은 철갑옷들이 등장하였으며, 일본의 전문가들도 금관가야의 철제 기술이 일본으로 도입되었을 것으로 본다고 하였다.
❺ (가)에서 가야 최고의 생산품은 정교한 철갑옷이라고 설명하고 있으며, (다)에서 목제 단갑틀을 통해 철갑옷이 상위 집단의 규제 속에서 대량 생산되었을 것이라고 제시하였다.

02 사실적 사고

가야 지배자의 무덤에서 발견된 쇠집게, 경산 임당동 유적지에서 나온 목제 단갑틀, 가야 지역에서 출토된 기마인물형 토기 등의 객관적 자료를 토대로 가야의 철 문화가 번창했음을 추리하며 보여 주고 있다. 이 과정에서 추리의 여러 단서들은 독자의 흥미와 관심을 유발하고 있다.

오답 풀이

❶ 이 글의 글쓴이는 객관적 자료를 바탕으로 한 역사적 사실을 서술하고 있다. 그러나 그 과정에서 글쓴이의 관점이 반영되어 재해석되지는 않았다.
❷ 이 글에서는 가야 역사 해석에 대한 다양한 학설이 제시되지 않았기 때문에 학설 간의 비교 및 대조 역시 이루어지지 않았다.
❸ 이론은 사물이나 현상을 일정한 원리와 법칙에 따라 통일적으로 설명할 수 있는 보편적인 지식 체계를 말한다. 이 글에서는 이론을 제시하는 것이 아니라 역사와 관련된 사실을 추리하고 있다.
❹ 이 글은 역사적 사실을 추리하는 내용으로, 가설을 통해 독자를 설득하는 부분은 찾아보기 어렵다.

03 어휘·어법

㉠의 '일어난다'는 '일, 사건, 현상 등이 생긴다.'의 의미로 쓰였다. ②의 '일어나고' 역시 유사한 의미로 쓰였다.

오답 풀이

❶ '일어나는'은 '잠에서 깨어나는'의 의미로 쓰였다.
❸ '일어나셨다'는 '병을 앓다가 나으셨다.'의 의미로 쓰였다.
❹ '일어나게'는 '약하거나 희미하던 것이 한창 성하여지게'의 의미로, 주로 '재산'이나 '집안' 등의 어휘와 함께 쓰여 흥하게 됨을 의미한다.
❺ '일어나'는 '누웠다가 앉거나, 앉았다가 서'의 의미로 쓰였다.

04 비판적 사고

(라)를 통해 금관가야는 신라 침공에 성공했지만 결국 신라의 지원 요청에 응한 고구려 대군의 참전으로 인해 전세가 역전되어 패망하게 되었음을 알 수 있다. 그러나 금관가야가 패전했다는 사실만으로 고구려의 철제 기술력이 금관가야보다 뛰어났다고 판단하는 것은 적절하지 않다.

오답 풀이

❶ 서양의 갑옷과 비교하여 장시간 전투를 벌일 수 있는 가야 갑옷의 활동성은 가야의 전투력과 군사력을 향상시킬 수 있었으리라 예상할 수 있다.
❷ (다)에 제시된 목제 단갑틀과 〈보기〉의 갑옷 형태가 통일되었다는 내용으로 미루어 볼 때, 특정 상위 집단인 국가의 통제 속에서 정형화된 틀에 맞게 철갑옷이 제작되었음을 알 수 있다.

❸ 철갑옷을 특정 상위 집단의 규제 속에서 대량 생산했다는 내용을 통해, 통일된 형태와 규제 속에서 군대 조직이 완비되었음을 미루어 알 수 있다.
❺ 서양의 무거운 갑옷과 달리 금관가야의 철갑옷은 활동성을 고려한 구조로 설계되었다. 그 설계에 맞게 작은 비늘 모양의 철 조각을 이어 붙이는 방식을 사용한 것을 통해 당시 가야의 높은 철제 기술력을 추리할 수 있다.

[05~08] 사회
정보화, 일터는 달라지는가?

| 해제 |
이 글은 정보 기술의 도입이 가져오는 기업 조직 방식과 노동 형태의 변화를 다루며, 구체적인 변화 양상을 전문적인 용어를 활용하여 설명하고 있다. 이 글은 기업들이 정보 기술을 도입하는 데 투자를 하고 있으며, 그 결과 기업의 하부 조직이 의사 결정권을 지니고 조직의 운영을 자유롭게 할 수 있는 구조로 변해 가고 있는 현상을 서술하고 있다. 또한 정보 기술이 노동의 형태에도 유동성을 가져다 주고 있음을 설명하고, 일터의 변화를 이끌어 내는 데 정보 기술이 중요한 역할을 할 것이라고 전망하고 있다.

| 주제 |
새로운 정보 기술이 가져올 기업 조직과 노동 형태의 변화

05 사실적 사고

(나)에 따르면 생산부터 판매까지의 과정을 자동화하는 것은 공장, 창고, 물류망, 판매점 등 기업 내부의 영역을 대상으로 할 뿐, 협력 기업에 대한 정보망을 필요로 하지 않는다. 공급 사슬 관리와 같은 협력 기업에 대한 정보망은 한 기업의 네트워크를 구축한 후 외부와 추가적으로 연계할 수 있는 정보망이다.

오답 풀이

❶ (가)의 '정보 기술에 대한 투자가 하나의 모방이나 유행에 지나지 않을 것이라고 지적하기도 한다. 그러나 정보화가 기업의 효율성 향상에 긍정적 영향을 미친다는 사실은 경험적으로 확인되고 있다.'에서 알 수 있다.
❸ (나)의 '인간의 육체노동을 자동화 기계로 대체하는 초보적인 단계를 거쳐'에서 알 수 있다.
❹ (다)의 '새로운 정보 기술이 도입된다고 해서 기업의 운영 방식이나 조직 방식이 전적으로 바뀌는 것은 아니다. 기업의 모습은 정보 기술 외에도 정치, 경제, 제도, 인적 요인들에 의해 달라지기 때문이다.'에서 알 수 있다.
❺ (라)의 '프로젝트팀이나 태스크포스 등과 같은 비공식 조직을 만들어 공식 조직과 공존하도록 하는 경우도 늘고 있다.'에서 알 수 있다.

06 추론적 사고

새로운 정보 기술이 도입되어 일어나는 변화인 권한의 하부 이양, 팀제 중심의 의사 결정과 새로운 노동 형태의 등장은 거대 조직보다는 소규모 조직의 민첩성을 향상시켜 줄 것이다. ④도 정보의 빠른 유통에 대응하기 적합한 소규모의 팀으로 사업을 진행해야 할 것을 말하고 있으므로 글쓴이의 관점에 부합한다.

오답 풀이

❶ 글쓴이는 정보 기술에 대해 긍정적인 평가를 내리고 있지만, 미래에 여가 중심의 삶을 살아가게 될 것이라는 입장을 밝히고 있지 않다.
❷ 기업의 정보화로 인하여 전통적인 업무 방식이 무시되고 근로자의 능력이 저하될 것이라는 내용은 정보 기술에 대한 이 글의 긍정적 시각과 대비되므로 적절하지 않다.
❸ 정보 기술의 발달로 노동을 하는 시·공간의 유동성이 증가한다는 내용이 이 글에 제시되어 있으나, 근로자의 근무 시간이나 업무 비중과의 관계는 파악할 수 없다.
❺ 권한을 하부로 이양했을 경우에 생길 수 있는 문제점으로, 정보 기술에 대한 이 글의 긍정적 시각과 대비된다.

07 어휘·어법

ⓐ의 '생기다'는 '없던 것이 새로 있게 되다.'라는 의미이고, ⓑ의 '일다'는 '없던 현상이 생기다.'라는 의미로 ⓐ와 ⓑ의 관계는 유의 관계에 해당한다. ⑤의 '허다하다'는 '수효가 매우 많다.'라는 의미이고, '숱하다'는 '아주 많다.'라는 의미로 유의 관계에 해당한다. 나머지는 모두 반의 관계에 해당한다.

오답 풀이

❶ '세다'는 '사물의 감촉이 딱딱하고 뻣뻣하다.'라는 의미이고, '여리다'는 '단단하거나 질기지 않아 부드럽거나 약하다.'라는 의미이므로 서로 반대된다.
❷ '받다'는 '공중에서 밑으로 떨어지거나 자기 쪽으로 향해 오는 것을 잡다.'라는 의미이고, '던지다'는 '손에 든 물건을 다른 곳에 떨어지게 팔과 손목을 움직여 공중으로 내보내다.'라는 의미이므로 서로 반대된다.
❸ '당기다'는 '물건 따위를 힘을 주어 자기 쪽이나 일정한 방향으로 가까이 오게 하다.'라는 의미이고, '늦추다'는 '바싹 하지 아니하고 느슨하게 하다.'라는 의미이므로 서로 반대된다.
❹ '오르다'는 '사람이나 동물 따위가 아래에서 위쪽으로 움직여 가다.'라는 의미이고, '내려가다'는 '높은 곳에서 낮은 곳으로 또는 위에서 아래로 가다.'라는 의미이므로 서로 반대된다.

08 추론적 사고

ㄱ은 자기 업무와 관련된 노하우를 리포트로 작성하여 제출한 것으로 노동자가 체화하고 있던 각종 지식과 방법을 디지털화하여 정보 형태로 관리하기 위한 '지식 관리 시스템'의 사례에 해당한다. ㄴ은 사무실에 좌석이 지정되어 있지 않으며, 사원 모두 지급된 노트북을 가지고 빈자리 어디서든 업무를 보게 된다는 것으로 보아, 필요한 시간에 원하는 자리를 임의대로 사용할 수 있는 '모바일 오피스'의 사례에 해당한다.

오답 풀이

❶, ❷ '공장 자동화'는 공장에서 인간의 육체노동을 자동화 기계로 대체하는, 정보 기술의 초보적인 단계로 〈보기〉의 사례와는 관련이 없다. '공급 사슬 관리'는 물류의 흐름을 하나의 사슬이라는 관점에서 파악하고, 필요한 정보가 원활히 흐르도록 협력 업체까지 연계된 정보망을 구축하여 지원하는 시스템으로 〈보기〉의 사례와는 관련이 없다.
❹, ❺ '유연 근무제'는 근무자가 여건에 따라 근무 시간과 형태를 조절하는 근무 제도로 〈보기〉의 사례와 관련이 없다.

[09~12] 과학
테셀레이션

| 해제 |
이 글은 수학의 한 영역인 테셀레이션의 개념을 소개한 후 그 원리를 분석하여 소개하고 있다. 테셀레이션은 도형과 도형의 이동에 의해 공간을 채워 나가는 것을 의미하는데, 그 조건은 빈틈이 없어야 한다는 것이다. 이 글에서는 테셀레이션을 하나의 정다각형으로 만들 수 있는 정다각형 테셀레이션, 두 가지 이상의 정다각형으로 만들 수 있는 반정규 테셀레이션, 정다각형이 아닌 도형의 이동을 통해 평면을 채우는 도형 이동에 의한 테셀레이션으로 분류하고 각각의 원리를 설명하고 있다.

| 주제 |
테셀레이션의 이해

09 사실적 사고
(나)에서 테셀레이션이 가능한 정다각형은 정삼각형, 정사각형, 정육각형의 세 가지뿐이라고 설명하였는데, 각각의 내각의 크기는 정삼각형이 60°, 정사각형이 90°, 정육각형이 120°로, 내각의 합이 각각 180°, 360°, 720°가 되어 그 값이 모두 다르다. 또한 (다)에서 테셀레이션은 꼭짓점에 모인 도형의 내각의 합이 360°라고 하였으므로, 테셀레이션이 가능한 도형의 내각의 합이 모두 동일하다는 ④의 설명은 적절하지 않다.

오답 풀이
❶ (가)에서 테셀레이션은 고대에서부터 사용한 건축 장식 방법으로 지금까지도 널리 이용되고 있음을 제시하고 있으므로 생활 장식에 많이 활용되고 있다는 설명은 적절하다.
❷ (나)에서 테셀레이션이 가능한 정다각형은 정삼각형, 정사각형, 정육각형의 세 가지뿐이라고 제시하고 있으므로 적절하다.
❸ (마)에서 도형의 이동에 의한 테셀레이션이 있다고 하였다.
❺ (가)에서 테셀레이션은 마루나 욕실 바닥에 깔려 있는 타일처럼 어떠한 틈이나 포개짐 없이 평면이나 공간을 도형으로 완벽히 덮는 것이라고 하였다.

더 알아두기 건축 장식
테셀레이션으로 장식을 한 가장 유명한 건축물은 스페인 그라나다의 알함브라 궁전을 들 수 있다. 이슬람 시대에 건립된 궁전의 마루, 벽, 천장에 테셀레이션이 되어 있는 반복적인 문양들은 세계적인 디자이너들에게 많은 영감을 주었다. 수많은 테셀레이션 작품을 남긴 에셔(Escher, 1898~1972)에게 이 궁전은 작품의 원천이자 일생을 바친 주제이기도 했다.

10 추론적 사고
(다)에서 정다각형에 의한 테셀레이션이 되려면 한 꼭짓점에 모인 도형의 내각의 합이 360°이어야 한다고 하였다. 하지만 ㉠의 정오각형은 내각의 크기가 108°로 360의 약수가 아니고(ㄱ), 그 때문에 몇 개의 도형이 모여도 꼭짓점에 모인 도형의 내각의 크기가 360°를 이룰 수 없어 모든 도형이 하나의 꼭짓점에 모이지 않는다(ㄴ).

오답 풀이
ㄷ. (나)에서 정다각형 중에서 정삼각형, 정사각형, 정육각형은 테셀레이션이 가능하다고 하였다. 따라서 정오각형이 정다각형이 아니기 때문에 테셀레이션이 불가능하다는 설명은 적절하지 않다.
ㄹ. (마)에서 도형의 이동에 의한 테셀레이션은 회전 이동, 평행 이동, 대칭 이동의 세 가지 방법에 의해서 가능하다고 하였다. 그런데 도형의 이동에 의한 테셀레이션은 정다각형이 아닌 도형의 경우에 사용하는 방법이므로 정오각형에 대한 설명으로는 적절하지 않다.

11 추론적 사고
〈보기〉의 Ⓐ에는 빨간색, 파란색, 노란색의 동물들의 좌우가 거울에 반사된 것처럼 보이는 '대칭 이동'이 나타나고, Ⓑ에는 흰색과 하늘색의 새들이 각각 좌측과 우측으로 위치만 이동하는 '평행 이동'이 나타난다. 그리고 Ⓒ에는 도마뱀이 하나의 중심에서 여러 각도로 이동하는 '회전 이동'이 나타난다.

12 어휘·어법
〈보기〉와 이 글에서 ⓐ '꼭짓점'은 순우리말과 한자어로 된 합성어로 앞말이 모음으로 끝나고 뒷말의 첫소리가 된소리로 나기 때문에 사이시옷을 받치어 적는다고 하였다. ③의 '귓병'은 '귀'라는 순우리말과 '병(病)'이라는 한자어의 합성어이고, 앞말인 '귀'가 모음 'ㅟ'로 끝나며 뒷말 '병'이 된소리 [뼝]으로 발음되므로 사이시옷을 받치어 적어야 한다.

오답 풀이
❶ '햇볕'은 앞말이 모음으로 끝나고 뒷말의 첫소리가 된소리로 나기 때문에 사이시옷을 받치어 적어야 하는 예이다. 그러나 순우리말인 '해'와 '볕'으로 이루어진 합성어이므로 ⓐ와는 유사하지 않다.
❷ '숫자'는 한자어이지만 앞 글자의 모음 뒤에서 뒤 글자의 첫소리가 된소리로 나는 경우 사이시옷을 붙여 적기로 한 예외의 경우이다.
❹ '제삿날'은 한자어 '제사'와 순우리말인 '날'로 이루어진 합성어이지만, 뒷말의 첫소리 'ㄴ' 앞에서 'ㄴ' 소리가 덧나는 경우이다.
❺ '아랫니'는 순우리말인 '아래'와 순우리말인 '니(이)'의 합성어로, 뒷말의 첫소리 'ㄴ' 앞에서 'ㄴ' 소리가 덧나는 경우이다.

[13~16] 기술
바이오매스와 수소 에너지

| 해제 |
이 글은 대체 에너지로서의 바이오매스의 개념을 밝히고, 이를 에너지로 사용하기 위한 예로 혐기성 세균에 의한 수소 발생 기술을 제시하고 있다. 글쓴이는 혐기성 세균에 의한 수소 생산의 장점을 들며 바이오매스 자원의 에너지화를 통한 미래를 낙관적으로 전망하고 있다.

| 주제 |
혐기 발효에 의한 수소 생산을 통한 바이오매스 자원의 에너지화

13 사실적 사고

ⓒ는 호수 깊은 바닥의 진흙 속 환경을 가리키는 것으로, 이곳은 빛이 들지 않을 뿐 아니라 산소도 없기 때문에 혐기성 세균이 유기물을 발효하여 수소 가스를 발생시킨다고 하였다. 따라서 이산화탄소를 배출한다는 내용은 적절하지 않다.

오답 풀이

❶ ⓐ는 호수 윗부분을 가리키며, 미생물이 충분한 빛을 받아 주로 광합성을 통해 물을 산화하여 산소를 발생하고 유기물을 합성한다고 하였다.

❷ ⓐ는 호수 윗부분으로 시아노박테리아와 녹색 조류 등이 자라며, 호기성 성장을 한다고 하였으므로 호기성 세균이 서식한다는 설명은 적절하다.

❸ ⓑ는 호수 아랫부분으로 파장이 긴 빛만이 일부 투과하기 때문에 광합성 미생물인 홍색 유황 세균이 자란다고 하였다.

❺ ⓒ는 호수 깊은 바닥의 진흙 속을 가리키며, 빛이 들지 않을 뿐 아니라 산소도 없기 때문에 혐기성 세균이 주로 서식한다고 하였다.

14 사실적 사고

이 글에서는 바이오매스 자원을 에너지화하여 이롭게 활용하는 방안으로, 혐기성 세균의 발효 과정을 이용하여 수소를 생산해 내는 방법을 설명하고 있다. 따라서 바이오매스 자원을 줄인다는 것은 이 글의 내용과 거리가 멀다.

오답 풀이

❶ (가)에서는 광합성에 의하여 생성되는 다양한 조류 및 식물 자원을 일컬어 말했던 바이오매스의 개념이, 근래에는 광범위한 의미로 확장되어 각종 유기성 산업 침전물, 음식 및 농수산에서 발생하는 쓰레기, 축산 분뇨 등의 유기성 폐자원도 모두 바이오매스 자원으로 인식하고 있다고 하였다.

❷ (라)에서 혐기성 세균에 의한 수소량은 어떠한 유기산이 생성되는가에 따라 차이가 있지만, 이론적인 수소 발생 가능한 양의 약 33%에 불과하다고 설명하고 있으므로 실제 수소 발생량이 이론보다 적음을 알 수 있다.

❸ (나)를 살펴보면 생물학적 수소 생산 기술에 사용되는 원료 물질이 물, 유기물, 가스로 크게 구분이 되는데 그중 유기물로부터 수소를 생산해 내는 방법 중 하나가 혐기성 세균의 발효 과정을 이용한 것이라고 설명하고 있다. 따라서 미생물(혐기성 세균)을 이용한 수소 생산 기술의 원료 물질이 유기물이라는 설명은 적절하다.

❺ (라)에서 혐기 발효 세균이 미생물 내부에 있는 자가 증식형 수소 생산 메커니즘을 이용하여 수소를 생산하기 때문에 별도의 태양광 이용 전환 장치 등이 불필요하다고 설명하고 있다.

15 비판적 사고

이 글에서는 바이오매스 자원의 에너지화로 혐기성 세균에 의한 수소 생산 기술을 들며, 수소 에너지의 장점을 설명하였다. 〈보기〉의 내용 역시 선진국들이 미래의 대체 에너지 역할을 할 수소 에너지를 연구 개발하고 있다는 것이므로, 선진국들이 수소 에너지를 뛰어넘는 대체 에너지를 개발한다는 의견은 적절하지 않다.

오답 풀이

❶ 혐기성 세균은 유기성 폐자원의 환경에서 발효하여 수소를 생산하므로, 유기성 폐자원이 중요한 자원의 개념으로 인식될 수 있다.

❸ 이 글과 〈보기〉를 통해 수소는 무제한으로 순환되는 에너지이므로 고갈의 염려가 없는 청정 무한 에너지원임을 알 수 있다.

❹ 미국, 일본 등이 수소 생산 기술과 관련한 연구 개발에 박차를 가한다는 〈보기〉의 내용을 통해 추리할 수 있다.

❺ 수소는 지구 온난화 가스의 발생을 최소화시키는 청정 무한 에너지원이라는 내용이 〈보기〉에 제시되어 있다.

16 어휘·어법

용언이 활용하는 과정에서 어간의 받침 'ㄷ'이 모음 앞에서 'ㄹ'로 바뀌는 현상은 의미의 변화를 가져오는 것이 아니라, 단지 문법적인 기능을 할 뿐이므로 다양한 의미 변화에 유의해야 한다는 설명은 적절하지 않다.

오답 풀이

❶ ㉠은 〈보기〉에서 제시한 맞춤법인 '어간 끝 받침 'ㄷ'이 모음 앞에서 'ㄹ'로 바뀌어 나타나는 경우, 바뀐 대로 적는다.'를 반영하여 '일컫다'가 '일컬어'로 바뀐 것이므로 맞춤법에 맞는 표현이다.

❷ ㉠의 '일컬어'는 여러 종류의 식물 자원들을 가리켜 바이오매스라고 말하고 있다. 따라서 문맥상으로 볼 때 「2」의 '가리켜 말하다.'의 의미로 쓰이고 있다.

❹ '일컫다'라는 동사 원형이 어미의 변화 없이 현재형인 '일컫는다'로 쓰였으므로 올바른 표기이다.

❺ ㉡의 '일컫는다'는 혐기적으로 배양하는 것을 '발효'라고 정의하고 있으므로, 문맥상으로 볼 때 「1」의 '이름 지어 부르다.'의 의미로 쓰이고 있다.

[17~20] 예술
음악의 화이부동

| 해제 |

이 글은 서양 음악과 동양 음악의 차이와, 똑같은 음악을 느끼는 감흥이 문화마다 다름을 통해 기존과는 다른 새로운 관점으로 음악을 바라봐야 한다는 글쓴이의 주장을 담고 있다. 글쓴이는 일화를 제시하여 독자들의 호기심을 유발하고, 권위자의 말을 인용하여 자신의 생각을 뒷받침하고 있다.

| 주제 |

사회·문화와 조율해서 만들어지는 음악의 아름다움

17 사실적 사고

(나)에서 서양 음악에서는 음정, 리듬, 박자 등 기본적인 음악 요소들의 정확성을 추구하기 위해 교향곡이 시작되기 전에 모든 악기를 동일한 음으로 조율한다고 하였다. 또한 (다)에서 동양 음악에서는 각각의 악기들이 서로 다른 음정 안에서 한 음을 끌어내는 과정 자체가 음악이라고 하며, 합주에서 연주자들이 서로 함께 연주하는 이들의 소리에 귀를 기울이며 호흡을 맞춘다고 하였다.

오답 풀이

❶ 이슬람 문화권에서는 예배를 할 때 부르는 노래를 음악이 아니라 시로 여기고, 미국 남부의 일부에서는 악기들의 연주만을 음악으로 간주한다고 하였다. 이는 각 문화에 따라 음악에 대한 인식이 다른 예로, 동양 음악과 서양 음악을 대조하는 내용으로는 적절하지 않다.

❷ 동양과 서양의 구분 없이 음악을 '예술을 위한 예술'로 보던 기존 관점에서 탈피해 이제는 음악을 문화와 사회의 틀 안에서 분석할 수 있게 되었다고 하였다.

❸ 동양의 음악이 그 민족에게만 감흥을 주면 된다는 것은 이 글에 제시되어 있지 않다. 글쓴이는 동서양의 음악을 떠나 기존에는 음악이 모든 문화권의 사람들에게 동일한 감흥을 불러일으킬 수 있다고 생각하였는데, 이제는 문화와 사회의 틀 안에서 음악을 바라봐야 한다고 말하고 있다.

❺ 각각의 악기들이 서로 다른 음정 안에서 한 음을 끌어내는 과정 자체가 음악이라고 생각하는 것은 서양의 음악관이 아닌 동양의 음악관이다.

18 추론적 사고

서양의 음악가들이 아프리카의 한 부족에게 바흐의 단조곡을 들려주었을 때는 자신들이 그 곡을 듣고 슬픔을 느낀 것처럼 그들도 동일한 정서를 느낄 것이라고 판단했을 것이다. 그러나 이 노래를 들은 아프리카 부족은 아무런 감흥을 느끼지 못했다. 아프리카 사람들이 단조의 곡을 듣고도 서양인들이 느낀 슬픔을 느끼지 못한 것은 그들이 장단조가 있는 음악 체계를 경험해 보지 못했기 때문이지, 아프리카 사람들에게 문화가 없어서가 아니다.

오답 풀이

❶ 이 글의 앞부분인 (가)에서는 서양 음악을 처음 접한 동양 음악가의 일화를 제시하여 독자의 흥미를 불러일으키고 있다.

❷, ❹ (라)~(마)에서 글쓴이는 동서양의 음악뿐만 아니라 아프리카 부족, 이슬람 문화권, 유고슬라비아의 마케도니아 부족들, 미국 남부의 일부 침례교도들의 사례를 들어 다양한 음악관을 보여 주었다.

❺ (바)에서 글쓴이는 진정한 음악이란 소리와 사회, 문화가 서로에게 맞추며 조율해서 만들어지는 것이라고 하였다.

19 추론적 사고

이 글에서는 동서양 음악의 차이점과 일반적으로 우리가 생각하는 음악에 대한 개념이 문화권에 따라 다른 몇몇 사례들을 제시하여, 음악이 인류에게 보편적으로 적용된다는 관점에 대해 문제를 제기하고 있다. 이러한 논지는 자신(혹은 자신이 속한 사회)에게는 가치 있는 문화적 환경이 다른 사람(혹은 그 사람이 속한 사회)에게는 무가치한 것이 될 수 있음을 말하는 규범적 상대주의와 맥락을 함께 한다고 볼 수 있다.

오답 풀이

❶, ❸ 동서양과 문화권에 따라 다른 음악 세계를 가지고 있음을 사례를 통해 제시하고 있지만, 진리를 선택·판단하고 있지는 않으며 자신의 입장만을 고집하는 모습도 제시되어 있지 않다.

❹ 글쓴이는 각 문화권은 나름의 독특한 음악 체계와 음악에 대한 개념을 세우고 있다며 다양성을 인정하고 있다. 그러나 이 글에서 이로 인해 갈등하는 모습은 제시되어 있지 않다.

❺ 이 글의 글쓴이는 한 개인이나 사회에 있어서 진리인 것이 다른 사람이나 사회에서는 무가치한 것이 될 수 있다고 보고 있을 뿐, 인간 사회의 화합과 조화를 이야기하고 있지는 않다.

20 어휘·어법

ⓔ '제가끔'의 사전적 의미는 '저마다 따로따로'이다. '시간적·공간적 간격이 얼마쯤씩 있게'를 뜻하는 단어는 '가끔'이므로, ⑤는 적절하지 않다.

memo

memo

실전과 기출문제를 통해 어휘와 독해 원리를 익히며 단계별로 단련하는 수능 학습!

대표전화 1544-0554
주소 서울특별시 구로구 디지털로33길 48 대륭포스트타워 7차 20층

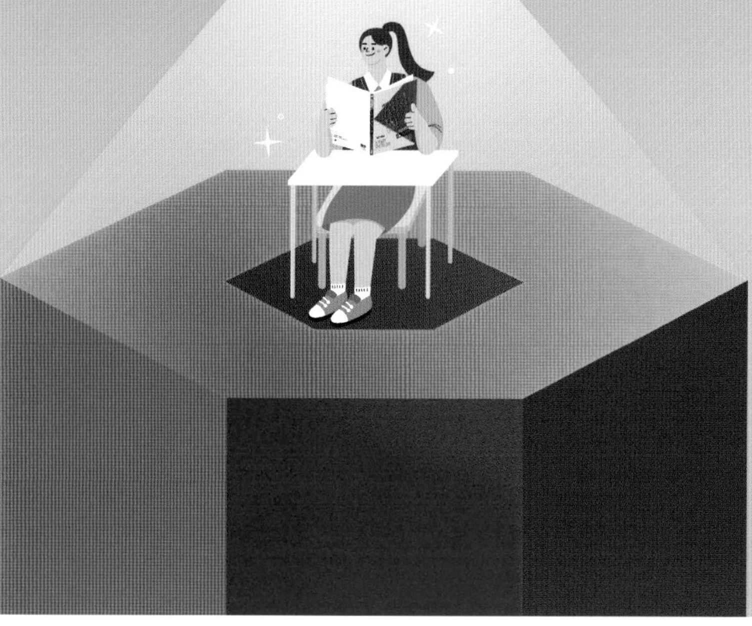

지금
필수

비상 독해路

수능 국어 1등급

초등3~예비 중등
본격적으로 학습 독해 실력을 쌓아요

예비 중등~중등3
독해 전략을 바탕으로 독해력을 강화해요

예비 고등~고등3
수능 개념을 바탕으로 실전 감각을 길러요

중등 수능 독해

실전과 기출문제를 통해 어휘와 독해 원리를 익히며 단계별로 단련하는 수능 학습!

비상교육 누리집에 방문해보세요

http://book.visang.com/

발간 이후에 발견되는 오류 비상교재 누리집 〉 학습자료실 〉 중등교재 〉 정오표

본 교재의 정답 비상교재 누리집 〉 학습자료실 〉 중등교재 〉 정답 • 해설

교재 설문에 참여해보세요

QR 코드 스캔하기 → 의견 남기기 → 선물 받기!

ISBN 979-11-6609-154-4

정가 12,000원

품질혁신코드 VS01QI23_5